SERMONS
SUR LE CANTIQUE

ŒUVRES COMPLÈTES

XIV

La foi de nos contemporains a besoin d'être nourrie non seulement par la connaissance de l'Écriture mais aussi par celle des Pères de l'Église et de ses grands propagateurs à l'époque médiévale.

La Fondation Lefort-Beaumont, engagée dans les projets de restauration de l'Abbaye de Clairvaux, est honorée d'avoir pu aider à la publication de cet ouvrage qui va contribuer à rendre plus accessible l'œuvre de Saint Bernard.

Guy de LAPORTE

SOURCES CHRÉTIENNES

N° 511

BERNARD DE CLAIRVAUX

SERMONS
SUR LE CANTIQUE
Tome V
(Sermons 69-86)

TEXTE LATIN DES *S. BERNARDI OPERA* PAR

J. LECLERCQ, H. ROCHAIS ET CH. H. TALBOT

PRÉFACE
Michel ZINK, *membre de l'Institut*

INTRODUCTION ET NOTES

Paul VERDEYEN, s.j.
Professeur à l'Université d'Anvers

TRADUCTION

Raffaele FASSETTA, o.c.s.o.
Moine de Notre-Dame de Tamié

INDEX
Abbaye Sainte-Marie de Boulaur, o.cist.

*Ouvrage publié avec le concours du Centre National
du Livre et de la Fondation Lefort-Beaumont*

LES ÉDITIONS DU CERF, 29, Bd LA TOUR-MAUBOURG, PARIS 7ᵉ
2007

La publication de cet ouvrage a été préparée avec le concours de l'Institut des « Sources Chrétiennes » (UMR 5189 du Centre National de la Recherche Scientifique).

http://www.sources-chretiennes.mom.fr

AVANT-PROPOS

Dans cette édition du cinquième tome des *Sermons sur le Cantique* de Bernard de Clairvaux, l'introduction et l'annotation reviennent au P. Paul VERDEYEN, s.j., et la traduction au P. Raffaele FASSETTA, o.c.s.o., de l'abbaye Notre-Dame de Tamié. L'apparat scripturaire est issu de la collaboration entre Sr Marie-Imelda HUILLE, o.c.s.o., moniale de l'abbaye Notre-Dame d'Igny, M. Jean FIGUET et Raffaele FASSETTA ; l'annotation biblique (notes signalées par un astérisque) a été assurée par Jean FIGUET, avec la collaboration du P. Dominique GONNET, s.j., et de Mme Laurence MELLERIN. Les index des noms propres et des *realia* ainsi que l'index thématique sont l'œuvre des cisterciennes de l'abbaye Sainte-Marie de Boulaur, o. cist. Le P. Bernard de VREGILLE, s.j., a revu la traduction. Paul VERDEYEN a assuré la relecture de l'ensemble.

La révision et la mise au point définitive de ce volume ont été réalisées à l'Institut des Sources Chrétiennes par Dominique GONNET et Laurence MELLERIN.

Sources Chrétiennes

NOTE SUR L'ÉDITION
DES ŒUVRES COMPLÈTES
DE BERNARD DE CLAIRVAUX

Mise en œuvre à la demande du Centre des Textes Cisterciens, qui dépend de la conférence des Pères abbés et Mères abbesses francophones de l'Ordre Cistercien de la Stricte Observance, la présente édition des Œuvres de Bernard de Clairvaux, avec traduction française, est réalisée sur les bases suivantes.

Le texte original est repris de l'édition critique des *Sancti Bernardi Opera,* procurée par dom Jean Leclercq, assisté de MM. Henri Rochais et Charles H. Talbot, et publiée en huit tomes par le Saint Ordre de Cîteaux, de 1957 à 1977, à Rome, aux Éditions Cisterciennes. A partir du volume n° 393 de la Collection *Sources Chrétiennes,* le latin est imprimé sur la base de la saisie informatique réalisée par le Centre de Traitement Électronique des Documents (CETEDOC) de Louvain-la-Neuve, désormais prise en charge par le Centre « Traditio Litterarum Occidentalium » (CTLO) de Turnhout sous la direction du Professeur Paul Tombeur.

Depuis sa parution, ce texte a bénéficié de corrections. Une première série d'errata, colligés par Jean Leclercq lui-même, est à la disposition du public dans le tome 4 du *Recueil d'études sur saint Bernard et ses écrits* (Rome 1987, p. 409-418). Une seconde série, moins longue, a été établie par le CETEDOC en vue de la préparation du *Thesaurus sancti Bernardi Claraevallensis,* paru chez Brepols, à Turnhout (*series A - Formae,* 1987 ; *series B - Lemmata,* 2001). Pour certaines œuvres, en particulier les traités, un dernier apport provient des notes critiques dues à dom Denis Farkasfalvy et parues pour la plupart dans le tome 1 de l'édition en langue allemande des *Sämtliche Werke* de Bernard de Clairvaux (Innsbruck 1990), en appendice à chaque œuvre traduite. L'édition des *Sources Chrétiennes* profite de ces amendements. La pagination de l'édition critique est indiquée dans la marge du texte latin ; la linéation est nouvelle.

L'apparat critique n'est pas reproduit, les principes d'édition étant rappelés dans l'introduction à chacune des œuvres ; les variantes qui ont paru davantage liées au sens du texte ont été signalées dans l'annotation. D'autre part, l'apparat des citations scripturaires a été repris, accru et modifié dans sa présentation ; dans la mesure du possible, on a précisé les sources de ces citations : Vulgate, Pères de l'Église, Liturgie, Règle de saint Benoît. Certaines notes, marquées d'un astérisque, explicitent des références scripturaires.

A la fin de chacune des œuvres sont donnés les index habituels : index des citations scripturaires et, s'il y a lieu, index des noms de personnes et de lieux, index des mots ; celui-ci, étant donné le caractère exhaustif des relevés du *Thesaurus sancti Bernardi Claraevallensis,* se limite à un choix de thèmes avec lemmes (en français dans l'index des noms propres).

Sur la page ci-contre figure le plan d'édition des *Œuvres complètes* de Bernard de Clairvaux aux *Sources Chrétiennes.* Quelques modifications ne peuvent manquer de survenir, concernant les années prévues pour les parutions. Dans la colonne « Paru » est indiqué en coefficient, après la date, le numéro du tome paru cette année-là.

On trouvera sur le site internet des *Sources Chrétiennes* (www.sources-chretiennes.mom.fr) des index reprenant et complétant ceux de l'édition papier, les errata des volumes parus ainsi qu'une version mise à jour du tableau de la série bernardine.

LA SÉRIE BERNARDINE DANS LA COLLECTION « SOURCES CHRÉTIENNES »

N° SC	N° série bernardine	Ouvrages	Date envisagée	Paru
380	I	Introduction générale		1992
425, 458	II-IX	Lettres	2008-2011	1997[1]-2001[2]
414, 431, 452, 472, 511	X-XIV	Sermons sur le Cantique		1996[1]-1998[2]-2000[3]-2003[4]-2007[5]
480, 481	XV-XIX	Sermons pour l'année	2007-2010	2004[1.1 et 1.2]
390	XX	A la louange de la Vierge Mère		1993
457	XXI	Le Précepte et la Dispense. La Conversion		2000
496	XXII-XXIV	Sermons divers	2007-2008	2006
–	XXV-XXVII	Sentences. Paraboles	2008-2009	–
–	XXVIII	Les Degrés de l'humilité et de l'orgueil. Sermons variés	2009	–
393	XXIX	L'Amour de Dieu. La Grâce et le Libre Arbitre		1993
–	XXX	L'Apologie. Office de saint Victor. Prologue de l'Antiphonaire	2008	–
367	XXXI	Éloge de la nouvelle chevalerie. Vie de saint Malachie. Épitaphe. Hymnes		1990
–	XXXII	La Considération	2008	–

SIGLES ET ABRÉVIATIONS

Œuvres de Bernard de Clairvaux[1]

Abb	Sermon aux abbés (S. pour l'année)	*SBO* V
AdvA	Sermons pour l'Avent (S. pour l'année)	*SC* 480 - *SBO* IV
AdvV	Sermon pour l'Avent (S. Variés)	*SBO* VI-1
Alt	Sermons pour l'élévation et l'abaissement du cœur (S. pour l'année)	*SBO* V
AndN	Sermons pour la fête de saint André (S. pour l'année)	*SBO* V
AndV	Sermon pour la Vigile de saint André (S. pour l'année)	*SBO* V
Ann	Sermons pour l'Annonciation (S. pour l'année) ..	*SBO* V
Ant	Prologue à l'Antiphonaire	*SBO* III
Apo	Apologie à l'abbé Guillaume	*SBO* III
Asc	Sermons pour l'Ascension (S. pour l'année) ...	*SBO* V
AssO	Sermon pour le dimanche après l'Assomption (S. pour l'année)	*SBO* V
Assp	Sermons pour l'Assomption (S. pour l'année) ...	*SBO* V
Ben	Sermon pour la fête de saint Benoît (S. pour l'année)	*SBO* V
BenV	Second Sermon pour la fête de saint Benoît (S. Variés)	*CollCist* 60 (1998), p. 72-85

1. En ce qui concerne les œuvres de Bernard de Clairvaux, la présente liste reprend celle du *Thesaurus SBC*, p. XXIII, avec quelques minimes simplifications : suppression d'une abréviation spéciale pour les trois lettres 42, 77 et 190, suppression des astérisques marquant les différences avec la liste de Leclercq, *Recueil*, t. 3, p. 9-10 ; en outre *Con+* et *Par+* ont été normalisés en *Conv** et *Par**.

Circ   Sermons pour la Circoncision
(S. pour l'année) .... *SC* 481 - *SBO* IV

Clem   Sermon pour la fête de saint Clément
(S. pour l'année) .... *SBO* V

Conv   Aux clercs sur la conversion .... *SC* 457 - *SBO* IV

*Conv** Aux clercs sur la conversion (version courte) ... *SBO* IV

Csi   La Considération .... *SBO* III

Ded   Sermons pour la dédicace de l'église
(S. pour l'année) .... *SBO* V

Dil   L'Amour de Dieu .... *SC* 393 - *SBO* III

Div   Sermons divers .... *SC* 496... - *SBO* VI-1

Doni   Sermon sur les sept dons du Saint-Esprit
(S. Variés) .... *SBO* VI-1

Ep   Lettres .... *SC* 425, 458... - *SBO* VII-VIII

EpiA   Sermons pour l'Épiphanie (S. pour l'année) *SC* 481 - *SBO* IV

EpiO   Sermon pour l'octave de l'Épiphanie
(S. pour l'année) .... *SC* 481 - *SBO* IV

EpiP   Sermons pour le Ier dimanche après l'octave de
l'Épiphanie (S. pour l'année) .... *SC* 481 - *SBO* IV

EpiV   Sermon pour l'Épiphanie (S. Variés) .... *SBO* VI-1

Gra   La Grâce et le Libre Arbitre .... *SC* 393 - *SBO* III

HM4   Sermon pour le mercredi de la Semaine sainte
(S. pour l'année) .... *SBO* V

HM5   Sermon pour la Cène du Seigneur
(S. pour l'année) .... *SBO* V

Hum   Les Degrés de l'humilité et de l'orgueil ...... *SBO* III

Humb   Sermon pour la mort d'Humbert
(S. pour l'année) .... *SBO* V

Inno   Sermon pour les fêtes de saint Étienne,
de saint Jean et des saints Innocents
(S. pour l'année) .... *SC* 481 - *SBO* IV

JB   Sermon pour la Nativité de saint Jean-Baptiste
(S. pour l'année) .... *SBO* V

Lab	Sermons lors du travail de la moisson (S. pour l'année)	*SBO* V
MalE	Épitaphe de saint Malachie	*SC* 367 - *SBO* III
MalH	Hymne de saint Malachie	*SC* 367 - *SBO* III
MalS	Sermon sur saint Malachie (S. Variés)	*SC* 367 - *SBO* VI-1
MalT	Sermon lors de la mort de Malachie (S. pour l'année)	*SC* 367 - *SBO* V
MalV	Vie de saint Malachie	*SC* 367 - *SBO* III
Mart	Sermon pour la fête de saint Martin (S. pour l'année)	*SBO* V
Mich	Sermons pour la commémoration de saint Michel (S. pour l'année)	*SBO* V
Mise	Sermon sur les miséricordes du Seigneur (S. Variés)	*SBO* VI-1
Miss	A la louange de la Vierge Mère (S. sur Missus est)	*SC* 390 - *SBO* IV
Nat	Sermons pour Noël (S. pour l'année)	*SC* 481 - *SBO* IV
NatV	Sermons pour la Vigile de Noël (S. pour l'année)	*SC* 480 - *SBO* IV
NBMV	Sermon pour la Nativité de la Bienheureuse Vierge Marie (S. pour l'année)	*SBO* V
Nov1	Sermons pour le dimanche qui précède le 1er novembre (S. pour l'année)	*SBO* V
OS	Sermons pour la Toussaint (S. pour l'année)	*SBO* V
Palm	Sermons pour le dimanche des Rameaux (S. pour l'année)	*SBO* V
Par	Paraboles	*SBO* VI-2
Par*	Paraboles (*ASOC* et *Cîteaux*)	
Pasc	Sermons pour la résurrection du Seigneur (S. pour l'année)	*SBO* V
PasO	Sermons pour l'octave de Pâques (S. pour l'année)	*SBO* V
Pent	Sermons pour la Pentecôte (S. pour l'année)	*SBO* V

Ouvrages, revues, séries

AB	*Analecta Bollandiana,* Bruxelles
ACist	*Analecta Cisterciensia,* Rome, continuation d'*ASOC*
AnMon	*Analecta Montserratensia,* Montserrat
Antiphonaire sanctoral	*Un Antiphonaire cistercien pour le sanctoral : XIIe siècle* (fac-simile du ms BNF, *N.A.Lat.* 1412), introd., table, index par Claire Maître, Poitiers 1999
Antiphonaire temporal	*Un Antiphonaire cistercien pour le temporal : XIIe siècle* (fac-simile du ms BNF, *N.A.Lat.* 1411), introd., table, index par Claire Maître, Poitiers 1998
ASOC	*Analecta Sacri Ordinis Cisterciensis,* Rome
ASS	*Acta Sanctorum,* Bruxelles
Auberger, *Unanimité*	J.-B. Auberger, *L'Unanimité cistercienne primitive, mythe ou réalité ?,* Achel 1986
BA	*Bibliothèque Augustinienne,* Paris
BdC	Colloque de Lyon-Cîteaux-Dijon, *Bernard de Clairvaux : histoire, mentalités, spiritualité* (*SC* 380), Paris 1992
Bernard de Clairvaux	Commission d'Histoire de l'Ordre de Cîteaux, *Bernard de Clairvaux,* Paris 1953
BJ	*Bible de Jérusalem,* Paris
Bouton-Van Damme	J. de la Croix Bouton et J.B. Van Damme, *Les plus anciens textes de Cîteaux,* Achel 1974
Bredero, *Études*	A.H. Bredero, *Études sur la Vita prima de saint Bernard,* Rome 1960 (nous suivons la pagination de ce

	volume et non celle des articles parus dans les *ASOC*)
Canivez, *Statuta*	J.-M. Canivez, *Statuta capitulorum generalium ordinis cisterciensis ab anno 1116 ad annum 1786*, 8 t., Louvain 1933-1941
CCL	*Corpus Christianorum Series Latina*, Turnhout
CCM	*Corpus Christianorum Continuatio Medievalis*, Turnhout
CistC	*Cistercienser-Chronik*, Mehrerau
Cîteaux	*Cîteaux in de Nederlanden*, Achel, continué par *Cîteaux, Commentarii cistercienses*, Cîteaux
CLCLT	*Cetedoc Library of Christian Latin Texts*, Turnhout
COCR	*Collectanea Ordinis Cisterciensium Reformatorum*, Scourmont, continués sous le titre suivant
CollCist	*Collectanea Cisterciensia*, Mont-des-Cats
CSEL	*Corpus Scriptorum Ecclesiasticorum Latinorum*, Vienne
Daniélou, *Pères grecs*	J. Daniélou, « Saint Bernard et les Pères grecs », in *Saint Bernard théologien.*
De Lubac, *Exégèse médiévale*	
	H. de Lubac, *Exégèse médiévale. Les quatre sens de l'Écriture (Théologie)*, 4 vol., Paris 1959-1964
DSp	*Dictionnaire de Spiritualité*, Paris
DTC	*Dictionnaire de Théologie Catholique*, Paris
Ecclesiastica Officia	D. Choisselet – P. Vernet, *Les Ecclesiastica Officia cisterciens du XIIe siècle* (*La Documentation cistercienne* 22), Abbaye d'Oelenberg 1989

FARKASFALVY, *Inspiration* — D. FARKASFALVY, *L'Inspiration de l'Écriture Sainte dans la théologie de Saint Bernard* (*Studia Anselmiana* 53), Rome 1964

GILSON, *Mystique* — É. GILSON, *La Théologie mystique de saint Bernard*, Paris 1934, 1986[5]

Histoire de Clairvaux — *Histoire de Clairvaux. Actes du Colloque de Bar-sur-Aube / Clairvaux, 22 et 23 juin 1990*, Bar-sur-Aube 1991

JACQUELINE, *Épiscopat* — B. JACQUELINE, *Épiscopat et papauté chez saint Bernard de Clairvaux* (Atelier de reproduction des thèses), Lille 1975

JÉRÔME, *Ep.* — JÉRÔME, *Epistolae*, éd. J. Labourt, 8 t., *CUF* 1949-1963

JÉRÔME, *Nom. hebr.* — JÉRÔME, *Liber Interpretationis Hebraicorum Nominum*, éd. P. de Lagarde, *CCL* 72, 1959, p. 57-161

LECLERCQ, *Recueil* — J. LECLERCQ, *Recueil d'études sur saint Bernard et ses écrits*, 5 t., Rome 1962-1992

Liturgie — *Liturgie*, Rennes

Mélanges A. Dimier — *Mélanges à la mémoire du Père Anselme Dimier*, 3 t. de 2 vol., sous la direction de B. Chauvin, Pupillin 1982-1988

Opere di san Bernardo — SAN BERNARDO, *Opere*, sous la direction de F. Gastaldelli (*Scriptorium Claravallense*), Milan ; t. 1, *Trattati*, 1984 ; t. 2, *Sentenze e altri testi*, 1990 ; t. 4, *Sermoni diversi e vari*, 2000 ; t. 5/1, *Sermoni sul Cantico*, 2006 ; t. 6/1 et 6/2, *Lettere*, 1986-1987

PL — *Patrologie Latine*, Migne

PLD — *Patrologia Latina Database*, Londres

RB	Règle de saint Benoît (*SC* 181-182)
RBén	*Revue Bénédictine*, Maredsous
REAug	*Revue des Études Augustiniennes*, Paris
REL	*Revue des Études Latines*, Paris
RHE	*Revue d'Histoire Ecclésiastique*, Louvain
RM	*Revue Mabillon. Archives de la France monastique*, Ligugé – Paris – Turnhout
RUUSBROEC, *Miroir*	RUUSBROEC, *Le Miroir de la béatitude éternelle*, trad. A. Louf, Bellefontaine 1997
Saint Bernard théologien	*Saint Bernard théologien* (Actes du Congrès de Dijon, 15-19 septembre 1953), *ASOC* 9/3-4 (1953)
SBO	*Sancti Bernardi Opera*, 8 t. (éd. par J. Leclercq, H.-M. Rochais et C.H. Talbot, Editiones Cistercienses), Rome 1957-1977
SC	*Sources Chrétiennes*
Thesaurus SBC	*Thesaurus Sancti Bernardi Claraevallensis* (Série A, Formae, CETEDOC ; Série B, Lemmata, CTLO, sous la direction de P. Tombeur), Turnhout 1987 et 2001
VACANDARD, *Vie*	E. VACANDARD, *Vie de saint Bernard, abbé de Clairvaux*, 2 t., Paris 1895
Vg	*Vulgate*, éd. R. Weber – B. Fischer, Stuttgart 1969
VgC	*Vulgate clémentine*
Vl	Vieilles Latines
VL, Die Reste	*Vetus Latina : Die Reste der Altlateinischen Bibel*, éd. Erzabtei Beuron, Freiburg in B., 1949-...
VLD	*Vetus Latina Database*, Turnhout

Apparat biblique [1]

[Aucune mention]	Identité quasi absolue avec l'édition Weber-Fischer de la Vulgate [2]
≠	Divergence entre Bernard et l'édition Weber-Fischer de la Vulgate
Cf.	Simple allusion au texte biblique
Patr.	Origine patristique des citations bibliques. Cette mention indique qu'il s'agit d'une réminiscence des *Vieilles latines* attestée par une identité, ou une similitude, de terme(s) entre Bernard et un ou plusieurs Pères
Lit.	Origine liturgique des citations bibliques
Lit. cist.	Origine liturgique cistercienne, du vivant de Bernard, attestée par une pièce liturgique du *Bréviaire de S. Étienne,* ms. 402 de Berlin, Staatsbibliothek
RB	Identité ou similitude entre le texte biblique de la Règle de saint Benoît et celui de Bernard

1. Pour plus de précisions, cf. *SC* 380, p. 255, n. 16. On trouvera sur le site internet de Sources Chrétiennes (www.sources-chretiennes.mom.fr) l'index scripturaire et les notes bibliques de tous les volumes de Bernard parus à ce jour. L'exhaustivité des recherches destinées à la préparation des notes bibliques n'est garantie que sur le corpus du *CLCLT* 6, même si les investigations ont le plus souvent été menées également dans la *PLD* et la *VLD*.

2. Dans les rares cas où la numérotation des versets n'est pas identique dans la *Vulgate* et dans les bibles courantes, c'est celle de la *Vulgate* qui figure dans l'apparat scripturaire. Elle est indiquée en marge de certaines éditions, dont la *BJ*, lorsqu'il y a divergence. Sur le site internet de Sources Chrétiennes se trouve une table de concordance, dans la rubrique « Outils de recherche ».

PRÉFACE

par M. Michel ZINK, Membre de l'Institut
et Professeur au Collège de France

Avec ce cinquième tome s'achève la publication dans la collection Sources Chrétiennes des *Sermons sur le Cantique* de saint Bernard de Clairvaux. Cet achèvement mérite d'être salué avec joie, avec admiration, avec reconnaissance, mais non pas peut-être pour les raisons qui viennent le plus spontanément à l'esprit.

S'étonner de voir mené à son terme un ouvrage savant d'une telle ampleur serait faire injure à la collection *Sources Chrétiennes*, qui depuis plus de soixante ans multiplie ce genre de miracle au point de le faire entrer à nos yeux dans l'ordre de la nature. Exagérer l'exploit, certes considérable, que représente cette publication serait minimiser sa dette à l'égard de la grande édition des œuvres de saint Bernard dirigée par Dom Jean Leclercq, dont les deux premiers volumes ont établi un texte sûr des *Sermones super Cantica*. Est-il besoin d'ajouter, toutefois, que la reconnaissance de cette dette n'empêche nullement, bien au contraire, de mesurer tout ce que cette édition apporte de précieux et de neuf ? Une superbe traduction, digne de ce texte admirable, une riche annotation, à l'orée du premier volume une introduction dense, claire, pénétrante, et à la fin de celui-ci, le dernier, un index thématique relatif au vocabulaire de l'ensemble de l'œuvre (Connaissance, Volonté-Affectivité, Vie spirituelle, Vie commune, *Realia*, Noms propres), dont on ne saurait assez dire combien il sera utile aux chercheurs.

Et pourtant, le plus remarquable est ailleurs et tient à l'œuvre elle-même. Elle a été écrite douze siècles après la venue du Christ. Elle n'en appartient pas moins aux « sources chrétiennes » : la collection qui l'accueille lui en décerne, si l'on peut dire, le label, et à juste titre. Au Moyen Âge, « nouveau » ne désigne pas nécessairement ce qui vient d'apparaître, de naître ou d'être produit, ce qui n'existait pas à l'instant précédent, mais, quel que soit son âge, ce qui a la fraîcheur et l'intensité de la vie, ce qui n'est pas en conserve. Rien n'est plus nouveau que Dieu. Cette nouveauté-là, la théologie mystique de saint Bernard la fait sienne. Elle en nourrit sa méditation fiévreuse. A-t-on assez reproché à Bernard de Clairvaux d'être rétrograde et répressif, effarouché et exaspéré par l'audace intellectuelle ! Si l'application d'une froide et arrogante logique à la parole de Dieu lui est insupportable, c'est qu'il craint plus que tout le dessèchement de cette parole toujours nouvelle et qu'il aspire plus que tout à la fraîcheur de la source chrétienne.

Quoi d'étonnant si, entre les deux interprétations du *Cantique des cantiques* traditionnellement proposées à l'exégèse depuis Origène, l'union du Christ et de l'Église ou l'union du Christ et de l'âme, il privilégie la seconde, propice à la ferveur et à l'effusion ?

Je me garderai bien de parler ici des *Sermons sur le Cantique* et de salir ce beau volume en étalant mon ignorance sur la première page, comme le pâté d'encre tombé de la plume du cancre. Je me protège de cette tentation en allant tout droit au dernier sermon, le sermon 86. Bernard y célèbre la beauté de la *verecundia adulescentis*. Je me reporte à l'excellente introduction qui ouvre le premier tome de la présente édition. Le Père Paul Verdeyen y observe que, dans sa lettre à Bernard le Chartreux, Bernard de Clairvaux exprime sa réticence à se lancer dans le commentaire du *Cantique des cantiques* par l'emploi répété des mots *vereor* et *verecundia*. Au seuil de l'œuvre qu'il hésite encore à entreprendre, il dit la crainte et la pudeur de la pauvre intelligence humaine, redoutant d'apparaître dans la nudité de sa faiblesse si elle confronte ses forces dérisoires à la puissance de l'Écriture sainte. Cette pudeur surmontée, et parvenu au terme de ses quatre-vingt-six sermons, il médite sur une autre pudeur, celle qui embellit la jeune épouse dans son attente de l'aimé. C'est la même pudeur, selon l'allégorie, qui est spécifiquement le sens auquel invite la lecture du *Cantique des cantiques*, puisque aussi bien, dans les premiers mots du premier sermon, Bernard a opposé la visée morale des deux autres œuvres de Salomon, l'*Ecclésiaste* et les *Proverbes*, au difficile « langage sacré et contemplatif » du *Cantique*. La *verecundia adulescentis* est celle de l'âme qui désire et qui tremble de s'unir à son Dieu dans la méditation et la prière. Et les dernières lignes du dernier des *Sermons sur le Cantique* sont comme un hymne au recueillement de la prière, dans le secret et l'intimité du lit et de la nuit.

Lire les *Sermons sur le Cantique* de Bernard de Clairvaux, c'est lire l'une des œuvres littéraires les plus saisissantes de la latinité et de la France médiévale. Le style étonnant de saint Bernard a fait l'objet d'un célèbre article de Christine Mohrmann, réimprimé au début du tome II des *Sancti Bernardi Opera* et complété, dans l'introduction au tome 1 de la présente édition, par de judicieuses remarques du Père Verdeyen. Est-il permis d'ajouter que les effets d'assonance et de paronomase, qui le rendent si remarquable, seront peu après caractéristiques de la poésie vernaculaire, au point qu'il vaudrait la peine d'étudier à partir de saint Bernard, et en franchissant la barrière des langues, les fondements de la poétique médiévale ?

Oui, la publication de cette œuvre prodigieuse méritait les efforts conjugués des éditeurs et traducteurs du texte, des responsables des Sources Chrétiennes, des Éditions du Cerf, du CNRS, du CNL, et enfin de la Fondation Lefort-Beaumont, dont la généreuse contribution m'a poussé à accepter l'honneur immérité de signer cette courte préface.

INTRODUCTION

1. Date des Sermons 69 à 86

Dans l'introduction du tome IV (*SC* 472), nous avons constaté que les sermons 67 et 68 ont été écrits vers 1145. Le sermon 80 fait allusion au synode de Reims ouvert le 21 mars 1148. On peut en conclure que les sermons 67 à 80 se sont suivis de près entre les années 1145 et 1148. Le rythme oratoire de l'abbé de Clairvaux s'est ralenti après cette date. Cela ne saurait nous étonner parce qu'en 1148, Bernard a commencé de prêcher la deuxième croisade. Et bientôt après, il se mettra à écrire les cinq livres *De consideratione,* adressés à Eugène III, le premier pape cistercien. Il n'est donc pas étonnant que pendant les années 1148 à 1153 il n'ait écrit que six sermons sur le Cantique. Achevant en 1153 le sermon 86, il ne savait pas que la plume allait lui tomber des mains. Or il se trouve que dans ce court sermon il a présenté comme un résumé de toute sa doctrine concernant l'amour spirituel.

2. Le sermon 71

Bernard insiste dans les premiers paragraphes sur la réciprocité de la rencontre amoureuse. La relation réciproque entre l'âme humaine et son Créateur est nécessaire pour que leur liaison soit assurée et que l'étreinte soit totale. Mais tout d'un coup l'abbé de Clairvaux réalise que cette affirmation évoque un grand problème théologique : comment la créature humaine saurait-elle vivre une relation mutuelle avec son Créateur ?

Guillaume de Saint-Thierry venait de se poser la même question dans son *Commentaire sur le Cantique* (*SC* 82), texte achevé avant 1140. Il avait repris cette question dans la *Lettre aux Frères du Mont-Dieu* (*SC* 223) écrite en 1144. Nous pensons que Bernard a connu les considérations de Guillaume et qu'il commence dans le sermon 71 une controverse déguisée avec son ami Guillaume, décédé récemment comme cistercien dans l'abbaye de Signy. Nous avons longuement analysé cette controverse cistercienne dans notre thèse de doctorat : *La théologie mystique de Guillaume de Saint-Thierry* (Paris 1990), p. 71-81.

Remarquons d'abord que le texte bernardin ne se retrouve pas de la même manière dans les quatre traditions anciennes signalées par les éditeurs des *SBO*. Les recensions de Morimond et de Clairvaux donnent un texte plus long et plus développé que la recension médiane et l'anglaise. Faut-il en conclure que Bernard a repris lui-même la rédaction primitive ? Nous préférons suggérer une autre explication. Il nous semble plus probable que la recension médiane et l'anglaise ont abrégé le texte original. Cette omission concerne la doctrine trinitaire de Bernard, qui a dû susciter beaucoup de questions et d'incompréhension. On peut même se demander à ce propos si le choix des éditeurs pour la recension anglaise se justifie. N'aurait-il pas été plus judicieux de suivre généralement la lecture de Morimond-Clairvaux dont la traduction a été donnée en note *infra* p. 92-93 ?

Mais revenons-en à la controverse proprement dite. Bernard conteste l'identification des relations humano-divines avec les relations trinitaires. Celles-ci expriment dans le langage ecclésial le mystère même de Dieu. Bernard donne plusieurs arguments qui justifient la différence entre deux façons de rencontre amoureuse. Il constate d'abord que l'Écriture elle-même fait une différence en disant *unum* (« un seul être », *Jn* 10, 30) ; tandis que le Créateur et l'âme humaine ne font qu'un seul esprit : *unus spiritus* (*I Cor.* 6, 17). Bernard explique : « Tu vois que l'unité entre Dieu et l'homme n'est même pas une unité si on la compare à cette autre unité unique et suprême. Comment y aurait-il unité là où il y a pluralité de natures et diversité de substances ? » (*SCt* 71, 7). Comme d'autres théologiens du douzième siècle, Bernard considère ici les notions de *nature* et de *substance* comme des monades closes qui excluent toute forme de relation ou de communication. Ces notions abstraites de la raison humaine prennent ainsi un caractère absolu et dogmatique. Il en conclut que l'unité humano-divine mérite à peine le nom d'unité et n'est qu'un faible reflet de l'unité trinitaire.

Dans le paragraphe 9 du même sermon, Bernard refuse de parler d'unité essentielle et ramène la rencontre amoureuse entre la créature humaine et son Dieu à une certaine conformité de sentiments (*consentanea quaedam affectionum pietas,* « une certaine conformité des sentiments »). Il ne conçoit donc aucune rencontre entre la lumière divine et l'intelligence humaine ; aucune rencontre qui unisse le cœur humain au cœur divin.

Que toutes ces considérations restent loin de l'audace de Guillaume de Saint-Thierry ! Déjà, dans le *Commentaire du Cantique,* on lit que la rencontre amoureuse n'est rien moins qu'une participation à l'unité trinitaire : « Cette union n'est autre que l'unité du Père et du Fils, que leur baiser, leur étreinte, leur bonté et tout ce qui leur est commun à tous deux... » (§ 95, *SC* 82, p. 221). Quelques années plus tard, Guillaume a repris la même vue dans la *Lettre d'or* (attribuée avant 1200 à l'abbé de Clairvaux) :

> On l'appelle « unité d'esprit », non seulement parce que l'Esprit saint la réalise..., mais parce qu'elle est effectivement l'Esprit saint lui-même, l'Amour-Dieu. Elle se produit, en effet, lorsque Celui qui est l'Amour du Père et du Fils, leur unité, leur suavité, leur lien, leur baiser et leur étreinte ... *devient* – à sa manière –, pour l'homme à l'égard de Dieu, ce qu'en vertu de l'union consubstantielle Il se trouve *être* pour le Fils à l'égard du Père et pour le Père à l'égard du Fils ; elle se produit lorsque la conscience bienheureuse se trouve prise dans l'étreinte et le baiser du Père et du Fils...[1]

Remarquons d'abord que Guillaume reste conscient de quelques différences : l'homme *devient* ce que Dieu *est* de toute éternité, et l'homme *devient* à sa manière. D'ailleurs, le paragraphe se termine par la conclusion que l'homme ne devient jamais Dieu, mais cependant ce que Dieu est : « L'homme *devenant* par grâce ce que Dieu *est* en vertu de sa nature » (*ibid.*, p. 355).

Comment expliquer cette controverse entre des amis qui se connaissent de longue date et qui sont restés amis jusqu'à la fin de leur vie ? Ils ont chacun des conceptions différentes de la raison humaine qui s'approche du mystère divin, et de la nature divine. Bernard veut sauver la transcendance divine dont il juge qu'elle est minimalisée

1. *Lettre aux Frères du Mont-Dieu,* § 263, *SC* 223, p. 354-355 ; cf. *BdC* p. 575.

par son ami Guillaume. Mais elle devient tellement inapprochable qu'elle rend précaire et presque impossible la rencontre amoureuse qui n'est alors qu'un faible reflet de l'Amour divin lui-même. En revanche, Guillaume ne conçoit pas que l'Amour divin puisse se communiquer de deux manières différentes. Les Personnes divines se communiquent à l'homme comme elles se communiquent mutuellement dans leurs relations trinitaires. Aux yeux de Guillaume, la rencontre amoureuse doit suivre la voie des relations trinitaires. Sinon la rencontre humano-divine, dans l'unité d'esprit, ne serait qu'un phénomène accidentel qui ne rapprocherait pas réellement la vie humaine et la vie divine. Guillaume comprend mieux de quelle façon la transcendance et l'immanence divines se tiennent en balance et se corroborent mutuellement.

3. Le sermon 74

Ce sermon est célèbre, surtout par les confidences de Bernard à ses moines et à ses lecteurs : « J'avoue que le Verbe m'a visité moi aussi – je parle en fou – et cela plusieurs fois. » Ce témoignage personnel caractérise la nouvelle spiritualité du XIIᵉ siècle. Nous trouvons ici un exemple frappant de l'importance que l'on donne à l'expérience directe de la présence divine. Mais même dans cette nouvelle approche du mystère, le divin Bernard se montre tributaire de la tradition augustinienne. Dans un texte connu des *Confessions*, Augustin avait déjà dit que le Verbe divin ne s'adresse pas à l'âme humaine par les fenêtres des sens corporels, mais par les sens spirituels. Il en a été question dans mon introduction au tome IV des *Sermons sur le Cantique* (*SC* 472, p. 29-33). On pourrait citer un autre texte-clef des *Confessions* :

> Bien tard je t'ai aimée,
> ô Beauté si ancienne et si nouvelle,
> bien tard je t'ai aimée!
> Voici que tu étais au-dedans, et moi au-dehors,
> et c'est là que je te cherchais,
> et sur la grâce de ces choses que tu as faites,
> pauvre disgracié, je me ruais!
> Tu étais avec moi, et je n'étais pas avec toi.
> Tu as appelé, tu as crié et tu as brisé ma surdité.
> Tu as brillé, tu as resplendi et tu as dissipé ma cécité.
> Tu as embaumé, j'ai respiré et haletant j'aspire à toi ;
> j'ai goûté, et j'ai faim et j'ai soif.
> Tu m'as touché et j'ai désiré ardemment ta paix.
> (*Confessions* X, 27, 38)

Tout lecteur peut comparer facilement ce texte avec le paragraphe 5 du sermon 74. Il y trouvera des correspondances et des différences. Mais il est important de lire les deux textes comme une évocation des sens spirituels de l'âme aimante.

« Vous demandez sans doute comment j'ai pu connaître qu'Il était présent, puisque ses voies sont si incompréhensibles ? » (traduction du Père Antoine de Saint-Gabriel). Comment distinguer la présence de l'Époux de toute autre présence ? Question importante que saint Ignace de Loyola s'est posée dans ses *Règles pour le discernement des différents esprits*. La réponse de Bernard n'est pas encore aussi riche et spécifique que celle de saint Ignace. Au fond, sa réponse est simplement évangélique : « Tout bon arbre produit de bons fruits, mais l'arbre malade produit de mauvais fruits. Ainsi donc, c'est à leurs fruits que vous les reconnaîtrez » (*Matth.* 7, 17-20). Bernard explique finement les fruits de la visite divine qu'il discerne en son for intérieur [1].

---

1. Voir C. Mohrmann, « Observations sur la langue et le style de saint Bernard », *SBO* II, p. XXXII-XXXIII.

4. Le sermon 83

Au début du sermon 80, Bernard a mentionné des réactions négatives de son auditoire. Les moines s'étonnent que leur abbé prenne tant de plaisir aux mystères de l'économie divine et oublie les sentiers de l'exégèse morale. A partir du verset du *Cantique* 3, 1, il a voulu dissiper l'obscurité des allégories et il s'est intéressé surtout aux délices secrètes du Christ et de l'Église. L'orateur promet de rectifier le tir et de parler dorénavant surtout des rapports de l'âme individuelle avec son Créateur. Il reviendra ainsi au programme initial qu'il s'est fixé dès le premier sermon : « L'épouse, c'est l'Église et toute âme zélée » (*SCt* 1, 8, *SC* 414, p. 72, note 1).

Le sermon 83 commence par l'affirmation que toute âme humaine est appelée à la haute grâce des noces spirituelles avec le Christ, le divin Époux. Bien sûr, le sermon s'adresse en premier lieu aux moines de Clairvaux. Mais Bernard a pensé aussi aux lecteurs anonymes qui allaient lire son sermon dans des conditions bien diverses. Pourtant, il n'hésite pas à proclamer la vocation de toutes les créatures humaines à une relation intime et unique avec leur Créateur. Bernard oublie ici la question embarrassante de la prédestination individuelle et affirme contre vents et marées la volonté salvatrice d'un Père divin qui veut le bonheur de tous ses enfants. Reprenons la longue proclamation initiale :

> Toute âme, même chargée de péchés, enveloppée de vices, captivée par les plaisirs, prisonnière en son exil, incarcérée dans son corps, enlisée dans la boue, plongée dans la vase…, toute âme, dis-je, même ainsi damnée et désespérée, peut cependant trouver en elle-même non seulement de quoi respirer dans l'espérance du pardon et de la miséricorde, mais aussi l'audace d'aspirer aux noces du Verbe (*SCt* 83, 1, p. 341-343).

Bernard rejette ici le pessimisme augustinien *(massa damnata)* et aussi toute considération à propos de la prédestination au bonheur du ciel ou au malheur de l'enfer. Il nous semble que le bienheureux Ruusbroec et saint Ignace de Loyola ont bien compris cette vocation universelle au salut, c'est-à-dire aux noces du Verbe. Nous lisons dans la *Pierre brillante* du mystique brabançon : « Il nous faut d'abord considérer Dieu en ce que, dans sa libre bonté, Il appelle et invite tous les hommes sans distinction à l'union avec lui, les bons comme les mauvais, et n'exceptant personne » (RUUSBROEC, *Écrits,* trad. par A. Louf, Bellefontaine 1990, p. 66).

La seconde semaine des *Exercices Spirituels* commence par la vocation universelle que proclame le Christ, Roi de l'univers : « Ma volonté est de conquérir le monde entier et tous les ennemis, et d'entrer ainsi dans la gloire de mon Père » (*Exercices Spirituels,* éd. F. Courel, *Christus* 5, Paris 1960, p. 67).

Le langage militaire de saint Ignace nous fait apprécier davantage l'approche amoureuse de saint Bernard. Admirons surtout sa description des différents aspects de la relation amoureuse. « De tous les mouvements de l'âme, l'amour est le seul qui permette à la créature de répondre au Créateur, sinon d'égal à égal, du moins dans une réciprocité de ressemblance *(mutuam rependere vicem)* » (*SCt* 83, 4).

« Comment l'Amour ne serait-il pas aimé ? A juste titre l'épouse s'adonne toute au seul amour. Car elle se doit de répondre à l'amour même par un amour réciproque. Et quand même elle se répandrait toute en amour, que serait-ce à côté du jaillissement pérenne de cette source ? » (*SCt* 83, 5-6, p. 351).

Le lecteur attentif se retrouve comme écolier sur les bancs de la *scola caritatis.* Une école monastique qui se

trouve très proche de la « Cour d'amour » dont parlent
les auteurs de l'amour courtois[1].

Conclusion

Le sermon 86 termine le commentaire de saint Bernard
sur le Cantique. Le dernier verset commenté est : « Dans
mon petit lit j'ai cherché celui qu'aime mon âme »
(*Cant.* 3, 1). Le commentaire est loin d'être complet. Un
abbé anglais, Gilbert de Hoyland († 1172) a continué
le commentaire (*Cant.* 3, 1 à 5, 10) par 46 sermons.
La dernière partie du Cantique a été commentée par
Jean de Ford († 1215) qui en 1186 fut élu abbé de
Bindon et en 1192 appelé pour être abbé à Ford ; ses
120 sermons ont été édités dans les volumes du *CCM*
17 et 18 (Turnhout 1970).

---

1. Cf. É. GILSON, *La Théologie mystique de saint Bernard,* Appendice
IV : « S. Bernard et l'amour courtois », p. 193-215.

5. Corrections du texte latin des *SBO* pour les *SCt* 69-86

Le texte latin est repris de l'édition critique des *SBO* II, p. 201-320. En 1987, dom Jean Leclercq a publié une liste de corrections (*Recueil*, t. 4, p. 410-411), signalées ici par un astérisque. Nous avons nous-même ajouté quelques autres corrections. Les sous-titres des sermons suivent la leçon du ms. 21-68 du séminaire de Bruges. Voici l'ensemble des corrections faites sur le texte des *SBO* pour les *Sermons sur le Cantique* 69 à 86 :

p., l. SBO	au lieu de	SCt, §	leçon proposée
207, 8	custodit	69, 8	custodit ?
210,27*	candissimo	70, 5	candidissimo
214, 5	et qua	71, tit.	et eius qua
214, 7	in bono	71, tit.	in illo bono
217, 10	5.	71, 5	III. 5.
221, 15	diligendo	71, 10	diligendo ?
225, 2	**Donec adspiret**	72, tit.	*Donec adspiret dies*
225, 5-6	Quomodo die respirantes plus abundent, et suspirantes in nocte magis deficiant.	72, tit.	Quod suspirans nox et adspirans dies novissima sunt impiorum et iustorum, ubi sicut demitur vacuis ita additur plenis. Vel illud : *Habenti dabitur et abundabit etc.* Et quae ratio vocabuli.
227, 27*	reciprocratus	72, 4	reciprocatus

p., l. SBO	au lieu de	SCt, §	leçon proposée
230, 21	fautioni	72, 8	factioni
232, 16	mensuram	72, 10	ad mensuram
232, 16	plenitudinis	72, 10	plenitudinis,
232, 19	addat inspirantem	72, 10	addat ad inspirantem
233, 12	**Revertere,**	73, tit.	*Revertere, similis esto*
240, 25	verbi motu	74, 2	Verbi motu
248,16	in spiritu	75, 2	in Spiritu
249, 23	noster, ante saecula	75, 4	noster ante saecula,
251,19*	queso	75, 8	quaeso
257, 3-4	Discipulis	76, 4	discipulis
258,26*	iusufficientiam	76, 7	insufficientiam
262,13*	peccanti-	77,1	peccan-
276, 13	domino	79,6	Domino
277, 2	animam et Verbum	80, tit.	Verbum et animam ex imagine et similitudine.
277, 5	differre.	80, tit.	differre. Et de simplicitate increatae naturae.
286, 9	Regum	81, 4	regum
288, 24*	Praemebatur	81, 7	Premebatur
288, 30	esse ? »« Verum	81, 8	esse ? Verum
288, 31	nolens. Bene	81, 8	nolens. » «Bene
289, 18	spiritus	81, 9	Spiritus

p., l. SBO	au lieu de	SCt, §	leçon proposée
292, 3	Donec istud, etc.	82, tit.	Donec istud tenebis, aliud non accipies.
292,6*	inde unius homini et iumento	82, tit.	inde homini et iumento unus
292, 6-7	pro remanente tamen	82, tit.	et quod pro retentae
292, 24	quidem	82, 1	quidem ?
298, 9	diligit.	83, tit.	diligat.
304, 27	4.	84, 4	II. 4.
306, 8	spiritus	84, 6	Spiritus
307, 5	sit	85, tit.	est
312, 11	est in	85, 7	est : In
317, 4	accipitur.	86, tit.	accipi debet.
317, 17	imminens, lubricae aetatis	86, 1	imminens lubricae aetatis,
319, 1.	3.	86, 3	II. 3.

Le mot *Sponsus* désignant le Christ (ou le Verbe), qui dans l'édition Leclercq est tantôt écrit avec la majuscule, tantôt avec la minuscule, a toujours été écrit avec la majuscule, comme dans la traduction française.

TEXTE ET TRADUCTION

SERMO LXIX

I. Cui animae competit dicere : *Dilectus meus mihi, etc.*, et qua ratione.
– II. Quid sit adventus Filii vel Patris ad animam, et qualiter omnem
altitudinem in ira vel furore deicit Pater. – III. De zelo caritatis in qua
Pater et Filius adveniunt, et de ipsorum mansione, vel per quae haec
sentit anima.

I. Cui animae competit dicere : *Dilectus meus mihi, etc.*, et qua ratione.

1. *Dilectus meus mihi, et ego illi*[a]. Hanc vocem
universali Ecclesiae sermo superior assignavit, propter
factas sibi a Deo *promissiones vitae* eius, *quae nunc
est*, pariter *et futurae*[b]. De anima proposita quaestio
est, quia non potest sibi arrogare una quod universitas
audeat, nec aliquo modo ad se trahere illam. Si non
licet, referamus oportet ita ad Ecclesiam, ut nullatenus
ad personam, nec modo hanc, sed et reliquas voces
similes huic, *loquentes grandia*[c], verbi gratia : *Exspectavi
Dominum et intendit mihi*[d], et si quas alias sermo
superior perstrinxit. Quod si quis licere putat, et ego
non abnuo ; sed interest cui : non enim cuicumque.
Prorsus habet Ecclesia Dei spirituales suos, qui non
modo fideliter, sed et *fiducialiter agant in eo*[e], cum Deo

---

1. a. Cant. 2, 16   b. I Tim. 4, 8 ≠   c. Dan. 7, 20 ≠   d. Ps.
39, 2   e. Ps. 11, 6 ≠

---

1. *Ego non abnuo, sed…,* « Je n'en disconviens pas, mais… ». Origène
dit avec plus d'assurance que Bernard : l'épouse *(sponsa)* est à la fois
l'Église et l'âme créée à l'image de Dieu *(sive anima, sive ecclesia)*.
Cf. *Comm. sur le Cantique*, Prol. 1, 1 *(SC* 375, p. 80).

SERMON 69

I. Quelle âme a le droit de dire : « Mon bien-aimé à moi, etc. », et pour quelle raison. – II. Ce qu'est la venue du Fils et du Père dans une âme. Comment le Père renverse toute hauteur dans sa colère ou dans sa fureur. – III. Le zèle de la charité dans laquelle viennent le Père et le Fils, et leur demeure dans l'âme. A quels signes l'âme s'en aperçoit.

I. Quelle âme a le droit de dire : « Mon bien-aimé à moi, etc. », et pour quelle raison.

1. « Mon bien-aimé à moi, et moi à lui[a]. » Le sermon précédent a attribué cette parole à l'Église universelle, car Dieu lui a fait « les promesses de la vie, de la vie présente comme de la vie future[b] ». Pour ce qui est de l'âme, la question se pose, car une seule âme ne saurait s'arroger ce qu'ose s'attribuer l'Église universelle, ni s'appliquer à elle-même cette parole de quelque façon. Si ce n'est pas permis, il nous faut rapporter cette parole à l'Église de manière si exclusive que nous ne l'attribuions à personne d'autre. Et ceci est vrai non seulement de cette parole, mais aussi de toutes les autres semblables « qui expriment de grands mystères[c] ». Par exemple celle-ci : « J'ai attendu le Seigneur et il m'a prêté attention[d] », et les autres que le sermon précédent peut avoir citées. Si quelqu'un pense qu'il est permis d'attribuer cette parole à l'âme, moi non plus je n'en disconviens pas[1] ; mais il y a lieu de préciser à quelle âme : car ce n'est pas à n'importe quelle âme. Certes l'Église de Dieu a ses spirituels, qui « vivent en Dieu » non seulement avec foi, mais aussi « avec confiance[e] », lui parlant comme à

quasi cum amico loquentes[f], *testimonium illis perhibente*
15 *conscientia*[g] gloriae huius. Quinam illi sint, id quidem
penes Deum ; tu vero audi, qualem te esse oporteat, si
talis esse vis. Quod tamen dixerim, non quasi expertus, sed
quasi experiri cupiens. Da mihi animam nihil amantem
praeter Deum et quod propter Deum amandum est, *cui*
20 *vivere Christus* non tantum *sit*[h], sed et diu iam fuerit,
cui studii et otii sit *providere Dominum in conspectu suo*
semper[i], cui *sollicite ambulare cum* Domino *Deo suo*[j], non
dico magna, sed una voluntas sit, et facultas non desit, da,
inquam, talem animam, et ego non nego dignam Sponsi
25 cura, maiestatis respectu, dominantis favore, sollicitudine
gubernantis ; *et si voluerit gloriari, non erit insipiens*[k] :
tantum ut *qui gloriatur, in Domino glorietur*[l]. Ita in quo
multi audent, audet et unus[m], sed alia ratione.

2. Nempe sanctam multitudinem causae supradictae
fidentem faciunt, sanctam animam duplex quaedam
ratio. Primo quidem quod habeat in natura simplicissima
Sponsi divinitas quasi unum respicere multos, et quasi
5 multos unum. Nec ad multitudinem multus erit, nec
ad paucitatem rarus ; nec ad diversitatem divisus, nec
restrictus ad unum ; nec anxius ad curas, nec pertur-
batus seu turbulentus ad sollicitudines. Sic sane uni
intentus, ut non detentus ; sic pluribus, ut non distentus.
10 Deinde quod ut probare suavissimum, ita rarissimum

---

f. Cf. Ex. 33, 11   g. Rom. 9, 1 ≠   h. Phil. 1, 21 ≠   i. Ps.
15, 8 ≠   j. Mich. 6, 8 ≠   k. II Cor. 12, 6 ≠   l. I Cor. 1, 31
m. Cf. II Cor. 11, 21

---

1. La double raison pour avoir confiance : en premier lieu, la nature
divine de l'Époux ; en second lieu, la volonté du Père et du Verbe de
se rendre présents à l'âme aimante.

2. Bernard ne décrit pas seulement la nature divine. Il donne également
une loi de la vie spirituelle : aux yeux de Dieu, l'âme individuelle est
aussi importante que toute la communauté de l'Église. On trouve ici
l'explicitation d'une idée origénienne (cf. *supra* p. 38, n. 1).

un ami[f] : « leur conscience leur rend témoignage[g] » de
cette gloire. Qui sont-ils ? C'est le secret de Dieu. Pour
toi, écoute quel tu dois être, si tu veux être tel. J'oserai
toutefois en parler, non pas comme quelqu'un qui en
a fait l'expérience, mais comme quelqu'un qui désire la
faire. Donne-moi une âme qui n'aime que Dieu et ce
que l'on doit aimer pour Dieu ; une âme « pour qui
vivre c'est le Christ[h] », et depuis longtemps ; dont tout
l'effort et tout le loisir consistent à « garder toujours
le Seigneur devant les yeux[i] » ; qui ait un désir, je ne
dis pas grand, mais unique, de « s'appliquer à marcher
avec le Seigneur son Dieu[j] », et qui en ait la capacité ;
donne-moi, dis-je, une telle âme, et je ne nierai pas
qu'elle soit digne des attentions de l'Époux, des regards
de sa majesté, des faveurs du souverain, de la sollicitude
du maître. « Si elle veut se glorifier, elle ne sera pas
insensée[k] » : pourvu que « celui qui se glorifie, se glorifie
dans le Seigneur[l] ». Ainsi, ce dont la multitude ose se
prévaloir, une seule âme ose s'en prévaloir aussi[m], mais
pour une autre raison.

2. Les causes que nous avons mentionnées ci-dessus
fondent la confiance de la multitude sainte ; quant à
l'âme sainte, sa confiance s'appuie sur une double raison[1].
D'abord, la divinité de l'Époux, dans sa nature absolument simple, regarde la multitude comme une seule
personne, et une seule personne comme la multitude.
Il ne se fera pas multiple en face de la multitude, ni
rare en face du petit nombre ; ni divisé en face de la
diversité, ni concentré en face de l'unité ; ni anxieux en
face des soucis, ni troublé ou agité en face des tracas.
Il peut très bien être attentif à une seule personne sans
se laisser accaparer ; à plusieurs sans se laisser disperser[2].
Ensuite – et ceci, il est aussi doux de l'éprouver que rare

probasse est, tanta est dignatio Verbi, tanta benevolentia
Patris Verbi erga bene affectam et bene compositam
animam – quod quidem ipsum Patris munus et Verbi
opus est –, ut quam sua tali *benedictione praevenerint et*
15 *praeparaverint*[a] sibi, sua quoque dignentur praesentia, et
ita ut non modo *ad eam veniant*, sed etiam *mansionem
apud eam faciant*[b]. Non enim sufficit exhiberi, nisi et
copiam sui praebeant.

II. Quid sit adventus Filii vel Patris ad animam, et qualiter omnem altitudinem in ira vel furore deicit Pater.

203
Quid est venire ad animam Verbum ? *Erudire in
sapientia*[c]. Quid est Patrem venire ? Afficere ad amorem
sapientiae, ut dicere possit, quia *amatrix facta sum formae
illius*[d]. Patris diligere est ; et ideo Patris adventus ex
5 infusa dilectione probatur. Quid faceret absque dilectione
eruditio ? Inflaret[e]. Quid absque eruditione dilectio ?
Erraret. Denique errabant, de quibus dicebatur : *Testimonium illis perhibeo, quod zelum Dei habent, sed non
secundum scientiam*[f]. Non decet sponsam Verbi esse
10 stultam ; porro elatam Pater non sustinet. *Pater enim*

---

2. a. II Cor. 9, 5 ≠   b. Jn 14, 23 ≠   c. Ps. 89, 12 ≠   d. Sag. 8,
2 ≠   e. Cf. I Cor. 8, 1 ; cf. Rom. 1, 31   f. Rom. 10, 2 (Patr.)

1. * *Ps.* 89, 12, *erudire in sapientia*. Bernard a toujours (4 fois) *eruditos*
(πεπαιδευμένους) au lieu de *conpeditos* (πεπηδημένους) : il s'agit
d'une variante de *Vg* qui correspond au texte du Psautier romain
(éd. Weber). Cette expression est proche d'*Actes* 7, 22 *(eruditus est Moyses
sapientia Aegyptiorum)*. Cassiodore (*CCL* 98, Ps. 89, l. 244) a la même
formule que Bernard.
2. *Amatrix facta sum formae illius*, « Je me suis éprise de sa beauté. »
Bernard adapte la citation scripturaire au contexte du sermon : la *Vg* a
en effet *amator factus*.

de l'avoir éprouvé – si grande est la bonté du Verbe, si grande la bienveillance du Père du Verbe pour l'âme bien disposée et bien ordonnée – ce qui est déjà en soi un don du Père et l'œuvre du Verbe – qu'ils daignent aussi favoriser de leur présence cette âme qu'« ils ont ainsi prévenue et préparée pour eux par leur bénédiction[a] ». Non seulement « ils viennent à elle, mais encore ils font chez elle leur demeure[b] ». Car il ne leur suffit pas de se montrer ; ils veulent se donner largement.

II. Ce qu'est la venue du Fils et du Père dans une âme. Comment le Père renverse toute hauteur dans sa colère ou dans sa fureur.

Qu'est-ce que la venue du Verbe dans une âme ? « C'est l'initiation à la sagesse[c 1]. » Qu'est-ce que la venue du Père ? C'est l'éveil de l'amour de la sagesse, si bien que l'âme peut dire : « Je me suis éprise de sa beauté[d 2]. » Le propre du Père, c'est d'aimer ; c'est pourquoi la venue du Père se reconnaît à l'infusion de l'amour. Qu'est-ce que ferait la science sans l'amour ? Elle enflerait[e]. Et l'amour sans la science ? Il s'égarerait. Aussi s'égaraient-ils, ceux dont il était dit : « Je leur rends témoignage qu'ils ont du zèle pour Dieu, mais non selon la science[f 3]. » Il ne convient pas que l'épouse du Verbe soit insensée ; mais le Père ne supporte pas qu'elle soit orgueilleuse. « Car

---

3. * *Rom.* 10, 2 (Patr.) *zelum… non secundum scientiam.* Cf. *SC* 458, p. 478, n. 2 sur *Ep* 88, 2. Augustin cite 35 fois ce texte, Jérôme 11 fois avec *aemulationem Dei.* Bernard reprend ensuite les deux termes – *zelus… scientia* – en mettant en rapport *praescientiam Dei* et *zelo Dei* (il remplace le *non secundum* par *adversum* ; *SCt* 69, 5, l. 17, p. 50). Puis Bernard cite *I Cor.* 8, 1 : *inflatus de scientia,* que Bernard aime mettre en opposition avec *Rom.* 10, 2. Bernard joue ensuite sur la distinction entre ce zèle mal éclairé et le *zelum misericordiae* (*SCt* 69, 6).

diligit Filium[g], *et omnem altitudinem extollentem se adversus scientiam* Verbi semper *in promptu habet* deicere atque *destruere*[h], sive immittendo zelum, sive intendendo, quorum alterum misericordiae, alterum iudicii
15 est. Utinam omnem in me extollentiam comprimat, immo deiciat et *ad nihilum redigat*[i], non accensus furor, sed infusus amor! Utinam discam non superbire, sed unctione[j] potius quam ultione magistra! *Domine, ne in furore tuo arguas me*, sicut *Angelum extollentem se* in
20 caelo, *neque in ira tua corripias me*[k], sicut hominem in paradiso. Ambo *iniquitatem meditati sunt*[l], altitudinem affectantes : ille potentiae, iste scientiae. Denique credidit insipiens mulier pollicenti, sed seducenti[m] : *Eritis sicut dii, scientes bonum et malum*[n]. Iam sese ante seduxerat,
25 cui persuaserat *similem fore Altissimo*[o]. *Nam qui se putat aliquid esse, cum nihil sit, ipse se seducit*[p].

3. Verum utraque altitudo deiecta est, sed in homine mitius, iudicante ita illo, qui *omnia facit in pondere et mensura*[a]. Nam angelo in furore punito, immo damnato, homo iram tantum sensit, et non furorem. Nempe *cum*
5 *iratus fuit, misericordiae recordatus est*[b]. Propter hoc semen eius *filii irae*[c], et non furoris, *usque in hodiernum diem*[d]. Si non nascerer irae filius, non opus esset renasci ; si furoris nascerer, aut non contigisset, aut non profuisset

---

g. Jn 5, 20   h. II Cor. 10, 4-6 ≠   i. Ps. 72, 20 ≠   j. Cf. I Jn 2, 27   k. Ps. 6, 2 ; Ps. 37, 2   l. Ps. 35, 5 ≠   m. Cf. II Cor. 11, 3 ; cf. I Tim. 2, 14   n. Gen. 3, 5   o. Is 14, 14 ≠   p. Gal. 6, 3 ≠

3. a. Sag. 11, 21 ≠   b. Hab. 3, 2 ≠   c. Éphés. 2, 3   d. II Cor. 3, 14-15

---

1. * *Gal.* 6, 3. Bernard, influencé par les Pères ou par son propre vocabulaire, emploie *putat*. Cf. *SC* 452, p. 94, n. 2 sur *SCt* 35, 6.

2. Dans ce paragraphe, Bernard oppose les notions d'*ira* (« colère ») et de *furor* (« fureur »). Les anges rebelles ont provoqué la fureur de

le Père aime le Fils[g] ; toute-puissance hautaine qui se dresse contre la science du Verbe, il est toujours prêt à la renverser et à la détruire[h] », soit en lui inspirant du zèle, soit en dirigeant son zèle jaloux contre elle. Le premier est un effet de la miséricorde, le second, de la justice. Puisse toute hauteur en moi être réprimée, voire renversée et « anéantie[i] », non par le feu de sa fureur, mais par l'infusion de son amour ! Puissé-je apprendre à ne pas m'enorgueillir, mais que je l'apprenne par l'onction[j] de l'Esprit plutôt que par le châtiment ! « Seigneur, ne me reprends pas dans ta fureur », comme « l'ange qui s'enorgueillissait » au ciel ; « ne me châtie pas dans ta colère[k] », comme l'homme dans le paradis. L'un et l'autre « ont médité l'iniquité[l] », cherchant à atteindre les hauteurs : l'un la hauteur de la puissance, l'autre celle de la science. Car la femme insensée crut au séducteur[m] qui promettait : « Vous serez comme des dieux, connaissant le bien et le mal[n]. » Déjà il s'était séduit lui-même, en se persuadant « qu'il deviendrait semblable au Très-Haut[o] ». « Car celui qui pense être quelque chose, alors qu'il n'est rien, se séduit lui-même[p] [1]. »

3. A la vérité, l'une et l'autre hauteur ont été renversées, mais dans l'homme avec plus d'indulgence ; ainsi en a jugé celui qui « fait tout avec poids et mesure[a] ». Tandis que l'ange a été puni, ou plutôt damné, dans la fureur, l'homme a seulement éprouvé la colère de Dieu, et non sa fureur [2]. Oui, « dans sa colère, il s'est souvenu de sa miséricorde[b]. » C'est ainsi que la postérité de l'homme est appelée « enfants de colère[c] », et non de fureur, « jusqu'à aujourd'hui[d] ». Si je n'étais pas né enfant de colère, je n'aurais pas besoin de renaître ; si j'étais né enfant de fureur, ou bien je n'aurais pas pu renaître,

---

Dieu ; les premiers hommes pécheurs éprouvent sa colère. La fureur est définitive, tandis que la colère peut être apaisée par la conversion.

renasci^{e 1}. Vis videre furoris filium ? Si *vidisti Satanam*
10 *tamquam fulgur cadentem de caelo*^f, quod est in impetu
furoris praecipitatum, et cognovisti de furore Dei.
Denique *non est recordatus misericordiae suae*^g, quia *cum
iratus fuerit, misericordiae recordabitur*^h, non cum iam
usque ad furorem exarseritⁱ. Vae *filiis diffidentiae*^j, his
15 quoque qui ex Adam sunt, qui nati *irae filii*^k, ipsi sibi
iram in furorem, virgam in baculum, immo in malleum
diabolica obstinatione convertunt ! Denique *thesaurizant
sibi iram in die irae*^l. Ira autem accumulata, quid, nisi
furor ? *Peccaverunt peccatum*^m diaboli, et diaboli sententia
20 percelluntur. Vae etiam, quamvis mitius, quibusdam *filiis
irae*, qui nati in ira, non exspectaverunt renasci in gratia !
Nempe mortui in quo et nati, irae filii permanebunt.
Irae dixerim, non furoris, quia, ut piissime creditur et
humanissime gemitur, mitissimae sunt poenae totum quo
25 addicti sunt aliunde trahentium.

4. Ergo *in furore* diabolus iudicatus est, quia *inventa
est iniquitas eius ad odium*^a ; hominis autem ad iram,
et ideo *in ira corripitur*^b. Ita omnis altitudo contrita
est, et quae inflat^c, et quae praecipitat, Patre nimirum
5 zelante pro Filio. Utrobique siquidem iniuria Filii est,

---

e. Cf. Jn 3, 7   f. Lc 10, 18 ≠   g. Ps. 97, 3 ≠ ; Ps. 108, 16 ≠
h. Hab. 3, 2 ≠   i. Cf. Judith 5, 2   j. Éphés. 5, 6 ≠   k. Éphés.
2, 3 ≠   l. Rom. 2, 5 ≠   m. Rom. 7, 13 ≠
4. a. Ps. 35, 3 ≠   b. Ps. 6, 2 ≠ ; Ps. 37, 2 ≠   c. Cf. II Cor.
10, 5 ; cf. I Cor. 8, 1

---

1. * Cf. *Jn* 3, 7. *Si non nascerer… opus… profuisset… renasci* : allusion
à l'impropère *Hoc opus* chanté le Vendredi saint lors de l'adoration de la
Croix ainsi qu'à ce texte de la bénédiction du cierge pascal le Samedi saint :
Nihil enim nobis nasci profuit, nisi redimi profuisset (missel romain).
2. *Ut piissime creditur et humanissime gemitur*, « Selon la pieuse
croyance et un douloureux sentiment d'humanité. » Bernard ne peut
s'empêcher de plaindre le sort immérité des enfants innocents morts
sans avoir reçu le baptême. La théologie actuelle applique à ces enfants

ou bien cela ne m'aurait servi de rien[e]. Veux-tu voir l'enfant de la fureur ? Si « tu as vu Satan tomber du ciel comme l'éclair[f] », c'est-à-dire précipité par une violente fureur, tu as pu te rendre compte de la fureur de Dieu. Bref, « il ne s'est pas souvenu de sa miséricorde[g] », car « il se souviendra de la miséricorde lorsqu'il se mettra en colère[h] », non lorsqu'il se sera enflammé jusqu'à la fureur[i]. Malheur « aux enfants d'infidélité[j] », ceux-là aussi qui sont nés d'Adam ! Nés « enfants de colère[k] », par leur opiniâtreté diabolique ils changent eux-mêmes contre eux-mêmes la colère en fureur, la baguette en bâton, ou plutôt en marteau. Aussi « s'amassent-ils un trésor de colère pour le jour de la colère[l] ». Or, qu'est-ce que la colère accumulée, sinon la fureur ? « Ils ont commis le péché[m] » du diable, et ils sont frappés de la même sentence que le diable. Malheur aussi, bien qu'avec plus d'indulgence, à certains « enfants de colère » qui, nés dans la colère, n'ont pas eu le temps de renaître dans la grâce ! Oui, morts dans le même état où ils sont nés, ils resteront enfants de colère. J'ose dire de colère, et non de fureur, car, selon la pieuse croyance et un douloureux sentiment d'humanité[2], très douces sont les peines de ceux qui tiennent d'ailleurs que d'eux-mêmes tout le motif de leur condamnation.

4. Le diable a été jugé « dans la fureur », parce que « son iniquité a provoqué la haine[a] ». L'iniquité de l'homme en revanche a provoqué la colère ; aussi « est-il châtié dans la colère[b] ». Ainsi toute hauteur a été brisée, et celle qui enfle[c], et celle qui précipite ; car le Père est rempli d'un zèle jaloux pour le Fils. Car dans les deux cas il est fait injure au Fils : soit lorsqu'on

---

cette parole de Jésus : « Laissez les enfants venir à moi, ne les empêchez pas » (Mc 10, 14).

et de usurpata potentia adversus *virtutem Dei*, quae ipse
est, et de praesumpta scientia aliunde quam a *sapientia
Dei*[d], quae nihilominus ipse est. *Domine, quis similis
tibi*[e] ? Quis, nisi *imago*[f] tua ? Quis, nisi *splendor et figura*
10 *substantiae tuae*[g] ? Solus *in forma* tua, solus *non rapinam
arbitratus est esse se aequalem*[h] tibi altissimus *Altissimi
Filius*[i]. Quomodo non aequalis ? Etiam *unum estis*, ipse *et
tu*[j]. *Sedes* illi *a dextris tuis*, non *sub pedibus*[k]. Quo pacto
audet quis pervadere locum Unigeniti tui ? Praecipitetur.
15 Ponit sibi sedem in excelso ? Subvertatur *cathedra pesti-
lentiae*[l] ? Item, *quis docet hominem scientiam*[m] ? Nonne tu,
o clavis David, aperiens cui vis et cui vis claudens[n] ? Et
quomodo sine clave ad *thesauros sapientiae et scientiae*[o]
introitus, immo irruptio tentabatur ? *Qui non intrat per
20 ostium, fur est et latro*[p] . Petrus ergo intrabit, qui claves
accepit ; non tamen solus, nam et me, si voluerit, intro-
ducet, aliumque excludet quem forte voluerit[q], in scientia
et *potestate sibi data desuper*[r].

5. Et hae claves quae ? Potestas aperiendi et claudendi,
atque inter excludendos et admittendos discretio[a]. Et non
in serpente thesauri, sed in Christo. Et ideo non potuit
205   dare scientiam serpens, quam non habuit ; sed qui habuit,

---

d. I Cor. 1, 24 ≠   e. Ps. 34, 10 ≠   f. Col. 1, 15   g. Hébr.
1, 3 ≠   h. Phil. 2, 6 ≠   i. Lc 1, 32 ≠   j. Jn 17, 22-23
≠   k. Ps. 109, 1 ≠ ; cf. I Cor. 15, 25   l. Ps. 1, 1   m. Ps. 93,
10 ≠   n. Apoc. 3, 7 (Lit. cist.)   o. Col. 2, 3 ≠   p. Jn 10, 1 ≠
q. Cf. Matth. 16, 19   r. Jn 19, 11 ≠
5. a. Cf. Apoc. 11, 6 ; cf. Matth. 16, 19

---

1. * Ce verset est employé 11 fois dans les *SBO*; 3 fois, on lit
splendor gloriae avec *Vg* (et avec tous ses mss); 8 fois, *gloriae* est omis
par Bernard. Dans la *PL*, jusqu'à Bernard, parmi de très nombreuses
occurrences de ce verset (environ 150), seules 7 omettent *gloriae*; citons
un texte attribué à Bède (*PL* 93, 918 D) et un autre d'Atton de Verceil
(xe s. ; *PL* 134, 725 D). Après Bernard, cette omission s'est largement
répandue. 6 des 8 omissions de *gloriae* par Bernard se situent dans
SCt (70, 5, l. 3, p. 66 et 85, 11, l. 25, p. 394). Une série de versets

usurpe la puissance contre « la force de Dieu », qui est
le Fils lui-même, soit lorsqu'on tire la science d'ailleurs
que de « la sagesse de Dieu[d] », qui est également le
Fils. « Seigneur, qui est semblable à toi[e] ? » Qui, sinon
ton « image[f] » ? Qui, sinon « l'effigie resplendissante de
ta substance[g][1] » ? Lui seul « partage ta condition », lui
seul « n'a pas considéré comme une usurpation d'être ton
égal[h] », lui le Très-Haut « Fils du Très-Haut[i] ». Comment
ne serait-il pas ton égal ? Bien plus, « vous n'êtes qu'un,
lui-même et toi[j] ». Son « siège est à ta droite, non sous
tes pieds[k] ». Comment quelqu'un ose-t-il ravir la place
de ton Fils unique ? Qu'il soit précipité. Met-il son siège
dans les hauteurs ? Que « cette chaire de corruption[l] »
soit renversée ! De même, « qui enseigne à l'homme
la science[m] » ? N'est-ce pas toi, « ô clef de David, qui
ouvres et fermes à qui tu veux[n][2] » ? Et comment, sans
la clef, s'efforçait-il d'entrer ou plutôt de pénétrer par
force là où sont « les trésors de la sagesse et de la science[o] » ? « Celui qui n'entre pas par la porte est un voleur
et un bandit[p]. » Pierre y entrera donc, lui qui a reçu les
clefs. Mais il n'entrera pas seul : il me fera entrer moi
aussi, s'il le veut, et peut-être refusera-t-il l'entrée à un
autre, à son gré[q], selon la science et « la puissance qui
lui a été donnée d'en haut[r] ».

5. Quelles sont ces clefs ? Le pouvoir d'ouvrir et de
fermer, et le discernement entre ceux qu'il faut exclure et
ceux qu'il faut admettre[a]. Et les trésors ne sont pas dans
le serpent, mais dans le Christ. C'est pourquoi le serpent
n'a pas pu donner la science qu'il n'avait pas ; mais celui

---

bibliques accompagne souvent ce verset d'*Hébreux* : *Phil.* 2, 6-7 ; *Col.* 1,
15 ; *Sag.* 7, 26 ; *Ps.* 44 (plusieurs versets).
    2. * *Apoc.* 3, 7 Lit.cist. On rencontre 10 emplois de ce verset dans
Bernard, aucun littéral. Seul celui-ci est à la seconde personne et s'éloigne
par là du texte de l'Apocalypse en reprenant même le *O* de la grande
antienne *O* du 20 décembre.

5 dedit[b]. Nec enim ipse potuit habere potentiam, quam non accepit ; sed qui accepit, habuit. Dedit Christus, accepit Petrus[c], nec *inflatus* de *scientia*[d], nec praecipitandus de potentia. Quare ? Quia in neutra *extollit se adversus scientiam Dei*[e], qui nihil horum praeter Dei
10 scientiam affectavit, sicut ille qui *dolose egit in conspectu eius, ut inveniatur iniquitas eius ad odium*[f]. Quomodo denique praeter scientiam Dei, qui se scribit *apostolum Iesu Christi secundum praescientiam Dei Patris*[g] ? Et haec dicta sint pro eo quod incidit de zelo Dei, quem
15 intendit *in* praevaricantes *angelum* hominemque – nam in ambobus *reperit pravitatem*[h] –, qualiter videlicet *in ira et* in *furore suo*[i] *destruxerit omnem altitudinem extollentem se adversum scientiam Dei*[j].

III. De zelo caritatis in qua Pater et Filius adveniunt, et de ipsorum mansione, vel per quae haec sentit anima.

6. Nunc iam recurrendum ad zelum misericordiae, id est non qui intenditur, sed qui immittitur, quoniam qui intenditur, ut iam diximus, iudicii est, et satis nos terruit ex memoratis exemplis tam graviter punitorum. Propterea
5 ibo mihi ego ad locum refugii[a] *a facie furoris Domini*[b], ad illum utique pietatis zelum suaviter ardentem, efficaciter expiantem. Numquid non expiat *caritas* ? Et potenter. Legi quod *operiat multitudinem peccatorum*[c]. *Sed dico :*

b. Cf. Col. 2, 3 ; cf. Gen. 3, 5   c. Cf. Matth. 16, 19   d. I Cor. 8, 1 ≠   e. II Cor. 10, 5 ≠   f. Ps. 35, 3   g. I Pierre 1, 1-2 ≠ h. Job 4, 18 ≠   i. Deut. 29, 23 ≠   j. II Cor. 10, 4-5 ≠
6. a. Cf. Ps. 30, 3 (Lit.)   b. Jér. 25, 37-38 ≠   c. I Pierre 4, 8 ≠

1. Pierre a reçu le pouvoir des clefs, parce que toute sa science de Dieu lui venait du Christ. Son péché n'a pas suscité la fureur de Dieu, mais seulement la colère. Cf. p. 44, n. 2.
2. *Jér.* 25, 37-38. Cf. *SCt* 69, 2, l. 13-14.
3. * Cf *Ps.* 30, 3 Lit. Bernard, qui ne cite ce verset qu'ici, paraît s'inspirer du texte de l'Introït de la Quinquagésime.

qui l'avait l'a donnée[b]. Il n'a pas pu avoir non plus la puissance qu'il n'a pas reçue ; mais c'est celui qui l'a reçue qui l'a possédée. Le Christ l'a donnée, Pierre l'a reçue[c], et il ne s'est pas « enflé pour sa science[d] », ni ne sera précipité de sa puissance [1]. Pourquoi ? Parce que ni dans l'une ni dans l'autre « il ne se dresse contre la science de Dieu[e] », lui qui n'aspira à aucun de ces dons en dehors de la science de Dieu, à la différence du serpent qui « usa de ruse sous les yeux du Seigneur et dont l'iniquité provoqua la haine[f] ». Comment Pierre aurait-il aspiré à ces dons en dehors de la science de Dieu, lui qui se définit « apôtre de Jésus-Christ selon la prescience de Dieu le Père[g] » ? Voilà pour ce point qui s'est présenté à nous : le zèle jaloux de Dieu, qu'il a dirigé « contre l'ange » et l'homme coupables, car chez les deux « il a trouvé la perversité[h] ». C'est ainsi que « dans sa colère et dans sa fureur[i] il a détruit toute puissance hautaine qui s'est dressée contre la science de Dieu[j] ».

III. Le zèle de la charité dans laquelle viennent le Père et le Fils, et leur demeure dans l'âme. A quels signes l'âme s'en aperçoit.

6. Il nous faut maintenant recourir au zèle de la miséricorde, c'est-à-dire non celui qui est dirigé contre l'âme, mais celui qui lui est infusé. Le zèle jaloux qui est dirigé contre l'âme, nous l'avons déjà dit, est celui de la justice ; il nous a assez effrayés par les exemples cités de ceux qui ont été si sévèrement punis. C'est pourquoi, moi, « loin de la fureur du Seigneur[b 2] », je chercherai un lieu de refuge[a 3], c'est-à-dire ce zèle de tendresse qui brûle avec douceur et qui expie avec efficacité. « La charité » n'expie-t-elle pas ? Oui, et puissamment. J'ai lu qu'elle « couvre une multitude de péchés[c] ». « Mais je demande :

numquid non[d] idonea est seu sufficiens ad deiciendam
10 humiliandamque omnem *extollentiam oculorum*[e] et
cordis ? Et maxime : nam non extollitur, *non inflatur*[f]. Si
ergo Dominus Iesus dignetur venire ad me[g], vel potius
in me, non in zelo furoris, et ne in ira quidem, sed *in
caritate et spiritu mansuetudinis*[h], *aemulans me Dei aemu-*
15 *latione*[i] – quid enim ita Dei, ut *caritas* ? nempe et *Deus
est*[j] –, si, inquam, in ista venerit, et in hoc cognoscam
quod non sit solus, sed venerit etiam Pater suus cum
eo[k]. Nam quid aeque paternum ? Propter hoc nempe,
non Pater Verbi tantum, sed et *Pater misericordiarum*[l]
20 est appellatus, quod innatum habeat misereri semper
et parcere. Si sensero *aperiri mihi sensum, ut intelligam
Scripturas*[m], aut sermonem sapientiae[n] quasi ebullire ex
intimis, aut infuso lumine desuper revelari mysteria, aut
certe expandi mihi quasi quoddam largissimum caeli
25 gremium, et uberiores desursum influere animo medi-
tationum imbres, non ambigo Sponsum adesse. Verbi
siquidem hae copiae sunt, *et de plenitudine eius* ista
accipimus[o]. Quod si se pariter infuderit humilis quaedam,
sed pinguis, intimae aspersionis devotio, ut amor agnitae
30 veritatis necessarium quoddam odium vanitatis in me
generet et contemptum, ne forte aut *scientia inflet*[p], aut
frequentia visitationum extollat me[q], tunc prorsus paterne
sentio agi mecum et Patrem adesse non dubito. Si autem
perseveravero huic dignationi dignis semper, quod in me

---

d. Rom. 10, 18- 19   e. Sir. 23, 5   f. I Cor. 13, 4 ; cf. I Cor.
4, 18   g. Cf. I Cor. 4, 19   h. I Cor. 4, 21   i. II Cor. 11, 2 ≠
j. Jn 4, 16 ≠   k. Cf. Jn 16, 32   l. II Cor. 1, 3   m. Lc 24, 45 ≠ ;
cf. Act. 8, 30-31   n. Cf. I Cor. 12, 8   o. Jn 1, 16 ≠   p. I Cor.
8, 1 ≠   q. Cf. II Cor. 12, 7

---

1. Bernard énumère plusieurs éléments qui attestent la présence de
l'Époux dans l'âme : l'intelligence des Écritures, une parole de sagesse,
le ciel qui s'ouvre et les pluies de la méditation.

n'est-elle pas[d] » capable, à elle seule, de renverser et d'humilier toute « arrogance du regard[e] » et du cœur ? Oui, au plus haut point : car elle ne s'élève pas, « ne s'enfle pas[f] ». Si le Seigneur Jésus daigne venir à moi[g], ou plutôt en moi, non dans un zèle de fureur, ni même en colère, mais « dans la charité et dans un esprit de mansuétude[h], jaloux pour moi de la jalousie de Dieu[i] » – car qu'y a-t-il d'aussi divin que « la charité ? elle est Dieu même[j] » –, si, dis-je, il vient dans la charité, par là aussi je saurai qu'il n'est pas seul, mais que son Père vient avec lui[k]. Quoi d'aussi paternel que la charité ? C'est pourquoi le Père n'est pas appelé seulement Père du Verbe, mais aussi « Père des miséricordes[l] », parce que c'est sa nature propre d'avoir toujours pitié et de pardonner. Si je sens que « mon intelligence s'ouvre pour comprendre les Écritures[m 1] », ou qu'une parole de sagesse[n] jaillit avec abondance de mon cœur, ou que les mystères me sont révélés par une lumière venue d'en haut ; si je sens que, comme une sorte de giron, le ciel s'ouvre tout grand pour moi et que les pluies de la méditation se déversent à torrents en mon âme, je ne doute pas de la présence de l'Époux. C'est bien du Verbe que viennent ces largesses, « et c'est de sa plénitude que nous les recevons[o] ». Et si en même temps se répand en moi le ruissellement intérieur d'une ferveur humble mais intense, si bien que l'amour de la vérité reconnue engendre nécessairement en moi la haine et le mépris de la vanité, de peur que « la science ne m'enfle[p] » ou que la fréquence des visites du Seigneur ne m'inspire de l'orgueil[q], alors je comprends que je suis traité de façon paternelle, et je ne doute pas de la présence du Père. Et si je persévère, dans la mesure de mes forces, à répondre toujours à cette bonté par des sentiments et des actes qui en soient dignes, de sorte que « la grâce de Dieu en

35 est, affectibus et actibus respondere, *et gratia* Dei *apud
me vacua non fuerit*[r], etiam *mansionem apud me faciet*
tam *Pater*[s] enutriens quam Verbum erudiens.

7. Quanta putas ex hac mansione inter animam et
Verbum familiaritatis gratia oriatur, quanta de familia-
ritate sequatur fiducia ? Non est, ut opinor, quod iam
talis anima dicere vereatur : *Dilectus meus mihi*[a] , quae
5 ex eo quod se diligere, et vehementer diligere, sentit,
etiam diligi vehementer non ambigit, ac de sua singulari
intentione, sollicitudine, cura, opera, diligentia studioque
quo incessanter et ardenter invigilat, *quemadmodum
placeat Deo*[b], aeque haec omnia in ipso indubitanter
10 agnoscit, recordans promissionis eius : *In qua mensura
mensi fueritis, remetietur vobis*[c] , nisi quod redhibitionem
gratiae prudens sponsa ad suam magis cauta est trahere
partem, sciens se praeventam potius a dilecto. Inde est
15 quod illius operam praefert : *Dilectus,* inquiens, *meus
mihi, et ego illi*[d]. Ergo ex propriis quae sunt penes Deum
agnoscit, nec dubitat se amari, quae amat. Ita est : amor
Dei amorem animae parit, et illius praecurrens intentio
intentam animam facit, sollicitudoque sollicitam. Nescio
20 enim qua vicinitate naturae, cum semel *revelata facie
gloriam Dei speculari* anima poterit, mox illi se *conformari*
necesse est, atque *in eamdem imaginem transformari*[e].
Igitur qualem te paraveris Deo, talis oportet appareat
tibi Deus : *Cum sancto sanctus erit, et cum viro innocente
25 innocens erit*[f]. Quidni aeque et cum amante amans, et

---

r. I Cor. 15, 10 ≠   s. Jn 14, 23 ≠
7. a. Cant. 2, 16   b. I Cor. 7, 32 ≠   c. Matth. 7, 2 ≠   d. Cant.
2, 16   e. II Cor. 3, 18 ≠ ; Rom. 8, 29 ≠   f. Ps. 17, 26 ≠

---

1. Ce paragraphe décrit admirablement la réciprocité des relations
amoureuses. Mais c'est toujours Dieu qui commence à aimer.

moi ne soit pas stérile[r] », alors et « le Père » qui nourrit l'âme et le Verbe qui l'instruit « feront même chez moi leur demeure[s] ».

7. A ton avis, quelle grande grâce d'intimité entre l'âme et le Verbe va-t-elle résulter de cette demeure ? Et quelle grande confiance va-t-elle naître de cette intimité ? Non, à mon sens, il n'y a plus de raison pour qu'une telle âme craigne de dire : « Mon bien-aimé à moi[a]. » Comme elle sent qu'elle aime, et qu'elle aime avec violence, elle ne doute pas d'être aimée avec la même violence[1]. En raison de l'attention particulière, du souci, du soin, de la peine, de l'application et de l'effort avec lesquels elle cherche sans cesse et ardemment « comment plaire à Dieu[b] », elle n'hésite pas à reconnaître tout cela aussi en lui, se souvenant de sa promesse : « La mesure avec laquelle vous aurez mesuré servira de mesure pour vous[c]. » Cependant, en épouse avisée, elle s'est bien gardée de s'attribuer cette réciprocité de la grâce. Car elle le sait : c'est plutôt son bien-aimé qui l'a prévenue. De là vient qu'elle parle d'abord de son œuvre à lui, en disant : « Mon bien-aimé à moi, et moi à lui[d]. » Ainsi, à ses propres sentiments elle reconnaît ceux de Dieu, et elle ne doute pas d'être aimée, puisqu'elle aime. C'est bien ainsi : l'amour de Dieu engendre l'amour de l'âme ; c'est l'attention prévenante de Dieu qui rend l'âme attentive, et c'est le souci qu'il a d'elle qui la rend soucieuse de Dieu. Par je ne sais quelle proximité de nature, lorsque l'âme pourra une seule fois « contempler à visage découvert la gloire de Dieu », il est inévitable que sans tarder « elle soit conformée à lui et transformée en cette même image[e] ». Ainsi, tel que tu te seras préparé pour Dieu, tel Dieu t'apparaîtra forcément : « Avec le saint, il sera saint, et avec l'homme innocent, il sera innocent[f]. » Pourquoi ne serait-il pas également aimant avec celui qui l'aime, en repos avec celui qui se

cum vacante vacans, et cum intento intentus, et sollicitus cum sollicito ?

8. Denique ait : *Ego diligentes me diligo, et qui mane vigilarint ad me invenient me*[a] . Vides quomodo non solum de amore suo certum te reddat, si quidem tu ames illum, sed etiam de sua sollicitudine, quam pro te
5 gerit, si te senserit sollicitum sui. Vigilas tu ? Vigilat et ipse. *Consurge in nocte, in principio vigiliarum tuarum*[b], accelera quantumvis etiam ipsas *anticipare vigilias*[c] : invenies eum, non praevenies. Temere in tali negotio vel prius aliquid tribuis tibi, vel plus : et magis amat, et ante.
10 Si haec anima scit, immo, quia scit, miraris quod illam maiestatem, quasi cetera non curantem, soli sibi intendere glorietur, cui soli ipsa, postpositis curis omnibus, tota se devotione custodit ? Sermo finem desiderat ; sed unum dico spiritualibus qui in vobis sunt, mirum quidem,
15 sed verum : animam Deum videntem haud secus videre, quam si sola videatur a Deo. Ea ergo fiducia dicit illum intendere sibi, seque illi, nihil praeter se et ipsum videns. *Bonus es, Domine, animae quaerenti te*[d] *!* Occurris, amplecteris, Sponsum exhibes, qui Dominus es, immo
20 *qui es super omnia Deus benedictus in saecula. Amen*[e].

---

8. a. Prov. 8, 17 ≠   b. Lam. 2, 19 ≠   c. Ps. 76, 5 ≠   d. Lam. 3, 25 ≠   e. Rom. 9, 5 ≠

---

1. *Cum vacante vacans,* « Dieu sera en repos avec celui qui se repose. » Ruusbroec a-t-il été inspiré par cette idée bernardine du repos divin ? En effet, sa doctrine trinitaire décrit aussi bien l'activité des Personnes divines que l'éternel repos qu'elles retrouvent dans l'unité de leur nature. « Tu peux ainsi comprendre en quoi la nature divine est éternellement à l'œuvre, selon le mode des Personnes, et en quoi elle se tient éternellement désœuvrée selon la simplicité de son essence » (*Livre des éclaircissements*, trad. A. Louf, Bellefontaine 1990, p. 258.)

2. * *Prov.* 8, 17. Ici, comme en *SCt* 57, 4, l. 25-26, *SC* 472, p. 160, Bernard écrit non *vigilant (Vg)*, mais *vigilarint* et *vigilaverint;* chaque fois avec des variantes, lesquelles conservent le subjonctif parfait que l'on ne

repose en lui[1], attentif à celui qui lui prête attention, soucieux de celui qui se soucie de lui ?

8. Aussi dit-il : « J'aime ceux qui m'aiment, et ceux qui veilleront dès le matin en quête de moi me trouveront[a][2]. » Tu vois comment non seulement il t'assure de son amour, pourvu que tu l'aimes, mais encore du souci qu'il a de toi, s'il te reconnaît soucieux de lui. Veilles-tu ? Il veille lui aussi. « Lève-toi dans la nuit, au commencement de tes veilles[b] », hâte-toi tant que tu voudras pour « devancer même l'heure des vigiles[c] » : tu le trouveras, tu ne le préviendras jamais. Tu serais bien téméraire de t'attribuer en ce domaine la moindre priorité ou le moindre avantage ; il aime plus, et le premier. Si l'âme sait cela – ou plutôt, parce qu'elle le sait – vas-tu t'étonner qu'elle se glorifie d'être l'objet d'une attention exclusive de la part de la majesté divine – comme si celle-ci n'avait rien d'autre à faire – elle qui, négligeant tout autre souci, se garde avec une entière ferveur pour Dieu seul ? Il faut conclure le sermon. J'ajouterai juste un mot pour les spirituels qui sont parmi vous. Voici qui est bien étonnant, et pourtant vrai : l'âme qui voit Dieu ne le voit pas autrement que si elle était seule vue de Dieu. Dans cette assurance elle dit qu'il lui prête attention, et elle à lui, sans rien voir d'autre qu'elle et lui. « Tu es bon, Seigneur, pour l'âme qui te cherche[d][3] ! » Tu viens au-devant d'elle, tu l'embrasses, tu la traites en Époux, toi qui es le Seigneur, ou plutôt « qui es au-dessus de tout, Dieu béni dans les siècles. Amen[e]. »

---

retrouve que dans Dhuoda, *Manuel pour mon fils* II, 2, l. 37, *SC* 225 bis, p. 124. – Citation à rapprocher de l'hymne *Jesu dulcis memoria : Quam bonus te quaerentibus !*

3. * *Lam.* 3, 25 ≠. Bernard emploie 16 fois ce texte : 8 fois (dont ici) à la 2e personne, alors que *Vg* (qu'il reproduit 4 fois) est à la 3e personne ; 4 autres fois, l'allusion, lointaine, ne peut être classée. Bernard suivrait-il une recension liturgique des *Lamentations* ?

SERMO LXX

I. Quod inde Sponsus dilectus factus est, quod inter lilia pastus est. – II. Quae sunt spiritualia inter quae Sponsus pascitur lilia. – III. Quam competenter veritas comparetur lilio, et qua ratione mansuetudo vel iustitia sint lilia. – IV. Quod omnia quae de Sponso sunt, lilia sunt, et quae lilia sodales Sponsi habent, et quod ad minus duo lilia necessaria sunt ad salutem.

I. Quod inde Sponsus dilectus factus est, quod inter lilia pastus est.

1. *Dilectus meus mihi, et ego illi, qui pascitur inter lilia*[a] . Quis huic iam imputet praesumptioni vel insolentiae, si se dicat iniisse societatem cum illo, *qui pascitur inter lilia* ? Etiamsi inter sidera pasceretur, eo solo quod pasce-
5 retur, nescio quid magnum videri possit cum eiusmodi amicitias seu familiaritatem habere. Aliquid prorsus ignobile et humile sonat, *pasci*. Nunc vero cum et *pasci inter lilia* perhibetur, deiectionis adiectio longius amovet et propulsat temeritatis notam. Quid enim sunt lilia ?
10 Iuxta verbum Domini, *fenum quod hodie est et cras in clibanum mittitur*[b]. Quantus est iste qui feno pascitur, quasi unus agnorum et vitulorum[c] ? Et *agnus*[d] plane, et *vitulus saginatus*[e]. Sed tu forte vigilantius advertisti, non pabulum hoc loco designari, sed locum ; nec enim
15 dictum « liliis » eum pasci, sed *inter lilia*. Esto. *Non*

1. a. Cant. 2, 16   b. Matth. 6, 30 ≠   c. Cf. Is. 1, 11   d. Jn 1, 29   e. Lc 15, 23 ≠

208

SERMON 70

I. L'Époux est devenu le bien-aimé dès lors qu'il a commencé à se nourrir parmi les lis. – II. Quels sont les lis spirituels parmi lesquels l'Époux se nourrit. – III. Avec quel à-propos la vérité est comparée au lis. Pour quelle raison la mansuétude et la justice sont des lis. – IV. Tout ce qui est de l'Époux est lis. Les lis que possèdent les compagnons de l'Époux. Deux lis au moins sont nécessaires pour le salut.

I. L'Époux est devenu le bien-aimé dès lors qu'il a commencé à se nourrir parmi les lis.

1. « Mon bien-aimé à moi, et moi à lui, qui se nourrit parmi les lis[a]. » Qui osera désormais accuser l'épouse de présomption ou d'insolence, si elle se dit liée avec celui « qui se nourrit parmi les lis » ? Même s'il se nourrissait parmi les astres, du seul fait qu'il se nourrisse, je ne sais pas quelle grandeur on pourrait voir dans l'amitié ou la familiarité qu'on entretient avec un tel personnage. Ce mot, « se nourrir », évoque d'emblée quelque chose d'ordinaire et d'humble. De plus, puisqu'il est dit qu'il « se nourrit parmi les lis », cette surenchère d'abaissement écarte et bannit jusqu'à la moindre nuance de témérité. Car que sont les lis ? Selon la parole du Seigneur, « de l'herbe qui est aujourd'hui et demain sera jetée au four[b]. » Quelle est la grandeur de ce bien-aimé qui se nourrit d'herbe, comme un agneau ou un veau[c] ? Oui, il est « un agneau[d] », et il est « le veau gras[e] ». Mais tu es attentif, et tu as peut-être remarqué que ce n'est pas la pâture, mais le pâturage qui est désigné ici. Car il n'est pas dit qu'il se nourrit de lis, mais « parmi les lis ». Soit. « Il ne

fenum comedit ut bos[f] ; inter fenum tamen versari, et
super fenum discumbere, instar unius de turba[g], quid
eminentiae habere potest ? Quid vero gloriae huic, habere
dilectum illum qui hoc egerit ? Et secundum litteram
20 quidem, sponsae verecundia et cautela prudentiae eius
in loquendo satis apparet, utique *disponentis sermones
suos in iudicio*[h], et rerum gloriam verborum modestia
temperantis.

2. Alias autem non ignorat unum esse, et qui pascitur
et qui pascit, inter lilia commorantem et regnantem
super sidera. At libentius dilecti humilia memorat,
propter humilitatem quidem, ut dixi, magis autem quod
5 exinde coepit esse dilectus, ex quo et pasci. Nec modo
exinde, sed inde. Nam qui *in altissimis*[a] est Dominus,
in imis est dilectus : super sidera regnans, et inter
lilia amans. Amabat et super sidera, quia nusquam et
numquam potuit non amare, qui amor est ; sed donec
10 ad lilia descendit, et pasci inter lilia compertus est, nec
amatus est, nec *factus dilectus*[b]. Quid ? Non est amatus
a Patriarchis et Prophetis ? Est ; sed non prius quam
visus est et ab ipsis *inter lilia pasci*[c]. Neque enim non
viderunt quem praeviderunt, nisi ita quis absque spiritu
15 sit, ut videntem in spiritu putet videre nihil. Unde ergo
Videntes – nam sic Prophetae appellati sunt[d] –, si nihil
viderunt ? Inde est quod *voluerunt videre, quem non
viderunt*[e]. Nec enim poterant velle videre in corpore,
quem in spiritu non vidissent. *Sed dico : Numquid omnes*

f. Job 40, 10 ≠   g. Cf. Jn 6, 10   h. Ps. 111, 5 ≠
2. a. Lc 2, 14   b. Sag. 4, 10   c. Cant. 2, 16 ≠   d. Cf. I Sam.
9, 9   e. Lc 10, 24 ≠

1. *Super sidera regnans et inter lilia amans,* « Il règne sur les astres, il
aime parmi les lis. » Bernard aime souligner la double nature de l'Époux :
régnant dans les cieux et s'abaissant pour mieux aimer les hommes.

mange pas de l'herbe, comme un bœuf[f] » ; néanmoins, vivre parmi les herbages et s'étendre sur l'herbe, comme un homme du peuple[g], quelle supériorité y a-t-il en cela ? Quelle gloire pour l'épouse, d'avoir pour bien-aimé celui qui se conduit de la sorte ? Même selon la lettre, la réserve de l'épouse et la prudente retenue de son langage se manifestent suffisamment. Car « elle surveille judicieusement ses discours[h] » et elle tempère la gloire de la réalité par la modestie des paroles.

2. Elle n'ignore pas, d'ailleurs, que c'est le même qui se nourrit et qui nourrit, qui séjourne parmi les lis et qui règne sur les astres. Mais elle évoque plus volontiers les aspects les plus humbles de son bien-aimé, par humilité certes, comme je l'ai déjà dit, et surtout parce qu'il a commencé d'être son bien-aimé à partir du moment où il a commencé aussi à se nourrir. Et non seulement à partir de ce moment, mais pour cette raison. Car celui qui est le Seigneur « au plus haut des cieux[a] », est ici-bas le bien-aimé ; il règne sur les astres, il aime parmi les lis [1]. Il aimait aussi lorsqu'il régnait sur les astres, car nulle part et jamais il n'a pu s'empêcher d'aimer, lui qui est l'amour. Mais jusqu'au moment où il est descendu vers les lis et a été vu se nourrir parmi les lis, il n'a pas été aimé et n'est pas « devenu le bien-aimé[b] ». Quoi ? N'a-t-il pas été aimé des Patriarches et des Prophètes ? Si ; mais pas avant qu'eux aussi, ils l'aient vu « se nourrir parmi les lis[c] ». Ils ont certes vu celui qu'ils ont prévu, à moins qu'on ne soit assez étranger aux choses de l'esprit pour penser que celui qui voit en esprit ne voit rien. D'où vient ce nom de Voyants – car c'est ainsi que les Prophètes furent appelés[d] –, s'ils n'ont rien vu ? C'est pour cela qu'« ils ont voulu voir celui qu'ils n'ont pas vu[e] ». Ils ne pouvaient désirer voir des yeux du corps celui qu'ils n'auraient pas vu d'abord des yeux de l'esprit. « Je demande pourtant :

20 *Prophetae*[f], quasi *omnes videre voluerint*[g] aut *fuerit omnium fides*[h] ? Sed enim qui viderunt, aut Prophetae fuerunt, aut Prophetis acquiescentes. Et credidisse enim, vidisse est. Non modo namque qui per *prophetiae spiritum*[i], sed et qui per fidem videt, si quis ipsum quoque dicat videre 25 in spiritu, mihi non videtur errare.

3. Ita ergo, quod ad lilia descendere et *inter lilia pasci*[a] dignatus est is qui omnes pascit, *dilectum fecit*[b] illum, quia non potuit ante diligi quam agnosci. Ac per hoc cum de dilecto facta mentio est, pulchre et illud memoratum 5 est, quod dilectionis et agnitionis exstitit causa.

II. Quae sunt spiritualia inter quae Sponsus pascitur lilia.

Quaerenda in spiritu refectio haec inter lilia ; nam corpoream cogitare ridiculum est. Quin ipsa lilia spiritualia, si quidem potuerimus, demonstranda a nobis erunt. Puto hoc quoque dicere nos oportebit, unde 10 inter lilia pascatur dilectus, liliis ne ipsis, an aliis inter lilia reconditis herbis vel floribus ? Et in his illud mihi difficilius apparet, quod pasci, non pascere perhibetur. Nam quia pascat dubium non est, nec enim indignum ei ; at pasci indigentiam sonat, et ne spiritualiter quidem, 15 sine iniuria maiestatis, facile illi posse assignari videtur.

---

f. Rom. 10, 18-19 ; I Cor. 12, 29   g. Lc 10, 24 ≠   h. II Thess. 3, 2 ≠   i. Apoc. 19, 10 ≠
3. a. Cant. 2, 16 ≠   b. Sag. 4, 10 ≠

1. *Credidisse enim uidisse est,* « Avoir cru, c'est avoir vu. » Formule ramassée qui évoque la lumière de la foi. Bernard a souvent cité l'affirmation évangélique de *Jn* 20, 29, ici sous-entendue. En *NatV* 6 (en particulier § 5, *SC* 480, p. 312, l. 20 jusqu'à la p. 314, l. 35), il détaille les diverses conséquences d'un regard de foi.

2. *Quod pasci, non pascere perhibetur,* « Ce qui me paraît le plus difficile en tout cela, c'est qu'on nous dit qu'il *se* nourrit, et non qu'il nourrit. » Car le fait de se nourrir est une marque d'indigence. Ruusbroec dit

furent-ils tous Prophètes[f] ? » C'est-à-dire : « Ont-ils tous voulu le voir[g] » ? « Ont-ils tous eu la foi[h] » ? Mais ceux qui l'ont vu furent ou bien des Prophètes, ou bien des gens qui firent confiance aux Prophètes. Or, avoir cru c'est avoir vu [1]. En effet, non seulement voit celui qui voit par « l'esprit de prophétie[i] », mais aussi celui qui voit par la foi ; et si quelqu'un dit que celui-ci aussi voit par l'esprit, il ne me semble pas se tromper.

3. C'est donc en descendant vers les lis et en daignant « se nourrir parmi les lis[a] » que celui qui nourrit toute créature « est devenu le bien-aimé[b] ». Car il n'a pu être aimé avant d'être connu. Ainsi c'est avec finesse que l'épouse, en faisant mention du bien-aimé, rappelle aussi ce qui a été la cause à la fois de l'amour et de la connaissance.

II. Quels sont les lis spirituels parmi lesquels l'Époux se nourrit.

Il faut chercher le sens spirituel de ce repas pris parmi les lis ; car il serait ridicule de songer à un repas corporel. Et même, si nous le pouvons, nous aurons à montrer quels sont ces lis spirituels. Je pense qu'il nous faudra aussi expliquer de quoi le bien-aimé se nourrit parmi les lis : des lis eux-mêmes ou d'autres herbes et d'autres fleurs cachées parmi les lis ? Ce qui me paraît le plus difficile en tout cela, c'est qu'on nous dit qu'il se nourrit, et non qu'il nourrit [2]. Qu'il mène paître son troupeau, cela ne fait aucun doute et n'est pas indigne de lui. Mais le fait de se nourrir est une marque d'indigence, et ne semble pas pouvoir lui être aisément attribué, même au sens spirituel, sans faire injure à sa majesté. Pour moi,

à sa manière que le Christ désire nous manger d'un désir plus grand que celui qui peut nous conduire vers l'eucharistie. Cf. Ruusbroec, *Miroir*, p. 194.

Nec ego sane recordor usque modo advertisse me in Cantico hoc pastum uspiam perhiberi, cum pascentem puto recordemini et vos mecum. Denique postulavit sibi aliquando demonstrari, *ubi in meridie pasceret* et *cubaret*[c].
20 Et nunc quidem, quod necdum dixerat, perhibet pasci, sed non similiter postulat locum indicari sibi ; sed ipsa indicat, assignans *inter lilia*. Novit hoc, illud non novit, quia aeque praesto esse non potest quod sublime et in sublimi est, et quod humile et super terram. Sublime
25 opus, sublimis et locus, nec accessus ad eum, usque adhuc, vel ipsi sponsae.

4. Et ideo *semetipsum exinanivit*[a] usque ad hoc, ut pasceretur ipse omnium pastor ; et inventus est *inter lilia*[b], et visus ab Ecclesia, adamatus est ab inope pauper, *factus dilectus*[c] propter similitudinem. Non solum autem,
5 sed et *propter veritatem, et mansuetudinem, et iustitiam*[d] : quod per eum scilicet promissiones adimpletae sunt, quod *iniquitates remissae sunt*[e], quod superbi daemones una cum principe suo iudicati sunt. Talis ergo apparuit qui merito amaretur, verax pro se, mitis hominibus, iustus
10 pro hominibus. O vere amandum et totis medullis cordis amplectendum Sponsum ! Quid iam cunctetur Ecclesia totam se tota devotione committere tam fido redditori, tam pio indultori, tam iusto propugnatori ? Porro prae-miserat Propheta, dicens : *Specie tua et pulchritudine tua*
15 *intende prospere*[f]. Unde species haec et pulchritudo ? Puto

210

c. Cant. 1, 6 ≠
4. a. Phil. 2, 7   b. Cant. 2, 16   c. Sag. 4, 10   d. Ps. 44,
5   e. Ps. 31, 1 ≠   f. Ps. 44, 5 ≠

1. Cf. *SCt* 33, 2-7 (*SC* 452, p. 36-53).

je ne me rappelle pas avoir remarqué jusqu'à présent dans ce Cantique un passage où l'on dise que l'Époux se nourrisse. En revanche, vous vous en souvenez comme moi, je pense, nous l'avons vu paissant son troupeau [1]. L'épouse en effet a demandé quelque part qu'on lui montre « où l'Époux mène paître son troupeau et où il se repose à midi [c] ». Maintenant elle déclare que l'Époux se nourrit, chose qu'elle n'avait pas encore dite. Mais elle ne demande pas cette fois qu'on lui montre le lieu ; c'est elle-même qui le montre, en précisant : « parmi les lis ». Elle connaît ce lieu, alors qu'elle ne connaissait pas l'autre. Car ce qui est sublime et se trouve dans un lieu sublime ne peut pas être à la portée de l'épouse comme ce qui est humble et se trouve ici sur la terre. Sublime était alors l'occupation de l'Époux, sublime aussi son lieu, et inaccessible jusqu'à présent, même pour l'épouse.

4. C'est pourquoi l'Époux « s'est anéanti [a] » jusqu'à avoir besoin de se nourrir, lui qui est le pasteur de toute créature. Il a été trouvé « parmi les lis [b] » et a été vu par l'Église ; s'étant fait pauvre, il a été aimé de cette pauvresse. « Il est devenu son bien-aimé [c] » grâce à cette ressemblance. Et non seulement pour cela, mais aussi « grâce à la vérité, à la mansuétude et à la justice qui sont en lui [d] ». Car par lui les promesses ont été accomplies, « les péchés ont été pardonnés [e] », les démons orgueilleux ont été jugés avec leur prince. Il s'est montré tel qu'il méritait d'être aimé : véridique en lui-même, doux aux hommes, juste en leur faveur. Ô Époux vraiment digne d'être aimé et embrassé de tout l'élan du cœur ! Pourquoi l'Église hésiterait-elle à se donner tout entière et avec toute sa ferveur à celui qui donne si fidèlement en retour, à celui qui pardonne si tendrement, à un protecteur si juste ? Le Prophète l'avait prédit en disant : « Dans ton éclat et dans ta beauté avance avec bonheur [f]. » D'où lui

ex liliis. Quid lilio speciosius ? Sic nihil formosius Sponso.
Quae sunt ergo illa lilia, e quibus *species decoris eius*[g] ?
Procede, inquit, *et regna propter veritatem, et mansuetu-*
dinem, et iustitiam[h]. Lilia sunt ; lilia, inquam, *orta de*
20 *terra*[i], nitentia super terram, eminentia in floribus terrae,
fragrantia super odorem aromatum[j]. Ergo inter haec lilia
Sponsus, et omnino ex his speciosus et pulcher. Alias
enim, quod quidem ad carnis infirma spectat, *non erat*
ei species neque decor[k].

5. Bonum autem lilium veritas, candore conspicuum,
odore praecipuum ; denique *candor est lucis aeternae*[a],
splendor et figura substantiae[b] Dei. Lilium plane, quod ad
novam benedictionem terra nostra produxit[c], et *paravit*
5 *ante faciem omnium populorum, lumen ad revelationem*
gentium[d]. Donec sub *maledicto* fuit *terra, spinas et tribulos*
germinavit[e]. At nunc *veritas de terra orta est*[f], Domino
benedicente, speciosus omnino quidam *flos campi et*
lilium convallium[g]. Agnosce lilium ex candore, qui mox
10 in ipso exortu floris pastoribus de nocte emicuit, dicente
Evangelio, quia *Angelus Domini stetit iuxta illos, et claritas*
Dei circumfulsit illos[h]. Bene *Dei*, quia non Angeli, sed lilii
candor : ille aderat, sed illud micabat ab usque Bethleem.
Agnosce lilium et ex odore quo et longe positis innotuit
15 Magis. Et quidem *stella apparuit*[i] ; sed eam minime viri
graves secuti fuissent, nisi intima quadam suaveolentia

---

g. Ps. 49, 2   h. Ps. 44, 5   i. Ps. 84, 12 ≠   j. Cant. 1, 2 ≠ ;
4, 10 ≠   k. Is. 53, 2 ≠
5. a. Sag. 7, 26 (Patr.)   b. Hébr. 1, 3 ≠   c. Cf. Ps. 84, 13
d. Lc 2, 31-32 ≠   e. Gen. 3, 17-18 ≠   f. Ps. 84, 12   g. Cant.
2, 1   h. Lc 2, 9   i. Matth. 2, 7 ≠

---

1. Les paragraphes 4 à 6 donnent une explication allégorique des lis.
Bernard leur donne trois noms : vérité, mansuétude et justice.
2. * *Sag.* 7, 26, cf. *SC* 431, p. 76, n. 1 sur *SCt* 17, 3. *Lucis,* à la

viennent cet éclat et cette beauté ? Des lis, je pense. Quoi de plus éclatant qu'un lis ? Aussi, rien de plus beau que l'Époux. Quels sont donc ces lis d'où provient « l'éclat de sa beauté[g] » ? « Avance, dit le Prophète, et règne grâce à la vérité, à la mansuétude et à la justice[h]. » Ce sont là des lis ; des lis, dis-je, « nés de la terre[i] », éclatants sur la terre, supérieurs aux fleurs de la terre, « plus odorants que le parfum des aromates[j] ». C'est parmi ces lis que se nourrit l'Époux, et c'est bien d'eux qu'il tient son éclat et sa beauté. Ailleurs en effet, selon l'infirmité de la chair, « il n'avait ni éclat ni beauté[k] ».

5. C'est un lis précieux que la vérité[1], d'une blancheur éblouissante, d'une odeur exquise ; « c'est la blancheur éclatante de la lumière éternelle[a][2], l'image resplendissante de la substance[b] » de Dieu. Oui, la vérité est un lis, que notre terre a produit pour une nouvelle bénédiction[c] et « préparé face à tous les peuples, lumière pour éclairer les nations[d] ». Tant que « la terre fut sous la malédiction, elle ne fit pousser qu'épines et ronces[e] ». Mais maintenant, grâce à la bénédiction de Dieu, « la vérité a germé de la terre[f] », « fleur merveilleuse du champ et lis des vallées[g] ». Reconnais le lis à sa blancheur éclatante qui, à peine sa fleur éclose, resplendit de nuit aux yeux des bergers, selon cette parole de l'Évangile : « L'ange du Seigneur se tint à leurs côtés, et la clarté de Dieu les enveloppa[h]. » Il est bien de dire : *de Dieu ;* car ce n'était pas la blancheur éclatante de l'ange, mais celle du lis. L'ange était là, mais le lis resplendissait depuis Bethléem. Reconnais le lis aussi à son parfum, qui parvint aux Mages dans leurs terres lointaines. C'est vrai qu'« une étoile leur apparut[i] » ; mais ces hommes si graves ne l'eussent jamais suivie, s'ils n'avaient pas été attirés intérieurement par le

place de *vitae,* provient d'une citation biblique approximative faite par Grégoire et reproduite par Bernard.

orti lilii traherentur. Et vere lilium veritas, cuius odor animat fidem, splendor intellectum illuminat.

III. Quam competenter veritas comparetur lilio, et qua ratione mansuetudo vel iustitia sint lilia.

Leva etiam oculos nunc in ipsam personam Domini, qui in Evangelio loquitur : *Ego sum Veritas*[j], et vide quam competenter veritas lilio comparetur. Si non advertisti, adverte de medio floris huius quasi aureas
5 virgulas prodeuntes, cinctas candidissimo flore, pulchre ac decenter disposito in coronam, et agnosce auream in Christo divinitatem, humanae coronatam puritate naturae, id est Christum *in diademate quo coronavit eum mater sua*[k]. Nam in quo coronavit eum Pater suus, *lucem*
10 *habitat inaccessibilem*[l], nec posses in eo illum interim adhuc videre. Sed de hoc alias.

6. Nunc vero lilium veritas est ; est et mansuetudo. Et bene lilium mansuetudo, habens innocentiae candorem et odorem spei, *quoniam sunt reliquiae*, inquit, *homini pacifico*[a]. *Bonae spei*[b] vir mansuetus, nec minus etiam in
5 praesenti lucidum quoddam vitae est socialis exemplar. Annon lilium, quae lucet officio, redolet spe ? Adde quod, sicut *veritas de terra orta est*[c], ita et mansuetudo. Nisi quis dubitet ortum de terra *Agnum dominatorem terrae*[d], illum *agnum qui ad occisionem ductus est et non*
10 *aperuit os suum*[e]. Nec tantum mansuetudo seu *veritas de terra orta est*, sed *et iustitia*[f], Propheta dicente : *Rorate*

---

j. Jn 14, 6 ≠   k. Cant 3, 11   l. I Tim. 6, 16 ≠
6. a. Ps. 36, 37   b. Sag. 12, 19   c. Ps. 84, 12   d. Is. 16, 1
e. Is. 53, 7 ≠   f. Ps. 84, 12

doux parfum du lis qui venait d'éclore. Oui, vraiment, la vérité est un lis, dont l'odeur ranime la foi et dont la splendeur illumine l'intelligence.

III. Avec quel à-propos la vérité est comparée au lis. Pour quelle raison la mansuétude et la justice sont des lis.

Lève les yeux maintenant jusqu'à la personne même du Seigneur qui dit dans l'Évangile : « Je suis la vérité[j] », et vois avec quel à-propos la vérité est comparée au lis. Si tu ne l'as jamais remarqué, remarque comment du cœur de cette fleur sortent comme des baguettes d'or, entourées de pétales tout blancs, disposés en couronne avec art et avec grâce. Et reconnais là l'or de la divinité qui est dans le Christ, serti dans la pureté de la nature humaine, c'est-à-dire le Christ « ceint du diadème dont sa mère l'a couronné[k] ». Car avec le diadème dont l'a couronné son Père, « il habite la lumière inaccessible[l] », et tu ne saurais encore le voir avec ce diadème ici-bas. Mais nous y reviendrons une autre fois.

6. Ainsi la vérité est un lis ; l'est aussi la mansuétude. Oui, la mansuétude est un lis, qui a la blancheur de l'innocence et le parfum de l'espérance. « Car des biens sont réservés à l'homme pacifique[a] », est-il dit. L'homme doux « possède l'espérance de la félicité[b] », mais encore, dès ici-bas, il est un modèle lumineux de vie fraternelle. N'est-elle pas un lis, cette mansuétude qui brille par les bons offices et qui exhale le parfum de l'espérance ? De plus, comme « la vérité a germé de la terre[c] », la mansuétude aussi. Sinon, il faudrait douter que soit né de la terre « l'Agneau souverain de la terre[d] », cet « agneau qui a été conduit à l'abattoir et n'a pas ouvert la bouche[e] ». Et non seulement la mansuétude et « la vérité ont germé de la terre », mais « aussi la justice[f] ». Car le Prophète dit : « Cieux, répandez votre rosée, et

caeli desuper, et nubes pluant iustum; aperiatur terra, et germinet salvatorem, et iustitia oriatur simul[g]. Quod autem iustitia lilium sit, recordare de Scriptura, quia
15 *iustus germinabit sicut lilium, et florebit in aeternum ante Dominum*[h]. Nequaquam lilium hoc *hodie est et cras in clibanum mittitur*[i], quod *in aeternum florebit. Et florebit ante Dominum*, cuius *in memoria aeterna erit iustus*, et *ab auditione mala non timebit*[j] : illa scilicet auditione, qua in
20 *clibanum ignis*[k] peccatores ire iubentur. Porro huius lilii candor cui non splendet, nisi cui non placet ? Denique *sol* est, sed non ille *qui oritur super bonos et malos*[l]. Neque enim qui dicturi sunt : *Sol iustitiae non ortus est nobis*[m], lucem illius quandoque viderunt. Viderunt autem
25 quotquot audierunt : *Vobis qui timetis Deum, orietur sol iustitiae*[n]. Ergo candor huius lilii apud iustos ; fragrantia etiam usque ad iniquos diffunditur, etsi non in bonum ipsis. Denique audimus iustos dicentes, quia *Christi bonus odor sumus in omni loco, sed aliis quidem odor vitae in*
30 *vitam, aliis odor mortis in mortem*[o]. Quis, vel sceleratissimus, iusti non probet opinionem, quamvis non amet opus ? Et *beatus, si se non iudicat in eo quod probat*[p].

---

g. Is. 45, 8   h. Os. 14, 6 (Lit. cist.)   i. Matth. 6, 30   j. Ps. 111, 7 ≠   k. Ps. 20, 10   l. Matth. 5, 45 ≠   m. Sag. 5, 6 ≠ n. Mal. 4, 2 ≠   o. II Cor. 2, 14-16 ≠   p. Rom. 14, 22 ≠

---

1. * *Os.* 14, 6. Verset de l'alléluia du temps pascal (R.-J. HESBERT, *Corpus Antiphonalium Officii*, t. 3, Rome 1968, n° 3549) qui se retrouve à d'autres occasions dans la liturgie : docteurs *(In medio...)*, confesseurs non pontifes *(Iustus ut palma florebit...)*, abbés *(Os iusti...)*, etc. Cf. *SC* 452, p. 305, n. 3 sur *SCt* 47, 7.

2. * *Sag.* 5, 6 et *Mal.* 4, 2. Ces deux textes sont étroitement liés ici par Bernard. C'est le seul lieu des *SBO* où apparaît ce verset de *Sag.*, alors que Bernard répète à satiété (33 fois) ce verset de *Mal.* De plus, la tradition manuscrite dans *Vg* a subi plusieurs modifications dont la principale est l'ajout à *sol* de *intelligentiae,* auquel est venu se substituer

que les nuées fassent pleuvoir le juste ; que la terre
s'ouvre et que d'elle germe le Sauveur, et que la justice
en sorte en même temps[g]. » Que la justice soit un lis,
l'Écriture nous le rappelle : « Le juste germera comme le
lis et fleurira éternellement devant le Seigneur[h][1]. » Ce
lis-là « n'existe nullement aujourd'hui pour être demain
jeté dans la fournaise[i] » : « il fleurira éternellement. Et
il fleurira devant le Seigneur, puisque le juste sera pour
toujours dans la mémoire de Dieu et ne craindra pas
d'entendre des paroles de malheur[j] », c'est-à-dire cette
parole qui enjoint aux pécheurs d'aller dans « la fournaise de feu[k] ». En outre, pour qui la blancheur de ce
lis n'éclate-t-elle pas, sinon pour celui qui ne l'aime pas ?
Car ce lis est « un soleil », mais pas celui « qui se lève
sur les bons et sur les méchants[l] ». Ceux qui diront :
« Le soleil de justice ne s'est pas levé pour nous[m] » n'ont
jamais vu sa lumière. Mais ceux-là l'ont vue qui ont
entendu cette parole : « Pour vous qui craignez Dieu, le
soleil de justice se lèvera[n][2]. » La blancheur de ce lis est
donc pour les justes ; son parfum se répand jusqu'aux
méchants, même si ce n'est pas pour leur bien. Aussi
entendons-nous les justes dire : « Nous sommes la bonne
odeur du Christ en tous lieux, mais pour les uns une
odeur de vie conduisant à la vie, pour les autres une
odeur de mort conduisant à la mort[o]. » Quel homme,
fût-il le plus scélérat, n'approuve-t-il pas les sentiments
du juste, même s'il n'en aime pas les actes ? « Heureux »
encore, s'« il ne se juge pas par cette approbation[p] ».

(du fait de Bernard ?) *iustitiae.* Le rapprochement des deux textes avait
été fait pas AUGUSTIN, *De sermone Domini* I, 79 (*CCL* 35, p. 88, l. 1925-
1945). Proche de Bernard se trouve aussi GUERRIC D'IGNY, *3ᵉ sermon
pour la Résurrection* 3 (*SC* 202, p. 252, l. 86-90). Faut-il penser aux
libertés occasionnelles de Bernard à l'égard d'un texte ? ou encore à une
échappée oratoire ?

212

Iudicat autem probans bonum, et non amans, ideoque non beatus plane, sed miser *proprio condemnatus iudicio*[q].
35 Quid eo miserius, cui *odor vitae*[r], non vitae, sed mortis nuntius[s] est ? Immo nec nuntius quidem, sed baiulus.

IV. Quod omnia quae de Sponso sunt, lilia sunt, et quae lilia sodales Sponsi habent, et quod ad minus duo lilia necessaria sunt ad salutem.

7. Sunt multa apud Sponsum et alia lilia praeter haec, quae ex Propheta inciderunt nobis : *veritatem* loquor, *et mansuetudinem, et iustitiam*[a] ; nec erit difficile iam cuilibet vestrum similia reperire per semetipsum in horto
5 tam deliciosi Sponsi. Abundat et superabundat[b] talibus : quis illa enumeret ? Nempe quot virtutes, tot lilia. Quis finis virtutum apud *Dominum virtutum*[c] ? Quod si plenitudo virtutum in Christo, et liliorum. Et fortassis propterea ipse se lilium appellavit[d], quod totus versetur
10 in liliis, et omnia quae ipsius sunt, lilia sint : conceptio, ortus, conversatio, eloquia, miracula, sacramenta, passio, mors, resurrectio, ascensio. Quid horum non candidum et non suavissime redolens ? Tanta denique in conceptione refulsit superni luminis claritas de *supervenientis*
15 abundantia *Spiritus*, ut ne ipsa quidem Virgo sancta sustinuisset, si non *sibi obumbratum foret* a *virtute Altissimi*[e]. Porro ortum candidavit incorrupta virginitas Matris, conversationem innocentia vitae, eloquia veritas, miracula puritas cordis, *sacramenta pietatis*[f] arcanum, passionem

---

q. Tite 3, 11 ≠   r. II Cor. 2, 16   s. Cf. Prov. 16, 14
7. a. Ps. 44, 5 ≠   b. Cf. Rom. 5, 20   c. Ps. 23, 10 ≠
d. Cf. Cant. 2, 1   e. Lc 1, 35 ≠   f. I Tim. 3, 16 ≠

Or il se juge, en approuvant le bien sans l'aimer. Non pas heureux donc, mais misérable, « condamné par son propre jugement[q] ». Qu'y a-t-il de plus misérable que celui pour qui « l'odeur de vie[r] » est une messagère non de vie, mais de mort[s] ? Ou plutôt, non seulement messagère, mais porteuse de mort.

IV. Tout ce qui est de l'Époux est lis. Les lis que possèdent les compagnons de l'Époux. Deux lis au moins sont nécessaires pour le salut.

7. Il y a encore, chez l'Époux, bien d'autres lis que ceux qui nous ont été indiqués par le Prophète : « la vérité », dis-je, « la mansuétude et la justice[a] ». Chacun de vous pourra aisément par lui-même en repérer de semblables dans le jardin de l'Époux si charmant. Il en a en abondance, en très grande abondance[b] ; qui pourrait les énumérer ? Oui : autant de vertus, autant de lis. Quelle limite aux vertus chez « le Seigneur des vertus[c] » ? Si la plénitude des vertus est dans le Christ, celle des lis y est aussi. S'il s'est donné à lui-même le nom de lis[d], c'est peut-être parce qu'il vit au milieu des lis et que tout en lui est lis : sa conception, sa naissance, sa conduite, ses paroles, ses miracles, ses sacrements, sa passion, sa mort, sa résurrection, son ascension. Lequel de ces mystères n'éclate pas de blancheur et n'exhale pas un parfum exquis ? Dans sa conception a resplendi une si grande clarté de lumière céleste, « lorsque l'Esprit survint » en abondance, que la sainte Vierge elle-même n'aurait pu la soutenir, si « elle n'avait pas été couverte d'ombre par la puissance du Très-Haut[e] ». Sa naissance fut illuminée par la virginité intacte de sa Mère ; sa conduite, par l'innocence de sa vie ; ses paroles, par la vérité ; ses miracles, par la pureté du cœur ; « ses sacrements », par le mystère « de la piété[f] » ; sa passion, par

20 patiendi voluntas, mortem libertas non moriendi, resurrectionem Martyrum fortitudo, ascensionem exhibitio
promissorum. Quam bonus fidei odor in his singulis,
nostra quidem, qui candorem non vidimus, tempora et
viscera replens ! Et *beati qui non viderunt, et crediderunt*[g].
25 Pars mea in his, odor vitae[h] qui procedit ex ipsis. Is
infusus naribus meis apto quodam fidei instrumento
et quidem copiosius pro multitudine liliorum sane et
exsilium levat, et patriae desiderium assidue *innovat in*
visceribus meis[i].

8. Habent lilia et aliqui sodalium Sponsi, sed non
copiam. Omnes enim *ad mensuram Spiritum* acceperunt, ad
mensuram virtutes et *dona*[a] ; solus ille non habet modum,
qui habet totum. Aliud est lilia habere, aliud nonnisi
5 lilia habere. Quem dabis mihi *de filiis captivitatis*[b] adeo
innocentem et sanctum, qui totam terram suam floribus
occupare potuerit et istiusmodi floribus ? Nec *infans* certe
unius diei sine sorde est super terram[c]. Magnus est qui tria
vel quatuor lilia aedificare potuerit in terra sua, in tanta
10 densitate *spinarum et tribulorum*, quae sunt *germina*[d]
inveterata maledictionis antiquae. Mecum vero, qui pauper
sum, bene agitur, si umquam ab hac pessima segete,
iniquitatum videlicet atque vitiorum, tantillum terrae meae
vindicare exstirpando et excolendo sufficiam, unde unum
15 saltem producere lilium possim, si forte et penes me pasci
interdum dignetur is *qui pascitur inter lilia*[e].

213

g. Jn 20, 29   h. Cf. II Cor. 2, 15-16   i. Ps. 50, 12 ≠
8. a. Jn 3, 34 ≠   b. Dan. 5, 13   c. Job 14, 4 (Patr.)   d. Gen.
3, 18 ≠   e. Cant. 2, 16

1. *Tempora nostra* : les traducteurs précédents ont compris « nos
temps », ce qui cadre mal avec le contexte. Le lien avec les autres
images corporelles : *nares, viscera*, invite à comprendre « nos tempes »,
malgré ce que cette physiologie a d'approximatif. Cf. *Ps.* 131, 4-5 : *Si*
dedero somnium oculis meis et palpebris meis dormitationem et requiem
temporibus meis,...
2. * *Job* 14, 4. Bernard emploie souvent ce verset, d'ordinaire avec

la volonté de souffrir ; sa mort, par la liberté de ne pas mourir ; sa résurrection, par la force des martyrs ; son ascension, par l'accomplissement des promesses. Qu'il est bon, le parfum de la foi en chacun de ces mystères ! Nous n'avons pas vu leur éclatante blancheur ; pourtant, ce parfum remplit nos tempes [1] et nos cœurs. « Heureux ceux qui n'ont pas vu et qui ont cru[g]. » Ma part dans ces mystères, c'est l'odeur de vie[h] qui en émane. Pénétrant dans mes narines par le moyen, pour ainsi dire, de la foi, et surabondant grâce à la multitude des lis, cette odeur allège mon exil et « renouvelle sans cesse dans mes entrailles[i] » le désir de la patrie.

8. Certains compagnons de l'Époux ont aussi des lis, mais pas en abondance. Car tous ont reçu « avec mesure l'Esprit », avec mesure ses vertus et « ses dons[a] ». Seul les a sans mesure celui qui les a en totalité. Autre chose est d'avoir des lis et autre chose de n'avoir que des lis. Qui me donnera un homme « parmi les enfants de la captivité[b] » qui soit assez innocent et assez saint pour pouvoir remplir toute sa terre de fleurs, et de ces fleurs-là ? Même « l'enfant d'un jour n'est pas sans souillure sur la terre[c] [2] ». Grand est l'homme qui a pu faire croître sur sa terre trois ou quatre lis dans un tel fourré « d'épines et de ronces, rejetons[d] » tenaces de l'antique malédiction. Pour moi, qui suis un pauvre, c'est beaucoup si jamais, à force d'arracher et de cultiver, je parviens à gagner sur cette détestable moisson de vices et d'iniquités tant soit peu de ma terre capable de produire au moins un lis. Peut-être, alors, celui « qui se nourrit parmi les lis[e] » daignera-t-il parfois se nourrir aussi chez moi.

un texte *Vl* comme celui-ci, à vrai dire assez fluctuant, à la suite de nombreux Pères. Cf. *SC* 480, p. 270, n. 1 ; J. Ziegler, *Iob 14,4-5a als wichtigster Schriftbeweis für die These «Neminem sine sorde et sine peccato esse» (Cyprian, test 3,54) bei den lateinischen christlichen Schriftstellern* Bayerische Akademie der Wissenschaften, Phil.-hist. Klasse, 1985, 3.

9. At parum dixi, unum : de penuria cordis os meum locutum est[a]. Unum prorsus non sufficit ; duo ad minus necessaria sunt[b]. Dico autem continentiam et innocentiam, quarum una sine altera nec salvabit. Frustra
5 denique ad unam quamlibet harum invitabo Sponsum, qui non ad lilium pasci, sed *inter lilia*[c] perhibetur. Dabo proinde operam habere lilia, ne de singularitate causetur lilii, qui non vult nisi inter lilia pasci, et sic *declinet in ira a servo suo*[d]. Pono itaque primam omnium inno-
10 centiam ; et si huic iungere continentiam quivero, divitem me putabo in possessione liliorum[e]. Rex sum autem, si tertiam his adiungere potero patientiam. Et quidem possunt sufficere illae ; sed quia et deficere in tentationibus possunt – siquidem *tentatio est vita hominis super*
15 *terram*[f] –, opus profecto patientia est, quae utriusque sit quasi nutrix quaedam et custos. Puto *si venerit* amator ille liliorum, *et ita invenerit*[g], quod non dedignabitur iam pasci apud nos, et *apud nos facere pascha*[h], ubi illi et multa suavitas in duabus, et magna erit securitas propter
20 tertiam. Verum quo pacto dicatur pasci qui pascit omnia, postea videbitur. Nunc vero apparet Sponsum non modo apparere inter lilia, sed minime omnino extra lilia posse aliquando inveniri, cum omne quod de eo est, et ipse, sit lilium, Sponsus Ecclesiae, Iesus Christus Dominus noster,
25 *qui est super omnia Deus benedictus in saecula. Amen*[i].

---

9. a. Cf. Lc 6, 45   b. Cf. Lc 10, 42   c. Cant. 2, 16   d. Ps. 26, 9 ≠   e. Cf. Gen. 13, 2   f. Job 7, 1 (Patr.)   g. Lc 12, 38 ≠ h. Matth. 26, 18 ≠   i. Rom. 9, 5

---

1. * *Job* 7, 1 Patr. Au lieu du terme *militia*, « combat », de *Vg*, Bernard emploie ici *tentatio* après de nombreux Pères, en particulier Augustin. Cf. *SC* 458, p. 48, n. 1 sur *Ep* 42, 1.

9. Mais c'est trop peu dire, un lis : c'est de l'indigence du cœur que ma bouche a parlé[a]. Un seul ne suffit vraiment pas ; deux au moins sont nécessaires[b]. Je veux dire la continence et l'innocence, dont l'une ne sauve pas sans l'autre. Oui, c'est en vain que j'inviterais l'Époux si je n'avais que l'une ou l'autre de ces deux vertus. Car il est dit qu'il se nourrit, non auprès d'un lis, mais « parmi les lis[c] ». Je prendrai donc soin d'avoir des lis, pour que celui qui ne veut se nourrir que parmi les lis ne se plaigne pas de n'en trouver qu'un seul et « ne se détourne pas avec colère de son serviteur[d] ». Je mettrai donc avant tout l'innocence ; et si j'y puis joindre la continence, je m'estimerai déjà riche possesseur de lis[e]. Mais je serai un roi si je puis leur ajouter un troisième lis : la patience. Certes, les deux premiers peuvent suffire. Mais ils peuvent s'étioler dans les tentations, car « c'est une tentation que la vie de l'homme sur la terre[f 1] ». Il faut donc la patience qui est comme la nourrice et la gardienne des deux autres. « Si » l'Époux qui aime les lis « survient et nous trouve ainsi fournis[g] », je pense qu'il ne dédaignera pas alors de se nourrir chez nous et « de faire chez nous la Pâque[h] ». Car il jouira d'une intense douceur dans les deux premiers lis, et d'une grande sécurité grâce au troisième. Quant à savoir comment on peut dire que se nourrit celui qui nourrit toute créature, nous le verrons ensuite. Pour l'instant il est manifeste que l'Époux non seulement apparaît parmi les lis, mais qu'il ne peut jamais être trouvé ailleurs. Car tout ce qui est de lui est lis, et lui-même est un lis, l'Époux de l'Église, Jésus-Christ notre Seigneur, « qui est au-dessus de tout, Dieu béni dans les siècles. Amen[i]. »

SERMO LXXI

I. In quo lilii, id est virtutis, candor vel odor consistat. – II. In quibus candor animae sit, et quomodo Sponsus inter lilia pascitur simul et pascit. – III. Quomodo Deus ab homine vel homo a Deo manducatur, et de disparitate unitatis qua Pater et Filius sunt unum et eius qua Deus et homo unus sunt spiritus. – IV. De substantiali unitate Patris et Filii, et de consentanea hominis et Dei, et quod homo ab aeterno in Deo, sed non e converso. – V. De tertio intellectu pastionis Sponsi, qui est Verbum Dei, et quod in illo bono opere, quod inter virtutes id est inter lilia non sit, minime pascitur.

I. In quo lilii, id est virtutis, candor vel odor consistat.

1. Finis praecedentis sermonis, principium huius. Est ergo lilium Sponsus, sed non *lilium inter spinas*[a], quoniam spinam non habet *qui peccatum non fecit*[b]. Denique sponsam protestatus est *lilium inter spinas*, quoniam *si dixerit* vel *ipsa* quia spinam *non habeat, seipsam seducit et veritas in ea non est*[c]. Se vero florem quidem et lilium professus est, non tamen *inter spinas*; magis autem: *Ego,* inquit, *flos campi, et lilium convallium*[d]. Et non est spinarum mentio, quod solus sit hominum qui opus non habeat dicere: *Conversus sum in aerumna mea, dum configitur spina*[e]. Ergo absque liliis numquam est, qui absque vitiis semper est, quia totus et semper est *candidus*[f], *speciosus forma prae filiis hominum*[g]. Tu ergo,

---

1. a. Cant. 2, 2   b. I Pierre 2, 22   c. I Jn 1, 8 ≠   d. Cant. 2, 1   e. Ps. 31, 4 ≠   f. Cant. 5, 10   g. Ps. 44, 3

SERMON 71

I. En quoi consistent la blancheur et le parfum du lis, c'est-à-dire de la vertu. – II. En quelles personnes se trouve la blancheur de l'âme. Comment l'Époux à la fois se nourrit et nourrit les autres parmi les lis. – III. Comment Dieu est mangé par l'homme et l'homme par Dieu. L'unité par laquelle le Père et le Fils sont un et l'unité par laquelle Dieu et l'homme sont un seul esprit : différence entre ces deux unités. – IV. L'unité substantielle du Père et du Fils et l'unité de sentiments entre l'homme et Dieu. L'homme est en Dieu de toute éternité, mais non inversement. – V. Troisième interprétation du repas de l'Époux, qui est le Verbe de Dieu. Il ne se nourrit point d'une bonne œuvre qui ne serait pas parmi les vertus, c'est-à-dire parmi les lis.

I. En quoi consistent la blancheur et le parfum du lis, c'est-à-dire de la vertu.

1. La fin du sermon précédent nous sert de commencement pour celui-ci. L'Époux est donc un lis, mais non « un lis entre les épines[a] », car « celui qui n'a pas commis de péché[b] » n'a point d'épines. Aussi a-t-il affirmé que l'épouse est « un lis entre les épines » ; car « si elle dit qu'elle non plus n'a pas d'épine, elle se trompe elle-même et la vérité n'est pas en elle[c] ». Quant à lui, l'Époux s'est bien donné pour une fleur et un lis, non pas toutefois « entre les épines ». Bien plutôt, il dit : « Je suis la fleur du champ et le lis des vallées[d]. » Aucune mention d'épines, parce que seul entre les hommes il n'a pas besoin de dire : « Je me suis converti dans mon malheur, tandis que l'épine me blessait[e]. » Aussi n'est-il jamais sans lis, lui qui est toujours sans vices, parce qu'il est tout entier et toujours « éclatant de blancheur[f], le plus beau parmi les enfants des hommes[g] ». Toi, qui

qui haec audis vel legis, cura habere lilia penes te, si
15 vis habere hunc habitatorem liliorum habitantem in te.
Opus tuum, studium tuum, desiderium tuum lilia esse
protestetur moralis quidam rerum ipsarum candor atque
odor. Habent et mores colores suos, habent et odores.
Neque enim in spiritibus idipsum est color et odor, non
20 magis quam in corporibus. Ergo de colore conscientia
consuletur, de odore fama. *Foetere fecisti odorem nostrum
coram Pharaone et servis eius*[h], aiunt illi, dicentes de
opinione. Porro colorem operi tuo dat cordis intentio
et iudicium conscientiae. Nigra sunt vitia, virtus candida
25 est. Inter hanc atque illa, conscientia consulta discernit.
Stat sententia Domini de oculo nequam et lucido[i], quia
inter candidum et nigrum certos fixit limites, *et divisit
lucem a tenebris*[j]. Quod ergo *de corde puro et conscientia*
egreditur *bona*[k], candidum est, et est virtus ; si autem
30 et bona fama secuta fuerit, et lilium est, quippe cui nec
candor lilii desit, nec odor.

2. Porro virtus, etsi non propterea maior, pulchrior
tamen illustriorque efficitur. Quod si in conscientia
naevus fuerit, nec quod ex ea prodierit, carebit naevo.
Nam *si radix* in vitio, *et ramus*[a]. Ac per hoc, quidquid
5 illud sit quod radix vitiata non absque traduce vitii ex
se producat, verbi gratia, sermo, actio, oratio, etiamsi
fama applaudere videatur, non est quod debeat lilium
dici, quia etsi odor connivere videtur, sed non color.
Quo pacto enim lilium cum impuritatis naevo ? Nec sane
10 fama valebit vindicare virtuti, quod esse vitium convi-
cerit conscientia. Erit quidem virtus contenta candore

---

h. Ex. 5, 21 ≠   i. Cf. Matth. 6, 22-23   j. Gen. 1, 4 ≠
k. I Tim. 1, 5 ≠
2. a. Rom. 11, 16 ≠

entends ou qui lis cela, prends soin d'avoir des lis chez toi, si tu veux que cet hôte des lis habite en toi. Que tes actes, tes efforts et tes désirs prouvent qu'ils sont des lis par leur blancheur et leur odeur, entendues selon le sens moral. Les mœurs aussi ont leur couleur ; elles ont aussi leur odeur. En effet, la couleur et l'odeur ne sont pas identiques chez les esprits, pas plus que chez les corps. Au sujet de la couleur, on consultera la conscience ; au sujet de l'odeur, la réputation. « Tu as rendu notre odeur mauvaise devant Pharaon et ses serviteurs[h] », disent les Hébreux, en parlant de leur renommée. L'intention du cœur et le jugement de la conscience donnent la couleur à ton œuvre. Les vices sont noirs, la vertu est blanche. Entre celle-ci et ceux-là la conscience, consultée, discerne. La sentence du Seigneur sur l'œil méchant et l'œil lumineux demeure[i], car il a établi des frontières nettes entre le blanc et le noir, « et il a séparé la lumière des ténèbres[j] ». Donc ce qui sort « d'un cœur pur et d'une bonne conscience[k] » est blanc, et c'est la vertu. Si le bon renom aussi l'accompagne, c'est un lis ; car il n'y manque ni la blancheur du lis, ni son parfum.

2. Or la vertu, même si elle n'est pas rendue plus grande par le bon renom, en est toutefois embellie et illuminée. Mais s'il y a une tache dans la conscience, ce qui en sortira ne sera pas non plus exempt de tache. Car le vice « de la racine gagne les branches[a] ». C'est pourquoi tout ce que produit une racine viciée, par exemple des paroles, des actions, des prières, n'est jamais sans la trace du vice. Même si la renommée semble y applaudir, on ne doit pas l'appeler un lis. L'odeur peut bien y correspondre, mais non la couleur. Comment serait-il un lis, avec une tache impure ? La renommée ne pourra certes pas revendiquer comme vertu ce dont la conscience est convaincue qu'il s'agit d'un vice. La vertu se contentera

conscientiae, ubi sequi non poterit odor famae ; ceterum odor famae nec excusare sufficiet vitium conscientiae decoloris. *Providebit* tamen semper, quod in se est, homo
15 virtutis *bona, non tantum coram Deo, sed etiam coram hominibus*[b], ut vere sit lilium.

II. In quibus candor animae sit, et quomodo Sponsus inter lilia pascitur simul et pascit.

3. Sed est etiam candor animae indulgentia Dei, ipso dicente per Prophetam : *Si fuerint peccata vestra ut coccinum, quasi nix dealbabuntur ; et si fuerint rubra quasi vermiculus, velut lana alba erunt*[a]. Et est candor,
5 quem sibi induit is *qui miseretur in hilaritate*[b]. Etenim si intuearis illum, quem Propheta depingit *iucundum hominem, qui miseretur et commodat*[c], nonne is tibi videbitur de ipsa animi iucunditate indidisse candorem quemdam pietatis vultui pariter et operi suo ? Sicut e
10 regione, si *ex tristitia* et veluti *ex necessitate*[d] quis tribuat, non candidum plane, sed tetrum praefert manu et fronte colorem. Et ideo *hilarem datorem diligit Deus*[e]. Numquid et tristem ? Profecto qui respexit ad Abel ob alacritatis candorem, avertit faciem a Cain, quia conciderat facies[f]
15 eius utique tristitia et livore. Adverte qualis color tristitiae seu invidiae sit, qui Dei a se avertit aspectus. Pulchre et eleganter in colorando beneficio candor iucunditatis laudatus est voce illa Poetae :

216

---

b. Rom. 12, 17 ≠
3. a. Is. 1, 18 ≠   b. Rom. 12, 8   c. Ps. 111, 5 ≠   d. II Cor. 9, 7 ≠   e. II Cor. 9, 7   f. Cf. Gen. 4, 4-5

---

1. * *Rom.* 12, 17, cf. *SC* 481, p. 114, n. 2 sur *Circ* 2, 5. Bernard omet constamment *omnibus*. Cette absence se retrouve entre autres chez Jérôme et Augustin.
2. * *Is.* 1, 18 ≠. Cf. *SC* 457, p. 392, n. 2 sur *Conv* 29.

de la blancheur de la conscience, lorsque le parfum de la réputation ne pourra pas l'accompagner ; mais le parfum de la réputation ne suffira pas à excuser le vice d'une conscience ternie. Néanmoins l'homme vertueux, dans la mesure de ses forces, « aura toujours à cœur ce qui est bien non seulement devant Dieu, mais aussi devant les hommes[b 1] », pour être un vrai lis.

II. En quelles personnes se trouve la blancheur de l'âme. Comment l'Époux à la fois se nourrit et nourrit les autres parmi les lis.

3. Mais il y a aussi une blancheur de l'âme qui vient du pardon de Dieu. Lui-même dit par le Prophète : « Quand vos péchés seraient comme l'écarlate, ils blanchiront comme neige ; quand ils seraient rouges comme le vermillon, ils deviendront blancs comme laine[a 2]. » Et il y a aussi la blancheur dont se revêt celui « qui exerce la miséricorde avec le sourire[b] ». Regarde « l'homme aimable », dépeint par le Prophète, « qui a pitié et qui prête son bien[c] » : ne te semble-t-il pas que cette amabilité intérieure répand, pour ainsi dire, la blancheur de la pitié sur son visage comme sur son action ? Au contraire, si quelqu'un donne « avec tristesse » et comme « sous contrainte[d] », sa main et son front ne montrent certes pas une couleur blanche, mais sombre. C'est pourquoi « Dieu aime celui qui donne avec le sourire[e] ». Aimerait-il aussi par hasard celui qui donne avec tristesse ? Aucun doute : celui qui tourna son regard vers Abel à cause de la candeur de sa joie, détourna son visage de Caïn, dont le visage était abattu[f] de tristesse et d'envie. Imagine quelle doit être la couleur de la tristesse et de l'envie, pour détourner d'elle le regard de Dieu. Quant à la blancheur de l'amabilité qui embellit un bienfait, elle a été louée avec beauté et élégance par ce vers du Poète :

Super omnia vultus accessere boni.

20 Nec modo hilaris dator, sed et *qui tribuit in simplici-*
tate[g], diligitur a Deo. Et simplicitas candor est. Probamus
a contrario : nam naevus duplicitas ; parum dixi : macula
est. Quid duplicitas, nisi dolus ? Sed qui *dolose egit in*
conspectu Dei, inventa est iniquitas eius ad odium[h]. Et
25 ideo *beatus cui non imputabit Dominus peccatum, nec est*
in spiritu eius dolus[i]. Pulchre Dominus paucis utramque
notavit maculam, dolum tristitiamque : *Nolite,* inquiens,
fieri, sicut hypocritae, tristes[j]. Sponsus itaque et cum sit
virtus[k], in virtutibus complacet sibi ; et cum sit lilium,
30 libenter inter lilia commoratur ; et cum sit candor[l],
delectatur candidis.

4. Et fortassis hoc est quod dicitur *pasci inter lilia*[a],
candore et odore virtutum delectari. Et quidem pascebatur olim corporaliter apud Mariam et Martham[b], et
recumbens[c] etiam corpore inter lilia – illas loquor, nam
5 lilia erant –, nihilominus *spiritum refocillabat*[d] devotione
et virtutibus mulierum. Quod si illa hora intrasset
propheta, aut angelus, seu alius quivis spiritualis, tantum
non ignorans quae maiestas recumberet, nonne stupens
dignationem et familiaritatem, quam illi esse conspiceret
10 cum puris animis pudicisque corporibus, tamen terrenis
et sexus infirmioris, merito testaretur, quia vidi illum
non modo commorantem, sed et *pascentem inter lilia*[e] ?
Ita ergo secundum utrumque, carnem dico et spiritum,
pasci inter lilia Sponsus inventus est. Puto autem quod
15 et ipse vicissim pasceret, sed in spiritu. Hoc ipso quod

g. Rom. 12, 8　　　h. Ps. 35, 3 ≠　　　i. Ps. 31, 2 ≠　　　j. Matth. 6,
16　　k. Cf. I Cor. 1, 24　　　l. Cf. Sag. 7, 26
4. a. Cant. 2, 16 ≠　　　b. Cf. Lc 10, 38-39　　　c. Cf. Jn 13, 23
d. Jug. 15, 19 ≠　　　e. Cant. 2, 16 ≠

1. Ovide, *Métamorphoses* 8, 677-678 (*CUF* t. 2, p. 83).

« Par-dessus tout ils offrirent la bonté de leur visage[1]. »

Non seulement celui qui donne avec le sourire, mais aussi « celui qui donne avec simplicité[g] » est aimé de Dieu. Et la simplicité est une blancheur. Prouvons-le par son contraire : car la duplicité est une tache ; j'ai trop peu dit : c'est une souillure. Qu'est-ce que la duplicité, sinon la ruse ? Mais celui qui « a employé la ruse sous les yeux de Dieu, son iniquité s'est attiré la réprobation divine[h]. » C'est pourquoi « bienheureux, celui à qui le Seigneur n'imputera pas son péché, et dont l'esprit est sans ruse[i]. » Le Seigneur a élégamment blâmé en peu de mots l'une et l'autre souillure, la ruse et la tristesse, en disant : « Ne prenez pas un air triste comme les hypocrites[j]. » Ainsi l'Époux, parce qu'il est vertu[k], se plaît aux vertus ; parce qu'il est lis, il demeure avec plaisir parmi les lis ; parce qu'il est candeur[l], il met sa joie dans les hommes candides.

4. Tel est peut-être le sens de cette parole, « se nourrir parmi les lis[a] » : mettre sa joie dans la candeur et dans le parfum des vertus. Jadis le Seigneur se nourrissait corporellement chez Marie et Marthe[b]. Tandis que son corps aussi était attablé[c] parmi les lis – je veux dire ces deux femmes, car elles étaient des lis – « son esprit n'était pas moins réconforté[d] » de leur ferveur et de leurs vertus. Si à ce moment-là un prophète était entré, ou un ange, ou quelque autre personne spirituelle n'ignorant pas quelle majesté était là attablée, n'aurait-il pas été étonné de le voir s'entretenir en toute bienveillance et familiarité avec ces femmes à l'âme pure et au corps chaste, malgré leur nature terrestre et la faiblesse de leur sexe ? Ce témoin aurait pu dire avec raison : « Je l'ai vu non seulement demeurer, mais aussi 'se nourrir parmi les lis[e]. » C'est ainsi que l'Époux a été vu « se nourrir parmi les lis » dans les deux sens, j'entends selon la chair et selon l'esprit. Je

217   pascebatur, quomodo pascebat ! Quomodo, inquam, confortabat timiditatem feminarum, iucundabat humilitatem, impinguabat devotionem ! Sed si vidisti, quod pasci illi pascere sit, vide etiam nunc ne forte et, e
20 converso, pascere sit ei pasci. *Domine, qui pascis me a iuventute mea*[f], ait sanctus patriarcha Iacob. Bonus paterfamilias, qui *suorum domesticorum curam*[g] gerit, maxime in diebus malis, ut *alat eos in fame*[h], *cibans illos pane vitae et intellectus*[i], et sic nutriens ad vitam aeternam. At
25 pascens, ita puto, nihilominus pascitur ipse, et quidem *escis quibus libenter vescitur*[j], profectibus nostris. *Etenim gaudium Domini, fortitudo nostra*[k].

III. Quomodo Deus ab homine vel homo a Deo manducatur, et de disparitate unitatis qua Pater et Filius sunt unum et eius qua Deus et homo unus sunt spiritus.

5. Ita ergo et cum pascitur pascit, et pascitur cum pascit, simul nos suo gaudio spirituali reficiens, et de nostro aeque spirituali provectu gaudens. Cibus eius paenitentia mea, cibus eius salus mea, cibus eius ego
5 ipse. Annon *cinerem tamquam panem manducat*[a] ? Ego autem *quia peccator sum*[b], *cinis sum*[c], ut manducer ab eo. Mandor cum arguor, glutior cum instituor, decoquor cum immutor, digeror cum transformor, unior cum

---

f. Gen. 48, 15 ≠ ; Ps. 70, 5 ≠   g. I Tim. 5, 8 ≠   h. Ps. 32, 19
i. Sir. 15, 3 ≠ j. Gen. 27, 9 ≠   k. Neh. 8, 10 (Lit.)
5. a. Ps. 101, 10 ≠   b. Lc 5, 8 ≠   c. Gen 18, 27 ≠

---

1. *Gen.* 48, 15 ≠. La *Vg* donne *adulescentia*. On trouve *iuventute* dans le *Responsoriale Romanum* pour le deuxième dimanche de Carême (R.-J. Hesbert, *Corpus Antiphonalium Officii*, t. 4, Rome 1970, n° 7156) et aussi dans Ambroise, *Expositio ps. 118*, 2, 3, *CSEL* 62, p. 21, l. 2.
2. * *Neh.* 8, 10 Lit. Bernard, dans les 7 occurrences de ce verset, suit la

pense par ailleurs que lui aussi les nourrissait à son tour, mais selon l'esprit. Par le fait même qu'il en était nourri, combien les nourrissait-il ! Combien, dis-je, rassurait-il la timidité de ces femmes, réjouissait-il leur humilité, alimentait-il leur ferveur ! Mais si tu as vu que pour lui se nourrir, c'est nourrir les autres, vois maintenant si, réciproquement, pour lui nourrir les autres, c'est en être nourri. « Seigneur qui me nourris depuis ma jeunesse[f 1] », dit le saint patriarche Jacob. Bon père de famille, qui prend « soin des gens de sa maison[g] », surtout aux jours mauvais, pour « les faire vivre au temps de la famine[h] » ! « Il leur donne à manger le pain de vie et d'intelligence[i] », les nourrissant ainsi pour la vie éternelle. Mais en les nourrissant, je pense qu'il se nourrit aussi lui-même, et « d'aliments qu'il aime beaucoup[j] » : nos progrès. « Car la joie du Seigneur, c'est notre fermeté[k 2]. »

III. Comment Dieu est mangé par l'homme et l'homme par Dieu. L'unité par laquelle le Père et le Fils sont un et l'unité par laquelle Dieu et l'homme sont un seul esprit : différence entre ces deux unités.

5. C'est donc ainsi qu'il nous nourrit lorsqu'il se nourrit, et qu'il se nourrit lorsqu'il nous nourrit ; il nous fortifie de sa joie spirituelle, et en même temps il se réjouit de notre progrès spirituel. Sa nourriture, c'est ma pénitence ; sa nourriture, c'est mon salut ; sa nourriture, c'est moi-même. « Ne mange-t-il pas la cendre comme du pain[a] » ? Et moi « qui suis pécheur[b], je suis cendre[c] », pour être mangé par lui. Je suis mâché quand je suis réprimandé ; je suis avalé quand je suis instruit ; je suis réduit par la cuisson quand je suis changé ; je suis digéré quand je suis transformé ; je suis assimilé quand

---

communion du mercredi des quatre temps de septembre, qui lui procure une formule bien frappée : omission de *est,* place de *etenim.*

conformor. *Nolite mirari hoc*[d] : et manducat nos, et
10 manducatur a nobis, quo arctius illi adstringamur. Non
sane alias perfecte unimur illi. Nam si manduco et non
manducor, videbitur *in me* ille esse, sed nondum *in illo
ego*[e]. Quod si manducor quidem nec manduco, me in se
habere ille, sed non etiam in me esse videbitur ; nec erit
15 perfecta unitio in uno quovis horum. Sed enim manducet
me, ut habeat me in se ; et a me vicissim manducetur, ut
sit in me, eritque perinde firma connexio et complexio
integra, cum ego in eo, et in me nihilominus ille erit.

6. Vis tibi per simile ostendam quod dicitur ? Attolle
oculos nunc in quamdam sublimiorem quidem conve-
nientiam, similem tamen huic. Si ipse Sponsus in Patre
ita esset, ut non tamen in ipso Pater, aut ita Pater in
5 ipso esset, ut non esset ipse in Patre, audeo dicere : et
ipsorum citra perfectum unitas remaneret, si tamen iam
unitas esset. Nunc vero cum et *ipse in Patre et Pater in
ipso sit*[a], non est quo claudicet unitas, sed vere perfecteque
unum sunt ipse *et Pater*[b]. Sic igitur anima cui *adhaerere
10 Deo bonum est*[c], non ante se existimet ipsi perfecte
unitam, nisi cum et illum *in se* et se *in illo manentem*[d]
persenserit. Non quia vel tunc unum dicatur cum Deo,
sicut unum sunt Pater et Filius, quamvis *qui adhaeret*

218

---

d. Jn 5, 28　　e. Jn 6, 57 ≠
6. a. Jn 10, 38 ≠　　b. Jn 10, 30 ≠　　c. Ps. 72, 28　　d. Jn
15, 5 ≠

---

1. Il est étonnant que Bernard ne mentionne pas explicitement l'eucharistie. Ruusbroec a repris et développé la pensée bernardine. « Le Christ
commence par préparer sa nourriture en brûlant dans l'amour tous nos
péchés et nos défaillances. Lorsque nous avons été sacrifiés et rôtis dans
l'amour, il ouvre largement la bouche, tel un vautour qui veut tout
engloutir. Car il veut changer et consumer notre vie de péché dans sa
propre vie » (RUUSBROEC, *Miroir*, p. 194-195).
2. Jusqu'à la fin du sermon 71, Bernard développe le vocabulaire
de l'« un ». Il commence ici par la manducation spirituelle. Dans la

je suis conformé à lui[1]. « Ne vous en étonnez pas[d] » :
il nous mange, et il est mangé par nous, pour que nous
lui soyons plus étroitement unis[2]. Sinon, notre union
à lui ne serait pas parfaite. Car si je mange sans être
mangé, on verra bien qu'il est « en moi », mais « moi,
je ne serai pas encore en lui[e] ». Et si je suis mangé sans
manger, on verra bien que je suis en lui, mais il ne sera
pas également en moi. Dans l'un comme dans l'autre
cas, l'union ne sera pas parfaite. Mais qu'il me mange,
pour que je sois en lui ; et inversement qu'il soit mangé
par moi, pour qu'il soit en moi. Alors la liaison sera
assurée et l'étreinte sera totale, lorsque je serai en lui et
lui également en moi.

6. Veux-tu que je t'explique par une comparaison ce
que je dis là ? Lève maintenant les yeux vers une rencontre
certes plus sublime, et néanmoins semblable à celle-ci. Si
l'Époux était dans le Père, sans que le Père fût en lui ; ou
si le Père était dans l'Époux, sans que celui-ci fût dans
le Père : j'ose le dire, leur unité resterait en deçà de la
perfection, si tant est qu'on puisse encore parler d'unité.
Mais puisque « le Fils est réellement dans le Père et le
Père dans le Fils[a] », il n'y a rien qui cloche dans leur
unité ; lui « et le Père sont » vraiment et parfaitement[3]
« un[b] ». Ainsi l'âme dont « le bonheur est de s'attacher à
Dieu[c] » ne pensera pas lui être parfaitement unie avant
de sentir « qu'il demeure en elle et elle en lui[d] ». Non
pas qu'on puisse dire alors qu'elle est un avec Dieu
comme le Père et le Fils sont un, même si « celui qui

conclusion du sermon, il montre comment l'unité spirituelle est infiniment plus haute que l'unité matérielle.
  3. * *vere perfecteque*. Dans l'apparat critique, pour *perfecteque*, les
2 groupes de mss M et C ont : *et rotunde*. Or le sermon 71 et ce passage
précis traitent de la nature du Dieu trinitaire.

Deo, unus spiritus est[e]. Legi hoc, sed illud non legi. Non
15 dico de me, qui *nihil sum*[f] ; sed nemo plane, nisi demens,
sive de terra, sive de caelo, usurpabit sibi illam Unigeniti
vocem : *Ego et Pater unum sumus*[g]. Et tamen ego, licet
pulvis et cinis[h], fretus quidem Scripturae auctoritate,
minime illud dicere vereor, quia unus cum Deo spiritus
20 sum, si umquam tamen certis fuero persuasus experi-
mentis, Deo me adhaerere ad instar unius illorum, *qui in
caritate manent*, ac per hoc *in Deo manent et Deus in eis*[i],
manducantes quodammodo Deum et manducati a Deo.
Nam de tali adhaesione puto dictum : *Qui adhaeret Deo,*
25 *unus spiritus est.* Quid ergo ? Dicit Filius : *Ego in Patre*
et Pater in me est[j], et *unum sumus*[k] ; dicit homo : *Ego in*
Deo, et Deus in me est[l], et *unus spiritus sumus*[m].

7. Sed numquid Pater et Filius, ut sint in invicem et
quasi perinde unum, invicem se manducant, sicut Deus et
homo mutua se quadam in sese manducatione traiciunt,
per hoc utique, etsi non unum, unus certe spiritus exsis-
5 tentes ? Absit. Nec enim uno modo insunt sibi hi atque
illi, sed neque una unitas utrorumque. Sunt in sese Pater
219   et Filius, non solum ineffabili, sed etiam incomprehen-
sibili modo, sui ipsorum capabiles pariter et capaces, sed

---

e. I Cor. 6, 17 (Patr.)   f. I Cor. 13, 2   g. Jn 10, 30   h.
Gen. 18, 27   i. I Jn 4, 16 ≠   j. Jn 10, 38 ≠   k. Jn 10, 30
l. I Jn 4, 16 ≠   m. I Cor. 6, 17 ≠

---

1. * *I Cor.* 6, 17. On trouve ce texte une cinquantaine de fois chez
Bernard ; bien plus fréquent dans *SCt* que dans toute l'œuvre, il l'est
encore bien davantage dans ce Sermon 71.

2. Cf. SC 481, p. 42, n. 1 sur *Nat* 2, 6.

3. Il semble que Bernard commence ici une controverse avec Guillaume
de Saint-Thierry. Celui-ci avait achevé avant 1140 son *Comm. sur le
Cantique* (*CCM* 87, p. 3-420). Il y accentue le caractère trinitaire de
toute rencontre avec Dieu. « Cette union n'est autre que l'unité du Père

s'attache à Dieu est avec lui un seul esprit[e 1] ». J'ai lu
ceci ; mais je n'ai pas lu cela. Je ne parle pas de moi-
même, qui « ne suis rien[f] » ; mais personne, soit de la
terre, soit du ciel, à moins d'être fou, ne s'arrogera cette
parole du Fils unique : « Moi et le Père, nous sommes
un[g]. » Et pourtant moi « qui ne suis que poussière et
cendre[h] », m'appuyant sur l'autorité de l'Écriture, je ne
crains nullement de dire que je suis un seul esprit avec
Dieu, pourvu que des expériences sûres m'aient persuadé
que je suis attaché à Dieu comme l'un de ceux « qui
demeurent dans la charité ». De ce fait même, « ceux-ci
demeurent en Dieu et Dieu en eux[i] » ; ils mangent en
quelque sorte Dieu et ils sont mangés par Dieu. C'est
d'un tel attachement, à mon sens, qu'il est dit : « Celui
qui s'attache à Dieu est avec lui un seul esprit. » Quoi
donc ? Le Fils dit : « Je suis dans le Père et le Père est
en moi[j], et nous sommes un[k]. » L'homme dit : « Je suis
en Dieu et Dieu est en moi[l], et nous sommes un seul
esprit[m 2]. »

7. Mais est-ce que par hasard le Père et le Fils, afin
d'être l'un dans l'autre et donc de n'être qu'un, se
mangent réciproquement, comme Dieu et l'homme se
communiquent l'un à l'autre par une sorte de manducation mutuelle, devenant ainsi, sinon un seul être, du
moins un seul esprit ? Loin de là. Car ils ne sont pas
l'un en l'autre de la même manière, et leur unité n'est pas
la même[3]. Le Père et le Fils sont l'un en l'autre d'une
manière non seulement ineffable, mais incompréhensible,
également capables de se contenir et se contenant l'un
l'autre. Mais leur capacité n'implique pas qu'ils soient

---

et du Fils, que leur baiser, leur étreinte, leur bonté et tout ce qui, dans
cette infiniment simple unité, leur est commun à tous deux » (*Exposé
sur le Cantique* 95, *SC* 82, p. 221). – Les deux paragraphes (7 bis et
8) ne se trouvent que dans les mss de la filiation de Morimond et de

sane ita capabiles ut non partibiles, ita capaces ut non
10 participes. Nam ut in hymno Ecclesia canit,

In Patre totus Filius,
Et totus in Verbo Pater.

8. Est Pater in Filio, *in quo* semper *sibi bene compla-*
cuit[a] ; et est Filius in Patre, a quo ut numquam non natus,
ita numquam est separatus. Porro per caritatem homo
in Deo et Deus in homine est, dicente Ioanne quia *qui*
5 *manet in caritate in Deo manet, et Deus in eo*[b]. Consensio
quaedam haec, ut sint duo in uno spiritu[c], immo *unus*
spiritus sint[d]. Videsne diversitatem ? Non est idem
profecto consubstantiale et consentibile. Quamquam, si

---

8. a. Matth. 17, 5 ≠   b. I Jn 4, 16   c. Cf. Gen. 2, 24
d. I Cor. 6, 17 ≠

Clairvaux. Bernard semble avoir hésité quand il s'agissait de préciser sa
position. On en donne ici en note la traduction française :

[7]. Ainsi la différence d'unité t'est indiquée par les termes « un seul »
et « un seul être ». Car « un seul » ne peut pas convenir au Père et au
Fils, ni « un seul être » à l'homme et à Dieu. Si tu as déjà quelque
intelligence de ce mystère, tu saisiras l'occasion d'en avoir davantage en
remarquant sagement que d'un côté « un seul être » désigne l'unité de
substance ou de nature, tandis que de l'autre côté « un seul » désigne
également une unité, mais très différente. Entre les substances et les
natures qui sont propres à Dieu et à l'homme, chacun a sa nature
et sa substance particulières, alors que la nature, aussi bien que la
substance, du Père et du Fils est évidemment une seule et la même.
Tu vois que l'unité entre Dieu et l'homme n'est même pas une unité,
si on la compare à cette autre unité unique et suprême. Comment y
aurait-il unité là où il y a pluralité de natures et diversité de substances ?
[voir *Note additionnelle* p. 93] Pourtant, l'âme « qui s'attache à Dieu »
est appelée et « est réellement un seul esprit avec Dieu ». La pluralité
de fait n'empêche pas cette unité qui résulte non de la confusion des
natures, mais de l'accord des volontés. Grâce à cette unité il est dit
aussi que plusieurs cœurs n'en font qu'un et plusieurs âmes une seule,
ainsi qu'il est écrit : « La multitude des croyants n'avait qu'un cœur et
qu'une âme. » Cette unité aussi est donc bien réelle.

[8]. Mais qu'est-elle par rapport à cette autre unité qui n'est pas l'effet
d'une réunion, mais qui se déploie dans l'union ? Cette unité ne résulte

divisibles, et ils se contiennent sans participation. Comme l'Église le chante dans une hymne :

Le Fils tout entier dans le Père,

Et le Père tout entier dans le Verbe [1].

8. Le Père est dans le Fils, « en qui il a mis tout son bon plaisir[a] ». Le Fils est dans le Père, dont il ne cesse jamais d'être engendré, comme il n'en est jamais séparé. Certes, par la charité, l'homme est en Dieu et Dieu est en l'homme, selon cette parole de Jean : « Celui qui demeure dans la charité demeure en Dieu, et Dieu en lui[b]. » Il s'agit là d'une certaine conformité de sentiments qui fait qu'ils sont deux en un seul esprit[c], ou mieux qu'« ils sont un seul esprit[d] ». Vois-tu la différence ? Ce n'est certes pas la même chose d'avoir la même substance et d'avoir les mêmes sentiments. Mais, si tu y as pris garde,

pas, comme la première, d'une manducation mutuelle ; car cette unité ne se fait pas. Elle est. Ce n'est pas non plus la conjonction des natures ou des essences, ni l'accord des volontés qui constitue cette unité ; car la conjonction ou l'accord ne relève pas de l'un. Or, la nature, l'essence, la volonté du Père et du Fils n'est pas seulement une ; elle ne fait qu'un. Car leur être est identique à leur nature, leur vouloir est identique à leur être et à leur nature. On ne saurait donc dire que l'unité par laquelle « le Père et le Fils sont un » se fasse à partir de leurs natures, de leurs essences ou de leurs volontés, qui ne sont pas distinctes. On ne saurait même pas dire que cette unité se fasse, puisqu'elle est. Elle n'est pas faite, elle est native.

Note additionnelle : « Comment y aurait-il unité là où il y a pluralité de natures et diversité de substances ? » Comme d'autres théologiens du XIIᵉ siècle (Abélard et Gilbert de la Porrée), Bernard considère ici les notions de *nature* et de *substance* comme des monades closes qui excluent toute forme de relation et de communication. Ces notions abstraites de la raison humaine prennent ainsi un caractère absolu. Cf. Introduction p. 27.

1. Hymne *Splendor paternae gloriae* (éd. et trad. J. Fontaine *et alii*, AMBROISE DE MILAN, *Hymnes*, Paris 1992, p. 177 s.) à Laudes, le lundi et à certains jours de l'année au bréviaire romain ; dans le bréviaire cistercien, elle est employée le dimanche et toute la semaine, « en hiver ». L'allusion se poursuit § 9, l. 13-38. Bibliographie sur cette hymne : A. LENTINI, *Te decet hymnus. L'innario della « Liturgia horarum »*, Vatican 1984, p. 18.

220   advertisti, satis tibi per « unum » et « unus » ipsarum
10   quoque innuitur differentia unitatum, quoniam quidem
       nec Patri et Filio « unus », nec homini et Deo « unum »
       poterit convenire. Non possunt dici unus Pater et Filius,
       quia ille Pater et ille Filius est ; unum tamen dicuntur
       et sunt, quod una omnino illis, et non cuique sua,
15   substantia est. Quo contra homo et Deus, quia unius
       non sunt substantiae vel naturae, unum quidem dici non
       possunt ; unus tamen spiritus certa et absoluta veritate
       dicuntur, si sibi glutino amoris inhaereant. Quam quidem
       unitatem non tam essentiarum cohaerentia facit, quam
20   conniventia voluntatum.

       9. Patet, ni fallor, satis non modo diversitas, sed
       et disparitas unitatum, una in una, altera in diversis
       exsistente essentiis. Quid tam distans a se, quam unitas
       plurium et unius ? Ita inter unitates, ut dixi, disterminant
5   « unus » et « unum », quod per « unum » quidem in
       Patre et Filio essentiae unitas, per « unus » vero inter
       Deum et hominem non haec, sed consentanea quaedam
       affectionum pietas designatur. Cum adiectione tamen
       etiam Pater et Filius sanissime dicuntur unus, verbi causa
10   *unus Deus, unus Dominus*[a], et quidquid aliud est, quod
       ad se quisque et non ad alterutrum dicitur. Si quidem
       non est illis diversa divinitas sive maiestas, non magis

---

9. a. I Cor. 8, 6 ≠

1. * *Glutino amoris.* L'expression est d'AUGUSTIN, *De Trinitate* 10, 8
(*BA* 16, p. 142), que Bernard a aimé reprendre et qui est chez lui, en
arrière-plan de tous les mots de la famille *glutinum, gluten.* On la trouve
associée 7 fois à un mot d'*Is.* 41, 7 ; voir ici en *SCt* 79, 4, l. 12, *supra*
p. 267 : « Le ciment est bon. »
2. « Un certain amour qui se traduit par la conformité des sentiments ».

la différence entre ces deux unités t'est suffisamment
indiquée par les termes « un seul être » et « un seul ».
Car « un seul » ne peut certes pas convenir au Père et
au Fils, ni « un seul être » à l'homme et à Dieu. On ne
peut pas dire que le Père et le Fils sont un seul, parce
que l'un est Père et l'autre Fils. Mais on dit qu'ils sont
un seul être, et ils le sont, parce qu'ils ont une seule
et même substance, et non chacun sa substance propre.
Il en est tout autrement de l'homme et de Dieu. On
ne peut certes pas dire qu'ils sont un seul être, car ils
n'ont pas la même substance ou nature. Mais on dit, en
toute certitude et vérité, qu'ils sont un seul esprit s'ils
s'attachent l'un à l'autre par le ciment de l'amour [1]. Or
cette unité ne résulte pas tant de la fusion des essences
que de l'accord des volontés.

9. Voilà bien mise en lumière, si je ne me trompe, non
seulement la diversité, mais la disparité des unités, dont la
première subsiste dans la même essence, la seconde dans
des essences diverses. Quoi de plus dissemblable que l'unité
de plusieurs choses et l'unité d'une seule ? Ainsi, je l'ai
dit, ce qui marque la discrimination entre ces deux unités,
c'est l'emploi des termes « un seul » et « un seul être ». Car
« un seul être » désigne l'unité d'essence dans le Père et
dans le Fils ; « un seul » en revanche désigne entre Dieu et
l'homme non pas cette unité-là, mais un certain amour qui
se traduit par la conformité des sentiments [2]. Néanmoins
on peut aussi dire très justement que le Père et le Fils
sont un, en y ajoutant un substantif. Par exemple, « un
seul Dieu, un seul Seigneur[a] », et toute autre qualification
qui se rapporte à chacun des deux et non pas à l'un des
deux. Car il n'y a pas entre eux de différence de divinité
ou de majesté pas plus que de substance ou d'essence ou

Expression minimaliste de la rencontre humano-divine. On se trouve
loin de la pensée de Guillaume de Saint-Thierry.

quam substantia vel essentia vel natura. Nempe haec
ipsa omnia, si pie consideres, non diversa seu divisa in
15 illis, sed unum sunt.

IV. De substantiali unitate Patris et Filii, et de consentanea hominis et Dei, et quod homo ab aeterno in Deo, sed non e converso.

Minus dixi : unum sunt et cum illis. Quid illa unitas,
qua multa corda unum et multae animae unum leguntur[b] ? Nec censenda, ut reor, nomine unitatis, comparata
huic, quae non multa unit, sed unum singulariter signat.
20 Ergo singularis ac summa illa est unitas, quae non
unitione constat, sed exstat aeternitate. Nec sane hanc
spiritualis illa praefata manducatio facit, quia nec fit : est
enim. Multo minus eam facere putanda est essentiarum
qualiscumque coniunctio seu consensio voluntatum, quia
25 non sunt. Una enim illis, ut dictum est, et essentia, et
voluntas ; vero uni non est consensus, non compositio,
non copulatio aut tale aliquid. Duas esse oportet ad
minus voluntates, ut sit consensus ; duas aeque essentias,
221   ut sit coniunctio sive unitio per consensum. Horum
30 nihil in Patre et Filio, quippe nec essentias duas, nec
duas habentibus voluntates. Una est utraque res illis ;
vel potius, ut praefatum me memini, unum duo ista
in illis, unum et cum illis sunt, ac per hoc ipsi sicut
incomprehensibiliter, ita incomparabiliter invicem in
35 se manentes[c], vere et singulariter *unum sunt*[d]. Si quis
tamen inter Patrem et Filium dicat esse consensum,
non contendo, dummodo non voluntatum unionem, sed
unitatem intelligat voluntatis.

b. Cf. Act. 4, 32   c. Cf. Jn 14, 10   d. Jn 10, 30 ≠

de nature. Oui, tout cela, si tu y réfléchis pieusement, n'est pas en eux divers ou séparé ; c'est tout un.

IV. L'unité substantielle du Père et du Fils et l'unité de sentiments entre l'homme et Dieu. L'homme est en Dieu de toute éternité, mais non inversement.

J'ai trop peu dit : elles ne font qu'un avec eux-mêmes. Que dire de cette unité, dont nous lisons qu'elle rassemblait en un plusieurs cœurs et plusieurs âmes[b] ? A mon avis, elle ne mérite pas le nom d'unité, comparée à celle qui ne réunit pas plusieurs choses ensemble mais qui désigne de manière singulière un être qui est unique. Oui, singulière et suprême est cette unité qui n'est pas l'effet d'une réunion, mais qui existe de toute éternité. Cette unité ne résulte pas de la manducation spirituelle dont nous parlions, car cette unité ne se fait pas ; elle est. On croira encore moins qu'elle résulte de n'importe quelle conjonction des essences ou d'un quelconque accord des volontés ; car les essences et les volontés ne sont pas distinctes. Unique est leur essence, unique leur volonté, comme il a été dit. Or, ce qui est un ne comporte ni accord, ni composition, ni accouplement ou autre chose semblable. Il faut qu'il y ait au moins deux volontés, pour qu'il y ait accord ; et également deux essences, pour que l'accord produise leur conjonction ou leur union. Rien de tel dans le Père et dans le Fils, puisqu'ils n'ont ni deux essences, ni deux volontés. Ils n'ont qu'une essence et qu'une volonté ; où plutôt, je me souviens de l'avoir déjà dit, essence et volonté ne font qu'un en eux, un avec eux. C'est pourquoi eux-mêmes, demeurant l'un dans l'autre[c] d'une façon aussi incompréhensible qu'incomparable, « sont » vraiment et singulièrement « un[d] ». Si néanmoins quelqu'un dit qu'il y a consentement entre le Père et le Fils, je ne le conteste pas ; pourvu que par-là il entende non l'union des volontés, mais l'unité de volonté.

10. Atqui Deum et hominem, quia propriis exstant ac distant et voluntatibus et substantiis, longe aliter in se alterutrum manere sentimus, id est non substantiis confusos, sed voluntatibus consentaneos. Et haec unio
5 ipsis communio voluntatum et consensus in caritate. Felix unio, si experiaris ; nulla, si comparaveris. Vox experti : *Mihi autem adhaerere Deo bonum est*[a]. Bonum plane, si ex omni parte adhaeseris. Quis est *qui* perfecte *adhaeret Deo*[b], nisi qui, *in Deo manens*[c], tamquam *dilectus a Deo*[d],
10 Deum nihilominus in se traxit vicissim diligendo ? Ergo cum undique inhaerent sibi homo et Deus – inhaerent autem undique intima mutuaque dilectione inviscerati alterutrum sibi –, per hoc Deum in homine et hominem in Deo[e] esse haud dubie dixerim. Sed homo quidem ab
15 aeterno in Deo, tamquam ab aeterno dilectus, si tamen ex illis sit qui dicunt *quia dilexit et gratificavit nos in dilecto* Filio suo *ante mundi constitutionem*[f] ; Deus vero in homine, ex quo dilectus ab homine est. Et si ita est, homo quidem in Deo est, et quando in homine Deus
20 non est ; Deus autem in homine non est, qui non sit in Deo. *Manere* enim *in dilectione*[g] non potest, etsi forsitan ad tempus diligat non dilectus. Potest autem nondum diligere et iam dilectus ; alioquin quomodo stabit : *Quoniam ipse prior dilexit nos*[h] ? Porro cum iam etiam
25 diligit qui ante diligebatur, et homo in Deo, et Deus in homine est. Qui autem numquam diligit, constat quod

---

10. a. Ps. 72, 28   b. I Cor. 6, 17 (Patr.)   c. I Jn 4, 16 ≠
d. I Thess. 1, 4 ≠   e. Cf. I Jn 4, 16   f. Jn 17, 24 ≠ ; Éphés. 1, 4.
6 ≠   g. Jn 15, 9 ≠   h. I Jn 4, 10 ≠

---

1. * *I Cor.* 6, 17 (Patr.) cf. *SCt* 71, 6, l. 14, *supra* p. 91.
2. * *I Jn* 4, 10 ≠. Cf. *SC* 472, p. 164, n. 1 sur *SCt* 57, 6 ; *SC* 452, p. 170, n. 1 sur *SCt* 39, 10.

10. Quant à Dieu et à l'homme, subsistant et séparés l'un de l'autre dans les volontés et les substances qui leur sont propres, nous entendons tout différemment leur manière de demeurer l'un dans l'autre : ce n'est pas la confusion de deux substances, mais l'accord de deux volontés. Telle est leur union : la communion des volontés et l'accord dans la charité. Heureuse union, si tu en fais l'expérience ; mais elle n'est rien, si tu la compares à l'autre. Celui qui en a fait l'expérience s'écrie : « Pour moi, m'attacher à Dieu est mon bonheur[a]. » Un bonheur, certes, si tu t'es attaché à lui totalement. Qui est-ce « qui s'attache parfaitement à Dieu[b 1] », sinon celui qui, « demeurant en Dieu[c] » parce que « aimé par Dieu[d] », a attiré Dieu en lui-même en l'aimant en retour ? Lorsque l'homme et Dieu sont attachés l'un à l'autre en tout – ils sont attachés en tout quand ils sont incorporés profondément l'un à l'autre par un intime amour mutuel – Dieu est en l'homme et l'homme en Dieu[e], je n'hésite pas à le dire. Mais l'homme est en Dieu de toute éternité, étant aimé de toute éternité, si toutefois il est de ceux qui disent : « Il nous a aimés et comblés de sa grâce en son Fils bien-aimé avant la fondation du monde[f]. » Dieu, en revanche, est en l'homme depuis que l'homme l'a aimé. S'il en est ainsi, l'homme est certes en Dieu, même quand Dieu n'est pas dans l'homme ; tandis que Dieu n'est pas dans l'homme, qui ne serait pas en Dieu. Car s'il n'est pas aimé, l'homme ne peut pas « demeurer dans l'amour[g] », bien qu'il puisse peut-être aimer pour un temps. Mais il peut ne pas aimer encore tout en étant déjà aimé. Sinon, comment cette parole serait-elle véridique : « Dieu nous a aimés le premier[h 2] » ? Mais lorsque celui qui était aimé d'abord commence lui aussi à aimer, alors l'homme est en Dieu et Dieu est en l'homme. Quant à celui qui n'aime jamais, il est

222

numquam dilectus est ; ac per hoc nec ipse in Deo, nec Deus in eo est. Haec dicta sint ad dandam differentiam inter illam connexionem, qua *Pater et Filius unum sunt*[i], et illam qua *adhaerens Deo* anima, *unus spiritus est*[j], ne forte quia legitur de homine *manente in caritate*, quia *in Deo manet et Deus in eo*[k], et item de Filio quod nihilominus *in Patre sit et Pater in ipso*[l], par praerogativa adoptati putaretur et unici.

V. De tertio intellectu pastionis Sponsi, qui est Verbum Dei, et quod in illo bono opere, quod inter virtutes id est inter lilia non sit, minime pascitur.

11. His ergo absolutis, recurrendum nobis ad illum *qui pascitur inter lilia*[a], quia inde excursus hic factus est usque huc : utrumnam non otiose, vos iudicabitis. Et iam quidem loci ipsius duos intellectus posueram : sive quod virtutibus pascitur candidatorum qui *virtus* et *candor*[b] est, sive quod *peccatores* recipit *ad paenitentiam*[c] in *corpore suo, quod est Ecclesia*[d], pro quibus sibi incorporandis seipsum *fecit peccatum*[e], *qui peccatum non fecit*[f], *ut destrueretur corpus peccati*[g], cui aliquando *complantati*[h] fuere peccantes, essentque *iustitia in ipso*[i] *iustificati gratis*[j].

12. Tertium addo qui occurrit, et satis fore reor non modo pro loci explanatione, sed et pro fine sermonis. *Sermo* Dei *veritas est*[a], et ipse Sponsus. Nostis hoc ;

---

i. Jn 10, 30 ≠   j. I Cor. 6, 17 (Patr.)   k. I Jn 4, 16 ≠   l. Jn 14, 10 ≠

11. a. Cant. 2, 16   b. I Cor. 1, 24 ≠ ; Sag. 7, 26   c. Lc 5, 32 ≠ d. Col. 1, 24 ≠   e. II Cor. 5, 21 ≠   f. I Pierre 2, 22   g. Rom. 6, 6 ≠   h. Rom. 6, 5   i. II Cor. 5, 21 ≠   j. Rom. 3, 24
12. a. Jn 17, 17 ≠

---

1. * Cf. *SCt* 71, 6, l. 14.
2. « Vous n'irez pas croire que le privilège du fils adoptif égale celui du

manifeste qu'il n'a jamais été aimé ; aussi n'est-il pas en Dieu, ni Dieu en lui. Que cela soit dit pour montrer la différence entre le lien par lequel « le Père et le Fils ne font qu'un[i] » et le lien par lequel l'âme « qui s'attache à Dieu est avec lui un seul esprit[j] [1] ». Ainsi, lisant que l'homme « qui demeure dans la charité demeure en Dieu et Dieu en lui[k] », et d'autre part que le Fils « est dans le Père et le Père dans le Fils[l] », vous n'irez pas croire que le privilège du fils adoptif égale celui du Fils unique[2].

V. Troisième interprétation du repas de l'Époux, qui est le Verbe de Dieu. Il ne se nourrit point d'une bonne œuvre qui ne serait pas parmi les vertus, c'est-à-dire parmi les lis.

11. Ces questions étant résolues, il nous faut revenir à celui « qui se nourrit parmi les lis[a] », car c'est de là qu'est partie cette digression ; vous jugerez si elle a été utile ou non. J'avais déjà proposé deux interprétations de ce passage : ou bien l'Époux, qui est « vertu et candeur[b] », se nourrit des vertus des hommes candides ; ou bien il accueille « les pécheurs à la pénitence[c] » dans « son corps, qui est l'Église[d] ». Car, pour s'incorporer les pécheurs, « il s'est fait péché[e] » lui-même, « lui qui n'a pas commis de péché[f], afin que fût détruit le corps de péché[g] » sur lequel furent jadis « greffés[h] » les pécheurs et qu'ils deviennent « justice en lui-même[i], justifiés gratuitement[j] ».

12. J'ajoute une troisième interprétation qui me vient à l'esprit, et je pense que cela suffira non seulement pour expliquer ce passage, mais aussi pour achever le sermon. « La parole de Dieu est vérité[a] », et elle est l'Époux lui-

---

Fils unique. » Selon Bernard, Dieu se communique d'une façon absolue à son Fils unique et d'une façon plus mesurée à ses autres fils. Pensée plutôt humaine que divine. On voit une tout autre doctrine dans le livre d'E. MERSCH, *La théologie du corps mystique* (Paris 1946).

audite cetera. Is cum auditur et minime oboeditur
illi, vacuus interim et ieiunus quodammodo remanet,
omnino tristis et querulus, quod prolatus in vacuum sit.
Si autem oboeditum fuerit, nonne tibi verbum videbitur
in quamdam excrevisse corpulentiam, quia verbo opus
accessit, utpote refectum quibusdam fructibus oboedientiae, *iustitiae frugibus*[b] ? Inde est quod in Apocalypsi
loquitur : *Ecce sto ad ostium et pulso ; si quis audierit
vocem meam et aperuerit ianuam, introibo ad illum, et
cenabo cum eo, et ipse mecum*[c]. Videtur approbari hic
sensus et apud Prophetam sententia Domini, ubi dicit
quod *verbum suum non revertetur ad eum vacuum, sed
prosperabitur, et faciet ad quod misit illud*[d] : *Non revertetur*, inquit, *ad me vacuum*[e], sed, quasi *prospere in
omnibus agens*[f], saturabitur bonis actibus eorum qui *in
dilectione acquiescent illi*[g]. Denique usu loquendi sermo
impletus tunc dicitur, cum fuerit mancipatus effectui ;
quod videlicet tamdiu inanis et macer, ac quodammodo
famelicus sit, donec opere impleatur.

13. Sed audi ipsum quo se dicat cibo ali : *Meus*, inquit,
cibus est, ut faciam voluntatem Patris mei[a]. Verbum Verbi
est aperte indicantis, esse suum cibum factum bonum,
si tamen invenerit illud inter lilia, hoc est inter virtutes.
Alioquin si extra reperit, etsi bonus, quod in se est,
videtur cibus, non tanget illum is *qui pascitur inter lilia*[b].
Verbi causa non recipit eleemosynam de manu raptoris
seu feneratoris, sed nec de *hypocritae* quidem, qui, *cum
facit eleemosynam, facit tuba cani ante se, ut* glorificetur
ab hominibus[c]. Sed nec illius orationem aliquo modo

b. II Cor. 9, 10 ≠   c. Apoc. 3, 20 ≠   d. Is. 55, 11 ≠   e. Is.
55, 11   f. Gen. 39, 2 ≠   g. Sag. 3, 9
13. a. Jn 4, 34 ≠   b. Cant. 2, 16   c. Matth. 6, 2 ≠

223

même. Vous savez cela ; écoutez la suite. Lorsque cette parole est entendue et qu'elle n'est pas obéie, elle demeure en quelque sorte vide et à jeun, toute triste et plaintive, parce qu'elle a été proférée en vain. Si en revanche on lui obéit, ne te semble-t-il pas que la parole se développe et prend une sorte de corpulence, parce que l'action s'est jointe à la parole qui est comme nourrie par les fruits de l'obéissance, « par les moissons de la justice[b] » ? D'où cette parole de l'Apocalypse : « Voici que je me tiens à la porte et que je frappe ; si quelqu'un entend ma voix et ouvre la porte, j'entrerai chez lui et je dînerai avec lui, et lui avec moi[c]. » Ce sens semble approuvé aussi par une affirmation du Seigneur chez le Prophète, lorsqu'il dit que « sa parole ne reviendra pas à lui sans effet, mais qu'elle sera efficace et réalisera l'objet de sa mission[d] ». « Elle ne me reviendra pas sans effet[e] », dit-il, mais, « agissant efficacement[f] » en tout, elle sera rassasiée des bonnes actions de ceux qui « lui obéiront avec amour[g] ». Aussi dans le langage courant dit-on qu'une parole est « remplie » lorsqu'elle a été suivie d'effet ; ce qui veut dire qu'elle est vide et maigre, et comme affamée, tant qu'elle n'est pas « remplie » par l'action.

13. Mais écoute le Verbe lui-même nous dire de quel aliment il se nourrit. « Ma nourriture, dit-il, est de faire la volonté de mon Père[a]. » C'est une parole du Verbe qui nous indique ouvertement que sa nourriture, c'est l'action bonne, pourvu qu'il la trouve parmi les lis, c'est-à-dire parmi les vertus. Autrement, s'il la rencontre ailleurs, même si cette nourriture, quant à elle, semble bonne, il ne la touchera pas, lui « qui se nourrit parmi les lis[b] ». Par exemple, il n'accepte pas l'aumône de la main d'un voleur ou d'un usurier, ni non plus « d'un hypocrite » qui, « quand il fait l'aumône, fait sonner de la trompette devant lui pour être applaudi des hommes[c] ». Mais il

exaudiet, *qui amat orare in angulis platearum, ut ab hominibus videatur*[d]. Nempe *oratio* peccatoris *exsecrabilis erit*[e]. Frustra quoque *offerat munus suum ad altare,* qui conscius est sibi *quod frater suus habet aliquid adversum*
15 *se*[f]. Denique *non respexit ad Cain munera*[g], quod *non recte ambularet*[h] cum fratre suo. Teste sancto Propheta, etiam *abominabatur sabbata, et neomenias, et sacrificia* Iudaeorum, ita ut manifeste protestaretur *odisse ea animam suam*[i], et dicebat : *Cum veniretis ante conspectum*
20 *meum, quis quaesivit ea de manibus vestris*[j] ? Credo non redolebant lilia manus illae, et propterea respuebat munus ex illis *qui pasci inter lilia*[k] consuevit, et non *inter spinas*[l] ; quidni spinosas habebant manus, quibus aiebat : *Manus vestrae sanguine plenae sunt*[m] ? Et manus Esau pilosae
25 erant[n], spinosis similes ; ideo non sunt admissae, ut ministrarent Sancto[o].

14. Vereor ne et inter nos aliqui sint, quorum non acceptet munera Sponsus, eo quod non redoleant lilia. Etenim si *in die ieiunii mei inveniatur voluntas* mea, *non tale ieiunium elegit*[a] Sponsus, nec sapit illi
224 5 ieiunium meum, quod non lilium oboedientiae, sed vitium voluntatis propriae sapit. Ego autem non solum de ieiunio, sed de silentio, de vigiliis, de oratione, de lectione, de opere manuum, postremo de omni observantia monachi, ubi *invenitur voluntas* sua *in ea*[b], et non
10 oboedientia magistri sui, idipsum sentio. Minime prorsus observantias illas, etsi bonas in se, tamen inter lilia, id

---

d. Matth. 6, 5 ≠　　e. Prov. 28, 9 ≠　　f. Matth. 5, 23 ≠　　g. Gen. 4, 5 ≠　　h. Gal. 2, 14 ≠　　i. Is. 1, 13-14 ≠　　j. Is. 1, 12 ≠ k. Cant. 2, 16 ≠　　l. Cant. 2, 2　　m. Is. 1, 15　　n. Cf. Gen. 27, 23　　o. Cf. Hébr. 6, 10
　14. a. Is. 58, 3. 5 ≠　　b. Is. 58, 3 ≠

n'exaucera pas davantage la prière de celui « qui aime prier au coin des places pour être vu des hommes[d] ». Car « la prière » du pécheur lui « sera exécrable[e] ». C'est en vain aussi qu'« apporte son offrande à l'autel » celui qui sait « que son frère a quelque chose contre lui[f] ». Ainsi Dieu « a détourné son regard des offrandes de Caïn[g] », parce qu'« il se conduisait injustement[h] » avec son frère. Selon le témoignage du saint Prophète, « il avait aussi en horreur les sabbats, les nouvelles lunes et les sacrifices » des Juifs. Aussi déclarait-il ouvertement « que son âme les haïssait[i] », et il disait : « Quand vous venez vous présenter devant moi, qui a demandé les offrandes de vos mains[j] ? » Je crois que ces mains-là ne sentaient pas le lis ; c'est pourquoi il repoussait leur offrande, lui « qui a coutume de se nourrir parmi les lis[k] », et non « parmi les épines[l] ». N'avaient-ils pas les mains tout épineuses, puisqu'il leur disait : « Vos mains sont pleines de sang[m] » ? Les mains d'Esaü aussi étaient couvertes de poils[n] semblables à des épines ; c'est pourquoi elles ne furent pas admises à servir le Saint[o].

14. Je crains que parmi nous aussi il n'y en ait quelques-uns dont l'Époux n'acceptera pas les offrandes parce qu'elles ne sentent pas le lis. Car si c'est ma « volonté propre qui a décidé du jour de mon jeûne, ce n'est pas l'Époux qui a choisi un tel jeûne[a] ». Mon jeûne n'est pas agréable à son goût, car il n'a pas le goût du lis de l'obéissance, mais du vice de la volonté propre. Et j'ai ce même sentiment non seulement à propos du jeûne, mais aussi du silence, des veilles, de la prière, de la lecture, du travail manuel, enfin de toute observance monastique où « l'on découvre la volonté[b] » propre du moine, et non l'obéissance à son supérieur. A mon avis ces observances, bien que bonnes en elles-mêmes, ne sont nullement à compter parmi les lis, c'est-à-dire parmi les

est inter virtutes, censuerim deputandas ; sed audiet a
10 Propheta qui eiusmodi est : *Numquid tale est* obsequium
quod elegi^c *?* dicit Dominus. Et addet : In die bonorum
tuorum inveniuntur voluntates tuae^d. Grande malum
propria voluntas, qua fit ut bona tua, tibi bona non sint.
Oportet proinde lilia fiant quae huiusmodi sunt, quia
15 nihil omnino quod propria inquinatum sit voluntate,
gustabit is *qui pascitur inter lilia*^e. *Sapientia* est *ubique*
attingens propter munditiam suam, et nil inquinatum in
eam incurrit^f. Ita ergo inter lilia pasci amat Sponsus, id
est apud munda et nitida corda. Sed quousque ? *Donec*
20 *adspiret dies et inclinentur umbrae*^g. *Umbrosus* locus
est *et condensus*^h : non intremus silvam hanc profundi
sacramenti, nisi clara luce diei. Iam enim disputante me
longius, *inclinata est dies*ⁱ, dum inviti abstrahimur ab his
liliis. Nec sum victus prolixitate, cui fastidium omne
25 detraheret odor florum. *Modicum* quid restare videtur de
praesenti capitulo. At istud *modicum*^j, reconditum nimis,
sicut et cetera universa carminis huius. Sed *qui revelat*
mysteria^k aderit, ut confido, cum pulsare coeperimus^l,

---

c. Is. 58, 5 ≠   d. Cf. Sir. 11, 27 ; cf. Is. 58, 3   e. Cant. 2, 16
f. Sag. 7, 24-25 ≠   g. Cant. 2, 17   h. Hab. 3, 3 (Lit. cist.)   i. Lc
24, 29 ≠   j. Jn 16, 16   k. Prov. 20, 19   l. Cf. Lc 13, 25

---

1. * *Sir.* 11, 27 et *Is.* 58, 3. Bernard amalgame ces deux citations
bibliques : *in die bonorum* (ou *malorum*) avec *voluntates tuae inve-*
niuntur. Ici, c'est bien la volonté mauvaise : *grande malum propria*
voluntas... non sint, avec *propria... voluntate* repris l. 15. *In die,* qui est
une expression biblique, désigne une survenance, longtemps préparée
et hasardeuse, bonne ou mauvaise ; c'est le point de départ de cet
amalgame, dont Bernard a bien pu être l'initiateur. Il mettait volontiers

vertus. Mais celui qui est en cet état s'entendra dire par le Prophète : « Est-ce là l'hommage que j'ai choisi[c] ? », dit le Seigneur. Et il ajoutera : Au jour de tes bonnes actions on trouve ta volonté propre[d] [1]. C'est un grand mal que la volonté propre [2] ; il arrive par elle que tes bonnes actions ne sont pas bonnes pour toi. Il faut donc que de telles actions deviennent des lis. Car celui « qui se nourrit parmi les lis[e] » ne goûtera point ce qui est souillé par la volonté propre. Il est « la Sagesse qui atteint tout lieu grâce à sa pureté, et rien de souillé ne pénètre en elle[f]. » C'est ainsi que l'Époux aime à se nourrir parmi les lis, c'est-à-dire chez les cœurs purs et limpides. Mais jusqu'à quand ? « Jusqu'à ce que le jour se mette à respirer et que déclinent les ombres[g]. » Ce passage est « couvert d'ombres épaisses[h] [3] ». N'entrons dans la forêt de ce profond mystère qu'à la claire lumière du jour. Déjà, tandis que je prolonge un peu trop mon entretien, « le jour est parvenu à son déclin[i] », et nous sommes contraints de quitter ces lis. Ce n'est pas que je sois excédé par l'abondance des paroles, car le parfum des fleurs a chassé pour moi tout ennui. Il reste « peu de chose » à expliquer du présent texte, semble-t-il. Mais ce « peu[j] » est fort mystérieux, comme d'ailleurs tout l'ensemble de ce poème. Pourtant, j'en ai l'assurance, « celui qui révèle les mystères[k] » viendra à notre aide lorsque nous commencerons à frapper[l], et il ne fermera pas la

---

en scène l'étonnement du pécheur acculé à voir que son bien est mal, et son mal bien.

2. « Le grand mal de la volonté propre ». Il faut se souvenir du fait que pour Bernard la rencontre entre l'homme et Dieu se fait par l'accord de deux volontés (§ 10).

3. * *Hab*. 3, 3. Trait *Domine audivi,* après la première lecture du Vendredi saint. Cf. *SC* 414, p. 142 sur *SCt* 6, 3 et *SC* 480, p. 308, n. 1 sur *NatV* 6, 3.

et non claudet ora loquentium se[m], cui familiare magis
30 est reserare clausa, Sponsus Ecclesiae, Iesus Christus
Dominus noster, *qui est super omnia Deus benedictus in
saecula. Amen*[n].

m. Cf. Esther 14, 9   n. Rom. 9, 5

bouche à ceux qui parlent de lui[m]. Car il a coutume, au contraire, d'ouvrir ce qui est fermé, lui, l'Époux de l'Église, Jésus-Christ notre Seigneur, « qui est au-dessus de tout, Dieu béni dans les siècles. Amen[n]. »

SERMO LXXII

I. Quomodo utrique partium capituli adiungitur : *Donec adspiret dies, etc.*, et qualiter tunc Sponsus non pascitur, sed potatur. – II. De die vel umbris spiritualibus, et quomodo, spirante die, inclinantur vel annullantur. – III. De die spirante vel inspirante, exspirante vel conspirante, respirante, vel de nocte suspirante. – IV. Quod suspirans nox et adspirans dies novissima sunt impiorum et iustorum, ubi sicut demitur vacuis, ita additur plenis. Vel illud : *Habenti dabitur et abundabit etc.* Et quae ratio vocabuli.

I. Quomodo utrique partium capituli adiungitur : *Donec adspiret dies, etc.*, et qualiter tunc Sponsus non pascitur, sed potatur.

225   **1.** *Dilectus meus mihi, et ego illi, qui pascitur inter lilia, donec adspiret dies et inclinentur umbrae*[a]. Novissima tantum capituli huius tractanda pars est ; et dubito in ipso ingressu, cuinam potissimum eam iungam duarum
5 praecedentium : nam possum indifferenter utrique. Sive enim dicas : *Dilectus meus mihi, et ego illi, donec adspiret dies et inclinentur umbrae*, interposito tantum *qui pascitur inter lilia* ; sive pro litterae serie : *Qui pascitur inter lilia, donec adspiret dies et inclinentur umbrae*, non

---

1. a. Cant. 2, 16-17

SERMON 72

I. Les mots : « Jusqu'à ce que le jour se mette à respirer etc. » peuvent s'ajouter à l'une comme à l'autre partie du texte. De quelle manière l'Époux ne fait plus des vertus sa nourriture, mais sa boisson. – II. Le jour et les ombres selon le sens spirituel. De quelle manière les ombres déclinent et s'évanouissent lorsque le jour se met à respirer. – III. Le jour qui souffle et inspire, expire et conspire, respire. La nuit des soupirs. – IV. La nuit des soupirs et le jour qui aspire sont les fins dernières des impies et des justes. Comme l'on ôte à ceux qui sont dénués de tout, ainsi l'on donne davantage à ceux qui sont comblés, ou si vous voulez : « A celui qui a l'on donnera et il sera dans l'abondance etc. » Quelle est la raison du mot « aspirer ».

I. Les mots : « Jusqu'à ce que le jour se mette à respirer etc. » peuvent s'ajouter à l'une comme à l'autre partie du texte. De quelle manière l'Époux ne fait plus des vertus sa nourriture, mais sa boisson.

1. « Mon bien-aimé à moi, et moi à lui, qui se nourrit parmi les lis, jusqu'à ce que le jour se mette à respirer et que déclinent les ombres[a]. » Il me faut expliquer seulement la dernière partie de ce texte. Au seuil même de mon sermon, je me demande à laquelle des deux parties précédentes je dois la rattacher ; car je puis le faire indifféremment à l'une et à l'autre. Tu peux dire en effet : « Mon bien-aimé à moi, et moi à lui, jusqu'à ce que le jour se mette à respirer et que déclinent les ombres », insérant comme une simple parenthèse : « qui se nourrit parmi les lis. » Ou bien tu peux dire, selon l'ordre littéral des mots : « Qui se nourrit parmi les lis, jusqu'à ce que le jour se mette à respirer et que déclinent les ombres ».

10 inconvenienter utrovis assignas. Hoc sane refert, quod
donec si primo iunxeris, inclusivum oportet intelligas ;
si medio, exclusivum sentias necesse est. Esto namque
quod desinat Sponsus pasci iam inter lilia, ubi adspiraverit
dies, numquid similiter etiam cessabit sponsae intendere,
15 aut ipsa illi ? Absit. In aeternum perseverabunt sibi, nisi
quod tunc felicius, cum vehementius ; tunc vehementius,
cum expeditius. Sit ergo tale hoc *donec* quale est illud
apud Matthaeum, ubi narratur non cognovisse Mariam
Ioseph *donec pepererit Filium suum primogenitum*[b] : non
20 enim post cognovit ; vel certe quale illud in Psalmo :
Oculi nostri ad Dominum Deum nostrum, donec misereatur
nostri[c] : non enim avertentur, cum coeperit misereri ; vel
quale item illud Domini ad Apostolos : *Ecce ego vobiscum*
sum usque ad consummationem saeculi[d] : non enim post
25 non erit cum illis. Verum hoc ita, si *donec* referas ad
dilectus meus mihi, et ego illi. Sin autem ad *qui pascitur*
inter lilia respicere malis, erit alio sensu accipiendum.
Porro operosius ostendetur, quomodo tunc dilectus pasci
desinat, cum adspiraverit dies. Etenim si dies resurrec-
30 tionis is est, quidni multo magis pasci ibi inter lilia iuvet,
ubi horum maior admodum copia erit ? Et pro aptanda
quidem litterae consequentia haec dicta sint.

226

b. Matth. 1, 25 ≠   c. Ps. 122, 2   d. Matth. 28, 20 ≠

Tu peux adopter sans inconvénient celle des deux lectures que tu voudras. Mais il importe de noter ceci : si tu rattaches à la première partie du texte le « jusqu'à ce que », tu dois l'entendre en un sens inclusif ; si tu le rattaches à la phrase du milieu, il te faut le comprendre en un sens exclusif. Supposons que l'Époux cesse de se nourrir parmi les lis lorsque le jour se mettra à respirer ; cessera-t-il pour autant de prêter attention à l'épouse, et elle à lui ? Certes pas. Ils persisteront éternellement dans cette attention mutuelle, si ce n'est qu'elle sera d'autant plus heureuse qu'elle sera plus intense ; d'autant plus intense qu'elle sera plus libre. Ce « jusqu'à ce que » sera donc pareil à celui que nous trouvons chez Matthieu, là où il est dit que Joseph ne connut pas Marie « jusqu'à ce qu'elle eût enfanté son Fils premier-né[b] ». Car il ne la connut pas davantage ensuite. Ou bien ce « jusqu'à ce que » sera pareil à celui du Psaume : « Nos yeux sont levés vers le Seigneur notre Dieu jusqu'à ce qu'il nous prenne en pitié[c]. » Car ils ne se détourneront pas de lui, lorsqu'il commencera de nous prendre en pitié. Ou encore ce « jusqu'à ce que » sera comme dans les paroles du Seigneur aux Apôtres : « Voici que je suis avec vous jusqu'à la fin du temps[d]. » Ce n'est pas qu'il ne sera plus avec eux ensuite. Oui, c'est ainsi que tu dois l'entendre, si tu rapportes le « jusqu'à ce que » à « mon bien-aimé à moi, et moi à lui ». Si en revanche tu préfères le rattacher à « qui se nourrit parmi les lis », il faudra le prendre dans un autre sens. Or, il sera plus laborieux de montrer comment le bien-aimé cessera de se nourrir lorsque le jour se mettra à respirer. Si ce jour, en effet, est celui de la résurrection, pourquoi ne trouvera-t-il pas un plaisir bien supérieur à se nourrir parmi les lis là où ils seront en bien plus grande abondance ? Voilà pour montrer la cohérence du sens littéral dans ce passage.

2. Nunc iam adverte mecum toto licet liliis fulgentibus regno[a], Sponsoque medio exsistente et deliciante, non tamen esse quod dicatur et pasci, iuxta id quidem quod ante consueverat. Ubi namque iam peccatores, quos sibi
5 incorporet Christus, mansos morsosque quasi quibusdam dentibus disciplinae austerioris, afflictione scilicet carnis[b] et cordis contritione ? Sed neque cibum sibi iam exiget Verbum Sponsus ex aliquibus factis seu operibus oboedientiae, ubi omne negotium otium, soloque in intuitu et
10 affectu res erit. Et quidem *cibus eius, ut faciat voluntatem Patris sui*[c] : sed hic, non ibi. Quid enim faciat factam ? Et perfectam tunc esse constat. Denique *probare* iam tunc est omnibus Sanctis, *quae sit voluntas Dei bona, et beneplacens, et perfecta*[d]. Et certe post perfectum, faciendum
15 superest nihil : frui de cetero restat, non fieri ; experiri, non operari ; ea vivere, non exerceri in ea. Nonne ipsa est, quam instantissima prece, docti quidem a Domino[e], *sicut in caelo*, ita *et in terra* perfici[f] postulamus, quo eius iam delectet fructus, actus non fatiget ? Non erit itaque
20 Sponso Verbo operis cibus, quia cesset necesse est omne opus, ubi plenius ab universis percipitur *sapientia* ; nam *qui minorantur actu, percipiunt eam*[g].

3. Sed videamus nunc, si quod dicimus stare possit et secundum illam sententiam, qua *pasci inter lilia*, candidatu virtutum oblectari, quidam interpretantur ; nam et nos ipsam inter cetera non praeterivimus.

---

2. a. Cf. Matth. 13, 43   b. Cf. Eccl. 12, 12   c. Jn 4, 34 ≠
d. Rom. 12, 2 ≠   e. Cf. Is. 54, 13   f. Matth. 6, 10 ≠   g. Sir.
38, 25 ≠

2. Observe maintenant avec moi que, quand les lis resplendiront dans tout le royaume[a] et que l'Époux sera au milieu d'eux et en fera ses délices, il n'y aura plus lieu de dire qu'il se nourrit comme il avait coutume de le faire auparavant. Où seront alors les pécheurs que le Christ pourrait s'incorporer, après les avoir mâchés et mastiqués, pour ainsi dire, sous les dents d'une discipline très austère : la mortification de la chair[b] et la contrition du cœur ? D'ailleurs, le Verbe Époux n'exigera plus, pour s'en nourrir, des actes et des œuvres d'obéissance, lorsqu'il n'y aura plus d'autre occupation que le loisir et toute activité consistera seulement dans la contemplation et dans l'amour. « Sa nourriture », certes, « est de faire la volonté de son Père[c] » : mais ici-bas, non là-haut. Pourquoi ferait-il ce qui est déjà fait ? Or, il est évident qu'elle sera alors parfaitement accomplie. Car tous les saints « reconnaîtront alors la volonté bonne, bienveillante et parfaite de Dieu[d] ». Certes, une fois la perfection atteinte, il ne reste plus rien à faire. Il n'y a plus qu'à jouir, non à agir ; à expérimenter, non à travailler ; à vivre de cette volonté, non à s'efforcer de l'accomplir. N'est-ce pas cette même volonté dont nous, instruits par le Seigneur[e], demandons par une très instante prière l'accomplissement « sur la terre comme au ciel[f] » pour que nous en goûtions déjà le fruit et que nous l'accomplissions sans peine ? Le Verbe Époux ne se nourrira plus des œuvres, puisque toute œuvre cesse nécessairement lorsque « la sagesse » est pleinement acquise par tous. Car « ceux qui ont moins d'affaires acquièrent la sagesse[g]. »

3. Voyons maintenant si ce que nous disons peut s'accorder aussi avec l'interprétation de ceux qui pensent que « se nourrir parmi les lis » signifie prendre plaisir à la blancheur éclatante des vertus. Car nous-mêmes, nous n'avons pas passé sous silence cette interprétation parmi

227   5 Dicemusne aut non fore, aut Sponso minime sapere
tunc virtutes ? Et quidem sentire alterutrum, dementiae
est. Sed vide ne forte alias illis delectetur – nam constat
delectari –, sed forsitan potu magis quam pastu. Sane
in tempore et corpore isto, nulla nostra virtus ita ad
10 purum defaecata[a] erit, nulla ita suavis et mera, ut
Sponso habilis sit ad potandum. Sed *qui vult omnes
homines salvos fieri*[b], dissimulat multa, et quam non
potest potandi interim facilitate glutire, curat ex ea vel
quippiam elicere sapidum, quasi arte quadam et quodam
15 labore mandendi. Erit cum erit virtus colabilis, nec
premetur dente, nec fatigabitur a mandente, vel potius
non fatigabit mandentem, quae bibentem absque opera
delectabit, tamquam utique potus, non esca[c]. Denique
habes spondentem in Evangelio : *Non bibam de hoc
20 genimine vitis*, inquit, *nisi bibero illud novum vobiscum in
regno Patris mei*[d]. Et de cibo nulla est mentio. Sed apud
Prophetam quoque legitur : *Tamquam potens crapulatus a
vino*[e] ; de cibo autem nihil ibi penitus invenitur. Sponsa
ergo conscia mysterii huius, cum dilectum pasci inter lilia
25 comperisset ac perhibuisset, constituit terminum quoad
id dignaretur ; immo constitutum agnovit et perhibuit
dicens : *Donec adspiret dies et inclinentur umbrae*[f]. Sciebat
enim virtutibus eum potandum potius quam pascendum.
Connivere videtur et consuetudo, qua post cibum potus
30 sumi de more solet. Ergo qui hic manducat, illic bibet,

3. a. Cf. Is. 25, 6   b. I Tim. 2, 4 ≠   c. Cf. I Cor 3, 2   d. Matth.
26, 29 ≠   e. Ps. 77, 65   f. Cant. 2, 17

les autres. Dirons-nous soit qu'alors il n'y aura plus de vertus, soit que l'Époux ne les goûtera point ? Penser l'un ou l'autre serait vraiment de la folie. Mais vois si, par hasard, l'Époux y prendra plaisir d'une autre façon – car il est certain qu'il y prendra plaisir. Peut-être en fera-t-il sa boisson plutôt que sa nourriture. Oui, en cette vie et dans ce corps, aucune de nos vertus n'est si décantée[a], si douce et si pure qu'elle puisse servir de boisson à l'Époux. Mais « celui qui veut que tous les hommes soient sauvés[b] » ferme les yeux sur bien des choses. La vertu qu'il ne peut pas pour le moment avaler sous forme de boisson, il fait en sorte d'en tirer quand même un aliment savoureux par l'art et le labeur de la mastication, si l'on peut parler ainsi. Un jour viendra où la vertu sera liquide ; elle ne sera plus triturée par les dents ni travaillée par la mastication. Ou mieux, elle ne demandera plus aucun travail de mastication : elle fera les délices de celui qui la boira sans peine, comme une boisson, non comme du solide[c]. C'est ce que l'Époux promet dans l'Évangile : « Je ne boirai plus de ce fruit de la vigne, dit-il, jusqu'au jour où je le boirai, nouveau, avec vous dans le royaume de mon Père[d]. » Aucune mention d'aliments solides. On lit aussi chez le Prophète : « Comme un homme puissant ragaillardi par le vin[e] » ; là non plus, on ne trouve aucune allusion aux aliments solides. Aussi l'épouse, consciente de ce mystère, ayant appris et proclamé que le bien-aimé se nourrit parmi les lis, a-t-elle fixé le terme jusqu'où il daignera le faire. Ou plutôt, elle a reconnu et proclamé le terme fixé en disant : « Jusqu'à ce que le jour se mette à respirer et que déclinent les ombres[f]. » Elle savait en effet que l'Époux se désaltérerait des vertus au lieu de s'en nourrir. Cela s'accorde aussi à la coutume, qui veut qu'on boive après avoir mangé. Ainsi, celui qui mange ici-bas boira là-haut

eo tunc suavius quo securius, glutiturus et ea ipsa quae
scrupulosius modo, et quodammodo laboriosius, quasi
mandendo, liquat.

II. De die vel umbris spiritualibus, et quomodo, spirante die, inclinantur vel annullantur.

4. Nunc iam intendamus considerare de die illo et illis
umbris ; qui ille, quae istae : ille qua ratione adspirans,
hae in qua potestate habeant inclinari. Signanter omnino
dictum : *Donec adspiret dies*[a], immo singulariter. Solo
5 quippe hoc loco, nisi fallor, diem adspirantem reperies.
Aurae nempe, non tempora spirare dicuntur. Spirat
homo, spirant animalia cetera, quibus indesinenter reci-
procatus aer vitam continuat. Et quid hoc, nisi ventus ?
Spirat et Spiritus Sanctus, et inde « spiritus ». Quo
10 pacto ergo dies spirans, qui nec ventus, nec spiritus,
nec animal est ? Quamquam nec spirans quidem, sed,
quod signantius sonat, « adspirans » dictus sit. Nec minus
praeter solitum dictum : *Et inclinentur umbrae*[b]. Denique
ad exortum huius corporei visibilisque luminis, umbrae
15 non inclinantur, sed annullantur. Extra proinde corpora
quaerendae hae res. Et si quidem spirituales invenerimus
diem et umbras, tunc forsitan et inclinatio harum, et
illius adspiratio, facilius elucebit. Qui illum diem, de
quo Propheta dicit : *Melior est dies una in atriis tuis*
20 *super millia*[c], corporeum opinatur, nescio quid iam non
corporeum opinetur. Est et in mala significatione dies,

---

4. a. Cant. 2, 17   b. Cant. 2, 17   c. Ps. 83, 11

---

1. Bernard commence ici un jeu philologique que les Allemands
appellent *Silbenallegorese*. Il joue avec les multiples préfixes du mot
spiratio (adspiratio, conspiratio, inspiratio, perspiratio, exspiratio). Son but
n'est pas d'insister sur l'importance de chaque mot scripturaire, mais
plutôt de trouver le sens spirituel de toutes ces expressions.

avec d'autant plus de douceur que de sécurité. Il avalera aussi ce qu'il doit maintenant filtrer avec beaucoup de soin et de labeur et comme en le mastiquant.

II. Le jour et les ombres selon le sens spirituel. De quelle manière les ombres déclinent et s'évanouissent lorsque le jour se met à respirer.

4. Maintenant appliquons-nous à considérer le jour et les ombres dont il est question ici : quel est ce jour, quelles sont ces ombres ; pour quelle raison l'un se met-il à respirer, à quelle puissance les autres doivent-elles céder le pas quand elles déclinent. Il est dit avec beaucoup de précision : « Jusqu'à ce que le jour se mette à respirer[a] » ; cette expression est même singulière[1]. Si je ne me trompe, tu ne trouveras que dans ce passage « le jour qui se met à respirer ». On dit bien que les brises respirent, non pas les périodes de temps. L'homme respire, les autres animaux respirent ; l'air leur entretient la vie par son flux et reflux incessant. Et qu'est-ce que cela, sinon le vent ? L'Esprit saint aussi respire, d'où son nom d'« esprit ». Comment le jour respire-t-il, lui qui n'est ni vent, ni esprit, ni animal ? Encore l'Écriture ne dit-elle pas qu'il respire, mais plus précisément qu'il « aspire ». Et elle dit de façon tout aussi insolite : « Et que déclinent les ombres[b]. » Car enfin, au lever de la lumière corporelle et visible, les ombres ne déclinent pas, mais s'évanouissent. Il faut donc chercher le sens de tout cela en dehors des corps. Oui, si nous allons trouver un jour et des ombres spirituels, peut-être ces mots de respiration et de déclin deviendront-ils plus clairs. Le Prophète dit : « Un jour dans tes parvis en vaut plus que mille[c]. » Celui qui penserait qu'il s'agit d'un jour corporel, je ne sais ce qu'il pourrait concevoir qui ne fût corporel. Il y a aussi ce jour pris en mauvaise part,

cui maledixere Prophetae[d]. Absit autem, ut ex visibilibus his, *quos fecit Dominus*[e]. Itaque spiritualis est.

5. Iam umbram quis ambigat spiritualem, qua Mariae obumbratum est[a] concipienti, et item eam quae in Propheta sic memoratur : *Spiritus ante faciem nostram Christus Dominus, sub umbra eius vivemus inter gentes*[b].
5 Ego tamen umbrarum nomine hoc loco magis arbitror designatas contrarias *potestates*, quae non modo umbrae vel tenebrae, sed *et principes tenebrarum*[c] ab Apostolo perhibentur, simulque inhaerentes illis ex genere nostro, *filios* utique *noctis, et non lucis neque diei*[d]. Hae siquidem
10 umbrae, non plane cum adspiraverit dies, in nihili revertentur, sicut a facie huius corporeae lucis umbras corporeas non disparere tantum, sed et penitus deperire videmus. Itaque erunt minime quidem extremius nihilo, miserius tamen. Erunt, sed inclinatae et subditae. Denique
15 *inclinabit se,* inquit, *et cadet* – haud dubium quin princeps umbrarum –, *cum dominatus fuerit pauperum*[e]. Ergo non natura delebitur, sed potentia subtrahetur ; non peribit substantia, sed *transibit hora et potestas tenebrarum*[f]. *Tolluntur, ne videant gloriam Dei*[g] ; non annullantur, ut
20 semper urantur. Quidni *inclinabuntur umbrae,* cum *depo-*

---

d. Cf. Job 3,3 ; cf. Jér. 20, 14   e. Ps. 117, 24 ≠
5. a. Cf. Lc 1, 35   b. Lam. 4, 20 (Patr.)   c. Éphés. 6, 12 ≠
d. I Thess. 5, 5 ≠   e. Ps. 9, 31   f. Mc 14, 35 ≠ ; Lc 22, 53 ≠
g. Is. 26, 10 (Patr.)

---

1. * *Lam.* 4, 20 (Patr.). Cf. *SC* 431, p. 128, n. 2 sur *SCt* 20, 2. Cf. ORIGÈNE, *Comm. sur le Cantique* III, 11-18 (*SC* 376, p. 530-534). Cf. DANIÉLOU, *Pères grecs*, p. 48-51. Ici même, le texte a été longuement préparé, par *umbra* de Cant. 2, 17, et il est prolongé par « ombres et figures » de *I Cor.* 13, 12. Le lien avec Marie et l'*obumbratum* de Luc est explicité dans la longue note de *SC* 390, p. 214, n. 1 sur *Miss* 4, 4.
2. * *Is.* 26, 10 (Patr.). Ce texte, employé 10 fois par Bernard, se retrouve chez Grégoire le Grand plusieurs fois et chez Cassiodore tel quel (*In Ps.* 109, 3, *CCM* 98, p. 1009), mais Bernard emploie aussi la *Vg* de ce texte : *Misereamur impio, et non discet justitiam ; in terra sanctorum iniqua*

que les Prophètes ont maudit[d]. N'allons pas croire qu'il soit un de ces jours visibles « que le Seigneur a faits[e] ». Il s'agit donc d'un jour spirituel.

5. Quant à l'ombre, qui pourrait douter que soit une ombre spirituelle, celle dont fut couverte Marie[a] lors de la conception ? De même celle qui est ainsi évoquée dans le Prophète : « Le Christ Seigneur est Esprit devant notre face ; à son ombre nous vivrons parmi les nations[b 1]. » Pour moi, cependant, je pense que dans ce passage le terme d'ombres désigne plutôt « les puissances » ennemies. L'Apôtre les appelle non seulement ombres ou ténèbres, mais « princes des ténèbres[c] ». Et en même temps il s'agit des hommes qui s'attachent à elles, « fils de la nuit et non de la lumière ni du jour[d] ». Ces ombres, certes, lorsque le jour se mettra à respirer, ne seront pas totalement réduites à néant, comme nous voyons devant la lumière sensible les ombres sensibles non seulement disparaître, mais s'évanouir complètement. Elles continueront d'exister, non pas au-delà du néant, mais dans un état encore plus misérable. Elles existeront, mais déclinantes et assujetties. Car il est dit : « Il s'inclinera et tombera – le prince des ombres, sans aucun doute – lorsqu'il aura établi sa domination sur les pauvres[e]. » Ainsi leur nature ne sera pas détruite, mais la puissance leur sera ôtée ; leur substance ne périra pas, mais « l'heure et le pouvoir des ténèbres passeront[f] ». « Elles sont balayées, pour qu'elles ne voient pas la gloire de Dieu[g 2] » ; elles ne sont pas anéanties, pour qu'elles brûlent éternellement. Comment « les ombres ne déclineront-elles pas », lorsque

---

gessit, et non videbit gloriam Domini. C'est une des nombreuses tentatives de Bernard pour justifier, expliquer, sonder la raison divine d'être de la damnation éternelle, avec son mode : l. 19-20 *non annullantur, ut semper urantur.* En *Gra* 24, Bernard avait insisté sur la persistance de la liberté chez le damné, concomitante avec la persistance dans l'être. En *SCt* 76, 3, c'est plutôt la persistance dans l'indignité. Les 5 emplois *Vg* de ce verset parlent de ce même problème.

nentur potentes de sede[h], *ponenturque scabellum pedum*[i] ?
Quod utique *oportet fieri cito*[j]. *Novissima hora est*[k] : *nox
praecessit, dies autem appropinquavit*[l]. Adspirabit dies, et
exspirabit nox. Nox diabolus est, nox *angelus Satanae*, etsi
25 *se transfiguret in angelum lucis*[m]. Nox etiam Antichristus,
*quem Dominus interficiet spiritu oris sui, et destruet illus-
tratione adventus sui*[n]. Numquid non Dominus dies est ?
Dies plane illustrans et spirans : *spiritu oris sui* fugat
umbras, et destruit larvas *illustratione adventus sui*. Aut si
30 magis placet simpliciter verbum « inclinationis » accipere,
nihilque aliud inclinari quam annihilari esse putandum
– ne huic quoque desimus sensui –, dicimus umbras,
figuras et aenigmata Scripturarum[o], necnon et sophis-
ticas locutiones, cavillationesque verborum, et implicita
35 argumentorum, quae omnia veritatis interim lumen
obumbrant. *Ex parte enim cognoscimus, et ex parte prophe-
tamus*[p]. Verum *adspirante die, inclinabuntur umbrae*[q],
quia occupante omnia luminis plenitudine, nulla pars
superesse poterit tenebrarum. Denique *cum venerit quod
40 perfectum est, tunc evacuabitur quod ex parte est*[r].

III. De die spirante vel inspirante, exspirante vel conspirante, respirante, vel de nocte suspirante.

6. Hactenus de his sufficere poterat, si spirans dies illa,
et non « adspirans » dicta fuisset. Nunc vero, pro tantillo
licet additamento, adhuc aliquid addendum existimo,
nimirum pro vestiganda huius diversitatis ratione. Ego
5 enim, ut verum fatear, iam olim mihi persuasi, in sacri

---

h. Lc 1, 52 ≠   i. Ps. 109, 1 ≠   j. Apoc. 1, 1   k. I Jn 2, 18
l. Rom. 13, 12 ≠   m. II Cor. 12, 7 ; II Cor. 11, 14 ≠   n. II
Thess. 2, 8 ≠   o. Cf. I Cor. 13, 12   p. I Cor. 13, 9   q. Cant.
2, 17 ≠   r. I Cor. 13, 10 ≠

1. * *II Cor.* 12, 7 ; *II Cor.* 11, 14 ≠. Cf. *SC* 472, p. 306, n. 2 sur
SCt 64, 6.
2. Cf. *SCt* 72, 10 sur le préfixe *ad-* dans *ad-spirare* et *ad-dere*.

« les puissants seront renversés du trône[h] et placés comme un escabeau sous les pieds[i] » de Dieu ? Oui, cela « doit arriver bientôt[j] ». « C'est la dernière heure[k] ; la nuit est avancée, le jour est proche[l]. » Le jour va se mettre à respirer, et la nuit à expirer. La nuit, c'est le diable ; la nuit, c'est « l'ange de Satan », même s'il « se transforme en ange de lumière[m 1] ». La nuit, c'est aussi l'Antichrist, « que le Seigneur fera mourir par le souffle de sa bouche, et détruira par le resplendissement de sa venue[n] ». Et le Seigneur n'est-il pas le jour ? Oui, un jour qui resplendit et qui respire : « par le souffle de sa bouche » il chasse les ombres, et détruit les mauvais esprits « par le resplendissement de sa venue ». Ou bien, si vous préférez comprendre le mot « décliner » en son sens le plus simple, et penser que décliner ne signifie rien d'autre qu'être anéanti, n'écartons pas non plus ce sens. Nous disons alors que les ombres sont les figures et les énigmes des Écritures[o], ainsi que les sophismes, les subtilités verbales, les arguments alambiqués ; tout cela voile ici-bas la lumière de la vérité. « Car partielle est notre connaissance et partielle notre prophétie[p]. » Mais « quand le jour se mettra à respirer, les ombres déclineront[q] », puisque la plénitude de la lumière envahira toutes choses, sans laisser aucune place aux ténèbres. Car « quand viendra ce qui est parfait, alors sera aboli ce qui est partiel[r] ».

III. Le jour qui souffle et inspire, expire et conspire, respire. La nuit des soupirs.

6. Cela pourrait suffire sur ce sujet, s'il était dit que ce jour respire, et non qu'il aspire [2]. Or, bien que la nuance soit minime, j'estime qu'il faut ajouter encore quelque chose pour rendre raison de cette différence. Car, pour dire vrai, je suis persuadé depuis longtemps que dans le

pretiosique eloquii textu ne modicam vacare particulam.
Solemus autem hac voce uti, cum vehementer aliquid
desideramus, ut, verbi gratia, cum dicimus : « Ille ad
illum honorem vel illam dignitatem adspirat ». Desi-
10 gnatur itaque per hoc verbum mira affutura affluentia,
vehementiaque spiritus die illo, cum non solum corda,
sed et corpora, suo quidem in genere, spiritualia erunt[a] ;
et qui digni invenientur, *inebriabuntur ab ubertate domus*
Domini, *et torrente voluptatis* illius *potabuntur*[b].

7. Vel aliter : iam sanctis angelis dies sanctificatus
illuxit, spirans illis iugi impetu perpetis meatus melliflua
sempiternae divinitatis arcana. Denique *fluminis impetus
laetificat civitatem Dei*[a], sed civitatem, cui dicitur : *Sicut
230   5 laetantium omnium habitatio in te*[b]. Cum autem et nobis,
qui terram inhabitamus, spirare adiecerit, erit non modo
spirans, sed et adspirans, quod dilatato sinu admittat et
nos. Vel – ut paulo altius repetamus et disseramus latius
–, *plasmato homine de limo terrae*[c], Plasmator, sicut verax
10 narrat historia, *inspiravit in faciem eius spiraculum vitae*[d],
factus perinde illi dies inspirans ; et ecce invida nox callide
impegit in diem hanc, luce utique simulata. Nam dum
quasi splendidius lumen scientiae pollicetur, inopinatas
novae luci offudit pravi consilii tenebras, et primordiis
15 originis nostrae tetram damnosae praevaricationis invexit

---

6. a. Cf. I Cor. 15, 44   b. Ps. 35, 9 ≠
7. a. Ps. 45, 5   b. Ps. 86, 7   c. Gen. 2, 7 (Lit. cist.)   d. Gen.
2, 7

---

1. Conviction que l'on trouve déjà chez Origène. Cf. *Hom. in Ex.* 1,
4 (*SC* 321, p. 53).

2. * *dies sanctificatus illuxit*. Verset des répons *Hic est dies* de l'Épiphanie
(*Antiphonaire temporal* fol. 37 v. ; R.-J. HESBERT, *Corpus Antiphonalium
Officii,* t. 4. Rome 1970, n° 6821) et *Beata viscera* de Noël (cf. *SC* 480,
p. 294, n. 1 sur *NatV* 5, 4 ; autres références : *SCt* 33, 4, l. 15, *SC* 452,
p. 42 ; *Nat* 5, 5, l. 26-27, *SC* 481, p. 80. *Dies sanctificatus* provient de
Neh. 8, 9.

texte précieux de la sainte Écriture la moindre syllabe
n'est pas indifférente [1]. Nous avons coutume d'employer
ce mot « aspirer » lorsque nous désirons intensément
quelque chose. Par exemple, lorsque nous disons : « Cet
homme aspire à tel honneur ou à telle dignité. » Ainsi
par ce mot est désignée la merveilleuse profusion future
de l'esprit et sa véhémence en ce jour où non seulement
nos cœurs, mais aussi nos corps, certes selon leur nature,
seront spirituels[a]. Alors, ceux qui en seront jugés dignes
« s'enivreront de l'abondance de la maison du Seigneur
et s'abreuveront au torrent de ses délices[b] ».

7. Ou encore, voici un autre sens. Pour les saints anges,
ce jour sanctifié a déjà lui [2], déversant sans cesse sur eux,
par le souffle impétueux de son perpétuel mouvement, les
très doux secrets de l'éternelle divinité. Car « un fleuve
impétueux réjouit la cité de Dieu[a] ». Mais il s'agit de
cette cité à laquelle il est dit : « En toi la demeure de
tous ceux qui se réjouissent[b]. » Quand ce jour se mettra
à respirer aussi pour nous qui habitons la terre, il ne se
limitera pas à respirer, il va aussi nous aspirer, puisqu'il
ouvrira tout grand son sein pour nous accueillir. Ou
encore – pour reprendre le sujet de plus haut et pour
le développer davantage – « ayant modelé l'homme du
limon de la terre[c] [3] », le Modeleur, comme le rapporte
l'histoire véridique, « insuffla sur sa face l'haleine de
vie[d] » ; ainsi se leva pour lui le jour inspirateur. Et voici
qu'une nuit envieuse se jeta avec ruse sur ce jour, en
prenant l'apparence de la lumière. Promettant la clarté
de la science comme plus éclatante, elle répandit sur la
lumière nouvelle les ténèbres inattendues d'un mauvais
conseil. Elle enveloppa nos premières origines dans la
noire obscurité d'une transgression ruineuse. Malheur,

---

3. * *Gen.* 2, 7 Lit.cist. Répons *Formavit* de la Septuagésime (*Antipho-naire temporal* fol. 56 v.; R.-J. HESBERT, *Corpus Antiphonalium Officii*, t. 4. Rome 1970, n° 6739). Cf. *SC* 480, p. 30, n. 1 sur *Nat* 2, 1.

caliginem. Vae, vae ! *Nescierunt neque intellexerunt, in tenebris ambulant*[e] nescientes, *ponentes tenebras lucem et lucem tenebras*[f]. Denique *comedit de ligno mulier* quod sibi dederat serpens, vetuerat Deus, *deditque viro suo*[g], et
20 coepit illis quasi de novo diescere ; nam illico *aperti sunt oculi amborum*[h], et factus est dies conspirans, inspirantem extundens, et substituens exspirantem. Conspiraverunt siquidem et *convenerunt in unum, adversus Dominum et adversus Christum eius*[i], serpentis astutia, mulieris
25 blanditiae, viri mollities. Unde et loquebantur mutuo, Dominus scilicet et Christus eius : *Ecce Adam* qui *factus est quasi unus ex nobis*[j], quod ad utriusque iniuriam *lactantibus se peccatoribus acquievisset*[k].

8. In hac die nascimur universi. Portamus denique omnes impressum nobis cauterium conspirationis antiquae, Eva utique vivente in carne nostra, cuius per
5 hereditariam concupiscentiam serpens nostrum suae factioni sedula satagit sollicitudine vindicare consensum. Propterea, ut dixi, huic diei maledixere sancti[a], brevem optantes et cito *verti in tenebras*[b], quod sit contradictionis et contentionis dies, dum non cesset in ea *caro*
10 *concupiscere adversus spiritum*[c], *legique mentis membrorum* contraria[d] lex rebellione infatigabili assidue contradicat. Itaque dies exspirans factus est. Ex tunc enim et deinceps, *quis est homo qui vivet et non videbit mortem*[e] ? Dicat pro ira quis ; ego non minus pro misericordia putem, ne
15 electos scilicet, propter quos omnia fiunt[f], diu defatiget

---

e. Ps. 81, 5   f. Is. 5, 20   g. Gen. 3, 6 ≠   h. Gen. 3, 7
i. Ps. 2, 2   j. Gen. 3, 22   k. Prov. 1, 10 ≠
8. a. Cf. Job 3, 3 ; cf. Jér. 20, 14   b. Job 3, 4 ≠   c. Gal. 5, 17 ≠   d. Rom. 7, 23 ≠   e. Ps. 88, 49

malheur ! « Ils n'ont rien su, ils n'ont rien compris, ils marchent dans les ténèbres[e] » sans savoir, « faisant des ténèbres la lumière et de la lumière les ténèbres[f]. » Aussi « la femme mangea-t-elle du fruit de l'arbre » que lui avait donné le serpent et que Dieu lui avait défendu ; « elle en donna à son mari[g] » et ce fut comme un nouveau jour qui commença à poindre pour eux. Aussitôt « leurs yeux à tous deux s'ouvrirent[h] » et se leva le jour de la conspiration, qui chassa le jour inspirateur et lui substitua le jour expirant. Car la ruse du serpent, les séductions de la femme et la faiblesse de l'homme conspirèrent et « s'accordèrent entre eux contre le Seigneur et contre son Christ[i] ». C'est pourquoi le Seigneur et son Christ se disaient l'un à l'autre : « Voici qu'Adam est devenu comme l'un de nous[j] », car au mépris de tous les deux « il avait cédé aux séductions des pécheurs[k] ».

8. C'est en ce jour-là que nous naissons tous. Car nous portons tous gravée sur nous la marque au fer rouge de l'antique conspiration. Ève vit toujours en notre chair, et le serpent, par la convoitise qu'elle nous a léguée, s'efforce avec un zèle empressé d'obtenir notre consentement à son complot. C'est pourquoi, comme je l'ai dit, les saints ont maudit ce jour[a], souhaitant qu'il soit bref et bientôt « changé en ténèbres[b] ». Car c'est un jour de contradiction et de lutte, où « la chair » ne cesse de « convoiter contre l'esprit[c] » « et où la loi de la raison » est sans trêve contrecarrée par l'infatigable révolte d'une loi « contraire inscrite dans nos membres[d] ». Aussi est-il devenu le jour expirant. Depuis lors et par la suite, « quel homme vivra sans voir la mort[e] ? » A cause de la colère de Dieu, dira quelqu'un. Pour moi, je croirais que c'est tout autant à cause de sa miséricorde. Car ainsi les élus, pour qui toutes choses arrivent[f], ne sont pas

231   molesta contradictio, qua *captivi* ducuntur et ipsi *in lege peccati, quae est in membris ipsorum*[g]. Horrent nimirum aegerrimeque ferunt turpem captivitatem et tristem contentionem.

9. Festinemus proinde respirare a conspiratione antiqua et iniqua, quoniam *breves dies hominis sunt*[a]. Ante sane excipiat nos dies respirans, quam nox suspirans absorbeat, *aeternae caliginis tenebris exterioribus*[b] involvendos.
5 Quaeris in quo respiratio ista ? In eo, si incipiat *spiritus* vicissim *concupiscere adversus carnem*[c]. Huic si repugnas, respiras ; *si spiritu facta carnis mortificas*[d], respirasti ; si hanc *cum vitiis et concupiscentiis suis crucifigis*[e], respirasti. *Castigo,* inquit, *corpus meum, et in servitutem redigo, ne*
10 *forte cum aliis praedicaverim, ipse reprobus efficiar*[f]. Vox est respirantis, immo qui iam respirarat. *Vade, et tu fac similiter*[g], ut te respirasse probes, ut diem denuo inspirantem tibi noveris illuxisse.

IV. Quod suspirans nox et adspirans dies novissima sunt impiorum et iustorum, ubi sicut demitur vacuis, ita additur plenis. Vel illud : *Habenti dabitur et abundabit etc.* Et quae ratio vocabuli.

Nec nox mortis praevalebit adversus redivivum hunc diem ; magis autem *in tenebris lucet, et tenebrae eum non comprehenderunt*[h]. In tantum non reor nec vita decedente cedere *lumen vitae*[i], ut nemini congruentius

f. Cf. II Tim. 2, 10   g. Rom. 7, 23 ≠
9. a. Job 14, 5   b. Matth. 8, 12 ≠ ; Jude 6 ≠   c. Gal. 5, 17 ≠   d. Rom. 8, 13 ≠   e. Gal. 5, 24 ≠   f. I Cor. 9, 27
g. Lc 10, 37

fatigués trop longtemps par cette contradiction pénible qui les emmène « prisonniers », eux aussi, « sous la loi du péché inscrite dans leurs membres[g] ». Oui, ils ont horreur de cette honteuse captivité et de cette triste lutte et les subissent avec une profonde douleur.

9. Hâtons-nous donc de respirer hors de cette conspiration antique et inique, car « les jours de l'homme sont comptés[a] ». Puisse le jour qui respire nous accueillir avant que la nuit des soupirs ne nous engloutisse pour nous envelopper « dans les ténèbres extérieures d'une éternelle obscurité[b] ». Tu demandes en quoi consiste cette respiration ? En ceci : que « l'esprit » commence à son tour à « convoiter contre la chair[c] ». Si tu résistes à celle-ci, tu respires ; « si par l'esprit tu mortifies les œuvres de la chair[d] », tu as respiré ; si « tu la crucifies avec ses vices et ses convoitises[e] », tu as respiré. « Je châtie mon corps, dit Paul, et le réduis en servitude, de peur qu'après avoir prêché aux autres, je ne sois réprouvé moi-même[f]. » C'est la voix d'un homme qui respire, ou plutôt qui avait déjà respiré. « Va, et toi aussi fais de même[g] », pour prouver que tu as respiré. Ainsi tu sauras que le jour inspirateur s'est mis à luire de nouveau pour toi.

IV. La nuit des soupirs et le jour qui aspire sont les fins dernières des impies et des justes. Comme l'on ôte à ceux qui sont dénués de tout, ainsi l'on donne davantage à ceux qui sont comblés, ou si vous voulez : « A celui qui a l'on donnera et il sera dans l'abondance etc. » Quelle est la raison du mot « aspirer ».

Même la nuit de la mort ne prévaudra pas contre ce jour renaissant. Bien plus, « il resplendit dans les ténèbres, et les ténèbres n'ont pu le saisir[h]. » J'en suis persuadé, même quand la vie s'arrête, « la lumière de la vie[i] » ne s'éteint pas, si bien que celui qui meurt ainsi

5 quam sic mortuo assignandam censeam vocem illam :
Et nox illuminatio mea in deliciis meis[j]. Quidni clarius
videat, nube, vel potius faece corporis evolutus ? Erit
sine dubio vinculis solutus corporeis *inter mortuos liber*[k],
et inter caecos videns. Nam quemadmodum olim,
10 omni oculo caligante per universam Aegyptum, solus
in mediis tenebris clare videbat populus videns Deum,
id est populus Israel, dicente Scriptura, quia *ubicumque
Israel erat, lux erat*[l], sic inter *filios tenebrarum*[m], in tetra
mortis caligine *fulgebunt iusti*[n], et videbunt, eo utique
15 clarius quo exuti corporum umbris. Nam et ii qui ante
non respiraverunt – nec enim quaesierunt inspirantis diei
lumen, *et Sol iustitiae non ortus est eis*[o] – ii, inquam, ibunt
de tenebris in tenebras densiores, ut qui in tenebris sunt
tenebrescant adhuc, et qui vident videant magis[p].

10. Ubi non inconvenienter forsitan adducetur
etiam sermo Domini quem dixit, quia *habenti dabitur
et abundabit, ei autem qui non habet, et quod videtur
habere auferetur ab eo*[a]. Ita est : et additur in morte
5 videntibus, et non videntibus demitur. Quo enim ii
minus et minus, eo illi magis magisque vident, donec et
hos excipiat suspirans nox, et illos *adspirans dies*[b], quae
sunt novissima utrorumque, extrema videlicet caecitas
et suprema claritas. Ex hoc iam non est quod dematur

232

---

h. Jn 1, 5 ≠   i. Jn 8, 12 ≠   j. Ps. 138, 11 ≠   k. Ps. 87, 6
l. Ex. 10, 23 ≠   m. I Thess. 5, 5 ≠   n. Sag. 3, 7 ≠ ; Matth. 13,
43 ≠   o. Mal. 4, 2 ≠ ; Sag. 5, 6 ≠   p. Cf. Apoc. 22, 11
10. a. Matth. 25, 29   b. Cant. 2, 17 ≠

---

1. * *Ps.* 138, 11 ≠. Ici et en 2 autres lieux, Bernard ajoute *mea,* suivant
soit des mss tardifs de la *Vg,* soit le chant de la bénédiction du cierge
pascal, le Samedi saint ; en *MalV* 73, *SC* 367, p. 372, l. 19, il ajoute
même *haec (nox),* motif répété dans le chant liturgique.
2. * *Populus videns Deum, populus Israel.* Cf. JÉRÔME, *In Sophoniam* 2,
l. 390-391 (*CCL* 76A, p. 687) ; AMBROISE, *Explanatio psalmorum xii*
Ps. 40, § 36, 1 (64, p. 253, l. 28)

peut s'approprier mieux que personne cette parole : « La nuit est ma lumière et ma joie[j][1]. » Comment ne verrait-il pas plus clair, une fois dégagé du nuage ou plutôt de la boue de ce corps ? Débarrassé des liens corporels, il sera sans aucun doute « libre parmi les morts[k] », et voyant parmi les aveugles. Jadis, alors que tout œil était aveugle à travers l'Égypte entière, seul voyait clair en pleines ténèbres le peuple qui voyait Dieu, c'est-à-dire le peuple d'Israël[2]. Car l'Écriture dit : « Partout où était Israël, était la lumière[1][3]. » De même, parmi « les fils des ténèbres[m] », « les justes resplendiront[n] » dans la noire obscurité de la mort, et ils verront d'autant plus clair qu'ils seront dégagés des ombres du corps. Car même ceux qui n'auront pas respiré auparavant, parce qu'ils n'ont pas cherché la lumière du jour inspirateur « et que le Soleil de justice ne s'est pas levé pour eux[o][4] », ceux-là, dis-je, iront de ténèbres en ténèbres plus denses. Ainsi ceux qui sont dans les ténèbres seront encore plus enténébrés, et ceux qui voient déjà verront davantage[p].

10. Peut-être pouvons-nous alléguer ici sans inconvénient cette parole que le Seigneur a dite : « A celui qui a, l'on donnera et il sera dans l'abondance ; mais à celui qui n'a pas, on ôtera même ce qu'il semble avoir[a]. » Il en est bien ainsi. A la mort, on donne davantage à ceux qui voient et on ôte à ceux qui ne voient pas. Ceux-ci voient de moins en moins, ceux-là de plus en plus, jusqu'à ce que la nuit des soupirs happe les uns et que « le jour aspire[b] » les autres. Cette nuit et ce jour sont les fins dernières des uns et des autres : la totale cécité et la clarté suprême. A partir de ce moment, il n'y aura

---

3. * *Ex.* 10, 23 ≠ 3 autres occurrences identiques dans les *SBO*. Bernard semble suivre un texte *Vl* non identifié
4. * *Sag.* 5, 6 Cf. supra *SCt* 70, 6, l. 23-24.

10 omnino vacuis ; non est quod addatur plenis, nisi quod
ii nescio quid pleno amplius se accepturos praesumunt,
secundum promissionem ad se factam. Et promissionis
quidem verbum tale est : *Mensuram plenam, et confertam,
et coagitatam, et supereffluentem, dabunt in sinus vestros*[c].
15 Annon plus pleno quodammodo tibi esse videtur quod
supereffluit ? Porro placide audies plenum et plenius,
si te legisse memineris : *In aeternum et ultra*[d]. Ergo is
cumulus adspirantis erit diei. Ipsa, inquam, adiciet ad
mensuram inspiratae plenitudinis, ad inspirantis diei
20 copiam, *supra modum in sublime pondus gloriae operans*[e],
ita ut redundet in corpora supereffluens clarificationis
adiectio. Hac de causa enim non spirans, sed adspirans
dicta est, quod addat ad inspirantem, hoc significante
Spiritu Sancto per adiectam « ad » praepositionem, quia
25 quos illa intus illuminat, hos ista adornat foris, et *stola
gloriae induit eos*[f].

11. Atque id satis pro danda ratione vocabuli quod
est « adspirans ». Et si vultis scire, *dies adspirans*[a] ipse
est *Salvator* quem *exspectamus, qui reformabit corpus
humilitatis nostrae, configuratum corpori claritatis suae.*
5 Nam et inspirans nihilominus idem ipse est, *secundum
operationem qua*[b] nos respirare prius facit in lumine quod
inspirat, ut simus et nos dies respirans in ipso, secundum
quod *interior noster homo renovatur de die in diem*[c], et
renovatur in spiritu mentis suae[d] ad *imaginem eius qui se
10 creavit*[e], factus perinde dies ex die et lumen ex lumine.

233

---

c. Lc 6, 38 ≠   d. Ex. 15, 18   e. II Cor. 4, 17 ≠   f. Sir.
6, 32 ≠
11. a. Cant. 2, 17 ≠   b. Phil. 3, 20-21 ≠   c. II Cor. 4, 16 ≠ ;
Éphés. 3, 16 ≠

plus rien à ôter à ceux qui sont dénués de tout ; rien à ajouter à ceux qui sont comblés. Pourtant, ces derniers s'attendent à recevoir un je ne sais quoi au-delà de la plénitude, selon la promesse qui leur a été faite. Et voici la teneur de cette promesse : « C'est une mesure pleine, tassée, secouée, débordante qu'on versera dans votre sein[c]. » Ce qui déborde ne te semble-t-il pas être en quelque sorte au-delà de la plénitude ? En outre, tu entendras sans te troubler ces mots de plein et de plus plein si tu te souviens d'avoir lu ceci : « Pour l'éternité et davantage[d]. » Tel sera le surplus du jour qui va nous aspirer. Ce jour, dis-je, ajoutera à la mesure de la plénitude inspirée, à l'abondance du jour inspirateur, « en produisant au-delà de toute mesure un poids de gloire sublime[e] », si bien que cet accroissement débordant de clarté rejaillira sur les corps. C'est pourquoi ce jour a été nommé non pas respirant, mais aspirant, parce qu'il ajoute encore au jour inspirateur. L'Esprit saint a voulu signifier cela par l'adjonction du préfixe « ad » : ceux que le jour inspirateur illumine au-dedans, le jour aspirant les pare au dehors et « les revêt d'une robe de gloire[f] ».

11. En voilà assez pour rendre raison du mot « aspirer ». Et si vous voulez le savoir, « le jour qui nous aspire[a] », c'est « le Sauveur » même que « nous attendons, lui qui transformera le corps de notre humilité pour le conformer à son corps de gloire[b] ». Il est aussi lui-même le jour qui inspire : il commence par nous faire respirer dans la lumière de son inspiration, pour que nous soyons à notre tour un jour qui respire en lui, dans la mesure où « notre homme intérieur se renouvelle de jour en jour[c] ». Et « il se renouvelle spirituellement en son intelligence[d 1] » à « l'image de celui qui l'a créé[e] », devenant ainsi un jour né du jour et une lumière née

Cum igitur duo in nobis praecedant dies, unus quidem inspirans pro corporis vita, alter vero respirans in sanctificationis gratia, supersit adspirans in resurrectionis gloria, claret profecto aliquando adimpletum iri in corpore quod
15 praecessit in capite, *magnum* utique *pietatis sacramentum*[f], et Prophetae testimonium qui ait : *Vivificabit nos post duos dies, in die tertia suscitabit nos, et vivemus in conspectu eius ; sciemus sequemurque ut cognoscamus Dominum*[g]. Ipse est *in quem angeli prospicere concupiscunt*[h], Sponsus
20 Ecclesiae, Iesus Christus Dominus noster, *qui est super omnia Deus benedictus in saecula. Amen*[i].

---

d. Éphés. 4, 23 ≠   e. Col. 3, 10 ≠   f. I Tim. 3, 16 ≠   g. Os. 6, 3   h. I Pierre 1, 12 (Patr.)   i. Rom. 9, 5

---

1. Pour Bernard l'intelligence spirituelle se réfère toujours au sens mystique de l'Écriture, à « la transformation spirituelle de son intelligence » (*Éph.* 4, 23, Traduction TOB).
2. * *I Tim.* 3, 16 ≠. Bernard a très souvent fait allusion à ces trois mots de Paul, en particulier dans *SCt* et dans les *Sermons pour l'année*. Il l'a associé au répons 4 de Noël *O magnum mysterium,* parfois aussi à l'antienne des vêpres et de laudes de la Circoncision, *O admirabile commercium,* deux pièces en usage à Cîteaux de son temps. Ce *mysterium*

de la lumière. Puisqu'il y a déjà en nous deux jours qui viennent d'abord, l'un qui nous inspire pour la vie du corps, l'autre qui nous fait respirer dans la grâce sanctifiante, et que reste encore le jour qui nous aspirera dans la gloire de la résurrection, il est donc évident que s'accomplira une fois dans le corps ce qui s'est déjà réalisé dans la tête : « le grand mystère de la piété[f 2] » ainsi attesté par le Prophète : « Il nous rendra la vie après deux jours, le troisième jour il nous ressuscitera et nous vivrons en sa présence ; nous saurons et nous suivrons, afin de connaître le Seigneur[g]. » Il est celui « en qui les anges désirent plonger leurs regards[h 3] », l'Époux de l'Église, Jésus-Christ notre Seigneur, « qui est au-dessus de tout, Dieu béni dans les siècles. Amen[i]. »

a été assorti par Bernard d'une très grande variété d'adjectifs. Dans ce volume-ci, on le trouve en *SCt* 70, 7, p. 73 (*arcanum* vient s'ajouter à *sacramentum*). Seul demeure *arcanum* en *SCt* 73, 8, p. 151 et 74, 1, p. 157. Sans qu'il paraisse que Bernard ait soupçonné, comme l'a fait une exégèse récente, un usage liturgique de ce verset par les communautés du 1er siècle, il a trouvé là, ainsi que dans ce(s) répons liturgiques(s), l'expression admirative de sa foi en l'Incarnation.

3. *I Pierre* 1, 12 Patr. Cf. *SC* 431, p. 176, n. 2 sur *SCt* 22, 3. Même aux anges, Dieu ne se rend visible que dans des théophanies selon Jean Scot Érigène (cf. Art. « Ange », A. VAUCHEZ *et alii*, *Dictionnaire encyclopédique du Moyen Age*, t. 1, Paris 1997, p. 64-65).

SERMO LXXIII

I. Qua consequentia dicitur : *Revertere, similis esto, etc.*, et quid Ecclesiae, quid Synagogae in hoc congruat. – II. Quomodo primitivae Ecclesiae haec vox conveniat, et quid in caprea hinnuloque cervi sit intelligendum. – III. Qui sunt montes Bethel, super quos Sponsus pro similitudine capreae et hinnuli apparere petitur.

I. Qua consequentia dicitur : *Revertere, similis esto, etc.*, et quid Ecclesiae, quid Synagogae in hoc congruat.

1. *Revertere, similis esto, dilecte mi, capreae hinnuloque cervorum*[a]. Quid ? Modo it, modo revocas ? Quid subitum in tam brevi emersit ? Oblitane aliquid ? Etiam oblita totum quod non est ille, se quoque ipsam.
5 Denique cum sit rationis non expers, non tamen modo, ut videtur, rationis est compos. Sed nec in sensu illi ullatenus apparet verecundia esse, quam forte habet in moribus. Amor intemperans facit hoc. Nempe is est qui omnem in se triumphans captivansque pudoris sensum,
10 convenientiae modum, deliberationis consilium, totius modestiae et opportunitatis neglectum quemdam et quamdam incuriam parit. Nam vide nunc quomodo illum, pene adhuc incipientem ire, iam tamen redire efflagitat. Etiam accelerare rogat, et quidem currere instar
15 unius alicuius ferae silvarum velociter currentis, verbi

234

---

1. a. Cant. 2, 17 ≠

SERMON 73

I. Comment ces paroles : « Reviens ! Sois semblable, etc. » se relient à ce qui précède. La part de l'Église et la part de la Synagogue. – II. Comment cette parole s'applique à la primitive Église. Ce qu'il faut entendre par « la gazelle et le faon du cerf ». – III. Quelles sont les montagnes de Béthel, sur lesquelles l'Époux est prié d'apparaître à la ressemblance de la gazelle et du faon.

I. Comment ces paroles : « Reviens ! Sois semblable, etc. » se relient à ce qui précède. La part de l'Église et la part de la Synagogue.

1. « Reviens ! Sois semblable, mon bien-aimé, à la gazelle et au faon des cerfs[a]. » Eh quoi ! A peine est-il parti que tu le rappelles ? Qu'est-il arrivé d'imprévu en si peu de temps ? A-t-elle oublié quelque chose ? Oui, l'épouse a oublié tout ce qui n'est pas lui, et jusqu'à elle-même. Bien qu'elle ne soit pas dénuée de raison, elle semble néanmoins, dans le cas présent, ne plus maîtriser sa raison. Et même dans ses sentiments elle ne paraît pas avoir cette retenue qu'elle a peut-être dans ses mœurs. Un amour immodéré en est la cause. Oui, c'est lui qui triomphe et dompte tout sentiment de pudeur, toute mesure des convenances et toute délibération réfléchie ; c'est lui qui engendre cette sorte d'insouciance et d'in-différence à l'égard de toute modestie et de toute bien-séance. Vois comme elle supplie déjà l'Époux de revenir, alors qu'il commençait à peine de s'en aller. Elle le prie même de se hâter, voire de courir comme une de ces bêtes des bois à la course rapide, telles que « la gazelle

gratia *capreae hinnulive cervorum.* Hic litterae tenor, et
haec Iudaeorum portio.

2. *Ego* vero, quemadmodum *accepi a Domino*ᵃ, in
profundo sacri eloquii gremio spiritum mihi scrutabor
et vitam : et pars mea haec, qui in Christum credo.
Quidni eruam dulce ac salutare epulum spiritus de sterili
5 et insipida litteraᵇ, tamquam granum de palea, de testa
nucleum, de osse medullam ? Nihil mihi et litterae huic,
quae gustata carnem sapitᶜ, glutita *mortem affert*ᵈ ! Sed
enim *quod in ea* tectum *est, de Spiritu Sancto est*ᵉ. *Spiritus
autem loquitur mysteria*ᶠ, teste Apostolo ; sed Israel pro
10 velato mysterio ipsum mysterii velamen tenet. Quare,
nisi quia adhuc *velamen positum est super cor eius*ᵍ ? Ita
quod sonat littera, illius est ; quod signat, meum : ac
per hoc illi *ministratio mortis in littera*ʰ, mihi vita in
spiritu. Nam *Spiritus est qui vivificat*ⁱ : dat quippe intel-
15 lectum. Annon vita intellectus ? *Intellectum da mihi, et
vivam*ʲ, ait Propheta Domino. Intellectus non remanet
extra, non haeret in superficie, non instar caeci palpat
forinseca, sed profunda rimatur, pretiosissimas solitus
exinde veritatis exuvias tota aviditate diripere ac tollere
20 sibi, et cum Propheta dicere Deo : *Laetabor ego super
eloquia tua, sicut qui invenit spolia multa*ᵏ. Nempe ita
regnum veritatis *vim patitur, et violenti rapiunt illud*ˡ.
Verum ille *senior frater,* qui *de agro veniens*ᵐ formam

2. a. I Cor. 11, 23 ≠   b. Cf. Jn 6, 64   c. Cf. Rom. 8, 5   d. Job
6, 6 ≠   e. Matth. 1, 20 ≠   f. I Cor. 14, 2 ≠   g. II Cor. 3, 15
≠   h. II Cor. 3, 7 ≠   i. Jn 6, 64   j. Ps. 118, 144   k. Ps.
118, 162   l. Matth. 11, 12 ≠   m. Lc 15, 25. 27 ≠

1. Bernard reproche aux Juifs de ne s'intéresser qu'au sens littéral. Pour
lui, la parole révélée est surtout « esprit et vie » (paragraphe 2).
2. « Comme on tire le grain de la balle, l'amande de la coque, la
moelle de l'os ». Trois comparaisons qui éclairent le double sens de
l'Écriture : l'écorce extérieure et la réalité intérieure. Image traditionnelle
chez beaucoup d'auteurs du XIIᵉ siècle. Cf. De Lubac, *Exégèse médiévale,*

ou le faon des cerfs ». Voilà la teneur de la lettre ; voilà
la part des Juifs[1].

2. « Quant à moi, comme je l'ai reçu du Seigneur[a] »,
je chercherai au sein profond de la parole sacrée l'esprit
et la vie : telle est ma part, puisque je crois dans le
Christ. Pourquoi ne tirerai-je pas l'agréable et salutaire
festin de l'esprit de la lettre stérile et insipide[b], comme
on tire le grain de la balle, l'amande de la coque, la
moelle de l'os[2] ? Je n'ai rien à voir avec cette lettre qui
a la saveur de la chair[c] pour qui la goûte et qui « donne
la mort[d] » à qui l'avale ! Mais « ce qui est caché sous
son voile vient de l'Esprit saint[e]. » « Or l'Esprit dit des
paroles mystérieuses[f] », au témoignage de l'Apôtre ; mais
Israël, au lieu du mystère voilé, tient le voile couvrant le
mystère. Pourquoi, sinon parce qu'« un voile est encore
posé sur son cœur[g] » ? Ainsi le son de la lettre est pour
lui ; le sens caché de la lettre est pour moi. C'est pourquoi
il trouve « un ministère de mort dans la lettre[h] » ; moi,
je trouve la vie dans l'esprit. Car « c'est l'Esprit qui
vivifie[i] » : il donne l'intelligence. L'intelligence n'est-elle
pas la vie ? « Donne-moi l'intelligence et je vivrai[j] », dit
le Prophète au Seigneur. L'intelligence ne demeure pas à
l'extérieur, ne s'arrête pas à la surface, ne palpe pas les
dehors comme un aveugle. Elle fouille les profondeurs,
habituée à en arracher et à en emporter avidement pour
soi les dépouilles très précieuses de la vérité. Elle dit
au Seigneur avec le Prophète : « Je me réjouirai de tes
paroles, comme celui qui trouve un abondant butin[k]. »
Oui, c'est ainsi que « le royaume de la vérité souffre
violence, et que les violents s'en emparent[l]. » Mais ce
« frère aîné, venant des champs[m] », a l'aspect du peuple

1re partie, t. 2 (*Théologie* 41), Paris 1959, p. 603. Tout le paragraphe 2
explique cette triple comparaison.

tenet populi veteris et terreni, qui pro terrena hereditate
20 *doctus diligere trituram*[n], *attrita fronte*[o] gemit anxius
sub gravi iugo legis, *portatque pondus diei et aestus*[p], is,
inquam, quia intellectum non habuit, foris stat etiam
nunc, et non vult ne invitatus a patre intrare domum
convivii[q], semetipsum fraudans usque adhuc participio
25 *symphoniae, et chori*, et *vituli saginati*[r]. Miser, qui renuit
experiri *quam bonum* sit *et quam iucundum habitare
fratres in unum*[s] ! Et haec dicta sint pro distinctione partis
Ecclesiae partisque Synagogae, quo et caecitas huius ex[t]
illius prudentia manifestior fiat, et felicitas illius ex huius
30 miseranda fatuitate praeemineat.

II. Quomodo primitivae Ecclesiae haec vox conveniat, et quid in caprea hinnuloque cervi sit intelligendum.

235

3. Nunc iam scrutemur verba sponsae, et sic conemur
castos exprimere sancti amoris affectus, ut nil in sacro
eloquio ratione carens, nil indecorum importunumve
resedisse omnino appareat. Et si in mentem *venerit hora*
5 illa, cum Dominus *Iesus* – is enim Sponsus est – *transiret
ex hoc mundo ad Patrem*[a], simulque quid tunc animi
gereret sua illa *domestica Ecclesia*[b], nova utique nupta,
cum se deseri cerneret quasi *viduam desolatam*[c] unica
spe sua – Apostolos loquor, qui, *relictis omnibus, secuti
10 fuerant eum*[d], atque *cum ipso permanserant in tentationibus
suis*[e] –, si haec, inquam, cogitaverimus, non immerito
neque incongrue, puto, videbitur quantum de abscessu
tristis, tantum sollicita exstitisse de reditu, praesertim

---

n. Os. 10, 11 ≠   o. Éz. 3, 7   p. Matth. 20, 12 ≠   q. Cf. Lc
15, 28 ; cf. Eccl. 7, 3   r. Lc 15, 25. 27 ≠   s. Ps. 132, 1 ≠   t. Cf.
Rom. 11, 25
3. a. Jn 13, 1 ≠   b. Rom. 16, 5 ≠   c. I Tim. 5, 5 ≠   d. Lc
5, 11 ≠   e. Lc 22, 28 ≠

ancien et terrestre et, « bien dressé, il prend plaisir à fouler le blé[n] » en vue d'un héritage terrestre : le voici qui, « l'air abattu[o] », gémit tout chagrin sous le joug pesant de la loi ; « il porte le poids du jour et de la chaleur[p] ». Celui-là, dis-je, puisqu'il n'a pas eu l'intelligence, se tient dehors, encore maintenant. Même invité par le père, il ne veut pas entrer dans la maison du festin[q], se privant lui-même jusqu'à présent de participer « au concert, à la danse et au repas du veau gras[r] ». Malheureux, lui qui refuse d'expérimenter « comme il est bon et agréable d'habiter en frères tous ensemble[s] ! » Voilà pour distinguer la part de l'Église et la part de la Synagogue, afin que l'aveuglement de celle-ci devienne plus manifeste par[t] la prudence de celle-là, et que la félicité de l'une ressorte davantage par la pitoyable sottise de l'autre.

II. Comment cette parole s'applique à la primitive Église. Ce qu'il faut entendre par « la gazelle et le faon du cerf ».

3. Examinons maintenant les paroles de l'épouse, et tâchons d'exprimer les chastes sentiments du saint amour de manière à faire voir qu'il n'y a absolument rien de déraisonnable, d'inconvenant et de déplacé dans la parole sacrée. « Remettons-nous en mémoire cette heure où le Seigneur Jésus – car l'Époux, c'est lui – passait de ce monde au Père[a]. » Imaginons en même temps ce que dut éprouver alors en son âme « l'Église, son intime[b] », toute nouvelle mariée, lorsqu'elle se vit abandonnée de son unique espérance, comme « une veuve désolée[c] » – je parle des Apôtres qui, « ayant tout quitté, avaient suivi le Seigneur[d] » et « étaient demeurés avec lui dans ses épreuves[e] ». Si, dis-je, nous pensons à tout cela, l'épouse nous paraîtra, non sans raison ni hors de propos, je crois, aussi inquiète du retour de l'Époux qu'elle a été attristée de son départ ; d'autant plus qu'elle est si pro-

sic affecta et sic relicta. Itaque diligenti et indigenti
15 haec ipsa duplex ratio erat commonendi dilectum, ut
quandoquidem persuaderi non poterat quin iret et *ascen-
deret ubi erat prius*[f], saltem promissum denuo maturaret
adventum. Quod enim optat et postulat similem fore
feris, et eiusmodi feris, quae cursu agiliores esse videntur,
20 cupientis animi indicium est, cui nihil satis festinatur.
Nonne hoc quotidie postulat, cum dicit in oratione :
Adveniat regnum tuum[g] ?

4. Ego tamen, praeter agilitatem, existimo non minus
signanter exprimi etiam infirmitatem, et quidem sexus
in caprea, aetatis in hinnulo. Vult itaque eum, ut mihi
videtur, etsi *cum potestate venire*[a], non tamen *in forma
5 Dei*[b] in iudicio apparere, sed sane in ea qua non modo
natus, sed et *parvulus natus est nobis*[c], idque solo de
infirmiori femineo sexu. Cur hoc ? Nempe ut ex utroque
admoneatur infirmo mitescere *in die irae*[d], memineritque
in iudicio *misericordiam superexaltare iudicio*[e]. Etenim *si
10 iniquitates observaverit,* etiam electorum, *quis sustinebit*[f] ?
Astra *non sunt munda in conspectu eius*[g], *et in angelis suis
reperit pravitatem*[h]. Audi denique sanctum et electum
quid dicat Deo : *Tu,* inquit, *remisisti impietatem peccati
mei ; pro hac orabit ad te omnis sanctus in tempore oppor-
15 tuno*[i]. Opus itaque habent et sancti *pro peccatis exorare*[j], ut
de misericordia salvi fiant, propriae iustitiae non fidentes.
Omnes enim peccaverunt, et omnes egent misericordia[k]. Ut

---

f. Jn 6, 63 ≠   g. Lc 11, 2
4. a. Lc 21, 27 ≠   b. Phil. 2, 6   c. Is. 9, 6   d. Ps. 109, 5
e. Jac. 2, 13 ≠   f. Ps. 129, 3 ≠   g. Job 15, 15 ≠   h. Job 4,
18   i. Ps. 31, 5-6   j. Sir. 3, 4 ≠   k. Rom. 3, 23 ≠

---

1. * *Job* 15, 15 ≠. Seule occurrence dans les *SBO.* La *Vg* porte *caeli...
mundi* à la place de *astra... munda,* expression qui se retrouve 6 fois
chez Jérôme, mais non chez Augustin. Les deux textes de *Job* 15, 15
et 4, 18 se retrouvent à la suite, ou mélangés, çà et là dans la *PL,* en
particulier : Cassien, *Collat.* 23, 8 (*SC* 64, p. 151) et Raban Maur,

fondément affectée de se voir ainsi délaissée. Elle l'aime et il lui manque : voilà la double raison qu'elle avait de rappeler le bien-aimé. Puisqu'elle n'a pu le dissuader de s'en aller et de « monter là où il était auparavant[f] », qu'au moins il hâte son second avènement promis. Elle souhaite et demande qu'il soit semblable aux bêtes, et aux bêtes apparemment les plus agiles à la course. C'est une marque du désir de son âme, pour qui rien ne saurait être assez prompt. N'est-ce pas là ce qu'elle demande chaque jour en disant dans la prière : « Que ton règne vienne[g] » ?

4. Cependant, outre l'agilité, je pense qu'ici est aussi exprimée non moins clairement la faiblesse : celle du sexe chez la gazelle, celle de l'âge chez le faon. L'épouse, me semble-t-il, veut que l'Époux « vienne avec puissance[a] », mais qu'il n'apparaisse pas lors du jugement « en sa forme de Dieu[b] » ; bien plutôt, dans la forme où il est né, et « né petit enfant pour nous[c] », et seulement du sexe féminin, le plus faible. Pourquoi cela ? Pour que cette double faiblesse l'engage à se montrer plus doux « au jour de la colère[d] », et à se souvenir, lors du jugement, « d'exalter la miséricorde au-dessus du jugement[e] ». Car, « s'il regarde les fautes », même celles des élus, « qui subsistera[f] ? » Les astres « ne sont pas purs à ses yeux[g] [1] », et en ses anges même il trouve du mal[h]. » Enfin, écoute ce qu'un saint et un élu dit à Dieu : « Tu as remis l'impiété de mon péché ; pour elle chacun des saints te priera au temps opportun[i]. » Aussi les saints eux-mêmes ont-ils besoin « de prier pour leurs péchés[j] », afin d'être sauvés par miséricorde, sans se fier à leur propre justice. « Tous en effet ont péché, et tous ont besoin » de miséricorde[k].

Comm. in Ex. (*PL* 108, 235 A), ainsi que dans la *Glossa ordinaria* 24, 21 (*PL* 113, 1268 C).

236 ergo, *cum iratus fuerit, misericordiae recordetur*[l], rogatur
ab ista apparere in misericordiae habitu illo, de quo
20 Apostolus : *Et habitu,* inquit, *inventus ut homo*[m].

5. Necessarie quidem. Si enim cum hoc quoque
temperamento tanta erit in iudicio aequitas, in Iudice
feritas, in maiestate sublimitas, novitas in facie ipsa
rerum, ut secundum Prophetam non *possit cogitari dies*
5 *adventus eius*[a], quid putas foret, si *ignis* ille *consumens*[b]
– Deum loquor omnipotentem – in illa suae divinitatis
magnitudine, fortitudine, puritate, venisset *contra folium,*
quod vento rapitur, ostensurus potentiam suam, et stipulam
siccam persecuturus[c] ? Et homo est, inquit, et *quis videbit*
10 *eum*[d] *? Et quis stabit ad videndum eum*[e] *?* Quanto magis
Deum nobis absque homine exhibentem nemo hominum
ferret, utpote claritate inaccessibilem, celsitudine inat-
tingibilem, incomprehensibilem maiestate. Nunc vero
cum exarserit in brevi ira eius[f], quam grata propter filios
15 gratiae apparebit blanda *quaedam visio hominis*[g], sane
firmamentum fidei, spei robur, fiduciae argumentum,
quod scilicet *gratia et misericordia sit in sanctos eius, et*
respectus in electos illius[h] ! Denique ipse *Pater* Deus *dedit*
Filio iudicii potestatem, et non quia suus, sed *quia Filius*
20 *hominis est*[i]. O vere *Patrem misericordiarum*[j] ! Vult per
hominem homines iudicari, quo, in tanta trepidatione et
perturbatione malorum, electis fiduciam praestet naturae
similitudo. Praedixerat quondam hoc sanctus David,
orans pariter et prophetans : *Deus,* inquiens, *iudicium*

---

l. Hab. 3, 2 ≠   m. Phil. 2, 7
5. a. Mal. 3, 2 ≠   b. Deut. 4, 24 ≠   c. Job 13, 25 ≠   d. Sir.
43, 35 ≠   e. Mal. 3, 2   f. Ps. 2, 13   g. Dan. 10, 18 ≠   h. Sag.
4, 15 ≠   i. Jn 5, 26-27 ≠   j. II Cor. 1, 3 ≠

Pour que, « dans sa colère, il se souvienne de sa miséricorde[l] », l'épouse le prie d'apparaître dans cet aspect de miséricorde dont l'Apôtre dit : « Et, par son aspect, il fut reconnu comme un homme[m]. »

5. Pour notre utilité, certes. Car, même avec cet adoucissement miséricordieux, il y aura tant d'équité dans le jugement, de rigueur dans le Juge, de hauteur dans la majesté, de nouveauté dans l'aspect même de l'univers que, selon le Prophète, « le jour de l'avènement du Seigneur ne peut pas être imaginé[a] ». Qu'en serait-il alors, à ton avis, si ce « feu consumant[b] » – je parle du Dieu tout-puissant – venait dans toute la grandeur, la force, la pureté de sa divinité « pour déployer sa puissance contre une feuille emportée par le vent et pour poursuivre une paille sèche[c] » ? C'est un homme, dit le Prophète, et pourtant « qui pourra le regarder[d] ? Qui se tiendra debout pour le regarder[e] ? » A bien plus forte raison, aucun homme ne pourrait soutenir la vue de Dieu s'il se présentait à nous sans son humanité, car sa clarté est inaccessible, sa hauteur au-delà de toute atteinte, sa majesté incompréhensible. Or, « lorsque sa colère bientôt s'enflammera[f] », combien agréable aux fils de la grâce sera la douce « vision de l'homme[g] » ! Celle-ci affermira leur foi, fortifiera leur espérance, augmentera leur confiance. Car « sa grâce et sa miséricorde sont sur ses saints, et son regard se pose sur ses élus[h] ». Enfin, Dieu « le Père » lui-même « a donné au Fils le pouvoir de juger », non parce qu'il est son Fils, mais « parce qu'il est le Fils de l'homme[i] ». Ô vrai « Père des miséricordes[j] » ! Il veut que les hommes soient jugés par un homme afin que, dans le trouble et la frayeur si grands des méchants, la ressemblance de nature redonne confiance aux élus. Jadis le saint roi David avait prédit cela, dans cette prière qui était aussi une prophétie : « Dieu, donne ton jugement

25 *tuum regi da, et iustitiam tuam filio regis*[k]. Sed neque hinc dissonat promissio facta per angelos, qui, eo assumpto, ita ad Apostolos loquebantur : *Hic Iesus, qui assumptus est a vobis in caelum, sic veniet, quemadmodum vidistis eum euntem in caelum*[l], hoc est in hac ipsa corporis forma
30 atque substantia.

6. Liquet ex his omnibus sponsam in se divinum habere consilium, et mysterium supernae voluntatis minime ignorare, quae, sub umbra imbellium imbecilliumque animantium, naturam infirmiorem, vel potius inferiorem
5 – quia iam infirma non erit –, in iudicio exhibendam, et orantis affectu, et spiritu prophetantis enuntiat, quatenus qui *caelum terramque movebit*[a] *in virtute sua, accinctus potentia*[b] *contra insensatos*[c], *suavis* nihilominus *et mitis*[d], et quasi omnino inermis appareat *propter electos*[e]. Ubi
10 hoc quoque addi potest, quia ad discernendum alterutros a se, opus erit quodammodo illi, cum hinnuli quidem saltibus, luminibus capreae, quatenus videre et discernere in tanta multitudine et in tanta turbatione possit, in quosnam salire et quos transilire[f] oporteat, ne
15 forte contingat iustum pro impio conculcari[g], cum *in ira populos confringet*[h]. Nam quantum ad impios, necesse est impleatur prophetia David, immo sermo Domini loquentis per os eius : quia *comminuam eos ut pulverem ante faciem venti, ut lutum platearum delebo eos*[i] ; et item
20 alius sermo, quem per alium Prophetam praedixerat, impletus nihilominus tunc cognoscetur, cum ad angelos rediens dicet : *Calcavi eos in furore meo, et conculcavi eos in ira mea*[j].

237

---

k. Ps. 71, 2   l. Act. 1, 11
6. a. Aggée 2, 22 ≠   b. Ps. 64, 7 ≠   c. Sag. 5, 21   d. Ps. 85, 5 ≠
e. Matth. 24, 22   f. Cf. Cant. 2, 8   g. Cf. Jn 5, 14 ; cf. Rom. 5, 6-7 ;
cf. Matth. 7, 6   h. Ps. 55, 8 ≠   i. Ps. 17, 43 ≠   j. Is. 63, 3

au roi, et ta justice au fils du roi[k]. » Aucune dissonance entre cette prophétie et la promesse faite par les anges qui, après l'Ascension du Seigneur, parlaient ainsi aux Apôtres : « Ce Jésus qui, d'auprès de vous, a été enlevé au ciel, viendra de la même manière que vous l'avez vu aller au ciel[l] », c'est-à-dire dans cette même forme et cette même substance corporelles.

6. Il ressort clairement de tout cela que l'épouse connaît les intentions divines et n'ignore point le mystère de la volonté souveraine. Car, sous l'apparence d'animaux inoffensifs et fragiles, elle annonce dans une fervente prière et en esprit de prophétie que, lors du jugement, le Seigneur se présentera dans sa nature la plus faible, ou plutôt dans sa nature inférieure, puisque alors elle ne sera plus faible. Ainsi, celui qui « ébranlera le ciel et la terre[a] par sa force, ceint de puissance[b] contre les insensés[c] », se montrera pourtant « aimable et doux[d] », et comme tout à fait désarmé, « à cause des élus[e] ». A cela on peut encore ajouter que, pour séparer les uns des autres, il aura certes besoin des bonds du faon, mais aussi des yeux de la gazelle. Ainsi il pourra voir et discerner, dans une si grande multitude et un si grand bouleversement, sur qui il devra bondir et par-dessus qui il devra sauter[f], pour ne pas risquer de piétiner le juste à la place de l'impie[g], lorsqu'« il brisera les peuples dans sa colère[h] ». Car pour les impies, il faut que s'accomplisse la prophétie de David, ou plutôt la parole du Seigneur disant par sa bouche : « Je les broierai comme poussière au vent, je les balaierai comme la boue des places publiques[i]. » Et encore cette autre parole, qu'il avait annoncée par un autre Prophète, sera reconnue comme accomplie lorsque, retournant auprès des anges, il dira : « Je les ai foulés dans ma fureur, et je les ai piétinés dans ma colère[j]. »

III. Qui sunt montes Bethel, super quos Sponsus pro similitudine capreae et hinnuli apparere petitur.

7. Si cui autem magis ita intelligendum videtur, ut malos potius transilire atque in bonos salire hinnulus noster[a] debeat, non contendo : tantum cogitet saltus dispositum iri in discriminationem malorum bono-rumque. Nam et a nobis, si bene memini, ita dictum
5 est in sermone altero, ubi capitulum idem alibi supra et ab auctore positum, et a me expositum nihilominus reperitur. Verum ibi secundum dispensationem quidem gratiae, quae in praesenti vita aliis datur, aliis non datur[b], *iusto* quidem *Dei iudicio*[c], sed occulto, *salire et transilire*
10 is *hinnulus*[d] dictus est, hic autem secundum ultimam ac variam retributionem meritorum. Et forte sensui huic videatur astipulari extremum capituli huius, quod quidem pene oblitus fueram. Dicens namque : *Similis esto, dilecte mi, capreae hinnuloque cervorum*, addit : *Super montes*
15 *Bethel*[e]. Nec enim in domo Dei, quod sonat Bethel, mali montes sunt. Quamobrem saliens in eos hinnulus non conculcat, sed laetificat, *ut Scriptura impleatur quae dicit*[f] : *Montes et colles cantabunt coram Deo laudes*[g]. Et quidem sunt montes, quos secundum Evangelium tollit
20 fides comparata sinapi[h], sed non sunt montes Bethel : etenim quicumque sunt Bethel, minime eos tollit fides, sed colit.

---

7. a. Cf. Cant. 2, 8-9   b. Cf. Éphés. 3, 2 ; cf. Col. 1, 25 c. II Thess. 1, 5 ≠   d. Cant. 2, 8-9 ≠   e. Cant. 2, 17 ≠   f. Jn 19, 24 ≠   g. Is. 55, 12 (Lit. cist.)   h. Cf. Matth. 17, 19

1. Cf. *SCt* 54, 2-7 (*SC* 472, p. 102-115).
2. * *Is.* 55, 12 Lit.cist. 3 *Vg coram vobis laudem* ; Bernard écrit tou-jours (ici et en *SCt* 53, 4 et 6, *SC* 472, p. 86 et p. 90) : *Montes et colles cantabunt coram Deo laudes* (*laudem*), bien démarqué de *Vg* ; c'est l'antienne *Montes et colles* des laudes et de vêpres du 2ᵉ dim. de l'Avent.

III. Quelles sont les montagnes de Béthel, sur lesquelles l'Époux est prié d'apparaître à la ressemblance de la gazelle et du faon.

7. Or, si quelqu'un estime qu'il faut plutôt entendre ce passage en ce sens que notre faon doit sauter par-dessus les méchants et bondir sur les bons[a], je ne le conteste pas ; pourvu qu'il pense que ces bonds serviront à faire le tri des méchants et des bons. Si j'ai bonne mémoire, moi aussi, nous avons déjà dit cela dans un autre sermon, où l'on trouvera ce même passage expliqué par moi selon la place que l'auteur lui a donnée plus haut dans le Cantique[1]. Mais, en cet endroit-là, ce « faon » est dit « bondir et sauter » selon le partage de la grâce, qui dans la vie présente est donnée aux uns, refusée aux autres[b] « par le juste », mais secret « jugement de Dieu[c] ». Ici, en revanche, il est dit « bondir et sauter[d] » selon l'ultime et diverse rétribution des mérites. Peut-être ce sens semble-t-il confirmé par la fin de ce passage, que j'avais presque oubliée. Car, après avoir dit : « Sois semblable, mon bien-aimé, à la gazelle et au faon des cerfs », l'épouse ajoute : « Sur les montagnes de Béthel[e] ». Or, dans la maison de Dieu, ce qui est le sens de « Béthel », il n'y a pas de méchantes montagnes. C'est pourquoi le faon, en bondissant sur elles, ne les piétine pas, mais les réjouit, « pour que s'accomplisse cette parole de l'Écriture[f] » : « Les montagnes et les collines chanteront des louanges devant Dieu[g][2]. » Ce sont des montagnes, certes, celles que, selon l'Évangile, la foi comparée à un grain de sénevé déplace[h], mais ce ne sont pas les montagnes de Béthel. Car toutes celles qui sont de Béthel, la foi ne les déplace point, mais les cultive.

Les mss liturgiques Saint-Gall, *Stiftsbibliothek* 390 et 391, donnent la même leçon que Bernard (source : http://www.cursus.uea.ac.uk).

238

8. Quod si *Principatus et Potestates*[a], necnon et cetera nihilominus beatorum Spirituum agmina, *caelorumque Virtutes*[b], montes sunt Bethel, ut de his intelligamus dictum : *Fundamenta eius in montibus sanctis*[c], non sane is
⁵ hinnulus vilis ac contemnendus, qui supra tam excellentes montes visus est apparere, *tanto angelis melior effectus, quanto differentius prae illis nomen hereditavit*[d]. Quid enim, si in Psalmo legimus *minoratum ab angelis*[e] ? Neque enim ideo non melior, quia minor ; nec contraria sunt
¹⁰ locuti Apostolus et Propheta, quippe *habentes eumdem Spiritum*[f]. Nam si dignationis fuit quod minoratus est, non necessitatis, nihil plane in hoc bonitati praescribitur, sed ascribitur. Denique minoratum Propheta perhibuit, non minorem, attollens gratiam et propellens iniuriam.
¹⁵ Nam et minoritatem natura recusat, et minorationem excusat causa. Nempe minoratus est, *quia ipse voluit*[g] ; minoratus est sua voluntate, et nostra necessitate. Sic minorari, misereri fuit. *Quaenam perditio haec*[h] ? Profecto accessit pietati quidquid maiestati visum est deperiisse.
²⁰ Quamquam nec Apostolus tacuit *hoc magnum* magnae *pietatis arcanum*[i], sed ait : *Eum autem, qui modico quam angeli minoratus est, videmus Iesum propter passionem mortis gloria et honore coronatum*[j].

9. Et haec dixerimus pro nomine et similitudine hinnuli, quatenus Sponso eam, iuxta sermonem sponsae, absque maiestatis iniuria aptaremus. Quid dico « absque maiestatis iniuria », quando nec infirmitas inhonorata

---

8. a. Col. 1, 16 ≠   b. Matth. 24, 29 ≠   c. Ps. 86, 1   d. Hébr. 1, 4 ≠   e. Ps. 8, 6 ≠   f. II Cor. 4, 13   g. Is. 53, 7   h. Matth. 26, 8 ≠   i. I Tim. 3, 16 ≠   j. Hébr. 2, 9

8. Si « les Principautés et les Puissances[a] », ainsi que les autres légions des Esprits bienheureux, « et les Vertus célestes[b] » sont des montagnes de Béthel, et que nous leur appliquions cette parole : « Ses fondations sont sur les montagnes saintes[c] », ce faon qui est apparu sur des montagnes si élevées n'est certes pas vil et méprisable. « Il est devenu d'autant supérieur aux anges qu'il a hérité d'un nom bien différent du leur[d]. » Que dire alors, si nous lisons dans un Psaume qu'« il a été fait moindre que les anges[e] » ? Il ne leur est pas moins supérieur du fait d'être moindre. L'Apôtre et le Prophète ne se sont pas contredits, puisqu'« ils possèdent le même Esprit[f] ». Car, si son amoindrissement fut un effet de sa complaisance, non de la nécessité, cela n'enlève certes rien à la bonté du Seigneur, mais y ajoute. Aussi le Prophète a-t-il déclaré qu'il a été fait moindre, non qu'il était moindre que les anges ; il exalte la grâce et il écarte l'injure. Car la nature du Seigneur récuse toute infériorité, et le motif excuse l'amoindrissement. Oui, il a été fait moindre « parce que lui-même l'a voulu[g] ». Il a été, de sa propre volonté, fait moindre, et pour notre utilité. Se faire moindre ainsi, ce fut faire preuve de miséricorde. « Quelle perte en cela[h] ? » Sans aucun doute, s'est ajouté à sa compassion tout ce que sa majesté a semblé perdre. D'ailleurs, l'Apôtre n'a pas passé sous silence « ce grand mystère d'une si grande compassion[i] », mais il a dit : « Celui qui a été fait un peu moindre que les anges, Jésus, nous le voyons, à cause de la mort qu'il a soufferte, couronné de gloire et d'honneur[j]. »

9. Voilà ce que nous avions à dire au sujet du nom et de la similitude du faon, afin de l'appliquer à l'Époux, selon la parole de l'épouse, sans faire injure à sa majesté. Que dis-je, sans faire injure à sa majesté, quand sa faiblesse même n'est pas restée sans honneur ? Il est un faon,

5 remansit ? Hinnulus est, *parvulus est*[a] ; capreae quoque
similis perhibetur, tamquam *factus ex muliere*[b], attamen
supra montes Bethel[c], attamen *excelsior caelis factus*[d]. Non
dicit : « excelsior caelis ens vel exsistens », sed *excelsior
caelis factus*, ne quis putet de illa natura dictum, in qua *est*
10 *qui est*[e]. Sed et ubi praefertur angelis, *melior* nihilominus
perhibetur *effectus*[f], et non dicitur manens vel exsistens
melior. Ex quibus apparet quod non modo in eo quod
ab aeterno[g] est, sed etiam in eo quod in tempore *factus*
est[h], omnem sibi eminentiam vindicet *supra omnem*
15 *Principatum et Potestatem*[i], supra omnem denique
creaturam, utpote *primogenitus omnis creaturae*[j]. Itaque
quod stultum est Dei, sapientius est hominibus, et quod
infirmum est Dei, fortius est hominibus[k]. Hoc quidem
Apostolus. Mihi autem non videtur errare, si quis etiam
20 sapientiae et fortitudini angelorum praeferendum dicat
identidem stultum infirmumque Dei. Ita ergo praesens
locus convenienter aptabitur universali Ecclesiae.

10. Iam vero quod ad unam singulariter animam
spectat – nam et una, si Deum dulciter, sapienter,
vehementer amat, sponsa est –, quisque spiritualis in
semetipso advertere potest, quid sibi inde proprium
5 respondeat experimentum. Ego vero quidquid illud est,
quod in me de huiusmodi experiri donatum est, eloqui
coram non verebor. Nam etsi vile forsitan, cum fuerit
auditum et despicabile videatur, non mea refert, quia

---

9. a. Is. 9, 6 ≠   b. Gal. 4, 4 ≠   c. Cant. 2, 17 ≠   d. Hébr.
7, 26   e. Ex. 3, 14 ≠   f. Hébr. 1, 4   g. Prov. 8, 23   h. Rom.
1, 3   i. Éphés. 1, 21   j. Col. 1, 15   k. I Cor. 1, 25

---

1. « L'âme individuelle est aussi épouse. » Bernard évoque et combine
les deux grandes traditions des explications patristiques. Il a d'abord

« il est tout-petit[a] » ; il est aussi comparé à une gazelle, puisqu'« il est né d'une femme[b] », et pourtant « sur les montagnes de Béthel[c] », et pourtant « élevé au-dessus des cieux[d] ». L'Écriture ne dit pas : « étant ou existant au-dessus des cieux », mais « élevé au-dessus des cieux », pour que personne ne pense que cela est dit de la nature par laquelle « il est celui qui est[e] ». Mais lorsqu'il est placé au-dessus des anges, là aussi l'Écriture dit qu'« il leur est devenu supérieur[f] » et non pas qu'il le demeure ou le soit. D'où il ressort que non seulement dans son être « éternel[g] », mais aussi dans son « devenir[h] » temporel, il s'attribue toute supériorité « sur toute Principauté et Puissance[i] », bref sur toute créature, puisqu'il est « le Premier-né de toute créature[j] ». Ainsi « ce qui est folie de Dieu est plus sage que les hommes, et ce qui est faiblesse de Dieu est plus fort que les hommes[k] ». Voilà ce que dit l'Apôtre. A mon avis, il ne se tromperait pas, celui qui dirait que la folie et la faiblesse de Dieu doivent être également préférées même à la sagesse et à la force des anges. C'est ainsi que ce passage sera appliqué avec justesse à l'Église universelle.

10. Or, pour ce qui est de l'âme individuelle – car une âme, si elle aime Dieu avec tendresse, avec sagesse, avec ardeur, est, elle aussi, épouse[1] – tout homme spirituel peut remarquer en lui-même ce que sa propre expérience lui répond sur ce point. Pour moi, je ne craindrai pas d'exposer publiquement ce qu'il m'a été donné d'expérimenter en ce domaine, quoi que ce puisse être. Même si, une fois entendu, cela semblera peut-être vil et méprisable, peu m'importe : celui qui est spirituel

---

donné le sens ecclésiologique du verset sur la gazelle et le faon ; ici il commence à présenter le sens mystique du même verset pour l'âme individuelle.

qui spiritualis est non me despiciet, qui minus non
10 me intelliget[a]. Attamen si in alium istud sermonem
servavero, forte non deerunt qui aedificentur in iis, quae
exoratus interim Dominus inspirabit, Sponsus Ecclesiae,
Iesus Christus Dominus noster, *qui est super omnia Deus
benedictus in saecula. Amen*[b].

10. a. Cf. Gal. 6, 1   b. Rom. 9, 5

ne me méprisera pas, celui qui l'est moins ne me comprendra pas[a]. Cependant, si je garde ce sujet pour un autre sermon, il y en aura peut-être quelques-uns qui seront édifiés des paroles que, à nos prières, m'inspirera alors le Seigneur, lui qui est l'Époux de l'Église, Jésus-Christ notre Seigneur, « qui est au-dessus de tout, Dieu béni dans les siècles. Amen[b]. »

SERMO LXXIV

I. Qualiter hic locus animae convenit et Verbo, et quid ire vel redire Verbi quantum ad salutare ipsius dispensationem. – II. Qualiter secum agatur in adventum Sponsi, vel in quo eius percipiat adventum. – III. De gratia et veritate quae per hinnulum et capream figurantur, et quomodo gratia per proprietatem amittitur.

I. Qualiter hic locus animae convenit et Verbo, et quid ire vel redire Verbi quantum ad salutare ipsius dispensationem.

1. *Revertere*[a], inquit. Liquet non adesse quem revocat ; affuisse tamen, idque non longe ante : quippe qui, dum adhuc abiret, revocari videtur. Intempestiva revocatio, magni unius amoris, magnae alterius amabilitatis indicium
5 est. Qui sunt isti caritatis cultores, amatoriique tam indefessi sectatores negotii, quorum alterum prosequitur, alteram urget tam inquietus amor ? Et mihi quidem, ut memini meae promissionis, incumbit assignare hunc locum Verbo et animae ; sed ad hoc, ut digne vel aliquan-
10 tisper fiat, ipsius adiutorio Verbi egere me fateor. Et certe sermo iste decuerat magis magis expertum, magisque conscium sancti et arcani amoris ; sed non possum officio deesse meo, non vestris omnino votis. *Periculum* meum video, et non caveo ; *vos me cogitis*[b]. Prorsus cogitis

---

1. a. Cant. 2, 17   b. II Cor. 11, 26 ≠ ; II Cor. 12, 11 ≠

---

1. Le mot *revertere,* « reviens » (*Cant.* 2, 17) devient le refrain qui accompagne l'arrivée et le départ du Bien-Aimé.

2. *Captatio benevolentiae,* appel à l'indulgence des auditeurs et des lecteurs. Cet appel se trouve en bonne place ; à partir du paragraphe 5, Bernard décrira sa propre expérience des vicissitudes du Verbe.

SERMON 74

I. Comment ce passage s'applique à l'âme et au Verbe. Le sens du va-et-vient du Verbe par rapport à son dessein de salut. – II. Bernard livre ce qui se passe en lui lors de la venue de l'Époux et à quels signes il perçoit sa venue. – III. De la grâce et de la vérité figurées par le faon et par la gazelle. Comment le sentiment de posséder la grâce la fait perdre.

I. Comment ce passage s'applique à l'âme et au Verbe. Le sens du va-et-vient du Verbe par rapport à son dessein de salut.

1. « Reviens[a] ! » dit l'épouse [1]. A l'évidence celui qu'elle rappelle n'est pas là ; il était là néanmoins il n'y a pas si longtemps, car elle semble le rappeler au moment même où il s'en va. Ce rappel abrupt est l'indice que l'épouse aime intensément et que l'Époux est infiniment aimable. Qui sont ces adeptes de la charité, ces pratiquants si infatigables du commerce amoureux, pour qu'un amour si impatient poursuive l'un et harcèle l'autre ? Quant à moi – je me souviens de ma promesse –, il me revient d'appliquer ce passage au Verbe et à l'âme. Mais, pour m'en acquitter de façon digne et en peu de temps, j'avoue que j'ai besoin de l'aide du Verbe lui-même. Certes, ce sermon aurait mieux convenu à quelqu'un de plus expérimenté et de mieux initié que moi aux secrets du saint amour [2]. Mais je ne puis me dérober à mon devoir, moins encore à vos désirs. Je vois « le péril » que je cours, et je n'y prends pas garde ; « c'est vous qui m'y obligez[b] ». Oui, vous m'obligez « de prendre un chemin

15 *ambulare in magnis* et *in mirabilibus super me*[c]. Heu !
quam vereor ne subinde audiam : *Quare tu enarras* delicias
meas, et assumis sacramentum *meum per os tuum*[d] *?* Audite
me tamen hominem, qui loqui trepidat, et tacere non
potest. Excusabit forsitan ausum trepidatio ipsa mea ;
20 magis autem vestra, si provenerit, aedificatio. Et forte
hae lacrimae pariter videbuntur. *Revertere*, ait. Bene.
Abibat, revocatur. Quis mihi huius reseret mutabilitatis
sacramentum ? Quis mihi digne explicet ire et redire
Verbi ? Numquid mutabilitate utitur Sponsus[e] ? Unde,
25 quo venire seu denuo ire queat, qui totum implet[f] ?
Quem denique motum habere localem possit, qui *spiritus
est* ? Aut quem postremo vel cuiuscumque generis motum
das illi, qui *Deus*[g] est ? Est quippe incommutabilis.

2. Verum haec *qui potest capere, capiat*[a]. Nos autem
in expositione sacri *mysticique eloquii*[b] *caute et simpliciter
ambulantes*[c], geramus morem Scripturae, quae *nostris
verbis sapientiam in mysterio absconditam loquitur*[d] ;
nostris affectibus Deum, dum figurat, insinuat ; notis
5 rerum sensibilium similitudinibus, tamquam quibusdam
vilioris materiae poculis, ea quae pretiosa sunt, ignota et
invisibilia Dei[e], mentibus propinat humanis. Sequamur
proinde et nos *eloquii casti*[f] consuetudinem, dicamusque
Verbum Dei, Deum, Sponsum animae, *prout vult*[g] et
10 venire ad animam, et iterum dimittere eam : tantum

---

c. Ps. 130, 1 ≠   d. Ps. 49, 16 ≠   e. Cf. II Cor. 1, 17   f. Cf. Éphés.
4, 10   g. Jn 4, 24 ≠
2. a. Matth. 19, 12   b. Is. 3, 3 ≠   c. Éphés. 5, 15 ≠ ; Prov.
11, 20 ≠   d. I Cor. 2, 4. 7 ≠   e. Rom. 1, 20 ≠   f. Ps. 11, 7
≠   g. I Cor. 12, 11

---

1. *In expositione sacri mysticique eloquii*, « L'explication de ce langage
secret et mystique ». Voici un des rares passages où le sens de l'adjectif
mystici se rapproche du sens actuel de ce mot. Cf. *SCt* 28, 9 (*SC* 431,
p. 364, l. 27, n. 1). Cf. G. B. WINKLER, « Bernhard von Clairvaux und

de grandeurs et de merveilles qui me dépassent[c] ». Hélas ! comme je crains d'entendre aussitôt ces paroles : « Que viens-tu publier mes délices, qu'as-tu mon mystère à la bouche[d] ? » Écoutez-moi pourtant, moi, homme qui tremble de parler et qui ne peut pas se taire. Peut-être mon tremblement même, ou plutôt votre éventuelle édification, excuseront-ils mon audace. Peut-être aurez-vous aussi égard aux larmes que voici. « Reviens ! » dit l'épouse. Bon. Il s'en allait, on le rappelle. Qui me dévoilera le mystère de ce revirement ? Qui m'expliquera comme il convient le va-et-vient du Verbe ? L'Époux recourt-il vraiment à un revirement[e] ? D'où peut-il venir, et où peut-il aller, lui qui remplit tout[f] ? Et puis, comment peut-il se mouvoir dans l'espace, lui qui « est esprit » ? Enfin, quelle sorte de mouvement lui attribuer, lui qui est « Dieu[g] » ? Il est absolument immuable.

2. A vrai dire, « que celui qui peut comprendre, comprenne[a] ». Pour nous, « avançant avec prudence et simplicité[c] » dans l'explication « de ce langage » sacré « et mystique[b 1] », imitons l'Écriture qui « exprime avec nos mots la sagesse cachée dans le mystère[d] ». Elle fait pressentir Dieu à nos cœurs à travers des figures. Par les images connues des réalités sensibles, comme dans des coupes de matière vile, elle fait goûter aux intelligences humaines ce qui est le plus précieux : « les perfections » inconnues et « invisibles de Dieu[e] ». Suivons donc, nous aussi, la méthode « de cette chaste Parole[f] », et disons que le Verbe de Dieu, qui est Dieu et Époux de l'âme, vient à l'âme et puis la quitte « selon son bon plaisir[g] » ; mais comprenons bien que cela se produit par un sentiment de l'âme, non par un mouvement du

die Tradition der christlichen Mystik », *Theologisch-praktische Quartalschrift* 139, 1991, p. 67-73.

ut sensu animae, non Verbi motu, ista fieri sentiamus. Verbi causa, cum sentit gratiam, agnoscit praesentiam ; cum non, absentiam queritur, et rursum praesentiam quaerit, dicens cum Propheta : *Exquisivit te facies mea ;*
15 *faciem tuam, Domine, requiram*[h]. Quidni requirat ? Neque enim, subducto sibi tam dulci Sponso, interim aliquid aliud, non dico desiderare, sed nec cogitare libebit. Restat igitur ut absentem studiose requirat, revocet abeuntem. Ita ergo revocatur Verbum, et revocatur *desiderio animae*[i],
20 sed eius animae, cui semel indulserit suavitatem sui. Numquid non desiderium vox ? Et valida. Denique *desiderium pauperum,* inquit, *exaudivit Dominus*[j]. Verbo igitur abeunte, una interim et continua animae vox, continuum desiderium eius, tamquam unum conti-
25 nuumque *revertere*[k], *donec veniat*[l].

3. Et nunc da mihi animam, quam frequenter Verbum Sponsus invisere soleat, cui familiaritas ausum, cui gustus famem, cui contemptus omnium otium dederit : et ego huic incunctanter assigno vocem pariter et nomen sponsae, nec ab ea penitus locum, qui in manibus est,
5 censuerim alienum. Talis nempe inducitur loquens. Quem enim revocat, eius absque dubio probat se meruisse praesentiam, etsi non copiam. Alioquin non revocasset illum, sed vocasset. Porro revocationis verbum *revertere*[a] est. Et forte ideo subtraxit se, quo avidius revocaretur,

241 *(in left margin)*

h. Ps. 26, 8 ≠   i. Is. 26, 8   j. Ps. 9, 38   k. Cant. 2, 17
l. I Cor. 11, 26
3. a. Cant. 2, 17

1. Cf. Augustin, *Sermon* 306 B (éd. G. Morin, t. 1, Rome 1930, p. 91, l. 2) : *Affectibus non passibus ad Deum currimus,* « Nous ne courons pas vers Dieu avec des pas, mais par les affections. » Cf. *Conv* 25 (*SC* 457, p. 381, n. 2 et p. 428, note complémentaire § II, 1) : « Ne prends pas pour un lieu matériel ce paradis des délices intérieures. On n'entre pas dans ce jardin avec les pieds mais avec les affections » ; cf. aussi *Ep* 399 (*SBO* VIII, p. 380, l. 1).

Verbe [1]. Par exemple, lorsqu'elle perçoit la grâce, elle reconnaît la présence du Verbe. Quand elle ne la perçoit pas, elle se plaint de son absence, et réclame à nouveau sa présence, en disant avec le Prophète : « Ma face t'a cherché ; je chercherai ta face, Seigneur [h] [2]. » Pourquoi ne la chercherait-elle pas ? Car, depuis qu'un si doux Époux lui a été retiré, elle ne veut plus, je ne dis pas désirer, mais même envisager quoi que ce soit d'autre. Il ne lui reste qu'à chercher avec ardeur celui qui est absent, à rappeler celui qui s'éloigne. C'est ainsi que le Verbe est rappelé, et rappelé « par le désir de l'âme [i] », mais de cette âme à qui il a déjà une fois accordé sa douceur. Le désir n'est-il pas un cri ? Oui, et un cri puissant. Car « le désir des pauvres, le Seigneur l'a exaucé [j] », est-il dit. Quand le Verbe s'éloigne, l'âme n'est plus entre temps qu'un cri unique et incessant, un incessant désir, comme un unique et incessant « Reviens [k] ! », « jusqu'à ce qu'il vienne [l] ».

3. Indique-moi maintenant une âme que le Verbe Époux a coutume de visiter souvent ; une âme à qui cette intimité a donné de l'audace, une âme affamée pour avoir goûté l'Époux, une âme à qui le mépris de toutes choses a donné du loisir. Sans hésiter je lui attribue à la fois le nom et la voix de l'épouse ; et je ne peux nullement penser que le passage que nous avons en main lui soit étranger. Oui, c'est bien une telle âme que fait parler notre texte. En rappelant l'Époux, elle montre sans aucun doute qu'elle a mérité sa présence, même si ce n'est pas encore en plénitude. Sinon, elle ne l'aurait pas rappelé, mais appelé. Or, « Reviens [a] » est un mot qui exprime le rappel. Et si l'Époux s'est dérobé, c'est peut-être pour être plus avidement rappelé, plus fermement

---

2. Ce verset du *Ps.* 26, 8 a été le leitmotiv de Guillaume de Saint-Thierry pour sa septième Oraison méditative (*SC* 324, p. 126-134).

10 teneretur fortius. Nam et aliquando *simulabat se longius
ire*[b], non quia hoc volebat, sed volebat audire : *Mane
nobiscum quoniam advesperascit*[c]. Et rursum alia vice super
mare ambulans, cum Apostoli navigarent *et laborarent in
remigando*, quasi *volens praeterire eos*[d], ne tunc quidem
15 istud volebat, sed magis probare fidem et elicere precem.
Denique, sicut ait Evangelista, *turbati sunt et clamaverunt,
putantes phantasma esse*[e]. Ergo istiusmodi piam simula-
tionem, immo salutarem dispensationem, quam tunc
corporaliter Verbum corpus interdum exhibuit, non cessat
20 identidem Verbum spiritus, modo suo spirituali, cum
devota sibi anima sedulo actitare. Praeteriens teneri vult,
abiens revocari. Neque enim hoc irrevocabile Verbum :
it et redit pro beneplacito suo, quasi *visitans diluculo, et
subito probans*[f]. Et ire quidem illi quodammodo dispen-
25 satorium, redire vero semper voluntarium est : utrumque
autem plenum iudicii. At penes ipsum horum ratio.

4. Nunc vero constat in anima fieri huiuscemodi
vicissitudines euntis et redeuntis Verbi, sicut ait : *Vado
et venio ad vos*[a] ; item : *Modicum, et non videbitis me ;
et iterum modicum, et videbitis me*[b]. O modicum et
5 modicum ! O modicum longum ! Pie Domine, modicum
dicis quod non videmus te ? Salvum sit verbum Domini
mei : longum est et multum valde nimis. Verumtamen
utrumque verum : et modicum meritis, et longum votis.
Habes utrumque in Propheta : *Si moram fecerit*, inquit,

242

---

b. Lc 24, 28 ≠   c. Lc 24, 29   d. Mc 6, 48 ≠   e. Mc 6,
49-50 ≠   f. Job 7, 18 ≠
4. a. Jn 14, 28   b. Jn 16, 17

---

1. Allusion au récit de la rencontre du Christ avec les disciples sur
le chemin d'Emmaüs (*Lc* 24, 28-29).

2. *O modicum et modicum ! O modicum longum*, « Oh ! ce peu et ce
peu ! Et que ce peu [de temps] est long ! » Bernard semble se résigner
ici au fait que la parousie, le retour du Christ à la fin des temps, ne
sera pas pour demain. Ce long délai lui ouvre les yeux et lui fait comprendre l'importance de la venue quotidienne, *hic et nunc,* du Christ
dans toute âme aimante.

retenu. Jadis aussi « il faisait semblant d'aller plus loin[b] », non qu'il le voulût, mais parce qu'il voulait s'entendre dire : « Reste avec nous, car le soir tombe[c][1]. » Une autre fois encore, comme il marchait sur la mer, tandis que les Apôtres dans une barque « peinaient à ramer », il fit mine « de vouloir les dépasser[d] ». Là non plus, ce n'était pas cela qu'il voulait, mais plutôt éprouver leur foi et faire jaillir leur prière. C'est ainsi que, comme le dit l'Évangéliste, « ils furent troublés et poussèrent des cris, croyant que c'était un fantôme[e] ». Or cette pieuse simulation, ou plutôt cette salutaire manière d'agir, dont le Verbe-corps a usé parfois corporellement, le Verbe-esprit, pareillement, ne cesse pas, à sa manière spirituelle, de la mettre en œuvre assidûment envers l'âme qui lui est dévouée. Quand il passe, il veut être retenu ; quand il s'en va, il veut être rappelé. Car le Verbe divin n'est pas irrévocable : il va et revient à son gré ; « il visite l'âme au point du jour, et soudain la met à l'épreuve[f] ». S'en aller fait en quelque sorte partie de son dessein de salut, revenir est toujours une libre décision de sa volonté ; l'un et l'autre mouvement est plein de sagesse. Mais lui seul en connaît le motif.

4. Il est donc certain que ces vicissitudes du Verbe qui s'en va et qui revient se produisent dans l'âme. Lui-même le dit : « Je m'en vais et je viens à vous[a]. » Et ailleurs : « Sous peu vous ne me verrez plus ; et puis encore un peu et vous me verrez[b]. » Oh ! ce peu et ce peu ! Et que ce peu est long[2] ! Doux Seigneur, tu appelles « peu » le temps où nous ne te voyons plus ? Sauf le respect dû à la parole de mon Seigneur, ce peu est long, beaucoup trop long. Pourtant les deux choses sont vraies : c'est peu par rapport à nos mérites, c'est long par rapport à nos souhaits. Tu trouves les deux aspects chez le Prophète : « S'il a du retard, dit-il, attends-le, car

[10] *exspecta eum, quia veniet et non tardabit*[c]. Quomodo non tardabit, *si moram fecerit*, nisi quia quod ad meritum et plus quam satis est, non est tamen satis ad desiderium ? Porro anima amans votis fertur, trahitur desideriis, dissimulat merita, maiestati oculos claudit, [15] aperit voluptati, *ponens in salutari, fiducialiter agens in eo*[d]. Intrepida denique et inverecunda revocat Verbum, et cum fiducia repetit delicias suas, solita libertate vocans, non Dominum, sed dilectum : *Revertere, dilecte mi* ; et addit : *Similis esto capreae hinnuloque cervorum super* [20] *montes Bethel*[e]. At istud postea.

II. Qualiter secum agatur in adventum Sponsi, vel in quo eius percipiat adventum.

5. Nunc vero *sustinete modicum quid insipientiae meae*[a]. Volo dicere, nam et hoc pactus sum, quomodo mecum agitur in eiusmodi. *Non expedit quidem*[b]. Sed prodar sane ut prosim, et, si profeceritis vos, meam [5] insipientiam consolabor ; si non, meam insipientiam confitebor. Fateor et mihi adventasse Verbum – *in insipientia* dico[c] –, et pluries. Cumque saepius intraverit ad me, non sensi aliquoties cum intravit. Adesse sensi, affuisse recordor ; interdum et praesentire potui introitum [10] eius, sentire numquam, sed ne exitum quidem[d]. Nam unde in animam meam venerit, quove abierit denuo eam dimittens, sed et qua introierit vel exierit, etiam

---

c. Hab. 2, 3 (Lit. cist.)   d. Ps. 11, 6 ≠   e. Cant. 2, 17 ≠
5. a. II Cor. 11,1 ≠   b. II Cor. 12, 1   c. II Cor. 11, 17 ≠

---

1. * *Hab.* 2, 3 Lit.cist. Cf. *SC* 472, p. 378, n. 1 sur *SCt* 67, 5. Bernard reprend l'antienne *Ecce apparebit* de laudes et vêpres du 3e dim. de l'Avent (*Antiphonaire temporal* fol. 10 r-v; R.-J. HESBERT, *Corpus Antiphonalium Officii*, t. 4, Rome 1970, n° 6577). Le contexte porte ici sur l'attente de l'âme; ailleurs sur la venue de l'Esprit à la Pentecôte ou du Verbe à Noël.

2. * *Anima... trahitur voluptate.* Cf. VIRGILE, *Bucoliques* 2, 65 : *trahit*

il viendra et ne tardera plus[c] [1]. » Comment ne tardera-t-il plus « s'il a du retard », sinon parce qu'il viendra toujours assez tôt pour nos mérites, mais jamais assez tôt pour nos désirs ? Or l'âme qui aime est emportée par ses souhaits, entraînée par ses désirs ; elle se cache ses mérites, ferme les yeux à la majesté de Dieu, les ouvre au plaisir [2] ; « elle s'appuie sur le salut de Dieu et agit en toute confiance avec lui[d] ». Ainsi, sans crainte et sans honte, elle rappelle le Verbe ; avec confiance, elle réclame ses jouissances, et dans sa liberté coutumière elle le nomme non pas son Seigneur, mais son bien-aimé : « Reviens, mon bien-aimé ! » Et elle ajoute : « Sois semblable à la gazelle et au faon des cerfs sur les montagnes de Béthel[e]. » Mais nous verrons cela plus tard.

II. Bernard livre ce qui se passe en lui lors de la venue de l'Époux et à quels signes il perçoit sa venue.

5. Et maintenant, « supportez de ma part un peu de folie[a] [3] ». Je veux vous dire, car je vous l'ai promis, comment cela se passe en moi. « Cela ne convient pas, sans doute[b]. » Mais je vais me livrer pour vous être utile et, si cela contribue à votre progrès, je me consolerai de ma folie ; sinon, je la reconnaîtrai. J'avoue que le Verbe m'a visité moi aussi — « je parle en fou[c] » —, et cela plusieurs fois. Bien qu'il soit souvent entré en moi, jamais je ne l'ai senti entrer. J'ai senti qu'il était là, je me souviens de sa présence. Parfois, j'ai même pu pressentir son entrée ; la sentir, jamais, pas plus que sa sortie[d]. D'où est-il venu dans mon âme, où est-il allé en la quittant, par où est-il entré et sorti — j'avoue que maintenant encore je

---

sua quemque voluptas. Bernard a fait allusion çà et là à ces mots et les a cités tels dans *Alt* 3 (*SBO* V, p. 216, l. 4)

3. « Un peu de folie ». Allusion évidente à un texte bien connu de l'apôtre Paul : *II Cor.* 11, 1.

nunc ignorare me fateor, secundum illud : *Nescis unde veniat aut quo vadat*[e]. Nec mirum tamen, quia ipse est
15 cui dictum est : *Et vestigia tua non cognoscentur*[f]. Sane per oculos non intravit, quia non est coloratum ; sed neque per aures, quia non sonuit ; neque per nares, quia non aeri miscetur, sed menti, nec infecit aerem, sed fecit ; neque vero per fauces, quia non est mansum
20 vel haustum ; nec tactu comperi illud, quia palpabile non est. Qua igitur introivit ? An forte nec introivit quidem, quia non deforis venit ? Neque enim est unum aliquid *ex his quae foris sunt*[g]. Porro nec deintra me venit, *quoniam bonum est*[h], et *scio quoniam non est in*
25 *me bonum*[i]. Ascendi etiam superius meum, et ecce supra hoc Verbum eminens. Ad inferius quoque meum curiosus explorator descendi, et nihilominus infra inventum est. Si foras aspexi, extra omne exterius meum comperi illud esse ; si intus, et ipsum interius erat. Et cognovi verum
30 quidem esse quod legeram : quia *in ipso vivimus, movemur et sumus*[j] ; sed ille beatus est, in quo est ipsum, qui illi vivit, qui eo movetur.

6. Quaeris igitur, cum ita sint omnino *investigabiles viae eius*[a], unde adesse norim ? *Vivum et efficax est*[b], moxque ut intus venit, expergefecit dormitantem animam

---

d. Cf. Ps. 120, 8   e. Jn 3, 8 ≠   f. Ps. 76, 20   g. I Cor. 5, 12 ≠   h. Ps. 51, 11 ≠   i. Rom. 7, 18 ≠   j. Act. 17, 28 ≠
6. a. Rom. 11, 33   b. Hébr. 4, 12 ≠

---

1. Le Verbe n'entre pas chez l'épouse par les sens corporels. Il est même le seul à pouvoir toucher directement le cœur ou le fond de l'âme.

2. * *Rom.* 7, 18 ≠. Bernard a remplacé, 6 fois sur 7, *habitat (Vg)* par *est*. Pas de source connue.

3. « Il m'était plus intérieur que moi-même. » Tout le paragraphe explicite une phrase bien connue de S. Augustin dans ses *Confessions* III, 6, 11 : *Tu autem eras interior intimo meo et superior summo meo,* « Mais

l'ignore, selon cette parole : « Tu ne sais ni d'où il vient ni où il va[e]. » Rien d'étonnant, car c'est à lui qu'il a été dit : « Et les traces de tes pas ne seront pas connues[f]. » Il n'est certes pas entré par les yeux, car il n'a pas de couleur[1] ; ni par les oreilles, car il n'a fait aucun bruit ; ni par les narines, car il ne se mêle pas à l'air, mais à l'esprit : il n'a pas affecté l'air, mais il l'a fait. Il n'est pas non plus entré par la bouche, car il ne se laisse ni manger, ni boire ; et ce n'est pas par le toucher que je l'ai perçu, car il est impalpable. Par où est-il donc entré ? Ou peut-être n'est-il pas entré du tout, parce qu'il ne vient pas du dehors ? En effet, il ne fait pas partie « des réalités extérieures[g] ». Mais il n'est pas non plus venu du dedans de moi, « puisqu'il est bon[h] », et « je sais qu'en moi il n'y a rien de bon[i][2] ». Je suis monté jusqu'à la cime de moi-même, et voici que le Verbe la dominait de très haut. Explorateur curieux, je suis aussi descendu au plus bas de mon être, et j'ai également trouvé qu'il était plus bas encore. Si j'ai regardé vers l'extérieur, j'ai découvert qu'il était au-delà de tout ce qui m'est extérieur ; si je me suis tourné vers l'intérieur, il m'était plus intérieur que moi-même[3]. J'ai reconnu alors la vérité de ce que j'avais lu : « C'est en lui que nous avons la vie, le mouvement et l'être[j]. » Heureux celui en qui le Verbe demeure, qui vit pour lui et se meut par lui.

6. Me demandes-tu, puisque « ses voies sont absolument insaisissables[a] », comment j'ai su qu'il était là ? « C'est qu'il est vivant et efficace[b] » : sitôt entré, il a réveillé mon âme

---

toi, tu étais plus intime que l'intime de moi-même, et plus élevé que les cimes de moi-même. » Cette brève définition de Dieu dit à la fois l'immanence divine au sein de toute créature et de l'homme en particulier, et sa transcendance au-dessus de tout ce que l'esprit humain contient de plus élevé (Cf. *Confessions*, t. 1, *BA* 13, Paris 1962, p. 383).

meam ; movit et emollivit, et *vulneravit cor meum*[c],
5 quoniam *durum*[d] *lapideumque*[e] erat, et male sanum.
Coepit quoque *evellere et destruere, aedificare et plantare*[f],
rigare arida, tenebrosa illuminare, clausa reserare, frigida
inflammare, necnon et mittere *prava in directa, et aspera
in vias planas*[g], ita ut *benediceret anima mea Domino, et
10 omnia quae intra me sunt nomini sancto eius*[h]. Ita igitur
intrans ad me aliquoties Verbum Sponsus, nullis umquam
introitum suum indiciis innotescere fecit : non voce,
non specie, non incessu. Nullis denique suis motibus
compertum est mihi, nullis meis sensibus illapsum pene-
15 tralibus meis : tantum ex motu cordis, sicut praefatus
sum, intellexi praesentiam eius ; et ex fuga vitiorum,
carnaliumque compressione affectuum, adverti *potentiam
virtutis eius*[i] ; et ex discussione sive redargutione *occul-
torum meorum*[j], admiratus sum profunditatem sapien-
20 tiae[k] eius ; et ex quantulacumque emendatione morum
meorum, expertus sum bonitatem mansuetudinis eius ;
et ex reformatione ac *renovatione spiritus mentis meae*[l],
id est *interioris hominis*[m] mei, percepi utcumque *speciem
decoris eius*[n] ; et ex contuitu horum omnium simul, expavi
25 *multitudinem magnitudinis eius*[o].

7. Verum quia haec omnia, ubi abscesserit Verbum,
perinde ac si ollae bullienti subtraxeris ignem, quodam
illico languore torpentia et frigida iacere incipiunt, atque
hoc mihi signum abscessionis eius, *tristis sit* necesse est

---

c. Cant. 4, 9 ≠   d. Sir. 3, 27 ≠   e. Éz. 11, 19 ≠ ; 36, 26 ≠
f. Jér. 1, 10 ≠   g. Is. 40, 4   h. Ps. 102, 1 ≠   i. Éphés. 1, 19
≠   j. Ps. 18, 13 ≠   k. Cf. Eccl. 7, 24-25   l. Éphés. 4, 23 ≠
m. Éphés. 3, 16 ≠   n. Ps. 49, 2 ≠   o. Ps. 150, 2

---

1. Les auditeurs (ou les lecteurs) demandent à Bernard comment il
sait que c'est le Verbe qui le visite. Il répond par un critère biblique,

endormie ; « il a » remué, amolli et « blessé mon cœur[c] », qui était « dur[d] comme la pierre[e] » et malade. Il s'est mis aussi « à arracher et détruire, à bâtir et planter[f] », à arroser les terres arides, à illuminer les zones ténébreuses, à ouvrir les portes fermées, à embraser les parties glacées. Il a encore « redressé les voies tortueuses et aplani les chemins raboteux[g] », si bien que « mon âme bénissait le Seigneur et que tout ce qui est en moi louait son saint nom[h] ». Ainsi le Verbe Époux, qui est parfois entré en moi, ne m'a jamais donné le moindre signe de son entrée : ni voix, ni image, ni pas. Aucun mouvement de sa part ne m'a appris sa venue, aucun de mes sens ne l'a senti pénétrer au plus profond de moi. C'est seulement aux mouvements de mon cœur, comme je viens de le dire, que je me suis aperçu de sa présence. A la fuite de mes vices et à la maîtrise de mes passions charnelles j'ai reconnu « la vigueur de sa force[i] ». Devant la mise à découvert ou à la dénonciation « de mes fautes cachées[j] », j'ai admiré la profondeur de sa sagesse[k]. Par la rectification, fût-elle minime, de ma conduite, j'ai expérimenté la douceur de sa mansuétude. Par la régénération et « le renouvellement de mon intelligence spirituelle[l] », c'est-à-dire « de l'homme intérieur[m] » en moi, j'ai perçu tant soit peu « la splendeur de sa beauté[n] ». Enfin, considérant tout cela en même temps, je suis resté épouvanté devant « l'excès de sa grandeur[o] ».

7. Or, dès que le Verbe s'est retiré, comme si tu ôtais le feu de dessous une marmite en ébullition, tout cela commence aussitôt à s'engourdir et à refroidir, ce qui est pour moi le signe de son départ. « Mon âme » ne peut

---

à savoir les effets (ou les fruits) de la présence divine : patience, bonté, maîtrise des passions charnelles, renouvellement de l'homme intérieur. Cf. *Gal.* 5, 22-26.

244   5 *anima mea*[a], donec iterum revertatur, et solito *recalescat
cor meum intra me*[b], idque sit reversionis indicium. Tale
sane experimentum de Verbo habens, quid mirum, si et
ego usurpo mihi vocem sponsae in revocando illud, cum
se absentaverit, qui etsi non pari, simili tamen vel ex
10 parte desiderio feror ? Familiare mihi erit, quoad vixero,
pro Verbi revocatione revocationis verbum, quod utique
revertere[c] est. Et quoties elabetur, toties repetetur a me,
nec cessabo *clamitare*, quasi *post tergum*[d] abeuntis, ardenti
desiderio cordis[e] ut redeat, et *reddat mihi laetitiam salutaris
15 sui*[f], reddat mihi seipsum.

III. De gratia et veritate quae per hinnulum et capream figurantur, et quomodo gratia per proprietatem amittitur.

Dico vobis, filii : nil interim aliud libet, dum non
praesto est quod solum libet. Et hoc oro, ut non vacuum
veniat[g], sed *plenum gratiae et veritatis*[h], more utique suo,
sicut heri et nudiustertius[i]. In quo mihi *similitudinem
20 capreae et hinnuli*[j] exhibitum iri posse videtur, cum veritas
capreae oculos habeat, gratia hinnuli hilaritatem.

8. Utraque res necessaria mihi : et veritas quidem,
cui abscondi non possim ; gratia autem, cui nolim.
Alioquin sine alterutra visitatio plena non erit, cum
et illius severitas absque hac onerosa, et huius hilaritas
5 absque illa dissoluta possit videri. Amara est veritas sine
condimento gratiae, sicut absque veritatis freno levis et
nesciens modum, plerumque et insolens, ipsa devotio.

7. a. Matth. 26, 38 ≠ ; Ps. 41, 6 ≠   b. Ps. 38,4 ≠   c. Cant. 2, 17
d. Jug. 18, 23 ≠   e. Ps. 20, 3 ≠   f. Ps. 50, 14 ≠   g. Cf. Is.
55, 11   h. Jn 1, 14   i. Gen. 31, 5   j. Cant. 2, 17 ≠

alors qu'« être triste[a] » jusqu'à ce qu'il revienne et que, comme de coutume, « mon cœur se réchauffe au-dedans de moi[b] », ce qui est la marque de son retour. Ayant une telle expérience du Verbe, quoi d'étonnant si moi aussi j'emprunte la voix de l'épouse pour le rappeler, lorsqu'il s'est éloigné ? Car je suis porté par un désir qui, sans être égal à celui de l'épouse, lui est cependant semblable, en partie du moins. Tant que je vivrai, je ne cesserai d'employer, pour rappeler le Verbe, le mot même du rappel : « Reviens[c] ! » Et chaque fois qu'il s'échappera, je redirai ce mot. « Le cœur brûlant de désir[e] », je ne cesserai « de crier » en quelque sorte « après[d] » le fugitif, afin qu'il revienne et « qu'il me rende la joie de son salut[f] », qu'il se rende lui-même à moi.

III. De la grâce et de la vérité figurées par le faon et par la gazelle. Comment le sentiment de posséder la grâce la fait perdre.

Je vous le dis, mes enfants : je ne prends plus plaisir à rien d'autre ici-bas tant que n'est pas à ma portée ce qui fait mon seul plaisir. Et je le supplie de venir, non pas les mains vides[g], mais « plein de grâce et de vérité[h] », à son habitude, « comme hier et avant-hier[i] ». En quoi il me semble qu'on peut découvrir « une ressemblance avec la gazelle et le faon[j] », car la vérité a les yeux de la gazelle, et la grâce, la gaieté du faon.

8. L'une et l'autre me sont nécessaires : la vérité, à laquelle je ne pourrais pas me dérober ; la grâce, à laquelle je ne le voudrais pas. Sans l'une ou sans l'autre, la visite du Verbe serait incomplète. Sans la grâce, la sévérité du vrai paraîtrait trop lourde ; sans la vérité, la gaieté de la grâce semblerait trop insouciante. Amère est la vérité sans l'assaisonnement de la grâce ; sans le frein de la vérité, la ferveur même est volage et dénuée de mesure, souvent

Quam multis non profuit gratiam percepisse, pro eo quod
temperamentum de veritate pariter non acceperunt ? Ex
10 hoc enim, *plus quam oportuit, complacuere sibi in ea*[a], dum
veriti non sunt veritatis obtutus, dum non respexerunt
ad capreae maturitatem, magis autem se totos hinnuli
levitati hilaritatique dederunt. Inde factum est ut, in qua
privatim exsultare voluerant, gratia privarentur, quibus vel
15 sero dici potuerit : *Euntes* ergo *discite quid sit*[b] : *Servite
Domino in timore, et exsultate ei cum tremore*[c]. *Dixerat*
denique sancta anima quaedam *in abundantia sua :
Non movebor in aeternum*, cum subito sensit *aversam
a se faciem* Verbi, seque non modo motam, sed etiam
20 *conturbatam*[d] ; et sic in tristitia didicit opus fuisse sibi,
cum munere quidem devotionis, etiam pondere veritatis.
Ergo non in sola gratia plenitudo gratiae est, sed ne in
sola quidem veritate. Quid prodest scire quid te oporteat
facere, si non detur et velle facere ? Quid si velis quidem,
25 sed minime possis ? Quantos expertus sum agnita veritate
tristiores, et ideo magis, quod iam confugere ad ignorantiae excusationem non liceret, scientes, et non facien-
tes[e] quod Veritas hortaretur !

   9. Quae cum ita se habeant, neutrum sine altero sufficit.
Parum dixi : non expedit quoque. Unde id scimus ?
Scienti, inquit, *bonum, et non facienti, peccatum est ei*[a] ;
item : *Servus sciens voluntatem Domini sui, et non faciens
5 digna, vapulabit multis*[b]. At istud pro parte veritatis. Pro

---

8. a. Is. 42, 1 ≠   b. Matth. 9, 13 ≠   c. Ps. 2, 11 ≠   d. Ps.
29, 7-8 ≠   e. Cf. Lc 12, 47
   9. a. Jac. 4, 17 ≠   b. Lc 12, 47 ≠

aussi indiscrète. Combien ont reçu la grâce sans profit, parce qu'ils n'ont pas accueilli en même temps la vérité modératrice ! De là vient qu'« ils se sont plu à la grâce plus qu'il ne fallait[a] » ; ils n'ont pas craint les regards perçants de la vérité, ils n'ont pas considéré la maturité de la gazelle ; bien plutôt, ils se sont donnés tout entiers à la gaieté légère du faon. Aussi est-il arrivé qu'ils ont été privés de la grâce, dont ils avaient voulu se réjouir comme si elle leur appartenait. Et c'est trop tard qu'on a pu leur dire : « Allez donc apprendre ce que signifie[b] : Servez le Seigneur dans la crainte, et réjouissez-vous en lui avec tremblement[c]. » C'est ainsi qu'une âme sainte « avait dit, dans la plénitude de son bonheur : Je ne serai ébranlée à jamais ». Soudain, lorsqu'elle sentit que « la face du Verbe s'était détournée d'elle », elle n'en fut pas seulement ébranlée, mais « bouleversée[d] ». Aussi apprit-elle dans la tristesse qu'avec le don de la ferveur elle aurait eu aussi besoin du poids de la vérité. La plénitude de la grâce n'est donc pas dans la grâce seule, ni non plus dans la vérité seule. A quoi te sert-il de savoir ce qu'il faut faire, s'il ne t'est pas donné aussi la volonté de le faire ? Et si tu as la volonté, mais sans pouvoir, à quoi bon ? Combien de gens ai-je connus que la découverte de la vérité a rendus plus tristes, et d'autant plus tristes qu'il ne leur était plus permis désormais de se réfugier dans l'excuse de l'ignorance, car ils savaient et ne faisaient pas[e] ce à quoi la Vérité les engageait !

9. Cela étant dit de la grâce et de la vérité, l'une ne peut suffire sans l'autre. C'est trop peu dire : l'une n'est pas utile sans l'autre. D'où le savons-nous ? « Celui qui connaît le bien et ne le fait pas commet un péché[a] », est-il dit ; et encore : « Le serviteur qui connaît la volonté de son Seigneur et ne l'accomplit pas dignement recevra bien des coups[b]. » Voilà pour ce qui est de la vérité. Et pour

gratiae quid ? Scriptum est : *Et post buccellam introivit
in eum Satanas*[c]. Iudam loquitur, qui, accepto munere
gratiae, quia *in veritate non ambulabat*[d] cum veritatis
Magistro, vel potius cum magistra Veritate, *locum in*
10 *se diabolo dedit*[e]. Audi adhuc : *Cibavit illos ex adipe
frumenti, et de petra melle saturavit eos*[f]. Quos ? *Inimici
Domini mentiti sunt ei*[g]. Quos melle cibavit et adipe, hi
mentiti sunt ei, facti inimici, quia veritatem gratiae non
iunxerunt. De quibus alibi habes : *Filii alieni mentiti sunt*
15 *mihi, filii alieni inveterati sunt, et claudicaverunt a semitis
suis*[h]. Quidni claudicarent, uno gratiae pede contenti, et
non apponentes veritatem ? *Erit* igitur *tempus eorum in
saecula*[i], sicut et principis ipsorum, qui et ipse *in veritate
non stetit, sed fuit mendax ab initio*[j], ideoque audivit :
20 *Perdidisti in decore tuo sapientiam*[k]. Nolo decorem, qui
mihi sapientiam tollat[12].

10. Quaeris quis ille tam noxius tamque perniciosus
decor ? Tuus. *Adhuc forte sine intellectu es*[a] *?* Planius audi :
privatus, proprius. Non culpamus donum, sed usum.
Denique, si advertisti, non in decore, sed *in suo decore*[b]
5 dictus est ille perdidisse sapientiam. Et, ni fallor, unus
angeli animaeque decor ipsa est. Quid enim vel haec,
vel ille absque sapientia, nisi rudis deformisque materia
est ? Ea ergo ille non modo *formatus*[c], sed et formosus
fuit. Sed perdidit eam, cum fecit suam, ut non sit aliud

---

c. Jn 13, 27 ≠   d. II Jn 4 ≠   e. Éphés. 4, 27 ≠   f. Ps. 80,
17 ≠   g. Ps. 80, 16   h. Ps. 17, 46   i. Ps. 80, 16 ≠   j. Jn
8, 44 ≠   k. Éz. 28, 17 ≠
10. a. Matth. 15, 16 ≠   b. Éz. 28, 17 ≠   c. Sag. 10, 1 ≠

---

12. *Nolo decorem qui mihi sapientiam tollit,* « Je ne veux pas d'une
beauté qui m'enlève la sagesse. » La beauté reprend l'idée de grâce, la
sagesse celle de vérité.

la grâce ? Il est écrit : « Après la bouchée, Satan entra en lui[c]. » Il s'agit de Judas qui, ayant reçu le don de la grâce, puisqu'« il ne marchait pas dans la vérité[d] » avec le Maître de la vérité, ou plutôt avec la Vérité qui est notre Maître, « laissa le diable s'installer en lui[e] ». Écoute encore ceci : « Il les a nourris de la fleur du froment et les a rassasiés du miel du rocher[f]. » Qui sont-ils ? « Les ennemis du Seigneur lui ont menti[g]. » Ceux qu'il a nourris de miel et de la fleur du froment, ce sont eux qui lui ont menti et sont devenus ses ennemis, parce qu'ils n'ont pas joint la vérité à la grâce. Tu peux lire ailleurs à leur sujet : « Les fils d'étrangers m'ont menti, les fils d'étrangers se sont endurcis et ont boité hors de leurs chemins[h]. » Comment n'auraient-ils pas boité, eux qui se sont contentés du seul pied de la grâce sans y adjoindre la vérité ? « Leur temps sera éternel[i] », comme celui de leur prince, qui lui non plus « ne s'est pas tenu dans la vérité, mais a été menteur dès l'origine[j] » et pour cela s'est entendu dire : « Tu as perdu la sagesse par ta beauté[k]. » Je ne veux pas d'une beauté qui m'enlève la sagesse [l].

10. Me demandes-tu quelle est cette beauté si nuisible et si pernicieuse ? C'est la tienne. « Peut-être es-tu encore sans intelligence[a] ? » Entends-le plus clairement : c'est ta beauté personnelle, ta beauté propre. N'accusons pas le don, mais son usage. Car, si tu as fait attention, il est dit qu'il a perdu la sagesse non par la beauté, mais « par sa beauté[b] ». Et si je ne me trompe, l'unique beauté de l'ange comme de l'âme, c'est justement la sagesse. Que seraient-ils l'un et l'autre sans la sagesse, sinon une matière grossière et difforme ? Ainsi cet ange non seulement avait été « formé[c] » par la sagesse, mais c'est par elle qu'il était beau. Mais il la perdit quand il la fit

246

10 *in decore suo* quam *in sua sapientia perdidisse sapientiam*[d]. Proprietas in causa est. Quod *sibi sapiens fuit*[e], quod *non dedit gloriam Deo*[e], quod non retulit *gratiam pro gratia*[e], quod *non secundum veritatem ambulavit in ea*[h], sed ad suam eam retorsit voluntatem, istud est cur eam perdidit ;
15 immo istud est quod eam perdidit. Etenim sic habere, perdere est. Et *si Abraham,* inquit, *ex operibus iustificatus est, habet gloriam, sed non apud Deum*[i]. Et ego : « Non ergo in tuto », inquam. « Perdidi quidquid habeo non apud Deum ». Nam quid tam perditum, quam quod extra
20 Deum exsulat ? Quid mors, nisi privatio vitae ? Ita nihil perditio, nisi alienatio a Deo est. *Vae, qui sapientes estis in oculis vestris, et coram vobismetipsis prudentes*[j] *!* De vobis dicitur : *Perdam sapientiam sapientium, et prudentiam prudentium reprobabo*[k]. Perdiderunt sapientiam, quia sua
25 sapientia perdidit eos. Quid non perdiderunt, qui ipsi perditi sunt ? An vero non perditi, quos nescit Deus[l] ?

11. Porro autem virgines fatuae[a], quas quidem non aliunde fatuas puto, nisi quia *dicentes se esse sapientes, stultae factae sunt*[b] ; hae, inquam, a Deo audire habent : *Nescio vos*[c]. Et item illi, qui gratiam miraculorum ad
5 suam usurpavere gloriam, nihilominus audituri sunt : *Quia non novi vos*[d], ut liquido ex his clarescat, gratiam non prodesse, ubi veritas non est in intentione, sed obesse magis. Et quidem penes Sponsum utraque res. Denique *gratia et veritas per Iesum Christum facta est*[e],
10 ait Ioannes Baptista. Si ergo cum una quavis harum sine

---

d. Éz. 28, 17 ≠   e. Prov. 26, 5 ≠   f. Jn 9, 24 ≠   g. Jn 1,
16   h. II Jn 4   i. Rom. 4, 2 ≠   j. Is. 5, 21   k. I Cor. 1,
19   l. Cf. Matth. 25, 12
11. a. Cf. Matth. 25, 2   b. Rom. 11, 22 ≠   c. Matth. 25, 12
d. Matth. 7, 23 ≠   e. Jn 1, 17

sienne. Aussi peut-on dire indifféremment « qu'il a perdu la sagesse par sa beauté ou par sa sagesse[d] ». C'est l'appropriation qui est en cause. « Il a été sage à ses propres yeux[e] », « il n'a pas glorifié Dieu[f] », il n'a pas rendu « grâce pour grâce[g] », « il n'a pas marché dans la grâce selon la vérité[h] », mais il l'a détournée au profit de sa volonté propre : voilà pourquoi il l'a perdue ; ou mieux, voilà ce qui lui a fait perdre la grâce. En effet, posséder de cette manière, c'est perdre. « Si Abraham a été justifié par les œuvres, est-il dit, il a de quoi se glorifier, mais non devant Dieu[i]. » Et moi j'ajouterai : « Donc, pas en sécurité. J'ai perdu tout ce que je ne possède pas devant Dieu. » Car qu'y a-t-il de plus perdu que ce qui est exilé loin de Dieu ? Qu'est-ce que la mort, sinon la privation de la vie ? De même, la perdition n'est rien d'autre que la séparation d'avec Dieu. « Malheur à vous, qui êtes sages à vos propres yeux, et prudents selon votre propre jugement[j] ! » C'est de vous qu'il est dit : « Je perdrai la sagesse des sages et je rejetterai la prudence des prudents[k]. » Ils ont perdu la sagesse, parce que leur propre sagesse les a perdus. Que n'ont-ils pas perdu, ceux qui se sont perdus eux-mêmes ? Et ne sont-ils pas vraiment perdus, ceux que Dieu ne connaît pas[l] ?

11. Or les vierges folles[a], qui n'étaient folles, à mon avis, que parce qu'« elles se disaient sages, ont perdu le sens[b] ». Ces vierges, dis-je, doivent entendre Dieu leur dire : « Je ne vous connais pas[c]. » De même, ceux qui se sont attribué pour leur propre gloire la grâce de faire des miracles s'entendront dire tout autant : « Je ne vous ai point connus[d]. » D'où il apparaît clairement que la grâce n'est pas profitable, et même qu'elle est nuisible lorsqu'on n'a pas en vue la vérité[1]. Or, l'une et l'autre se trouvent auprès de l'Époux. Car « la grâce et la vérité sont venues par Jésus-Christ[e] », dit Jean-Baptiste. Si donc

altera *pulsaverit ad ostium meum* Dominus Iesus – ipse est enim Dei Verbum, animae Sponsus –, *intrabit*[f] sane non tamquam Sponsus, sed tamquam iudex. Absit, nequaquam fiat hoc ! *Non intret in iudicium cum servo*
15 *suo*[g]. Intret pacificus, intret iucundus et hilaris ; maturus tamen et serius intret, qui severiori quodam veritatis vultu in me, dum insolentiam reprimit, purget laetitiam. Intret quasi *hinnulus saliens*, quasi *caprea* circumspectus, qui culpam dissimulando *transiliat,* poenam miserando
20 respiciat. Intret quasi *descendens de montibus Bethel*[h], festivus et splendidus, quasi *procedens a Patre*[i], *suavis et mitis*[j], qui non dedignetur dici et fieri Sponsus *animae quaerentis se*[k], cum *sit super omnia Deus benedictus in saecula. Amen*[l].

f. Apoc. 3, 20 ≠   g. Ps. 142, 2 ≠   h. Cant. 2, 8.17 ≠   i. Jn 15, 26 ≠   j. Ps. 85, 5   k. Lam. 3, 25 ≠   l. Rom. 9, 5 ≠

c'était avec une seule d'entre elles, sans l'autre, que le
Seigneur Jésus « frappait à ma porte » – car c'est lui le
Verbe de Dieu, l'Époux de l'âme –, ce n'est certes pas
en Époux qu'« il entrerait[f] », mais en juge. Ah non ! Que
jamais cela n'arrive ! « Qu'il n'entre pas en jugement avec
son serviteur[g]. » Qu'il entre en porteur de paix, qu'il entre
joyeux et souriant ; qu'il entre cependant grave et sérieux :
par le visage plus sévère de la vérité, en réprimant mon
orgueil, qu'il purifie ma joie. Qu'il entre « bondissant
comme un faon », circonspect comme « une gazelle » ;
« qu'il saute ainsi par-dessus » mes fautes en les cachant,
qu'il pose un regard de miséricorde sur le châtiment
qu'elles méritent. Qu'il entre comme s'« il descendait des
montagnes de Béthel[h] », plein d'allégresse et d'éclat, et
comme « procédant du Père[i] », « doux et indulgent[j] », lui
qui ne dédaigne pas d'être appelé et de devenir l'Époux
« de l'âme qui le cherche[k] », alors qu'« il est au-dessus
de tout, Dieu béni dans les siècles. Amen[l]. »

---

1. « La grâce n'est pas profitable, et même elle est nuisible » sans la
vérité. Y a-t-il ici une critique des paroles de saint Augustin : *Dilige,
et quod vis fac*, « Aime, et ce que tu veux, fais-le » (*Commentaire de la
Première Épître de S. Jean* VII, 8 ; *SC* 75, p. 328 et n. 1) ?

SERMO LXXV

I. Qua consequentia dicitur : *In lectulo meo, etc.*, et cur dissimulatur inventio. – II. Quod tres sunt causae quibus quaerentes frustrantur ab inventione : tempus, et tepor, et locus. – III. Quod in hoc loco frustrationis causa fuerit locus. – IV. Cur dictum sit : *Quem diligit anima mea*, et quae sunt noctes per quas Sponsum quaesiverit.

I. Qua consequentia dicitur : *In lectulo meo, etc.*, et cur dissimulatur inventio.

1. *In lectulo meo quaesivi per noctes quem diligit anima mea*[a]. Non est reversus Sponsus ad vocem et votum revocantis. Quare ? Ut desiderium crescat, ut probetur affectus, ut exerceatur amoris negotium. Sane ergo dissi-
5 mulatio est, non indignatio. Sed superest ut quaeratur si forte reperiatur quaesitus, qui vocatus non venit, dicente Domino : *Omnis qui quaerit invenit*[b]. Porro verbum revocationis tale est : *Revertere, assimilare, dilecte mi, capreae hinnuloque cervorum*[c]. Ad quam vocem cum non est
10 reversus, utique ob illas causas quae dictae sunt, hinc ista quae amat facta cupidior, mox sese ad requirendum tota aviditate dedit. Et primo quidem *quaerit illum in lectulo, sed minime invenit. Surgit* inde, *circuit civitatem*, it et

---

1. a. Cant. 3, 1 ≠   b. Matth. 7, 8   c. Cant. 2, 17 ≠ ; 8, 14 ≠

1. * *Cant.* 3, 1. Cette inversion des termes (*Vg* écrit *per noctes quaesivi*) n'a été retrouvée que dans 3 mss de *Vg* et chez les Pères, dans Anselme de Laon (*PL* 162, 1202 A ; *Enarrationes in Cant.* 3). Après Bernard, on trouve 7 occurrences dans la *PL*.

SERMON 75

I. Comment ces paroles : « Dans mon petit lit, etc. » se relient à ce qui précède. Pourquoi l'Époux se cache et ne se laisse pas trouver. – II. Il y a trois causes qui empêchent les chercheurs de trouver l'Époux : le temps, l'indolence, le lieu. – III. Dans ce passage, la cause de la déception de l'épouse a été le lieu. – IV. Pourquoi est-il dit : « Celui qu'aime mon âme. » Quelles sont ces nuits au long desquelles l'épouse a cherché l'Époux.

I. Comment ces paroles : « Dans mon petit lit, etc. » se relient à ce qui précède. Pourquoi l'Époux se cache et ne se laisse pas trouver.

1. « Dans mon petit lit, au long des nuits, j'ai cherché celui qu'aime mon âme[a1]. » L'Époux n'est pas revenu ; il n'a pas obéi à la voix et au désir de l'épouse qui le rappelait. Pourquoi ? Pour que le désir s'accroisse, pour que l'affection soit mise à l'épreuve, pour que l'amour soit stimulé. Sans aucun doute, c'est là un jeu de cache-cache, et non une marque d'indignation. Mais il nous reste à chercher si celui qui n'est pas venu lorsqu'il a été appelé se laissera trouver lorsqu'il sera cherché. Car le Seigneur dit : « Quiconque cherche trouve[b]. » Or, voici les paroles du rappel : « Reviens ! Sois semblable, mon bien-aimé, à la gazelle et au faon des cerfs[c]. » L'Époux n'est pas revenu à cette voix, certes pour les raisons déjà dites. Du coup l'épouse qui l'aime est devenue encore plus désireuse de lui ; elle s'est mise aussitôt à le rechercher avec une avidité ardente. D'abord, « elle le cherche dans son petit lit, mais ne le trouve point. Elle se lève alors, parcourt la ville », va

redit *per plateas et vicos*^d, et non occurrit neque apparet.
15 Interrogantur quique forte occurrerint, nihilque certi
reportatur^e. Neque vicis unius aut unius noctis quaesitio
haec et haec frustratio, cum dicat ista quia *quaesivi per
noctes*^f. Quid hoc desiderii est ardoris, ut surgens de nocte
publicum non erubescat, percurrat civitatem, percunc-
20 tetur palam et passim de dilecto, atque a vestigandis
semitis eius nulla valeat ratione averti, nulla praepediri
difficultate, non tempestivae retineri amore quietis, non
sponsae verecundia, non vel *timore nocturno*^g ? Et tamen
in his omnibus *frustrata* est usque adhuc *a desiderio
25 suo*^h. Quare ? Quid sibi vult pertinax haec et diuturna
fraudatio, taediorum nutrix, suspicionum fomes, impati-
entiae fax, noverca amoris, mater desperationis ? Si adhuc
dissimulatio est, nimis et molesta.

2. Esto quod pie utiliterque interim fuerit dissimu-
latum, donec in sola adhuc vocatione seu revocatione
res erat. Nunc vero cum requiritur, et ita requiritur,
quid iam conferre poterit dissimulatio ? *Si* de carna-
5 libus sponsis et pudendis amoribus *quaestio est*, sicut
litteralis superficies praelusisse videtur, et *si* inter illos
talia contingere queant, mea non interest : *ipsi viderint*^a ;
quod si *animarum quaerentium Dominum*^b mentibus et
affectibus, pro quantulocumque posse meo, respondere et
10 satisfacere me oportet, eruendum sane *de Scriptura sancta,
in qua se vitam habere*^c confidunt, eo vitale aliquid quo
spirituale, ut *edant pauperes et saturentur, et vivant corda*

---

d. Cant. 3, 1-2 ≠   e. Cf. Cant. 3, 3   f. Cant. 3, 1 ≠   g. Ps.
90, 5   h. Ps. 77, 30 ≠
2. a. Act. 18, 15 ≠   b. Lam. 3, 25 ≠   c. Jn 5, 39 ≠

---

1. Bernard ne fait que rarement allusion au sens profane ou charnel
que peut avoir le Cantique. Cf. pourtant *SCt* 61, 2 (*SC* 472, p. 244,
n. 3).

et vient « par les places et les ruelles[d] » ; il ne vient pas à sa rencontre et n'apparaît pas. Elle interroge tous ceux qu'elle rencontre et n'obtient aucun renseignement sûr[e]. Et ce n'est pas une seule fois ou une seule nuit que se produit cette quête et cette déception, puisqu'elle dit : « J'ai cherché au long des nuits[f]. » Quel est ce désir si ardent qu'elle se lève la nuit et ne rougit pas de se montrer en public, de parcourir la ville, de s'enquérir ouvertement et partout de son bien-aimé ? Aucune raison ne peut la détourner de le suivre à la trace, aucune difficulté ne peut l'en empêcher ; elle ne se laisse pas retenir par l'amour du repos nocturne, ni par sa pudeur d'épouse, ni même « par les frayeurs de la nuit[g] ». Pourtant, avec tout cela, elle a été « déçue » jusqu'ici « dans son désir[h] ». Pourquoi ? Que signifie cette déception longtemps renouvelée, nourrice d'ennuis, foyer de soupçons, brandon d'impatience, marâtre de l'amour, mère du désespoir ? Si c'est encore un jeu de cache-cache de la part de l'Époux, il est bien pénible.

2. Admettons que l'Époux se soit caché pour un temps, dans une intention bonne et salutaire, tant que l'épouse se limitait à l'appeler ou à le rappeler. Mais maintenant qu'elle le recherche, et avec quelle insistance ! à quoi bon se cacher encore ? « S'il est question » ici d'amants charnels et de honteuses amours, comme la lettre du texte semble l'annoncer, et s'ils s'adonnent entre eux à de tels jeux, cela m'est indifférent : « c'est leur affaire[a] [1] ». Mais s'il me faut répondre et satisfaire, selon mes faibles moyens, aux attentes et aux désirs « des âmes qui cherchent le Seigneur[b] », je dois tirer « de l'Écriture Sainte, où elles comptent trouver la vie[c] », une nourriture d'autant plus vitale qu'elle est plus spirituelle, afin que « les pauvres mangent et soient rassasiés, et que leurs

eorum[d]. Et quid tam cordium vita, quam Dominus meus
Iesus, de quo aiebat qui eo vivebat, quia *cum Christus*
15 *apparuerit vita vestra, tunc et vos apparebitis cum illo
in gloria*[e] ? Ipse ergo ad medium veniat, quo et nobis
veraciter dici possit : *Medius autem vestrum stetit, quem
vos nescitis*[f]. Quamquam nescio quomodo non sciatur a
spiritualibus Sponsus spiritus, qui tamen ita in Spiritu
20 profecerunt, ut possint dicere cum Propheta : *Spiritus ante
faciem nostram Christus Dominus*[g], et cum Apostolo : *Et
si cognovimus Christum secundum carnem, sed nunc iam
non novimus*[h]. Nonne is est quem sponsa quaerebat ? Is
vere est Sponsus, et amans, et amabilis. Is, inquam, vere
25 Sponsus : sicut *caro eius vere est cibus et sanguis eius vere
est potus*[i], et totum quod de ipso est, vere est, quando
ipse est non aliud sane quam ipsa *Veritas*[j].

3. Verum is Sponsus quid est quod *non invenitur
quaesitus*, cum requiratur tam studiose et impigre, nunc
quidem *in lectulo*, nunc vero *in civitate*, aut etiam *in
plateis vel vicis*[a], ipse autem dicat : *Quaerite, et invenietis*[b],
5 et : *Qui quaerit invenit*[c], Propheta quoque loquatur ad
eum : *Bonus es, Domine, animae quaerenti te*[d], et item
sanctus Isaias : *Quaerite Dominum dum inveniri potest*[e] ?

---

d. Ps. 21, 27 ≠   e. Col. 3, 4 ≠   f. Jn 1, 26 ≠   g. Lam. 4,
20 (Patr.)   h. II Cor. 5, 16 ≠   i. Jn 6, 56 ≠   j. Jn 14, 6 ≠
3. a. Cant. 3, 1-2 ≠   b. Matth. 7, 7   c. Matth. 7, 8   d. Lam.
3, 25 ≠   e. Is. 55, 6

---

1. *Lam.* 4, 20 (LXX). Cf. *SCt* 72, 5, p. 123 (*SBO* II, p. 228, l. 13-
14) et note.
2. * *Lam.* 3, 25 d. Cf. supra p. 57, n. 3 sur *SCt* 69, 8.

cœurs vivent[d] ». Et qu'est la vie des cœurs sinon mon Seigneur Jésus, dont l'Apôtre, qui vivait de lui, disait : « Quand le Christ, votre vie, paraîtra, alors vous aussi, vous paraîtrez avec lui dans la gloire[e] » ? Qu'il vienne lui-même au milieu de nous, pour qu'on puisse nous dire en vérité, à nous aussi : « Au milieu de vous se tient celui que vous ne connaissez pas[f]. » Encore que je ne sache pas comment l'Époux Esprit pourrait n'être pas connu des hommes spirituels, qui sont déjà si avancés dans l'Esprit qu'ils peuvent dire avec le Prophète : « Le Christ Seigneur est Esprit devant notre face[g 1] », et avec l'Apôtre : « Même si nous avons connu le Christ selon la chair, maintenant nous ne le connaissons plus ainsi[h]. » N'est-ce pas lui que l'épouse cherchait ? Il est vraiment l'Époux, aimant et aimable. Il est, dis-je, vraiment l'Époux : comme « sa chair est vraiment une nourriture et son sang est vraiment une boisson[i] », tout ce qui est de lui est en vérité, puisque lui-même n'est autre chose que « la Vérité[j] » en personne.

3. Or, comment se fait-il que cet Époux « ne se laisse pas trouver quand il est cherché », et surtout quand il est cherché avec un tel désir et un tel empressement, tantôt « dans le petit lit », tantôt « dans la ville », ou même « dans les places et les ruelles[a] » ? Il a pourtant dit lui-même : « Cherchez, et vous trouverez[b] », et : « Celui qui cherche, trouve[c]. » Le Prophète à son tour lui dit : « Tu es bon, Seigneur, pour l'âme qui te cherche[d 2] », et le bienheureux Isaïe[3] de son côté : « Cherchez le Seigneur tant qu'il se laisse trouver[e]. » « Comment s'accompliront

---

3. *Sanctus Isaias,* « le saint prophète Isaïe ». Cf. *SCt* 25, 8 (*SC* 431, p. 272) ; *SCt* 71, 13, *supra* p. 105 ; *Ep* 228, 2 (*SBO* VIII, p. 99, l. 23). Cf. aussi *SCt* 41, 5, *SC* 452, p. 199 et 71, 4, *supra* p. 87, *sanctus patriarcha Iacob.*

Quomodo implebuntur Scripturae[f]? Neque enim quae hic inducitur quaerens, una est ex his quibus ipse ait :
10 *Quaeretis me, et non invenietis[g].*

II. Quod tres sunt causae quibus quaerentes frustrantur ab inventione : tempus, et tepor, et locus.

249   Sed attendite tres esse causas, quae interim occurrunt, et quaerentes frustrari solent, cum aut videlicet non tempore quaerunt, aut non sicut oportet, aut non ubi oportet. Si enim omne tempus aptum est ad quaerendum, 5 cur ergo dicit Propheta, quod iam memoravi : *Quaerite Dominum dum inveniri potest ?* Erit absque dubio cum inveniri non poterit ; et ideo addit ut invocetur *dum prope est[h]*, quoniam futurum est iam non prope futurum. A quo enim tunc non requiretur ? *Mihi,* inquit, *curvabitur omne* 10 *genu[i]* etc. Nec tamen invenietur ab impiis, quos ultores angeli arcebunt profecto, et *tollent ne videant gloriam Dei[j].* Frustra inclamabunt et *fatuae virgines* : minime prorsus iam ad eas exit, *clausa ianua[k].* Sibi proinde dictum putent illae : *Quaeretis me, et non invenietis[l].*

4. Ceterum *nunc tempus acceptabile, nunc dies salutis[a]* sunt : tempus plane et quaerendi, et invocandi, quando plerumque, et antequam invocetur, adesse sentitur. Audi denique quid polliceatur : *Antequam me invocetis,* 5 inquit, *dicam : Ecce, adsum[b].* Nec latuit benignitas haec

---

f. Matth. 26, 54   g. Jn 7, 34   h. Is. 55, 6 ≠   i. Is. 45, 23 ≠
j. Is. 26, 10 ≠   k. Matth. 25, 2.10 ≠   l. Jn 7, 34
4. a. II Cor. 6, 2   b. Is. 58, 9 (RB)

1. *Is.* 26, 10. Cf. *supra* p. 121, n. 2 sur *SCt* 72, 5.

les Écritures[f] ? » Car l'âme qui est ici montrée en quête n'est pas de celles à qui lui-même dit : « Vous me chercherez et vous ne me trouverez pas[g]. »

II. Il y a trois causes qui empêchent les chercheurs de trouver l'Époux : le temps, l'indolence, le lieu.

Remarquez qu'il y a trois causes qui parfois surviennent et qui d'ordinaire égarent les chercheurs : c'est qu'ils ne cherchent pas l'Époux dans le temps qu'il faut, ou de la manière qu'il faut, ou là où il faut. Si n'importe quel temps était propice à la recherche, pourquoi le Prophète dirait-il ces paroles que j'ai déjà citées : « Cherchez le Seigneur tant qu'il se laisse trouver » ? Sans aucun doute il y aura un temps où il ne se laissera pas trouver. Si le Prophète ajoute qu'il faut l'invoquer « tant qu'il est proche[h] », c'est qu'un temps viendra où il ne sera plus si proche. Car qui ne le cherchera pas alors ? « Devant moi, dit-il, tout genou fléchira[i] » etc. Mais il ne sera pas trouvé par les impies : les anges vengeurs les repousseront et les « retrancheront pour qu'ils ne voient pas la gloire de Dieu[j] [1] ». C'est en vain que crieront aussi « les vierges folles » : il ne sort point désormais à leur rencontre, « la porte est close[k] ». Qu'elles estiment alors que c'est pour elles qu'il a été dit : « Vous me chercherez et vous ne me trouverez pas[l]. »

4. Or, « c'est maintenant le temps favorable, ce sont maintenant les jours du salut[a]. » Oui, c'est le temps de chercher et d'invoquer, lorsque bien souvent, avant même d'invoquer le Seigneur, on perçoit sa présence. Bref, écoute sa promesse : « Avant que vous m'invoquiez, je dirai : Me voici[b] [2]. » Cette bonté du Seigneur et cette

---

2. La *RB* combine aussi les deux phrases d'*Isaïe* 65, 24 et 58, 9. Voir *RB* (éd. Schmitz) p. 43, 43-44, prologue 18.

et facultas temporis quod nunc est, illum qui in Psalmo loquitur : *Desiderium pauperum exaudivit Dominus, praeparationem cordis eorum audivit auris tua*[c]. Quod si per bona opera quaeritur Deus, ergo *dum tempus*
10 *habemus operemur bonum ad omnes*[d], praesertim quia Dominus aperte praenuntiat *venire noctem, quando nemo potest operari*[e]. Tunc aliud ad quaerendum Deum, *ad operandum quod bonum est*[f], reperturus es tibi tempus *in saeculis venturis*[g], praeter hoc quod *constituit tibi Deus,*
15 *in quo recordetur tui*[h] ? Et ideo *dies salutis*[i], quia in his ipse *Deus, rex noster ante saecula, operatus est salutem in medio terrae*[j].

5. I ergo tu, et in medio gehennae exspectato *salutem,* quae iam *facta est in medio terrae*[a]. Quam tibi somnias proventuram inter *ardores sempiternos*[b] facultatem veniam promerendi, cum iam transiit *tempus miserendi*[c] ? Non
250 5 relinquitur tibi *hostia pro peccatis*[d], *mortuo in peccatis*[e]. Non *crucifigitur iterum Filius Dei*[f] : *mortuus est semel, iam non moritur*[g]. Non descendit ad inferos *sanguis, qui effusus est super terram*[h]. *Biberunt omnes peccatores terrae*[i] ; non est quod sibi ex eo vindicent daemones
10 ad restinguendos focos suos ; sed neque homines *socii daemoniorum*[j]. Semel illo descendit, non sanguis, sed

---

c. Ps. 9, 38   d. Gal. 6, 10   e. Jn 9, 4 ≠   f. Éphés. 4, 28
≠   g. Hébr. 6, 5 ≠   h. Job 14, 13 ≠   i. II Cor. 6, 2   j. Ps. 73, 12 ≠
5. a. Ps. 73, 12 ≠   b. Is. 33, 14 ≠   c. Ps. 101, 14   d. Hébr. 10, 26 ≠   e. Jn 8, 24 ≠   f. Hébr. 6, 6 ≠   g. Rom. 6, 10.9   h. Matth. 23, 35   i. Ps. 74, 9 ≠   j. I Cor. 10, 20 ≠

---

1. Bernard s'adresse certainement à Origène. Dans la phrase suivante, il fait allusion à la doctrine de l'apocatastase. Origène pensait que Dieu, à la fin des temps, se réconcilierait toute l'humanité et toute la création. L'Église a rejeté cette doctrine, parce qu'elle est proche de l'idée de réincarnation. Mais il est regrettable qu'Origène soit relégué ici à la géhenne et donc considéré comme hérétique. Pourtant, Bernard sait que

vertu du temps présent n'ont pas échappé au Psalmiste qui dit : « Le Seigneur a exaucé le désir des pauvres ; ton oreille a entendu leur cœur : ils étaient prêts[c]. » Si c'est par les bonnes œuvres qu'on cherche Dieu, alors, « tant que nous disposons de temps, travaillons pour le bien de tous[d] ». Surtout que le Seigneur nous avertit expressément : « La nuit vient, où personne ne peut travailler[e]. » Et toi, pour chercher Dieu, « pour travailler au bien[f] », trouveras-tu « dans les siècles à venir[g] » un autre temps que celui que « Dieu t'a assigné pour se souvenir de toi[h] » ? Voilà pourquoi « ce sont les jours du salut[i] » : parce qu'en ces jours-là « Dieu lui-même, notre roi avant les siècles, a accompli le salut au milieu de la terre[j] ».

5. Quant à toi, va donc attendre au milieu de la géhenne « le salut qui est déjà accompli au milieu de la terre[a 1] ». Quelle est cette possibilité de mériter le pardon dont tu rêves qu'elle te sera offerte parmi « les flammes éternelles[b] », quand « le temps de la miséricorde[c] » sera désormais passé ? Il ne te reste plus « aucun sacrifice pour les péchés[d] », « à toi qui es mort dans les péchés[e] ». « Le Fils de Dieu n'est pas crucifié une deuxième fois[f] » ; « il est mort une fois, il ne meurt plus[g]. » « Le sang qui a été répandu sur la terre[h] » ne descend pas aux enfers. « Tous les pécheurs de la terre l'ont bu[i] » ; il n'en reste pas une goutte que les démons puissent réclamer pour éteindre leurs flammes ; et pas davantage les hommes devenus « les compagnons des démons[j] ». Ce n'est pas le sang du Christ, mais son âme qui descendit une fois

les écrits d'Origène sont pour lui une source d'inspiration. Parfois, il fait lire une homélie d'Origène pendant l'office, ce qui suscite les murmures (*grunnitus*) de quelques moines (*SBO* VI-1 p. 228, l. 10-20). Il parle négativement d'Origène à deux autres endroits : *SCt* 54, 3 (*SC* 472, p. 106, l. 12 et n. 1) et dans *Ep* 190, 3 (*SBO* VIII, p. 20, l. 8-9).

anima ; et haec portio eorum *qui in carcere erant*[k]. Una
illa visitatio, quae tunc facta est per praesentiam animae,
cum corpus penderet exanime super terram. *Sanguis*
15 *aridam rigavit, sanguis infudit terram et inebriavit eam*[l] ;
sanguis quae in terra et quae in caelis sunt pacificavit[m],
non autem et quae apud inferos : nisi quod semel illo,
ut dixi, anima eius excurrit, et *fecit* ex parte *redemptio-*
nem[n], ne vel eo momenti vacaret opera pietatis ; sed *ultra*
20 *non adiciet*[o]. Ergo *nunc tempus acceptabile*[p] et aptum ad
quaerendum, in quo plane *qui quaerit invenit*[q], si tamen
ubi, et uti oportet, quaerit. Et haec una causa quae
impedire potest, *ne inveniatur* Sponsus *a quaerentibus*
se[r], cum non quaerunt *in tempore opportuno*[s]. At non ea
25 impedit sponsam, nempe invocantem et quaerentem in
tempore. Sed ne illa quidem eum tepide aut negligenter
seu perfunctorie quaerit ; nam corde ardenti et omnino
infatigabiliter quaerit, plane ut decet.

III. Quod in hoc loco frustrationis causa fuerit locus.

6. Restat ut de tertia videamus, ne videlicet ubi non
decet quaerat. *In lectulo meo quaesivi quem diligit anima*
mea[a]. An forte non in lectulo quaerendus erat, sed in
lecto, quippe cui orbis angustus est ? Sed non horreo
5 lectulum, qui novi parvulum : *Parvulus* denique *natus est*
nobis[b]. *Exsulta tu et lauda, habitatio Sion, quia magnus*

---

k. I Pierre 3, 19   l. Is. 34, 7 ≠ ; 55, 10 ≠   m. Col. 1, 20 ≠
n. Lc 1, 68   o. Nah. 1, 15 ≠   p. II Cor. 6, 2   q. Matth. 7, 8
r. Jn 7, 36 ≠   s. Ps. 31, 6
     6. a. Cant. 3, 1 ≠   b. Is. 9, 6 ≠

là-bas ; ce fut le partage des esprits « détenus en prison[k] ». Unique fut cette visite, qui se fit alors par la présence de son âme, tandis que le corps inanimé était suspendu à la croix sur la terre. « Le sang » arrosa la terre aride, « le sang trempa la terre et l'enivra[l] ». « Le sang établit dans la paix ce qui est sur la terre et ce qui est dans les cieux[m] », non pas ce qui est aux enfers. Cependant, comme j'ai déjà dit, l'âme du Christ y fit cette unique incursion et y « accomplit une rédemption[n] » partielle, afin que même à ce moment-là elle ne restât sans faire œuvre de bonté. Mais « elle n'en fera pas davantage[o] ». « C'est donc maintenant le temps favorable[p] » et propice à la recherche, le temps où, sans aucun doute, « celui qui cherche trouve[q] », pourvu qu'il cherche là où il faut et de la manière qu'il faut. La seule cause qui peut empêcher que l'Époux « ne soit trouvé par ceux qui le cherchent[r] », c'est qu'ils ne le cherchent pas « en temps opportun[s] ». Or, ce n'est pas cette cause-là qui empêche l'épouse, puisqu'elle invoque et cherche l'Époux en temps voulu. Mais elle ne le cherche pas non plus avec tiédeur ou avec négligence ou légèreté ; car elle le cherche d'un cœur fervent et sans jamais se lasser, exactement comme il faut.

III. Dans ce passage, la cause de la déception de l'épouse a été le lieu.

6. Il nous reste à voir la troisième cause : si elle le cherche là où il ne faut pas. « Dans mon petit lit, j'ai cherché celui qu'aime mon âme[a]. » Serait-ce qu'elle ne devait pas le chercher dans un petit lit, mais dans un lit, lui pour qui l'univers est trop étroit ? Mais ce petit lit ne me déplaît pas ; je sais, moi, que l'Époux est tout petit : « Un petit enfant nous est né[b]. Exulte et chante des louanges, toi qui habites Sion, car il est grand au

in medio tui sanctus Israel[c]. At isdem *Dominus in Sion magnus*[d], apud nos *parvulus*, apud nos *infirmus*[e] repertus est, ex uno iacere, ex altero et in lectulo iacere habens.
10 Annon lectulus tumulus ? Annon lectulus praesepium ? Annon lectulus uterus Virginis ? Neque enim magni Patris uterus lectulus est, sed lectus magnus, de quo ad Filium : *Ex utero,* inquit, *ante luciferum genui te*[f]. Quamquam ne lectus quidem forsitan digne censendus
15 sit uterus ille, qui regentis potius quam iacentis est locus. Manens enim in Patre, regit cum Patre universa. Denique non iacere, sed *sedere ad dexteram Patris*[g] Filium fides indubitata habet ; et ipse *caelum sibi sedem esse*[h], non lectum, perhibet, ut scias in suis illum, id est in
20 superis, nequaquam solatia habere infirmitatis, sed potestatis insignia.

7. Merito proinde sponsa ponens lectulum, dicit suum, quia omne *quod infirmum est Dei*[a], non de proprio inesse illi manifestum est, sed de nostro. Ex nobis assumpsit quae pro nobis sustinuit : nasci, lactari,
5 mori, sepeliri. Mea est mortalitas nati, mea infirmitas parvuli, mea exspiratio crucifixi, mea sepulti dormitio, *quae priora transierunt,* et *ecce nova sunt omnia*[b]. *In lectulo meo quaesivi quem diligit anima mea*[c]. Quid ? In tuo quaerebas, qui se iam in sua receperat ? Non *videras*
10 *Filium hominis ascendentem ubi erat prius*[d] ? Iam caelum tumulo commutavit et stabulo, et tu illum in tuo adhuc lectulo quaeris ? *Surrexit, non est hic. Quid quaeris*[e] in

---

c. Is. 12, 6 ≠   d. Ps. 98, 2   e. Cf. Is. 53, 10 ; I Cor. 1, 25 ≠
f. Ps. 109, 3   g. Ps. 109, 1 ≠   h. Is. 66, 1 ≠
7. a. I Cor. 1, 25   b. Cf. II Cor. 5, 17 ; Apoc. 21, 4-5 ≠   c. Cant.
3, 1 ≠   d. Jn 6, 63 ≠   e. Mc 16, 6 ; Lc 24, 5

milieu de toi, le saint d'Israël[c]. » Mais ce même « Seigneur qui est grand dans Sion[d] », chez nous est « tout petit », chez nous est « faible[e] » : il faut dès lors qu'il soit couché, et même couché dans un petit lit. Le tombeau n'est-il pas un petit lit ? La crèche n'est-elle pas un petit lit ? Le sein de la Vierge n'est-il pas un petit lit ? Car le sein du Père éternel n'est pas un petit lit, mais un grand lit, dont il dit au Fils : « Je t'ai engendré de mon sein avant l'astre de l'aurore[f]. » Mais peut-être le nom de lit ne peut-il pas être dignement attribué à ce sein du Père, qui est la résidence d'un roi plutôt qu'une couche. Car, demeurant dans le Père, il règne avec le Père sur l'univers. Bref, la foi tient en toute certitude que le Fils n'est pas couché, mais « assis à la droite du Père[g] ». Lui-même atteste que « le ciel est son trône[h] », non pas son lit, pour que tu saches que chez lui, c'est-à-dire dans les cieux, il n'a pas les consolations de la faiblesse, mais les insignes de la puissance.

7. C'est à juste titre que l'épouse, parlant du petit lit, l'appelle sien. Car il est évident que tout « ce qui est faible en Dieu[a] » ne lui appartient pas en propre, mais lui vient de nous. C'est à nous qu'il a emprunté ce qu'il a enduré pour nous : naître, s'allaiter, mourir, être enseveli. Mienne est la condition mortelle du nouveau-né, mienne la faiblesse du tout-petit, mien le dernier soupir du crucifié, mien le sommeil du sépulcre. « Ces choses anciennes ont passé ; voici que tout est nouveau[b]. » « Dans mon petit lit, j'ai cherché celui qu'aime mon âme[c]. » Quoi ? Tu cherchais dans ton petit lit celui qui était déjà revenu chez lui ? « N'avais-tu pas vu le Fils de l'homme monter là où il était auparavant[d] ? » Il a déjà échangé pour le ciel le tombeau et l'étable, et tu le cherches encore dans ton petit lit ? « Il est ressuscité, il n'est pas ici. Pourquoi cherches-tu[e] » dans un lit celui

lecto fortem, in lectulo magnum, clarificatum in stabulo ?
Introivit in potentias Domini[f], *decorem induit et fortitu-*
15 *dinem*[g] ; et ecce, *sedet super Cherubim*[h] qui sub lapide
iacuit. Ex hoc iam non iacet, sed sedet ; et tu tamquam
iacenti subsidia paras ? Sive, ut absolutior veritas sit, aut
sedet iudicans, aut stat adiuvans[i].

8. Sic vos, o bonae mulieres, cuinam, quaeso, excubias
exhibetis ? Cui *aromata comparatis, paratis unguenta*[a] ? *Si
sciretis* quantus is sit, quamquam sit *inter mortuos liber*[b]
mortuus iste, quem ungere pergitis, *vos forsitan petissetis*
5 *ab eo*[c] potius ungi. Nonne iste est, quem *unxit Deus suus
oleo laetitiae prae consortibus suis*[d] ? *Beatae eritis*[e] vos, si
gloriari potueritis revertentes, et dicere quia *de plenitudine
eius* et *nos accepimus*[f]. Enimvero *factum est ita*[g] : nam
revera unctae remeant quae uncturae venerant. Quidni
10 unctae tam laeto nuntio novae odoriferaeque resurrectionis ? *Quam speciosi pedes evangelizantium pacem,
evangelizantium bona*[h] ! Missae ab angelo opus faciunt
evangelistae[i], factaeque apostolae Apostolorum, dum
252   festinant *ad annuntiandum mane misericordiam* Domini[j],
15 dicunt : *In odore unguentorum tuorum currimus*[k]. Ex tunc

---

f. Ps. 70, 16 ≠   g. Ps. 92, 1 ≠   h. Ps. 98, 1   i. Cf. Matth.
25, 31 ; cf. Act. 7, 55
8. a. Lc 23, 56 ≠   b. Ps. 87, 6   c. Jn 4, 10 ≠   d. Ps. 44, 8 ≠
e. Lc 6, 22 ≠   f. Jn 1, 16 ≠   g. Gen. 1, 7   h. Rom. 10, 15
i. Cf. Matth. 28, 7   j. Ps. 91, 3 ≠   k. Cant. 1, 3 (Patr.)

---

1. Le titre « Apôtre des Apôtres » est réservé ailleurs à Marie Madeleine.
Cf. Thomas a Kempis, *Orationes de passione* 3, 15 (Pohl III, 396, 27).
Plus tard sainte Clotilde († 545) sera appelée *Francorum apostola*.
2. * *Cant.* 1, 3 Patr. Vingt-cinq fois environ, Bernard cite ce verset,
ou y fait allusion. Chaque fois, c'est avec cet ajout au texte critique :
in odore unguentorum tuorum. Le plus souvent, il écrit *odore,* et non
odorem. L'une et l'autre divergence avec notre texte édité se lisaient
alors, tant dans les bibles que dans les textes patristiques (Jérôme,

qui est fort, dans un petit lit celui qui est grand, dans une étable celui qui est dans la gloire ? « Il est entré dans la puissance du Seigneur[f], il s'est revêtu d'éclat et de force[g] » ; voici qu'« il siège sur les Chérubins[h] », celui qui gisait sous la pierre du tombeau. Désormais il ne gît plus, il siège ; et toi, tu lui prépares des secours comme à un gisant ? Ou mieux, pour être tout à fait dans la vérité, soit il siège pour juger, soit il se tient debout pour secourir[i].

8. Et vous, saintes femmes, je vous le demande : pour qui montez-vous ainsi la garde ? Pour qui « achetez-vous des aromates, préparez-vous des parfums[a] » ? « Si vous saviez » combien grand est ce mort que vous allez embaumer, « libre » bien qu'il soit « parmi les morts[b] », « c'est vous peut-être qui lui auriez plutôt demandé[c] » de répandre sur vous des onguents. N'est-ce pas lui que « son Dieu a oint d'une huile d'allégresse de préférence à ses compagnons[d] » ? « Heureuses serez-vous[e] » si, en revenant, vous pouvez vous glorifier et dire : « De sa plénitude nous avons, nous aussi, reçu[f]. » « Il en fut bien ainsi[g] » : celles qui étaient venues pour embaumer s'en retournent tout embaumées. Comment ne seraient-elles pas embaumées par l'annonce si joyeuse de la résurrection toute récente et odoriférante ? « Qu'ils sont beaux les pieds de ceux qui annoncent la paix, qui annoncent de bonnes nouvelles[h] ! » Envoyées par l'ange, elles font œuvre d'évangélistes[i] ; devenues apôtres des Apôtres [1], tandis qu'elles se hâtent « d'annoncer dès l'aube la miséricorde » du Seigneur[j], elles disent : « Nous courons à l'odeur de tes parfums[k] [2]. » Dès lors, et pour la suite des

---

Ambroise, Grégoire le Grand, etc.) ou liturgiques. Cf. *SC* 414, p. 208, n. 3 (*SCt* 9, 6). De plus, sur les 15 citations, seules celle-ci et celle de *Gra* ont *currimus,* au présent, et non le futur *curremus.*

ergo et deinceps, frustra in lectulo quaesitus est Sponsus,
quia *etsi cognoverat eum* Ecclesia *secundum carnem*, id est
secundum *carnis infirmitatem, sed nunc iam non novit*[l].
Denique quaesitus est postmodum a Petro et Ioanne
20 identidem in sepulcro, sed minime inventus[m]. Vide tu,
utrumne apte et competenter quisque horum tunc dicere
quiverit : *In lectulo meo quaesivi, quem diligit anima
mea ; quaesivi, et non inveni illum*[n]. Nempe itura ad
Patrem[o] caro quae non erat ex Patre, prius per gloriam
25 resurrectionis omne infirmum se exuit, *accinxit potentia*[p],
induit lumine sicut vestimento[q] ; in quali nimirum gloria
et ornatu decuit eam paternis aspectibus praesentari.

**IV. Cur dictum sit : *Quem diligit anima mea*, et quae sunt
noctes per quas Sponsum quaesiverit.**

9. Pulchre vero sponsa, non « quem diligo ego », sed
quem diligit anima mea[a] inquit, quod vere et proprie ad
solam pertineat animam illa dilectio qua aliquid spiritualiter diligit, verbi gratia Deum, angelum, animam. Sed et
5 *diligere iustitiam*[b], veritatem, pietatem, sapientiam virtu-
tesque alias, eiusmodi est. Nam cum *secundum carnem*[c]
quippiam diligit, vel potius appetit, anima, verbi gratia
cibum, vestimentum, dominium, et quae istiusmodi
sunt corporalia sive terrena, carnis potius quam animae
10 amor dicendus est. Et hoc pro eo quod sponsa minus
usitate, sed non minus proprie, animam suam Sponsum
diligere dicit, monstrans perinde spiritum esse Sponsum,
et a se non carnali, sed spirituali amore diligi. Et bene

---

l. II Cor. 5, 16 ≠ ; Rom. 6, 19 ≠   m. Cf. Jn 20, 3   n. Cant. 3,
1 ≠   o. Cf. Jn 14, 28   p. Ps. 64, 7 ≠   q. Ps. 103, 2 ≠
9. a. Cant. 3, 1   b. Ps. 44, 8 ≠   c. Rom. 8, 5

---

1. *Cant.* 3, 1. Après Pâques, le lieu où il faut chercher Dieu n'est plus
« le petit lit » du tombeau, mais la gloire de la Résurrection.

temps, c'est en vain que l'Époux est cherché dans un petit lit. « Même si l'Église l'avait connu selon la chair », c'est-à-dire selon « l'infirmité de la chair, maintenant elle ne le connaît plus ainsi[1] ». Aussi a-t-il été cherché ensuite par Pierre et Jean également au sépulcre, mais il n'a pas été trouvé[m]. Vois si chacun d'eux n'aurait pu dire alors très justement : « Dans mon petit lit, j'ai cherché celui qu'aime mon âme ; je l'ai cherché et je ne l'ai pas trouvé[n1]. » Oui, pour aller au Père[o], cette chair qui n'était pas du Père s'est d'abord dépouillée de toute faiblesse par la gloire de la résurrection ; « elle s'est ceinte de puissance[p] et s'est drapée de lumière comme d'un vêtement[q] ». Dans cette gloire et cette parure, elle a été digne de se présenter aux regards paternels.

IV. Pourquoi est-il dit : « Celui qu'aime mon âme. » Quelles sont ces nuits au long desquelles l'épouse a cherché l'Époux.

9. C'est avec finesse que l'épouse ne dit pas : « celui que j'aime », mais : « celui qu'aime mon âme[a] ». Car, à proprement parler, c'est à l'âme seule qu'appartient l'amour par lequel elle aime quelque chose spirituellement, par exemple Dieu, un ange ou une âme. Mais il en va de même pour « l'amour de la justice[b] », de la vérité, de la piété, de la sagesse et des autres vertus. Lorsque l'âme aime, ou mieux convoite, quelque chose « selon la chair[c] », par exemple un mets, un vêtement, un domaine, et d'autres biens de ce genre, corporels ou terrestres, il faut dire que cet amour relève de la chair plutôt que de l'âme. Voilà pourquoi l'épouse, d'une façon moins habituelle mais non moins exacte, dit que son âme aime l'Époux. Elle montre par-là que l'Époux est esprit et qu'elle l'aime d'un amour non charnel mais spirituel. Et

per noctes[d] eum se quaesisse ait. Nam si, iuxta Paulum,
15 *qui dormiunt, nocte dormiunt, et qui ebrii sunt, nocte*
ebrii sunt[e], ita non absurde, ut opinor, dici potest quod
qui ignorant, nocte ignorent, ac per hoc qui quaerunt,
nocte quaerant. Quis enim quaerat quod palam habet[f] ?
Porro dies palam facit quod nox abscondit, ut reperias
20 in die quod in nocte quaesieras. Nox est itaque donec
quaeritur Sponsus, quoniam si dies esset, de medio fieret[g],
et minime quaereretur. Et de hoc satis ; nisi forte nume-
rositas haec noctium adhuc aliquid quaerendum signet,
quia non « noctem », sed *noctes* posuit.

253 **10.** Et mihi videtur, si tu melius non habes, talis inde
posse ratio reddi. Habet mundus iste noctes suas, et non
paucas. Quid dico, quia noctes habet mundus, cum pene
ipse totus sit nox, et totus semper versetur in tenebris ?
5 Nox est iudaica perfidia, nox ignorantia paganorum,
nox haeretica pravitas, nox etiam catholicorum carnalis
*animalis*ve conversatio. Annon nox, ubi *non percipiuntur*
ea quae sunt Spiritus Dei[a] ? Sed et apud haereticos vel
schismaticos, quot sectae, tot noctes. Frustra per has
10 noctes *iustitiae solem*[b] et lumen quaeritis veritatis, id est
Sponsum, quia nulla *societas luci ad tenebras*[c]. Sed dicit
aliquis, quod non sit tam stulta tamve caeca sponsa, ut
quaerat *lumen in tenebris*[d], quaerat dilectum apud ignorantes et qui non diligunt eum. Quasi vero se per noctes
15 nunc quaerere dicat, et non potius quaesisse. Non ait

d. Cant. 3, 1   e. I Thess. 5, 7   f. Cf. Rom. 10, 20   g. Cf. II Thess.
2, 7
10. a. I Cor. 2, 14 ≠   b. Mal. 4, 2 ≠   c. II Cor. 6, 14   d. Jn
1, 5 ≠

1. *Iudaica perfidia.* L'expression est d'AMBROISE, *Epist.* V, 18, § 14,
CSEL 82-1, p. 135, l. 136 ; cf. l'ancien missel romain, Vendredi saint
parmi les oraisons avant l'adoration de la Croix.
2. * L'association de *caecus* et de *stultus* se trouve déjà chez Quintilien,
Cyprien, Lactance, Ambroise, Augustin.

c'est fort à propos qu'elle dit l'avoir cherché « au long des nuits[d] ». Car, selon Paul, « ceux qui dorment, dorment de nuit, et ceux qui s'enivrent, s'enivrent de nuit[e]. » Aussi peut-on dire sans absurdité, à mon sens, que ceux qui ignorent, ignorent de nuit et, par suite, que ceux qui cherchent, cherchent de nuit. Qui chercherait ce qu'il possède manifestement[f] ? Or le jour rend manifeste ce que la nuit cache, si bien que tu trouves de jour ce que tu avais cherché de nuit. Il fait donc nuit tant qu'on cherche l'Époux, car s'il faisait jour, il se montrerait[g] et on ne le chercherait pas. En voilà assez sur ce point ; à moins que ce pluriel « nuits » ne nous signale qu'il faut encore poursuivre la recherche. Car l'épouse n'a pas dit : « au long de la nuit », mais : « au long des nuits ».

10. En voici la raison, me semble-t-il, si tu n'en as pas de meilleure. Ce monde-ci a ses nuits, et elles ne sont pas en petit nombre. Que dis-je, le monde a ses nuits ? Il est presque tout entier une nuit, et il est tout entier toujours plongé dans les ténèbres. C'est une nuit que la perfidie des juifs[1], une nuit que l'ignorance des païens, une nuit que la perversion des hérétiques, une nuit aussi que la vie charnelle et « animale » des catholiques. N'est-ce pas la nuit, lorsqu'« on ne perçoit pas ce qui appartient à l'Esprit de Dieu[a] » ? Mais aussi chez les hérétiques et les schismatiques, il y a autant de nuits que de sectes. En vain vous cherchez au long de ces nuits « le soleil de justice[b] » et la lumière de la vérité, c'est-à-dire l'Époux, car il n'y a aucune « alliance entre la lumière et les ténèbres[c] ». Mais quelqu'un dira que l'épouse n'est pas si insensée ou si aveugle[2] qu'elle cherche « la lumière dans les ténèbres[d] » et le bien-aimé chez ceux qui l'ignorent et ne l'aiment pas. Comme si elle disait qu'elle le cherche maintenant au long des nuits, et non pas qu'elle l'a cherché. Elle ne dit pas : « Je cherche »,

« quaero », sed : *Quaesivi per noctes quem diligit anima mea*[e]. Et est sensus : quia *cum esset parvula, sapiebat ut parvula, cogitabat ut parvula*[f], et *quaerebat veritatem*[g] ubi non erat, errans et *non inveniens*[h], iuxta illud in 20 Psalmo : *Erravi sicut ovis quae periit*[i]. Denique in lectulo se memorat tunc adhuc esse, tamquam aetate imbecillem ac parvulam sensu.

11. Si tamen ita construas : *In lectulo meo* – subaudis « existens » vel « iacens » – *quaesivi quem diligit anima mea*[a], non quaesivi in lectulo, sed ens in lectulo quaesivi ; hoc est : cum adhuc infirma et invalida forem, et omnino 5 minus idonea *sequi* Sponsum *quocumque iret*[b], sequi ad ardua et excelsa sublimitatis illius, incidi in multos qui, cognoscentes desiderium meum, dicebant mihi : *Ecce hic est Christus, ecce illic*[c] est ; et neque hic, neque illic erat. Incidi autem, *et non ad insipientiam mihi*[d]. Nam 10 quo propius accessi et exploravi diligentius, eo citius certiusque *cognovi veritatem*[e] apud eos minime esse. *Quaesivi* enim *et non inveni*[f], et deprehendi noctes, qui se dies mentiebantur.

12. Et dixi : *Surgam, et circuibo civitatem ; per vicos et plateas quaeram quem diligit anima mea*[a]. Intuere vel nunc, quia iacet quae dicit : *Surgam*. Pulchre omnino. Quidni surgeret, cognito de resurrectione dilecti ? 5 Ceterum, o beata, *si consurrexisti cum Christo, quae sursum sunt sapias* oportet, *non quae deorsum* ; sed *sursum quaeras* necesse est, *Christum, ubi sedet in dextera Patris*[b]. Sed *circuibo,* ais, *civitatem.* Ad quid ? *In circuitu impii ambu-*

254

---

e. Cant. 3, 1 ≠   f I Cor. 13, 11 ≠   g. Dan. 7, 16 ≠   h. Lc 11, 24   i. Ps. 118, 176
11. a. Cant. 3, 1   b. Apoc. 14, 4 ≠   c. Mc 13, 21   d. Ps. 21, 3   e. Jn 8, 32 ≠   f. Cant. 3, 1
12. a. Cant. 3, 2   b. Col. 3, 1-2 ≠

mais : « J'ai cherché au long des nuits celui qu'aime mon âme[e]. » Et voici le sens : « Lorsqu'elle était enfant, elle pensait comme un enfant, elle raisonnait comme un enfant[f] » et « cherchait la vérité[g] » là où elle n'était pas. Elle errait et « ne trouvait pas[h] », selon cette parole du Psaume : « J'ai erré comme une brebis perdue[i]. » Aussi se souvient-elle qu'alors elle était encore dans un petit lit, étant d'âge tendre et d'intelligence enfantine.

11. Précisément, tu peux construire ainsi la phrase : « Dans mon petit lit – sous-entendu « étant » ou « étant couchée » – j'ai cherché celui qu'aime mon âme[a]. » Non pas : j'ai cherché dans le petit lit, mais : étant dans le petit lit, j'ai cherché. C'est-à-dire, lorsque j'étais encore faible et sans force, absolument incapable « de suivre l'Époux partout où il irait[b] », de le suivre jusqu'aux hautes cimes escarpées de sa sublimité, j'ai rencontré bien des gens qui, connaissant mon désir, me disaient : « Le Christ est ici, le Christ est là[c]. » Or, il n'était ni ici, ni là. J'ai rencontré ces gens, « et cela n'a pas tourné à ma confusion[d] ». Car plus je me suis approchée d'eux, plus je les ai examinés avec soin, plus « j'ai reconnu », vite et sûrement, que « la vérité[e] » n'était point chez eux. « Je l'ai cherchée et ne l'ai pas trouvée[f] », et j'ai démasqué la nuit sous les faux-semblants du jour.

12. Alors j'ai dit : « Je me lèverai, et je parcourrai la ville ; dans les ruelles et sur les places je chercherai celui qu'aime mon âme[a]. » Remarque maintenant qu'elle est couchée, puisqu'elle dit : « Je me lèverai. » C'est fort bien dit. Comment ne se lèverait-elle pas, à la nouvelle de la résurrection du bien-aimé ? Mais, âme bienheureuse, « si tu es ressuscitée avec le Christ, il faut que tu savoures les réalités d'en haut, non celles d'ici-bas ; il faut que tu cherches le Christ là-haut, où il est assis à la droite du Père[b] ». Mais tu dis : « Je parcourrai la ville. » Pourquoi ?

lant[c]. Iudaeis istud relinquito, quibus proprius eorum
10 Propheta hoc vaticinatus est, quia *famem patientur ut
canes, et circuibunt civitatem*[d]. *Et si introieris in civitatem,*
secundum Prophetam alium, *ecce attenuati fame*[e], quod
utique non esset, si in ea fuisset *panis vitae*[f]. Surrexit
de corde terrae[g], sed super terram non remansit. *Ascendit*
15 autem *ubi erat prius*[h]. Nam *qui descendit, ipse est et qui*
ascendit[i], *panis vivus qui de caelo descendit*[j], idem ipse
Sponsus Ecclesiae, Iesus Christus Dominus noster, *qui*
est super omnia Deus benedictus in saecula. Amen[k].

c. Ps. 11, 9   d. Ps. 58, 7   e. Jér. 14, 18 ≠   f. Jn 6, 35
g. Matth. 12, 40 ≠   h. Jn 6, 63 ≠   i. Éphés. 4, 10   j. Jn 6,
41 ≠   k. Rom. 9, 5

« Ce sont les impies qui tournent en rond[c]. » Laisse cela aux juifs, car leur propre Prophète leur a prédit qu'« ils souffriront la faim comme des chiens et parcourront la ville[d] ». « Et si tu entres en ville, dit un autre Prophète, les voici exténués par la faim[e] », ce qui n'arriverait certes pas, si « le pain de vie[f] » s'y trouvait. Le Seigneur s'est levé « du cœur de la terre[g] », mais il n'est pas resté sur la terre. « Il est monté là où il était auparavant[h]. » Car « celui qui est descendu, c'est le même qui est aussi monté[i], le pain vivant qui est descendu du ciel[j]. » Il est lui-même l'Époux de l'Église, Jésus-Christ notre Seigneur, « qui est au-dessus de tout, Dieu béni dans les siècles. Amen[k]. »

SERMO LXXVI

I. Quomodo sponsa per vicos et plateas quaesivit Sponsum, et quare frustra, cum in caelum ipse redierit. – II. Quomodo Pater Filium glorificet vel Filius Patrem. – III. Quomodo fides invenit quem intellectus non capit, et de vigilibus qui custodiunt civitatem Dei, quodque ipsa est sponsa, ipsa oves. – IV. Quid ad custodiam civitatis, quid ad ornatum sponsae vel ovium pastum pertinet, qualisque ad haec eligi debet.

I. Quomodo sponsa per vicos et plateas quaesivit Sponsum, et quare frustra, cum in caelum ipse redierit.

1. *Per vicos et plateas quaeram quem diligit anima mea*[a]. Adhuc *ut parvula sapit*[b]. Puto arbitrata est, egressum de tumulo publicum mox petiisse, ut solito doceret populos[c] ac *sanaret infirmos*[d], et ut *manifestaret gloriam suam*[e] in
5 Israel, si forte reciperent resurgentem de morte[f], qui se recepturos promittebant descendentem de cruce[g]. Verum ille *perfecerat opus, quod sibi dederat Pater ut faceret*[h], quod ista intellexisse debuerat vel ex voce pendentis, illa scilicet qua illico exspiraturus ait : *Consummatum*
10 *est*[i]. Non erat iam quod se denuo crederet turbis[j], quae nec sic forsitan erant in eum crediturae. Et festinabat ad Patrem, qui sibi diceret : *Sede a dextris meis, donec ponam*

255

---

1. a. Cant. 3, 2   b. I Cor. 13, 11 ≠   c. Cf. Lc 5, 3   d. Lc 9, 2 ≠   e. Jn 2, 11 ≠   f. Cf. Lc 16, 31   g. Cf. Matth. 27, 42 h. Jn 17, 4 ≠   i. Jn 19, 30   j. Cf. Jn 2, 24

---

1. La première désillusion de la jeune Église après Pâques : la résurrection du Christ ne coïncide pas avec la manifestation publique du Royaume de Dieu.

SERMON 76

I. Comment l'épouse a cherché l'Époux dans les ruelles et sur les places, et pourquoi ce fut en vain, puisqu'il était retourné au ciel. – II. Comment le Père glorifie le Fils et le Fils, le Père. – III. Comment la foi trouve celui que l'intelligence ne saisit pas. Les veilleurs qui gardent la ville de Dieu. Cette ville est à la fois l'épouse et les brebis. – IV. Ce qui correspond à la sécurité de la ville, à la parure de l'épouse et à la nourriture des brebis. Qui doit être choisi pour ces tâches.

I. Comment l'épouse a cherché l'Époux dans les ruelles et sur les places, et pourquoi ce fut en vain, puisqu'il était retourné au ciel.

1. « Dans les ruelles et sur les places je chercherai celui qu'aime mon âme[a]. » L'épouse « pense encore comme une enfant[b 1] ». A mon avis, elle a cru qu'une fois sorti du tombeau, l'Époux s'était aussitôt montré en public, pour enseigner les foules[c] et « guérir les malades[d] », selon son habitude, et pour « manifester sa gloire[e] » en Israël : car ceux qui promettaient de l'accueillir au cas où il descendrait de la croix[g] l'accueilleraient peut-être à sa résurrection d'entre les morts[f]. Mais il « avait achevé l'œuvre que le Père lui avait donnée à faire[h] ». L'épouse aurait dû le comprendre, ne fût-ce qu'à cette parole du crucifié prononcée en expirant : « Tout est consommé[i]. » Désormais, il n'avait plus aucune raison de se livrer une deuxième fois aux foules[j] qui, même alors, n'auraient peut-être pas cru en lui. Et il se hâtait de rejoindre le Père, qui lui dirait : « Assieds-toi à ma droite, jusqu'à ce

inimicos tuos scabellum pedum tuorum[k]. Fortius nempe atque divinius, *cum exaltatus fuerit a terra, omnia trahet* 15 *ad seipsum*[l]. Haec autem *per vicos et plateas* quaerendum putavit, fruendi avida, sed ignara mysterii. Iterum ergo frustrata repetit dicens : *Quaesivi illum et non inveni*[m], *ut sermo impleretur quem dixit*[n] : *Quia vado ad Patrem, et iam non videbitis me*[o].

2. Dicat forsitan ista : « *Quomodo ergo credent in eum quem non* videbunt[a] ?» Quasi *fides* ex visu sit, et non potius *ex auditu*[b]. Quid magni est credere quod videris, et tuis non negare oculis fidem, quid laudis meretur ? Sed 5 *si quod non videmus speramus, per patientiam exspectamus*[c] ; et patientia meritum est. *Beati* denique *qui non viderunt, et crediderunt*[d]. Perinde *ut non evacuetur*[e] meritum fidei, subducat se visui, dans virtuti locum. Etiam et tempus est, ut iam in suum sese recipiat. Quaeris in quem suum ? In 10 dexteram Patris[f]. Neque enim *rapinam arbitrabatur esse se aequalem Deo, cum sit in forma Dei*[g]. Ergo is sit Unigeniti locus, in quo omnis eius iniuria propulsata videatur. Sedeat sane iuxta, non infra, *ut omnes honorificent Filium, sicut honorificant Patrem*[h]. In hoc apparebit maiestatis 15 aequalitas, si nec inferiorem Patre, nec posteriorem suspexeris. At ista interim nihil horum advertit ; sed quasi ebria prae amore hac illacque discurrens, quaerit oculis quem iam oculus non contingit, sed fides. Non enim existimat *Christum* aliter *oportere intrare in gloriam* 20 *suam*[i], nisi prius, resurrectionis gloria palam mundo

---

k. Ps. 109, 1   l. Jn 12, 32 ≠   m. Cant. 3, 2   n. Jn 18, 9 ≠ o. Jn 16, 10 ≠
2. a. Rom. 10, 14 ≠   b. Rom. 10, 17 ≠   c. Rom. 8, 25   d. Jn 20, 29   e. I Cor. 1, 17   f. Cf. Col. 3, 1   g. Phil. 2, 6 ≠   h. Jn 5, 23   i. Lc 24, 26 ≠

---

1. La foi naît de l'écoute et non de la vue. Bernard a souligné plusieurs fois l'importance de l'ouïe. Voir *SCt* 28, 7-8 (*SC* 431, p. 354-363) ; *SCt* 53, 2 (*SC* 472, p. 82, n. 1).

que je fasse de tes ennemis l'escabeau de tes pieds[k]. » Car, « une fois élevé de terre », il aura une force plus grande et plus divine « pour attirer tout à lui[l] ». Cependant l'épouse, avide de jouir mais non initiée au mystère, a cru qu'il fallait le chercher « dans les ruelles et sur les places ». A nouveau déçue, elle répète : « Je l'ai cherché et je ne l'ai pas trouvé[m]. » « Ainsi devait s'accomplir la parole qu'il avait dite[n] : Je vais au Père et vous ne me verrez plus[o]. »

2. L'épouse dira peut-être : « Comment croiront-ils en celui qu'ils ne verront pas[a] ? » Comme si « la foi » naissait de la vue, et non plutôt « de l'écoute[b 1] ». Qu'y a-t-il d'extraordinaire à croire ce que tu vois ? Ne pas refuser d'ajouter foi à tes yeux : quelle louange cela mérite-t-il ? Mais « si nous espérons ce que nous ne voyons pas, nous l'attendons avec patience[c] » ; et la patience est un mérite. En effet, « Bienheureux ceux qui, sans avoir vu, ont cru[d]. » Ainsi, « pour que » le mérite de la foi « ne soit pas anéanti[e] », il faut que le Seigneur se dérobe à la vue, faisant place à la vertu. De plus, il est temps pour lui de se retirer désormais chez lui. Tu me demandes où est son chez-soi ? A la droite du Père[f]. Car « il ne considérait pas comme une usurpation d'être l'égal de Dieu, étant de condition divine[g]. » C'est là la place du Fils unique, à l'abri de toute injure. Oui, qu'il s'assoie à côté du Père, non au-dessous, « afin que tous honorent le Fils comme ils honorent le Père[h] ». C'est en ceci que paraîtra l'égalité de majesté : si tu ne regardes pas le Fils comme inférieur au Père, ni comme venant après lui. Mais pour l'instant l'épouse ne perçoit rien de tout cela. Comme ivre d'amour, elle court de-ci, de-là ; elle cherche des yeux celui qu'on n'atteint plus par l'œil, mais par la foi. Elle estime que « le Christ ne doit pas entrer dans sa gloire[i] » sans que la gloire de sa résurrection, ouvertement

innotescente, confutetur impietas, exsultent fideles, gloriantur discipuli, populi convertantur, demumque ab universis glorificetur ipse, cum ex praesentia resurgentis cunctis claruerit veritas praedicentis. Falleris, o sponsa :
25 *oportet* quidem *haec fieri*[j], sed in tempore.

3. Nunc vero interim vide, ne forte id dignum magis et supernae consentaneum iustitiae sit, si *non detur*
256   *sanctum canibus et margaritae porcis*[a], si potius, secundum Scripturam, *tollatur impius, ne videat gloriam Dei*[b], si
5 non fraudetur fides merito, quae tunc sane *probatior* esse dignoscitur, cum *creditur quod non videtur*[c], si penes ipsam servetur dignis quod occultatur indignis, ut *qui in sordibus sunt sordescant adhuc et iusti iustificentur magis*[d], si non *dormitent prae taedio*[e] caeli, et
10 caeli caelorum tabescant[f] *et confundantur ab exspectatione sua*[g], si non ipse Pater omnipotens diutius iam *frustretur a desiderio* cordis *sui*[h], si non demum Unigenitus ultra ab introitu gloriae suae, quod vel solum indignissimum est, aliquatenus retardetur. Quanti putas aestimanda sit
15 gloria quantacumque mortalium, ut ab ea quae a Patre suo ab aeterno parata est, debeat eum vel ad modicum retinere ?

II. Quomodo Pater Filium glorificet vel Filius Patrem.

Adde quod nulla ratione in longius protrahi decet ipsius Filii petitionem. Quam dicam petitionem, quaeris. Nempe illam, qua dicit : *Pater, clarifica Filium tuum*[i]. Quod tamen eum petiisse senserim, non ut supplicem,

---

j. Matth. 24, 6 ≠
3. a. Matth. 7, 6 ≠   b. Is. 26, 10 (LXX)   c. Jn 20, 29 ≠
d. Apoc. 22, 11 ≠   e. Ps. 118, 28 ≠   f. Cf. Is. 34, 4   g. Ps. 118, 116 ≠   h. Ps. 77, 30 ≠   i. Jn 17, 1

---

1. * *Is.* 26, 10. Cf. *supra* p. 120, n. 2 sur *SCt* 72, 5.

manifestée au monde, n'ait d'abord réfuté l'impiété, réjoui les fidèles, glorifié les disciples, converti les peuples ; bref, sans que lui-même ne soit universellement glorifié. Car la présence du ressuscité rendra lumineuse pour tous la vérité de ses prophéties. Tu te trompes, épouse ; « il faut certes que cela arrive[j] », mais en son temps.

3. En attendant, considère un peu s'il n'est pas plus convenable et plus conforme à la justice divine que « ce qui est saint ne soit pas donné aux chiens ni les perles jetées aux porcs[a] ». Il vaut mieux, selon l'Écriture, « que l'impie soit retranché, pour qu'il ne voie pas la gloire de Dieu[b 1] ». Il ne faut pas que la foi soit frustrée de son mérite, car elle est certes reconnue comme « plus pure lorsqu'on croit ce qu'on ne voit pas[c] ». En elle est réservé pour ceux qui en sont dignes ce qui est caché aux indignes, afin que « ceux qui vivent dans les souillures se souillent encore plus et que les justes soient rendus plus justes[d] ». Il ne faut pas que les cieux « languissent d'ennui[e] » et que les cieux des cieux se consument[f] « et soient déçus dans leur attente[g] » ; que le Père tout-puissant lui-même « soit frustré » plus longtemps « du désir de son » cœur[h] ; enfin, que le Fils unique voie retardée, si peu que ce soit, l'entrée dans sa gloire, car cela seul serait déjà très indigne. A ton avis, quel cas faut-il faire de la gloire des mortels, si grande soit-elle, pour qu'elle retienne tant soit peu le Fils d'entrer dans la gloire que son Père lui a préparée de toute éternité ?

II. Comment le Père glorifie le Fils et le Fils, le Père.

De plus, il ne faut pour aucune raison différer plus longtemps l'exaucement de la prière du Fils lui-même. Tu demandes quelle est cette prière dont je parle. Bien sûr, celle où il dit : « Père, glorifie ton Fils[i]. » A mon sens, il a demandé cela non en suppliant, mais en ayant

5 sed ut praescium. Libere petitur quod in potestate
petentis accipere est. Ergo dispensatoria Filii petitio est,
non necessaria : quippe donantis cum Patre quidquid a
Patre acceperit.

4. Ubi et hoc dicendum, quia non solum Pater clarificat Filium, sed et Filius clarificat Patrem : ne quis dicat
Filium minorem Patre, quasi qui a Patre clarificetur, cum
et ipse clarificet Patrem, dicente Filio : *Pater, clarifica*
5 *Filium tuum, ut Filius tuus clarificet te*[a]. Sed forte adhuc
submittendum putes Filium, quod quasi inglorius videatur
a Patre recipere claritatem, quam demum Patri refundat.
Audi quia non est ita : *Clarifica me*, inquit, *Pater, claritate*
quam habui, priusquam mundus fieret, apud te[b]. Si ergo
10 claritas Filii posterior non est, utpote quae ab aeterno est,
ex aequo se clarificant Pater et Filius. Et si ita est, ubi
Patris primatus ? Aequalitas profecto est, ubi coaeternitas
est. Et usque adeo aequalitas, ut una sit claritas amborum,
sicut ipsi unum sunt[c]. Unde mihi videtur dicendo rursum :
15 *Pater, clarifica nomen tuum*[d], non sane aliud petere quam se
clarificari, in quo et per quem nomen Patris procul dubio
clarificaretur, et responsum accepit a Patre : *Et clarificavi,*
et iterum clarificabo[e]. Quae quidem ipsa responsio non
parva Filii glorificatio fuit. Ceterum abundantius ad fluenta
20 Iordanis augustiusque clarificatus dignoscitur, et Ioannis
testimonio, et columbae designatione[f], et *voce dicentis :*
Hic est Filius meus dilectus[g]. Sed et in monte coram tribus
discipulis[h] nihilominus magnificentissime clarificatus est,

---

4. a. Jn 17, 1   b. Jn 17, 5 ≠   c. Jn 17, 22 ≠   d. Jn
12, 28 ≠   e. Jn 12, 28   f. Cf. Jn 1, 32   g. Matth. 3, 17 ≠
h. Cf. Matth. 17, 1

---

1. Bernard reprend ici la doctrine orthodoxe du Concile de Nicée
(325) et rejette toute forme de subordination pour la personne du Fils.
Dans ce contexte, il parle du baptême de Jésus et de la transfiguration
sur le mont Thabor.

la prescience de l'avenir. Il demande librement ce qu'il est en son pouvoir d'obtenir. La prière du Fils n'est pas nécessaire, elle est conforme à l'économie du salut : car il donne avec le Père tout ce qu'il a reçu du Père.

4. A ce propos il faut dire encore ceci : non seulement le Père glorifie le Fils, mais aussi le Fils glorifie le Père. Que personne ne dise que le Fils est inférieur au Père, comme étant glorifié par le Père ; puisque lui aussi glorifie le Père. C'est le Fils qui le dit : « Père, glorifie ton Fils, pour que ton Fils te glorifie[a]. » Mais peut-être vas-tu penser que le Fils doit être mis au-dessous du Père, puisqu'il paraît ne pas avoir de gloire propre et recevoir du Père la gloire qu'il renverrait au Père à son tour. Entends pourquoi il n'en va pas ainsi. Le Fils dit : « Glorifie-moi, Père, de la gloire que j'avais près de toi avant que le monde fût fait[b]. » Si la gloire du Fils n'est pas postérieure, étant de toute éternité, c'est que le Père et le Fils se glorifient sur un pied d'égalité[1]. Et s'il en est ainsi, où est la primauté du Père ? Il y a certes égalité là où il y a coéternité. Et l'égalité est telle que leur gloire à tous deux est une, « comme eux-mêmes ne sont qu'un[c] ». D'où il résulte, à mon avis, qu'en disant encore : « Père, glorifie ton nom[d] », le Fils ne demande pas autre chose que d'être glorifié lui-même, puisque c'est en lui et par lui que le nom du Père sera assurément glorifié. Et il reçut du Père cette réponse : « Je l'ai glorifié et je le glorifierai encore[e]. » Cette réponse fut par elle-même une glorification non médiocre du Fils. Mais il fut glorifié plus amplement et plus solennellement près des eaux du Jourdain par le témoignage de Jean, par la colombe qui le désigna[f] et « par la voix du Père disant : Celui-ci est mon Fils bien-aimé[g]. » Pareillement sur la montagne, en présence des trois disciples[h], il fut glorifié avec la plus grande magnificence, tant « par la même voix à nouveau

cum *voce* eadem denuo *ad se caelitus delapsa*[i], tum mira
25 illa eximiaque transfiguratione corporis sui, tum etiam
Prophetarum attestatione duorum, qui ibidem *appa-
ruerunt cum eo loquentes*[j].

5. Superest ergo ut, iuxta promissum Patris, semel
adhuc clarificetur[a], eaque erit plenitudo gloriae, cui non
queat amplius addi. Sed ubi illa dabitur benedictio ?
Non enim, ut ista suspicata est, *in plateis vel vicis*[b], nisi
5 forte in illis de quibus dicitur : *Plateae tuae, Ierusalem,
sternentur auro mundo, et per omnes vicos tuos alleluia
cantabitur*[c]. In his revera illam recepit a Patre claritatem[d],
cui non poterit similis inveniri[e], ne in caelestibus quidem.
*Cui enim aliquando angelorum dictum est : Sede a dextris
10 meis*[f] ? Non modo autem de numero angelorum, sed
nec de superioribus quidem reliquis beatorum ordinibus
omnino quis repertus idoneus est ad capessendam supe-
rexcellentem hanc gloriam. Ad neminem prorsus illorum
facta est vox illa gloriae singularis, nemini vocis in se effi-
15 cientiam experiri datum. *Sive Throni, sive Dominationes,
sive Principatus, sive Potestates*[g], profecto *desiderant in
eum prospicere*[h], non se illi comparare praesumunt. Igitur
Domino meo singulariter *a Domino* et *dictum* et datum est
sedere a dextris gloriae ipsius[i], utpote in gloria coaequali,
20 in essentia consubstantiali, pro generatione consimili,

---

i. II Pierre 1, 17 ≠   j. Matth. 17, 3 ≠
5. a. Jn 12, 28 ≠   b. Cant. 3, 2 ≠   c. Tob. 13, 22 (Lit.)
d. Cf. II Pierre 1, 17   e. Cf. II Chr. 6, 14   f. Hébr. 1, 5.13 ≠
g. Col. 1, 16   h. I Pierre 1, 12 ≠   i. Ps. 109, 1 ≠

---

1. * *Tob.* 13, 22 Lit. « Tes places... et dans toutes tes ruelles.... »
(Plateae... et per vicos...). Bernard a usé 6 fois dans son œuvre de ce
verset de *Tobie,* devenu, à vrai dire, le répons de matines *Plateae tuae,*
du mercredi de la 4ᵉ semaine après Pâques (R.-J. HESBERT, *Corpus
Antiphonalium Officii,* t. 4, Rome 1970, n° 7390). En *SCt* 75, 1, l. 14,
p. 182, tout en commentant *Cant.* 3, 1, Bernard a employé « places et
ruelles », qui se trouve seulement en *Cant.* 3, 3 ; il a repris ces mots

descendue sur lui des cieux[i] » que par la merveilleuse et extraordinaire transfiguration de son corps ; et aussi par le témoignage des deux Prophètes qui « apparurent là en conversation avec lui[j] ».

5. Il ne reste plus que, selon la promesse du Père, le Fils « soit glorifié encore[a] » une fois, et ce sera la plénitude de la gloire, à laquelle plus rien ne pourra être ajouté. Mais où sera donnée cette bénédiction ? Non pas, comme l'épouse se l'est imaginé, « sur les places et dans les ruelles[b] », à moins qu'il ne s'agisse de celles dont il est dit : « Tes places, Jérusalem, seront pavées d'or pur, et dans toutes tes ruelles on chantera alléluia[c][1]. » Oui, c'est là que le Fils a reçu du Père une gloire telle[d] qu'il ne s'en trouvera jamais de pareille[e], pas même dans les esprits célestes. « Auquel des anges, en effet, a-t-il jamais été dit : Assieds-toi à ma droite[f] ? » Personne, non seulement parmi les anges, mais aussi parmi tous les autres ordres supérieurs des esprits bienheureux, personne n'a jamais été jugé capable de recevoir cette gloire souveraine. Oui, cette parole messagère d'une gloire singulière ne s'est adressée à aucun d'entre eux ; aucun n'a reçu le don d'expérimenter en soi-même l'efficacité de cette parole. « Trônes et Dominations, Principautés et Puissances[g] désirent certes plonger en lui leurs regards[h] », mais n'osent pas se comparer à lui. C'est donc « à mon Seigneur » seulement que « le Seigneur a dit » et donné « de s'asseoir à la droite de sa gloire[i] » ; car il lui est égal en gloire, consubstantiel par essence, semblable à cause

---

5 fois dans les pages suivantes, avant de bifurquer vers ce répons de l'Office qui comporte les mêmes mots en une autre insertion. Procédé certes habituel, banal, mais ici assorti de multiples nuances. Ainsi, à la bifurcation elle-même, ces simples mots *nisi forte...* (« à moins qu'il ne s'agisse ») nous font passer de l'épouse du roi Salomon, princesse de ce monde, à la Jérusalem céleste.

maiestate non dispari, aeternitate non posteriori. Ibi, ibi illum *qui quaeret inveniet*[j], et *videbit gloriam eius* : non gloriam quasi unius ceterorum, sed plane *gloriam quasi Unigeniti a Patre*[k].

III. Quomodo fides invenit quem intellectus non capit, et de vigilibus qui custodiunt civitatem Dei, quodque ipsa est sponsa, ipsa oves.

6. Quid facies, o sponsa ? Putas potes sequi eum illuc ? Aut te ingerere audes vel vales huic tam sancto arcano, tamque arcano sanctuario, ut *Filium in Patre et Patrem* intuearis *in Filio*[a] *?* Non utique. Ubi ille est, *tu non potes*
5 *venire modo ; venies autem postea*[b]. Age tamen, sequere, quaere ; nec te illa *inaccessibilis* claritas[c] vel sublimitas a quaerendo deterreat, ab inveniendo desperet. *Si potes credere, omnia possibilia* sunt *credenti*[d]. *Prope est,* inquit, *verbum in ore tuo et in corde tuo*[e]. Crede, et invenisti. Nam
10 credere invenisse est. Norunt fideles *habitare Christum per fidem in cordibus suis*[f]. Quid propius ? Quaere ergo secura, quaere devota. *Bonus est Dominus animae quaerenti se*[g]. Quaere votis, sequere actis, fide inveni. Quid non inveniat fides ? Attingit inaccessa, deprehendit
15 ignota, comprehendit immensa, apprehendit novissima, ipsam denique aeternitatem suo illo vastissimo sinu quodammodo circumcludit. Fidenter dixerim : aeternam beatamque Trinitatem, quam non intelligo, credo, et fide teneo quam non capio mente.

---

j. Matth. 7, 8 ≠   k. Jn 1, 14 ≠
6. a. Jn 10, 38 ≠ ; Jn 14, 10 ≠   b. Jn 13, 36 ≠   c. I Tim. 6, 16 ≠   d. Mc 9, 22 ≠   e. Rom. 10, 8   f. Éphés. 3, 17 ≠ g. Lam. 3, 25 ≠

1. « Les fidèles savent que le Christ habite en leurs cœurs par la foi. » Citation implicite de Grégoire le Grand : *Quia in ea domo Deus per fidem habitare coeperat,* « Puisque Dieu avait commencé d'habiter cette demeure par la foi » (*In Ezech.* I, 10, 197, *CCL* 142, p. 128).

de la génération, point différent en majesté ni postérieur dans l'éternité. C'est là, c'est là que « celui qui le cherche le trouvera[j] » et « verra sa gloire » : non la gloire d'un parmi tant d'autres, mais bien « la gloire qu'il tient du Père comme Fils unique[k] ».

III. Comment la foi trouve celui que l'intelligence ne saisit pas. Les veilleurs qui gardent la ville de Dieu. Cette ville est à la fois l'épouse et les brebis.

6. Que vas-tu faire, épouse ? Crois-tu pouvoir le suivre jusque-là ? Oseras-tu, pourras-tu pénétrer dans ce secret si saint, et dans ce sanctuaire si secret, pour contempler « le Fils dans le Père et le Père dans le Fils[a] » ? Certes non. Là où il est, « tu ne peux pas venir maintenant ; tu viendras plus tard[b] ». Pourtant, courage ! Suis-le, cherche-le ; que sa « lumière » et sa hauteur « inaccessibles[c] » ne te détournent pas de le chercher, ne te fassent pas désespérer de le trouver. « Si tu peux croire, tout est possible à celui qui croit[d]. Proche est la Parole, est-il dit, dans ta bouche et dans ton cœur[e]. » Crois, et tu as trouvé. Car croire, c'est avoir trouvé. Les fidèles savent que « le Christ habite en leurs cœurs par la foi[f 1] ». Quoi de plus proche ? Cherche avec assurance, cherche avec ferveur. « Le Seigneur est bon pour l'âme qui le cherche[g 2]. » Cherche-le par tes désirs, suis-le par tes actes, trouve-le par la foi. Que ne trouverait la foi ? Elle atteint l'inaccessible, découvre l'inconnu, comprend l'immensité, saisit les réalités dernières ; bref, elle enferme en quelque sorte dans son vaste sein l'éternité même. Je le dirai hardiment : sans la comprendre, je crois en l'éternelle et bienheureuse Trinité, et je tiens par la foi ce que je ne saisis pas par l'intelligence.

---

2. * *Lam.* 3, 25 : cf. *supra* p. 184, n. 2.

7. Sed dicit aliquis : « *Quomodo credet sine praedicante*[a], cum *fides ex auditu* sit, *auditus per verbum*[b] praedicationis ?* » *Deus* hoc *providebit*[c]. Et ecce iam praesto sunt qui novam sponsam, caelesti nupturam Sponso[d], de quibus oportet, instruant et informent, fidem doceant, formam pietatis ac religionis tradant. Audi namque quid adiciat : *Invenerunt me vigiles, qui custodiunt civitatem*[e]. Qui enim vigiles ii ? Nempe illi quos Salvator in Evangelio *beatos* pronuntiat, *si, cum venerit, invenerit vigilantes*[f]. Quam boni vigiles qui, nobis dormientibus, *ipsi pervigilant, quasi rationem pro animabus nostris reddituri*[g] ! Quam boni custodes, qui vigilantes animo atque *in orationibus pernoctantes*[h], hostium insidias explorant, anticipant consilia malignantium[i], deprehendunt laqueos, eludunt tendiculas, retiacula dissipant, machinamenta frustrantur ! *Hi sunt fratrum amatores et populi* Christiani, *qui multum orant pro populo et universa sancta civitate*[j]. Hi sunt qui multum solliciti pro sibi commissis dominicis ovibus, *cor suum tradunt ad vigilandum diluculo ad Dominum qui fecit illos, et in conspectu Altissimi deprecantur*[k]. Et vigilant et deprecantur, scientes suam insufficientiam in custodienda civitate, et quia *nisi Dominus custodierit civitatem, frustra vigilat qui custodit eam*[l].

259   **8.** Porro cum Dominus ita praecipiat : *Vigilate et orate, ne intretis in tentationem*[a], liquet quod absque duplici hoc exercitio fidelium studioque custodum, non potest esse

---

7. a. Rom. 10, 14 ≠   b. Rom. 10, 17   c. Gen. 22, 8 ≠ d. Cf. Apoc. 21, 2   e. Cant. 3, 3   f. Lc 12, 37 ≠   g. Hébr. 13, 17 ≠   h. Lc 6, 12 ≠   i. Cf. Ps. 82, 4 ; cf. Ps. 25, 5   j. II Macc. 15, 14 ≠   k. Sir. 39, 6 ≠   l. Ps. 126, 1
8. a. Matth. 26, 41 ≠

---

1. « Les bons gardiens qui veillent spirituellement et passent la nuit

7. Mais quelqu'un dira : « Comment l'épouse croira-t-elle si personne ne prêche[a], puisque la foi naît de l'écoute, l'écoute se fait par la prédication de la parole[b] ? » « Dieu y pourvoira[c]. » Voici que déjà se présentent ceux qui vont instruire et renseigner la nouvelle épouse, destinée à l'Époux céleste[d], de tout ce qu'elle doit savoir. Ils lui enseigneront la foi, ils lui transmettront la pratique de la piété et de la religion. Car entends ce qu'elle ajoute : « Les veilleurs m'ont trouvée, ceux qui gardent la ville[e]. » Qui sont ces veilleurs ? Certes ceux que le Sauveur, dans l'Évangile, déclare bienheureux « si, à son arrivée, il les trouve veillant[f] ». Qu'ils sont bons ces veilleurs qui, tandis que nous dormons, « veillent toute la nuit, comme devant rendre compte de nos âmes[g] » ! Qu'ils sont bons ces gardiens qui veillent spirituellement et « passent la nuit en prière[h][1] » ! Ils surveillent les ruses des ennemis, préviennent les complots des méchants[i], découvrent les pièges, échappent aux lacets, déchirent les filets, déjouent les machinations. « Les voilà, ceux qui aiment leurs frères et le peuple chrétien : ceux qui prient beaucoup pour le peuple et pour toute la cité sainte[j]. » Les voilà, ceux qui, prenant grand soin des brebis du Seigneur qui leur sont confiées, « appliquent leur cœur à veiller dès l'aube devant le Seigneur qui les a créés et supplient en présence du Très-Haut[k] ». Ils veillent et ils supplient, connaissant leurs limites dans cette tâche de garder la ville ; ils savent que « si le Seigneur ne garde la ville, en vain la garde veille[l] ».

8. Par ailleurs, le Seigneur donne ce commandement : « Veillez et priez pour ne pas entrer en tentation[a]. » Il est clair que sans ce double exercice et ce double zèle

en prière. » Belle évocation des moines et des pasteurs comme gardiens du peuple chrétien.

secura civitas, non sponsa, non oves. Horum differentiam
5 quaeris ? Unum sunt. Civitas propter collectionem,
sponsa propter dilectionem, oves propter mansuetudinem. Vis scire hoc sponsam quod civitatem esse ? *Vidi,*
inquit, *civitatem sanctam Ierusalem novam, descendentem
de caelo a Deo, paratam tamquam sponsam ornatam viro*
10 *suo*[b]. Identidem tibi hoc et de ovibus liquido apparebit,
si recorderis primus ille custos – Petrum loquor –, cum
sibi primo oves committerentur, quam attente simul de
amore commonitus sit[c]. Quod utique tanta cura sapiens
creditor non fecisset, nisi se sentiret Sponsum, id sibi
15 utique ex intimo respondente conscientia. Audite haec,
amici Sponsi[d], si tamen amici. At parum dixi « amici » :
amicissimi sint oportet, qui privilegio tantae familiaritatis donantur. Non otiose toties repetitum est : *Petre,
amas me*[e] ? in commissione ovium. Et ego quidem id
20 significatum perinde puto, ac si illi dixisset Iesus : « Nisi
testimonium tibi perhibente conscientia[f] quod me ames,
et valde perfecteque ames, hoc est plus quam tua, plus
quam tuos, plus quam etiam te, ut huius repetitionis
meae numerus impleatur, nequaquam suscipias curam
25 hanc, nec te intromittas de ovibus meis, pro quibus
sanguis utique meus effusus est ». Terribilis sermo, et
qui possit etiam impavida quorumvis corda concutere
tyrannorum.

---

b. Apoc. 21, 2 ≠   c. Cf. Jn 21, 15-17   d. Cf. Jn 3, 29   e. Jn
21, 17 (Lit.)   f. Rom. 9, 1 ≠

1.* *Jn* 21, 17. Lit. Augustin emploie 18 fois la formule : *Petre, amas
me ?* alors que *Vg* donne : *Simon Ioannis, amas me ?* D'autre part, le
répons de matines aux deux fêtes de la chaire de S. Pierre commence
ainsi (R.-J. HESBERT, *Corpus Antiphonalium Officii*, t. 4, Rome 1970,

des fidèles gardiens, la ville ne peut être en sécurité, ni l'épouse, ni les brebis. Demandes-tu quelle différence il y a entre ces trois réalités ? Elles n'en font qu'une. « Ville » évoque le rassemblement ; « épouse », l'amour ; « brebis », la mansuétude. Veux-tu savoir comment l'épouse est la même chose que la ville ? « Je vis, est-il dit, la ville sainte, la Jérusalem nouvelle, qui descendait du ciel d'auprès de Dieu, prête comme une épouse parée pour son époux[b]. » Tu verras clairement qu'il en va de même des brebis, si tu te souviens avec quelle insistance le premier gardien – je parle de Pierre – fut exhorté à l'amour lorsque les brebis lui furent confiées pour la première fois[c]. Celui qui les lui remettait en connaissance de cause n'aurait certes pas manifesté tant de souci s'il n'avait eu des sentiments d'Époux, dont sa conscience lui rendait témoignage au plus intime de lui-même. Écoutez ceci, amis de l'Époux[d], si vraiment vous êtes ses amis. C'est trop peu dire, « amis » ; c'est amis intimes qu'il faut dire, puisqu'ils reçoivent le privilège d'une si grande familiarité. Ce n'est pas pour rien que la question : « Pierre, m'aimes-tu[e][1] ? » lui a été répétée plusieurs fois lors de la remise des brebis. Voici, à mon avis, la signification de ce fait. C'est comme si Jésus lui avait dit : « Si ʿta conscience ne te rend pas ce témoignage[f]ʾ que tu m'aimes, que tu m'aimes beaucoup et totalement, c'est-à-dire plus que tes biens, plus que tes proches, voire plus que toi-même – ce qui correspond à ma question trois fois répétée –, n'assume point cette charge et ne t'occupe pas de mes brebis, pour lesquelles mon sang a été versé. » Terrible parole, qui a de quoi ébranler même le cœur féroce de n'importe quel tyran.

n° 7382). Ajoutons que Bernard a un texte flotttant au long de ses occurrences.

9. Propterea *attendite vobis*, quicumque *opus ministerii huius sortiti estis ; attendite*, inquam, *vobis*[a] et pretioso deposito quod vobis creditum est. Civitas est : vigilate ad custodiam concordiamque. Sponsa est : studete
5 ornatui. Oves sunt : intendite pastui. Et haec tria ad illam Domini trinam sciscitationem forte non incongrue pertinere dicentur.

IV. Quid ad custodiam civitatis, quid ad ornatum sponsae vel ovium pastum pertinet, qualisque ad haec eligi debet.

Porro custodia civitatis, ut sit sufficiens, trifaria erit : a vi tyrannorum, a fraude haereticorum, a tentationibus daemonum. Sponsae vero ornatus in bonis operibus, et moribus, et ordinibus. At pastus ovium communiter
5 quidem in pascuis Scripturarum, tamquam *in hereditate* Domini[b] ; sed est distinctio in illis. Nam sunt mandata, quae duris atque carnalibus animis imponuntur ex *lege vitae et disciplinae*[c], et sunt olera dispensationum quae infirmis et pusillis corde de respectu misericordiae appo-
10 nuntur, et sunt consiliorum *solida* fortiaque quae ex intimis sapientiae proponuntur sanis, et *qui exercitatos habent sensus ad discretionem boni et mali*[d]. Parvulis namque, tamquam agniculis, adhortationis *lac potus datur, non esca*[e]. Ad haec boni sollicitique pastores
15 impinguare pecus non cessant bonis lectisque exemplis, et suis magis quam alienis. Nam si alienis et non suis,

260

---

9. a. Act. 20, 28 ; 1, 17 ≠ ; Éphés. 4, 12 ≠   b. Sir. 24, 11 ≠
c. Sir. 45, 6 ≠   d. Hébr. 5, 14 ≠   e. I Cor. 3, 1-2 ≠

1. *Habere exercitatos sensus ad discretionem boni et mali*, « Avoir les sens exercés au discernement du bien et du mal. » Cf. *SCt* 64, 6 (*SC* 472, p. 306). *Habere illuminatos oculos cordis ad discretionem boni et mali* : « Avoir les yeux du cœur assez illuminés pour discerner le bien et le mal. »

9. C'est pourquoi « prenez garde à vous-mêmes, vous tous qui avez reçu en partage la tâche de ce ministère. Prenez garde, dis-je, à vous-mêmes[a] » et au précieux dépôt qui vous a été confié. C'est une ville : veillez sur sa sécurité et sur sa concorde. C'est une épouse : prenez soin de sa parure. Ce sont des brebis : avisez à leur nourriture. Peut-être dira-t-on, non sans justesse, que ces trois réalités correspondent à la triple question du Seigneur.

IV. Ce qui correspond à la sécurité de la ville, à la parure de l'épouse et à la nourriture des brebis. Qui doit être choisi pour ces tâches.

Or, la sécurité de la ville, pour être suffisante, doit comporter une triple défense : contre la violence des tyrans, contre la ruse des hérétiques et contre les tentations des démons. La parure de l'épouse consiste dans les bonnes œuvres, les bonnes mœurs et une conduite bien ordonnée. La nourriture des brebis se trouve en général dans les pâturages des Écritures, qui sont comme « le patrimoine » du Seigneur[b] ; mais il y a une distinction à faire. Car il y a les commandements, imposés aux âmes endurcies et charnelles par « la loi de vie et de sagesse[c] » ; il y a aussi, telles des légumes, les dispenses accordées aux cœurs malades et faibles par souci de miséricorde ; il y a enfin « l'aliment solide » et ferme des conseils proposés par les profondeurs de la sagesse aux bien-portants, eux « qui ont les sens exercés au discernement du bien et du mal[d] [1] ». « Aux enfants », comme à de tendres agneaux, « on donne le lait des encouragements à boire, et non du solide[e] ». De plus, les pasteurs bons et dévoués ne cessent d'engraisser le troupeau par de bons exemples bien choisis, et plutôt par leurs propres exemples que par ceux des autres. Car s'ils le font par les exemples

ignominia est illis, et pecus ita non proficit. Si enim, verbi
causa, ego, qui videor inter vos pastoris gerere curam,
vobis apposuero Moysi mansuetudinem, patientiam Iob,
20 misericordiam Samuelis, David sanctitatem, et si qua sunt
eiusmodi exempla bonorum, immitis ipse et impatiens,
atque immisericors et minime sanctus, sermo, ut vereor,
minus sapide veniet, et vos minus avide capietis. Verum
hoc supernae pietati relinquo, ut quod minus vobis
25 ex nobis est, ipsa suppleat, et quod perperam, ipsa
corrigat. Nunc vero bonus pastor hoc quoque curabit,
ut, secundum Evangelium, inveniatur *habere sal in semetipso*[f], sciens quia *sermo sale conditus*, quantum placuerit
ad gratiam[g], tantum proderit ad salutem. Haec interim
30 de custodia civitatis atque ornatu sponsae, necnon et
pastu ovium dicta sint.

10. Volo tamen adhuc eadem paulo expressius
designare, propter eos qui, dum avide nimis honoribus
inhiant, minus provide gravibus se supponunt oneribus,
exponunt periculis, ut sciant ad quid venerint, sicut
5 scriptum est : *Amice, ad quid venisti*[a] ? Ni fallor, ad solam
civitatis custodiam, ut quantum satis est procuretur, opus
est viro forti, spirituali, fideli : forti ad propulsandas
iniurias, spirituali ad deprehendendas insidias, fideli qui
non quae sua sunt quaerat[b]. Porro autem ad mores hones-
10 tandos vel corrigendos, quod utique ad decorem pertinet
sponsae, quis non liquido agnoscat pernecessariam fore,

---

f. Mc 9, 49 ≠   g. Col. 4, 6 ≠
10. a. Matth. 26, 50   b. I Cor. 13, 5 ≠

---

1. Texte autobiographique où Bernard se montre conscient du fait
que l'exemple de sa vie bien plus que la parole de ses sermons doit
instruire et guider ses moines.

d'autrui et non par les leurs, c'est pour eux une honte, et le troupeau n'en profite pas tant. Si, par exemple, moi qui suis censé exercer parmi vous la charge de pasteur, je vous présentais la mansuétude de Moïse, la patience de Job, la miséricorde de Samuel, la sainteté de David et d'autres semblables exemples des saints, et que je fusse moi-même dépourvu de douceur et de patience, de miséricorde et surtout de sainteté, ma parole, je le crains, vous semblerait moins savoureuse, et vous en seriez moins friands[1]. Mais je laisse à la divine bonté le soin de suppléer elle-même pour vous ce qui me manque, et de corriger elle-même mes erreurs. Or, le bon pasteur fera aussi en sorte, selon l'Évangile, « d'avoir du sel en lui-même[f] ». Car il sait qu'« une parole assaisonnée de sel » est d'autant plus utile au salut qu'elle est plus « agréable à entendre[g] ». Voilà pour la sécurité de la ville, la parure de l'épouse et la nourriture des brebis.

10. Je veux cependant m'étendre un peu plus en détail sur ce point, à cause de ceux qui, trop avides d'honneurs, assument inconsidérément de lourdes charges et s'exposent à de graves dangers[2]. Il faut qu'ils sachent pourquoi ils sont venus, ainsi qu'il est écrit : « Ami, pourquoi es-tu venu[a] ? » Si je ne me trompe, rien que pour assurer à la ville une sécurité suffisante, il faut un homme fort, spirituel, fidèle. Fort pour repousser les agressions, spirituel pour découvrir les embûches, fidèle pour « ne pas chercher son avantage personnel[b] ». Puis pour améliorer ou corriger les mœurs – ce qui correspond à la beauté de l'épouse –, qui ne reconnaît clairement que la rigueur

2. Cf. Jacqueline, *Épiscopat,* p. 109-110. La citation de *Matth.* 26, 50, paroles de Jésus à Judas qui l'embrasse, est particulièrement grave en ce contexte. C'est cette même question que Bernard se posait à lui-même dès son noviciat, comme le rapporte Guillaume de Saint-Thierry, *Vita prima* I, IV, 19 (*PL* 185, 238).

261

cum multa quidem diligentia, disciplinae censuram ? Eapropter omnis, cui hoc opus incumbit, oportet ferveat zelo illo, quo accensus, praecipuus ille aemulator sponsae
15 Domini aiebat : *Aemulor vos Dei aemulatione : despondi enim vos uni viro virginem castam exhibere Christo*[c]. Iam quomodo in pascua divinorum educet eloquiorum greges dominicos pastor idiota ? Sed et si doctus quidem fuerit, non sit autem bonus, verendum ne non tam
20 nutriat doctrina uberi, quam vita sterili noceat. Temere itaque et in hac parte hoc onus subitur absque scientia pariterque vita laudabili. Sed ecce, quod non laudamus, finis indicitur, ubi non erat finis. Evocamur in materiam alteram, et cui hanc cedere indignum. Angor undique[d],
25 et quod aegrius feram ignoro, avelli ab ista an distendi in illa, nisi quod utrolibet simul utrumque molestius. O servitutem ! O necessitatem ! *Non quod volo hoc ago, sed quod odi illud facio*[e]. Notate tamen ubi desinimus, ut quam cito in id redire liberum erit, inde mox ordiamur,
30 in nomine Sponsi Ecclesiae, Iesu Christi Domini nostri, *qui est super omnia Deus benedictus in saecula. Amen*[f].

c. II Cor. 11, 2   d. Cf. Dan. 13, 22   e. Rom. 7, 19-20 ≠
f. Rom. 9, 5

de la discipline est bien nécessaire, certes avec beaucoup de sollicitude ? C'est pourquoi quiconque s'adonne à ce travail doit brûler du même zèle qui enflammait l'ami le plus jaloux de l'épouse du Seigneur et qui lui faisait dire : « Je suis jaloux pour vous de la jalousie de Dieu. Car je vous ai fiancés à un époux unique, comme une vierge chaste à présenter au Christ[c]. » Enfin, comment un pasteur ignorant pourra-t-il conduire les troupeaux du Seigneur dans les pâturages des divines Écritures ? Mais s'il est savant sans être bon, il faut craindre qu'il fasse plus de mal au troupeau par sa vie stérile qu'il ne le nourrira par tout son savoir. Aussi, dans ce domaine, est-il également téméraire d'assumer une telle charge sans la science ou sans une vie digne d'éloges. Mais – et cela me contrarie beaucoup – voici qu'on m'impose d'en finir avant d'être parvenu à la fin. Nous sommes appelés à une autre tâche, indigne de prendre le pas sur celle-ci. Je suis traqué de toutes parts[d], et j'ignore ce qui va me peiner davantage, ou de m'arracher à ma tâche présente ou de m'occuper de l'autre ; mais je sais que les deux tâches ensemble sont plus pénibles que l'une des deux. Quelle servitude ! Quelle contrainte ! « Je ne fais pas ce que je veux, et je fais ce que je déteste[e]. » Notez cependant le point où nous nous arrêtons. Dès que nous aurons la liberté d'y revenir, c'est là que nous reprendrons, au nom de l'Époux de l'Église, Jésus-Christ notre Seigneur, « qui est au-dessus de tout, Dieu béni dans les siècles. Amen[f]. »

SERMO LXXVII

I. Obiurgatio vigilium indignorum. – II. Qui vel quales sunt custodes a quibus se dicit inventam, et de veritatis amore quem per illos didicit. – III. De his qui sine duce vias vitae praesumunt, et quomodo se dicat sponsam inventam.

I. Obiurgatio vigilium indignorum.

1. Eia, expediti sumus. Diximus hesterno sermone quales *in via hac, qua ambulamus*[a], vellemus habere duces, non quales habemus. Longe dissimiles experimur. Non omnes sunt *amici Sponsi*[b] quos hodie sponsae
5 hinc inde assistere cernis, et qui, ut vulgo aiunt, eam quasi addextrare videntur. Pauci admodum sunt, qui *non quae sua sunt quaerant*[c], *ex omnibus caris eius*[d]. Diligunt munera, nec possunt pariter diligere Christum, quia manus dederunt mammonae[e]. Intuere quomodo
10 incedunt nitidi et ornati, *circumamicti varietatibus*[f], *tamquam sponsa procedens de thalamo suo*[g]. Nonne si quempiam talium repente eminus procedentem aspexeris, sponsam potius putabis quam sponsae custodem ? Unde vero hanc illis exuberare existimas rerum affluentiam,
15 vestium splendorem, mensarum luxuriem, congeriem vasorum argenteorum et aureorum[h], nisi de bonis sponsae ? Inde est quod illa *pauper et inops*[i] et nuda

262

---

1. a. Ps. 141, 4 ≠   b. Jn 3, 29 ≠   c. Lam. 1, 2   d. I Cor. 13, 5 ≠   e. Cf. Matth. 6, 24   f. Ps. 44, 15 ≠   g. Ps. 18, 6 ≠ h. Cf. Gen. 24, 53   i. Ps. 73, 21 ; cf. Ez 16, 1-62

SERMON 77

I. Réprimande à l'adresse des mauvais gardiens. – II. Qui sont et quels sont les gardiens dont l'épouse dit qu'ils l'ont trouvée. L'amour de la vérité que l'épouse a appris d'eux. – III. Ceux qui osent s'engager sans guide dans les voies de la vie. En quel sens l'épouse dit qu'elle a été trouvée.

I. Réprimande à l'adresse des mauvais gardiens.

1. Enfin, nous voici libres. Dans le sermon d'hier, nous avons dit quels guides nous voudrions avoir « sur cette route où nous marchons[a] » ; nous n'avons pas parlé de ceux que nous avons. Ceux-ci sont bien différents, nous en faisons l'expérience. Ils ne sont pas tous « amis de l'Époux[b] » ceux que tu vois aujourd'hui aux côtés de l'épouse et qui, selon l'expression populaire, semblent presque lui donner le bras. Fort peu nombreux, « parmi tous les familiers de l'épouse[c] », sont ceux qui « ne cherchent pas leur avantage personnel[d] ». Ils aiment les présents, et ne peuvent en même temps aimer le Christ, parce qu'ils se sont livrés à Mammon[e]. Regarde comme ils se pavanent, élégants et bien parés, « enveloppés d'étoffes chatoyantes[f], comme une épouse qui sort de la chambre nuptiale[g]. » Si tu aperçois soudain l'un d'eux apparaissant au loin, ne penseras-tu pas que c'est l'épouse plutôt qu'un gardien de l'épouse ? A ton avis, d'où leur vient si copieusement cette profusion de richesses, ces vêtements magnifiques, ces tables somptueuses, toute cette vaisselle d'argent et d'or[h] ? D'où, sinon des biens de l'épouse ? De là vient qu'elle est laissée là, « pauvre, misérable[i] » et

relinquitur, facie miseranda, inculta, hispida, exsangui.
Propter hoc non est hoc tempore ornare sponsam,
20 sed spoliare ; non est custodire, sed perdere ; non est
defendere, sed exponere ; non est instruere, sed prosti-
tuere ; non est *pascere gregem*[j], sed *mactare*[k] et devorare,
dicente de illis Domino : *Qui devorant plebem meam ut
cibum panis*[l], et : *Quia comederunt Iacob et locum eius*
25 *desolaverunt*[m], et in alio Propheta : *Peccata populi mei*
comedent[n], quasi dicat : « Peccatorum pretia exigunt, et
peccantibus debitam sollicitudinem non impendunt ».
Quem dabis mihi de numero praepositorum, qui non
plus invigilet subditorum vacuandis marsupiis quam vitiis
30 exstirpandis ? Ubi qui orando flectat iram, qui *praedicet*
annum placabilem Domino[o] ? Leviora loquimur : graviora
gravius manet iudicium.

2. Sine causa tamen vel his vel illis immoraremur, quia
non audiunt nos. Sed et si litteris forsitan mandentur
ista quae dicimus, dedignabuntur legere ; aut si forte
legerint, mihi indignabuntur, quamvis rectius sibi hoc
5 facerent. Propterea relinquamus istos, non inventores
sponsae, sed venditores, et inquiramus potius illos, a
quibus sponsa se inventam loquitur. Et quidem illorum
isti sortiti sunt ministerii locum[a], sed non zelum. Succes-
sores omnes cupiunt esse, imitatores pauci. O utinam

---

j. I Cor. 9, 7 ≠   k. Jn 10, 10 ≠   l. Ps. 52, 5   m. Ps. 78, 7
n. Os. 4, 8   o. Is. 61, 2 ≠
2. a. Act. 1, 17 ≠

---

1. Même plainte chez Ruusbroec : « Un évêque ou un grand abbé
veut-il faire la visite de ses sujets, il vient avec quarante chevaux, en
grand cortège et somptueuses dépenses qu'il se garde bien de payer. La
bourse se ressent de la visite, mais non les âmes. Grande pompe, fêtes
magnifiques, profusion de mets et de boissons, des tas d'or, voilà ce
qu'attendent ces visiteurs. Dès qu'ils en ont assez, visite canonique et
chapître sont clos. Tous doivent payer, c'est que telle est la coutume »

nue, le visage pitoyable, négligé, ébouriffé, exsangue. C'est
pourquoi de nos jours il s'agit non de parer l'épouse, mais
de la spolier ; non de la garder, mais de la perdre ; non
de la défendre, mais de l'exposer aux dangers ; non de
l'enseigner, mais de la prostituer. Les pasteurs ne font pas
« paître le troupeau[j] », mais « le tuent[k] » et le dévorent,
selon cette parole du Seigneur à leur sujet : « Eux qui
dévorent mon peuple comme un morceau de pain[l] », et :
« Car ils ont mangé Jacob et dévasté son domaine[m]. »
Le Seigneur dit aussi dans un autre Prophète : « Ils man-
geront les péchés de mon peuple[n]. » C'est comme s'il
disait : « Ils exigent la rançon des péchés et ne donnent
pas aux pécheurs les soins qui leur sont dus. » Vas-tu me
trouver un prélat qui ne soit pas plus empressé à vider les
bourses de ses ouailles qu'à extirper leurs vices[1] ? Où en
trouver un qui par sa prière fléchisse la colère de Dieu,
un qui « proclame une année de grâce pendant laquelle
le Seigneur se laisse apaiser[o] » ? Nous parlons des fautes
plus légères ; un jugement plus rigoureux est réservé aux
fautes plus graves.

2. Mais c'est inutilement que nous nous attarderions à
parler des unes et des autres, puisque ces gens ne sont pas
là pour nous entendre. Si d'ailleurs on mettait par écrit
ce que nous disons, ils dédaigneraient de le lire. Ou si,
par hasard, ils le lisaient, ils s'indigneraient contre moi,
au lieu de s'indigner plus justement contre eux-mêmes.
C'est pourquoi laissons là ces gens, eux qui ne trouvent
pas l'épouse, mais la vendent, et cherchons plutôt ceux
dont l'épouse dit qu'ils l'ont trouvée. « Les premiers ont
bien reçu une part du ministère[a] » des seconds, mais non
leur zèle. Ils désirent tous être leurs successeurs, mais
peu désirent les imiter. Plût à Dieu qu'ils fussent aussi

(*Le Tabernacle spirituel*, trad. par les moines de Wisques, Bruxelles
1930, p. 183).

¹⁰ tam vigiles reperirentur ad curam, quam alacres currunt
ad cathedram ! *Vigilarent utique*^b, *sollicite servantes*^c ab
illis inventam, sibi creditam. Immo vero vigilarent pro
semetipsis, nec sinerent de se dici : *Amici mei et proximi
mei adversum me appropinquaverunt et steterunt*^d. Iusta
¹⁵ omnino querimonia, nec ad ullam iustius quam ad
nostram referenda aetatem. Parum est nostris vigilibus
quod non servant nos, nisi et perdant, alto quippe
demersi oblivionis somno, ad nullum dominicae commi-
nationis tonitruum expergiscuntur, ut vel suum ipsorum
²⁰ periculum expavescant. Inde est ut non parcant suis, qui
non parcunt sibi, perimentes pariter et pereuntes.

**II. Qui vel quales sunt custodes a quibus se dicit inventam,
et de veritatis amore quem per illos didicit.**

3. Sed enim quinam illi sunt vigiles, a quibus se
inventam perhibet sponsa ? Nempe Apostoli atque apostolici viri. Vere hi sunt *qui custodiunt civitatem*, id est
eam ipsam quam *invenerunt*^a Ecclesiam, eoque vigilantius
⁵ quo nunc temporis gravius periclitantem conspiciunt, a
malo utique domestico et intestino, sicut scriptum est :
Et inimici hominis, domestici eius^b. Neque enim pro qua
usque ad sanguinem restiterunt^c, suo derelinquerent patro-
cinio destitutam, sed protegunt et *custodiunt eam, die ac
¹⁰ nocte*^d, hoc est in vita et in morte sua. Et si *pretiosa* est
in conspectu Domini mors sanctorum eius^e, non ambigo

---

b. Matth. 24, 43 ≠   c. Éphés. 4, 3 ≠   d. Ps. 37, 12
3. a. Cant. 3, 3 ≠   b. Mich. 7, 6 ≠   c. Hébr. 12, 4 ≠   d. Judith
7, 5 ≠   e. Ps. 115, 15 ≠

---

1. *Apostolici viri,* « Les hommes apostoliques ». *Apostolicus* était un
titre usé fréquemment pour le pape. On trouve ce titre dans plusieurs
œuvres de Bernard : *Csi* I, 6, 7 (*SBO* III, p. 401, l. 10). Mais en *SCt* 66,
8, il mentionne le sens dévié de ce titre usurpé par plusieurs sortes
d'hérétiques.

empressés au soin des âmes qu'ils sont prompts à courir après un siège épiscopal ! « Ils veilleraient, certes[b], à garder avec sollicitude[c] » l'épouse qu'ils ont trouvée et qui leur a été confiée. Ou plutôt, ils veilleraient sur eux-mêmes et ne permettraient pas qu'on dise d'eux : « Mes amis et mes parents se sont approchés et se sont dressés contre moi[d]. » Plainte tout à fait juste, et qui ne s'applique à aucune autre époque mieux qu'à la nôtre. C'est peu de chose pour nos gardiens que de ne pas nous protéger ; il faut encore qu'ils nous perdent. Plongés dans le profond sommeil de l'oubli, ils ne se réveillent nullement au tonnerre des menaces du Seigneur, pour s'effrayer au moins de leur propre péril. De là vient qu'ils n'ont pas pitié de leurs ouailles, eux qui n'ont pas pitié d'eux-mêmes ; ils font périr les autres et périssent avec eux.

II. Qui sont et quels sont les gardiens dont l'épouse dit qu'ils l'ont trouvée. L'amour de la vérité que l'épouse a appris d'eux.

3. Mais alors, qui sont ces veilleurs dont l'épouse affirme qu'ils l'ont trouvée ? Certes, les Apôtres et les hommes apostoliques [1]. Ce sont eux vraiment « qui gardent la ville », c'est-à-dire cette même Église qu'« ils ont trouvée[a] ». Et ils la gardent avec d'autant plus de vigilance qu'ils la voient en ce temps-ci exposée à de plus graves périls, en butte à des maux intérieurs à la maison, ainsi qu'il est écrit : « Et les ennemis de l'homme, ce sont les gens de sa maison[b]. » Car ils ne laisseraient pas sans secours celle pour qui « ils ont résisté jusqu'au sang[c] », mais ils la protègent et « la gardent jour et nuit[d] », c'est-à-dire durant leur vie et après leur mort. Et si « la mort de ses saints est précieuse aux yeux du Seigneur[e] », je ne doute pas qu'ils ne la protègent d'autant

ego quin etiam tanto in morte potentius id agant, quanto in ipsa amplius *confortatus est principatus eorum*[f].

4. « Sic ista asseris », ait quis, « ac si oculis tuis videris ea ; sunt autem ab humanis seclusa aspectibus ». Cui ego : « Si tu tuorum oculorum testimonium fidele putas, *testimonium Dei maius est*[a]. Ait vero : *Super muros*
5 *tuos, Ierusalem, constitui custodes ; tota die et tota nocte, in perpetuum non tacebunt*[b] ». — « Sed de angelis », inquis, « id dictum ». — « Non abnuo : *Omnes sunt administratorii spiritus*[c]. At quis me prohibeat itidem et de istis sentire, qui potentia quidem minime iam ipsis
10 angelis impares sunt, affectu autem et misericordia eo nobis forsan germaniores exsistunt, quo natura coniunctiores ? Iunge et *tolerantiam earumdem passionum*[d] ac miseriarum, in quibus nos pro tempore adhuc versamur. Nihilne amplius miserationis pro nobis vel sollicitudinis
15 operabitur in mentibus sanctis, quod et se transisse per eas procul dubio meminerunt ? Nonne illa ipsorum vox est : *Transivimus per ignem et aquam, et eduxisti nos in refrigerium*[e] ? Quid ? Ipsi transierunt, et nos in mediis ignibus vel fluctibus derelinquent, nec saltem manum
20 porrigere dignabuntur periclitantibus filiis ? Non est ita ». Bene tecum agitur, o mater Ecclesia, bene tecum agitur *in loco peregrinationis tuae*[f] : de caelo et de terra *venit auxilium tibi. Qui custodiunt te non dormitant neque dormiunt*[g]. Custodes tui angeli sancti, vigiles
25 tui *spiritus et animae iustorum*[h]. Non errat qui te ab

264

---

f. Ps. 138, 17 ≠
4. a. I Jn 5, 9   b. Is. 62, 6 ≠   c. Hébr. 1, 14   d. II Cor. 1, 6 ≠   e. Ps. 65, 12   f. Ps. 118, 54 ≠   g. Ps. 120, 1-4 ≠ h. Dan. 3, 86

---

1. « Les esprits et les âmes des justes ». Cette mention accolée des anges et des hommes décédés est une trouvaille bernardine et exprime la solidarité de toutes les créatures justes dans le Royaume de Dieu.

plus puissamment après leur mort que « leur pouvoir a été encore plus affermi[f] » en mourant.

4. « Tu affirmes ces choses, dit quelqu'un, comme si tu les avais vues de tes yeux ; mais elles sont interdites aux regards humains. » Je lui réponds ceci : « Si tu tiens pour fiable le témoignage de tes yeux, 'le témoignage de Dieu est plus grand[a]'. Oui, il dit : 'Sur tes murailles, Jérusalem, j'ai posté des gardiens ; à longueur de jour, à longueur de nuit, jamais ils ne doivent se taire[b]'. » « Mais, dis-tu, cela est écrit des anges. » « Je n'en disconviens pas : 'Ils sont tous des esprits chargés d'un ministère[c]'. Mais qui m'interdira d'en penser autant de ceux qui désormais ne sont pas inférieurs en puissance aux anges mêmes, et qui peut-être nous sont d'autant plus proches par l'affection et la miséricorde qu'ils nous sont plus unis par la nature ? Ajoute à cela qu''ils ont enduré les mêmes souffrances[d]' et les mêmes misères où nous sommes encore plongés pour un temps. N'est-ce pas vrai que rien ne saurait mieux éveiller dans les âmes saintes la compassion et la sollicitude pour nous que le souvenir d'avoir passé, elles aussi, par les mêmes épreuves ? N'est-ce pas eux qui s'écrient : 'Nous avons passé par le feu et par l'eau, et tu nous en as fait sortir vers un lieu de rafraîchissement[e]' ? Eh quoi ! Eux ont passé de l'autre côté, et ils nous laisseraient au milieu des flammes et des flots, sans daigner au moins tendre la main à leurs enfants en danger ? Sûrement pas. » On fait beaucoup pour toi, mère Église, on fait beaucoup pour toi « sur cette terre de ton exil[f] » : « le secours te vient » du ciel et de la terre. « Ceux qui te gardent ne sommeillent ni ne dorment[g]. » Tes gardiens sont les saints anges, ceux qui veillent sur toi sont « les esprits et les âmes des justes[h 1] ». Il ne se trompe pas, celui qui pense que les uns

utrisque inventam spiritibus senserit, ab utrisque pariter
custodiri. Et est huius sollicitudinis ratio quibusque sua :
his quidem, quod *sine te non consummentur*[i], illis vero,
quod nisi de te ad sui plenitudinem minime restau-
30 rentur. Nam quis nesciat, *Satana cadente de caelo*[j] et eius
complicibus, numerum supernae multitudinis parte non
modica imminutum ? De te itaque omnes consummationem exspectant, alii numeri, alii desiderii sui. Agnosce
proinde vocem in Psalmo tuam : *Me exspectant iusti,*
35 *donec retribuas mihi*[k].

5. Advertendum quod non ista illos, sed illi istam
potius invenisse referuntur, utque ego suspicor, ad hoc
ipsum studio destinati. Nam *quomodo praedicabunt, nisi*
mittantur[a] ? Denique habes loquentem in Evangeliis : *Ite,*
5 *ecce ego mitto vos*[b], et : *Ite, praedicate evangelium omni*
creaturae[c]. Ita est : illa quaerebat Sponsum, et Sponsum
non latebat, nempe qui in hoc ipsum excitaverat eam
ut se quaereret, et *dederat illi cor*[d] ad praecepta et
legem vitae et disciplinae[e], dummodo esset *qui instrueret*
10 *et doceret viam prudentiae*[f]. Et misit in occursum eius
plantatores et rigatores[g], qui eam enutrirent, et confir-
marent in omni certitudine veritatis, hoc est indicarent
illi certamque redderent de dilecto, quia *veritas est*[h] quam
quaerit et quam vere *diligit anima eius*[i]. Et revera quis
15 fidus verusve animae amor, nisi utique is quo veritas
adamatur ? Rationis sum compos, veritatis sum capax ;

---

i. Hébr. 11, 40 ≠   j. Lc 10, 18 ≠   k. Ps. 141, 8
5. a. Rom. 10, 15   b. Lc 10, 3   c. Mc 16, 15 (Patr.)   d. III Rois
3, 12 ≠   e. Sir. 45, 6 ≠   f. Is. 40, 14 ≠   g. Cf. I Cor. 3, 6
h. Jn 14, 6 ≠   i. Cant. 3, 1 ≠

---

1. Le remplacement des anges déchus est une idée augustinienne.
Cf. *SCt* 62, 1 (*SC* 472, p. 260, n. 2).
2. * *Mc* 16, 15. Bernard emploie 4 fois ce texte de Marc, remplaçant

et les autres t'ont trouvée et te gardent pareillement. Et la raison de leur sollicitude est propre à chacun d'eux : les saints « n'atteindront pas sans toi leur accomplissement[i] », et les anges ne retrouveront que par toi leur plénitude. Qui ne le sait, en effet ? « Lorsque Satan » et ses complices « tombèrent du ciel[j] », le nombre de la multitude céleste se trouva considérablement diminué. Aussi est-ce de toi qu'ils attendent tous leur accomplissement, les anges de leur nombre, les saints de leur désir[1]. Reconnais dès lors ta voix dans cette parole du Psaume : « Ils m'attendent, les justes, jusqu'à ce que tu me donnes ta récompense[k]. »

5. Il faut remarquer qu'il n'est pas dit que l'épouse ait trouvé les gardiens, mais bien qu'ils l'ont trouvée ; parce que, je suppose, ils étaient intentionnellement destinés à cela. « Comment prêcheront-ils, s'ils ne sont envoyés[a] ? » Aussi le Seigneur dit dans les Évangiles : « Allez, voici que je vous envoie[b] » et « Allez, prêchez l'Évangile à toute créature[c 2]. » C'est bien ainsi : l'épouse cherchait l'Époux, et l'Époux ne l'ignorait pas. Car il l'avait lui-même incitée à le chercher. « Il lui avait donné un cœur[d] » capable d'observer les préceptes et « la loi de vie et de sagesse[e] », pourvu qu'il y eût « quelqu'un pour l'instruire et lui enseigner la voie de la prudence[f] ». Et il envoya au-devant d'elle des personnes pour planter et pour arroser[g], capables de la nourrir et de la confirmer dans la certitude de la vérité ; c'est-à-dire, capables de lui montrer le bien-aimé et de lui en donner des nouvelles sûres. Car « il est la vérité[h] » qu'« elle cherche » et que « son âme aime[i] » véritablement. Et de fait, quel est l'amour fidèle et vrai de l'âme, sinon celui par lequel la vérité est intensément aimée ? Je suis doué de la raison,

chaque fois le participe présent *Euntes* de *Vg* par l'impératif *Ite*. Des mss *Vl*, certains Pères (Ambroise, Bruno d'Asti) font de même.

sed utinam non forem, si amor veri defuerit ! Horum
quippe ramorum is fructus est, et *ego radix*[j]. Non sum
securus a securi[k], si absque eo inveniar. In illo nimirum
20 naturae munere, illud divinae imaginis[l] enitere insigne
haud dubium est, ex quo ceteris praesto animantibus[m].
Inde est quod audet anima mea ad dulces castosque
assurgere veritatis amplexus, et sic in amore ipsius
tota securitate ac suavitate quiescere, *si tamen inveniat*
25 *gratiam in oculis* tanti Sponsi[n], ut dignam reputet quae
ad hanc pertingat gloriam, immo *ipse eam sibi exhibeat*
non habentem maculam aut rugam, aut aliquid eiusmodi[o].
Quanti putas esse discriminis quave dignum poena,
tantum Dei donum otiosum tenere ? Verum hoc alias.

III. De his qui sine duce vias vitae praesumunt, et quomodo se dicat sponsam inventam.

6. Nunc vero sponsa quem quaerebat minime reperit,
et quos non quaerebat, ab ipsis reperta est[a]. Audiant
hoc qui sine duce et praeceptore *vias vitae*[b] ingredi non
formidant, ipsi sibi in arte spirituali exsistentes et discipuli
5 pariter et magistri. Non sufficit hoc : etiam *coacervant*
discipulos *sibi*[c], *caeci duces caecorum*[d]. Quam multi ex
hoc a recto tramite periculosissime aberrasse comperti
sunt ! Nimirum *ignorantes astutias Satanae et cogitationes*
ipsius[e], factum est ut *qui spiritu coeperant, carne consum-*
10 *marentur*[f], abducti turpiter, lapsi damnabiliter. *Videant*

---

j. Apoc. 22, 16 ≠   k. Cf. Lc 3, 9   l. Cf. Gen. 1, 26   m. Cf. Gen.
1, 28   n. Gen. 18, 3 ≠   o. Éphés. 5, 27 ≠
6. a. Cf. Cant. 3, 2-3   b. Ps. 15, 10   c. II Tim. 4, 3 ≠
d. Matth. 15, 14 ≠   e. II Cor. 2, 11 ≠   f. Gal. 3, 3 ≠

---

1. Cf. *Lc* 3, 9. Jeu de mots entre *securus, -a, -um :* « à l'abri de », et
securis, -is : « hache ».
2.* *II Cor.* 2, 11 ≠. Cf. *SC* 452, p. 54, n. 2 sur *SCt* 33, 9 ; cf.
SCt 72, 7.

je suis capable de la vérité ; mais j'aimerais mieux ne pas l'être, si l'amour du vrai me faisait défaut. Car l'amour du vrai est le fruit de ces deux branches, et « moi je suis la racine[j] ». Je ne suis pas à l'abri de la cognée[k], si l'on me trouve sans ce fruit. Oui, c'est dans ce don de la nature que resplendit, sans aucun doute, la marque de l'image divine[l], par quoi je suis supérieur à tous les autres êtres animés[m]. De là vient que mon âme ose s'élever jusqu'aux douces et chastes étreintes de la vérité et se reposer ainsi dans son amour en toute sécurité et douceur. « Pourvu qu'elle trouve grâce aux yeux » d'un si noble Époux[n], en sorte qu'il la juge digne d'accéder à cette gloire. Ou plutôt « c'est lui-même qui la fait paraître devant lui sans tache ni ride ni rien de tel[o]. » Ne serait-il pas très dangereux, à ton avis, et digne d'un sévère châtiment que de laisser infructueux un si grand don de Dieu ? Mais je parlerai de cela une autre fois.

III. Ceux qui osent s'engager sans guide dans les voies de la vie. En quel sens l'épouse dit qu'elle a été trouvée.

6. Or, l'épouse ne trouve pas celui qu'elle cherchait, mais est trouvée par ceux qu'elle ne cherchait pas[a]. Qu'ils prêtent l'oreille à cela, ceux qui ne craignent pas de s'engager « dans les voies de la vie[b] » sans guide et sans directeur, étant eux-mêmes à la fois leurs propres disciples et leurs propres maîtres dans l'art spirituel[3]. Et cela ne leur suffit pas : « ils s'entourent » aussi de disciples[c], « aveugles qui guident des aveugles[d] ». Combien en a-t-on vu s'écarter ainsi, très dangereusement, du droit chemin ! Oui, « ignorant les ruses de Satan et ses desseins[e] », il est arrivé qu'« après avoir commencé par l'esprit, ils ont fini par la chair[f] », fourvoyés honteusement, tombés ignominieusement. Les

---

3. Cette description fait penser à celle des sarabaïtes de *RB* 1.

proinde qui eiusmodi sunt, *quomodo caute ambulent*[g], et de sponsa exemplum sumant, quae non prius ad eum, quem desiderabat, ullo modo valuit pervenire, quam sibi occurrerent, quorum magisterio uteretur ad cognos-
15 cendum de dilecto, certe ad *discendum timorem Domini*[h]. Seductori dat manum, qui dare dissimulat praeceptori. Et qui dimittit oves in pascua absque custode, *pastor est non ovium*[i], sed luporum.

7. Nunc iam videamus de sponsa, quomodo se dicat inventam[a]. Mihi enim insuete satis verbum inventionis posuisse videtur : nam ita hoc dicit, ac si uno de loco Ecclesia venerit. *Venit autem ab Oriente et Occidente*[b],
5 iuxta verbum Domini, et *a cunctis finibus terrae*[c]. Sed neque aliquando congregata est in locum unum[d], ubi ab Apostolis seu ab angelis inveniretur deducenda vel dirigenda ad illum *quem diligit anima sua*[e]. Fueritne prius inventa quam collecta ? Non, quia nec erat.
10 Quamobrem si collectam, si congregatam, si certe, quod magis Ecclesiae vocabulo competit, convocatam a prae-dicatoribus se dixisset, transissem simpliciter, minime in aliquo cunctabundus. *Coadiutores enim Dei sunt*[f], quem et audiere loquentem : *Qui non colligit mecum dispergit*[g].
15 Sed neque hoc ab re mihi videbitur, si dixerit quis ab eis
266 fundatam sive aedificatam. Siquidem hoc fecerunt una cum illo qui in Evangeliis loquitur : *Et super hanc petram aedificabo Ecclesiam meam*[h], et quia *fundata est supra*

g. Éphés. 5, 15 ≠   h. Ps. 33, 12 ≠   i. Jn 10, 12 ≠
7. a. Cf. Cant. 3, 3   b. Matth. 8, 11 ≠   c. Matth. 12, 42 ≠
d. Cf. Jn 11, 52   e. Cant. 3, 1 ≠   f. I Cor. 3, 9 (Patr.)   g. Lc
11, 23   h. Matth. 16, 18

1. Il devient « pasteur de loups », c'est-à-dire collaborateur des mauvais esprits.

gens de cette sorte, « qu'ils prennent garde de marcher avec précaution[g] » et de suivre l'exemple de l'épouse. Elle ne put nullement rejoindre celui qu'elle désirait avant que ne viennent à sa rencontre des maîtres qui lui donnent des nouvelles de son bien-aimé ; « elle devait ainsi apprendre la crainte du Seigneur[h] ». Il donne la main au séducteur, celui qui ne veut pas la donner à un guide. Et celui qui laisse aller les brebis dans les pâturages sans gardien, « n'est pas un pasteur de brebis[i] », mais de loups[1].

7. Voyons maintenant en quel sens l'épouse dit qu'elle a été trouvée[a]. Car il me semble qu'elle a employé ce mot de trouver de façon assez insolite. Elle parle comme si l'Église était venue d'un seul lieu. « Or, celle-ci est venue de l'Orient et de l'Occident[b] », selon la parole du Seigneur, et « de toutes les extrémités de la terre[c] ». Mais elle n'a pas été non plus réunie un jour en un même lieu[d], où les Apôtres ou les anges l'auraient trouvée pour l'accompagner et la conduire vers celui « qu'aime son âme[e] ». Aurait-elle été trouvée avant d'être rassemblée ? Non, parce qu'elle n'existait même pas. C'est pourquoi, si elle avait dit qu'elle a été rassemblée, réunie, ou mieux – ce qui convient davantage à ce mot d'Église – convoquée par les prédicateurs, j'aurais passé outre bien simplement, sans aucune hésitation. « Car ils sont les coadjuteurs de Dieu[f 2] », eux qui l'ont entendu dire : « Qui ne rassemble pas avec moi disperse[g]. » Mais il ne me semble pas non plus aberrant de dire qu'elle a été fondée ou bâtie par eux. Car ils l'ont fait avec celui qui dit dans les Évangiles : « Sur cette pierre je bâtirai mon Église[h] », et : « Elle est

---

2. * *I Cor.* 3, 9. Bernard emploie – seul semble-t-il dans la tradition – *coadiutores Dei*, « coadjuteurs de Dieu » ; il désigne ainsi l'association de l'homme à l'œuvre divine de son salut. Cf. *SC* 393, p. 344, n. 1 sur *Gra* 45.

firmam petram[i]. Nunc vero nihil horum loquens, sed praeter solitum quidem perhibens se inventam, cunctari aliquantum nos facit, atque in suspicionem adducit latere loco, quod sit diligentius intuendum.

8. Volebam, fateor, praeterire, meque subducere huic scrutinio, cui sufficere non sentirem. Ceterum reminiscens in quantis aeque dubiis et obscuris, vobis quidem sursum corda levantibus, etiam supra spem meam adiutum me
5 senserim, pudet diffidentiae ; et reprehendens timorem meum, adorior, non quidem temere, quod timide refugiebam. Aderit, ut confido, solitum adiutorium ; quod si minus, apud benevolos tamen auditores non erit otiosum quod volui. Verum hoc habebit sequens sermo
10 principium, nam praesentem hic claudimus. Ipse autem det vobis ea quae dicuntur non tenere solum memoriter, sed ardenter diligere et efficaciter adimplere, Sponsus Ecclesiae, Iesus Christus Dominus noster, *qui est super omnia Deus benedictus in saecula. Amen*[a].

---

i. Matth. 7, 25 (Lit., Patr.)
8. a. Rom. 9, 5

---

1. * *Matth.* 7, 25 (Lit., Patr.). Bernard emploie 9 fois, surtout en allusion, ce verset de Matthieu : *fundata supra firmam petram.* La liturgie de la Dédicace des églises (R.-J. HESBERT, *Corpus Antiphonalium Officii,* t. 4., Rome 1970, n° 7595) en use de la sorte dans

fondée sur le roc[i][1]. » Or, elle n'emploie aucun de ces mots, mais, contre toute attente, elle affirme avoir été trouvée. Ainsi, elle nous oblige à nous arrêter un peu, et elle nous fait soupçonner ici un mystère caché qu'il nous faut examiner plus soigneusement.

8. Je voulais passer outre, je l'avoue, et me dérober à cette recherche dont je me sentais incapable. Mais je me souviens en combien d'endroits, tout aussi difficiles et obscurs que celui-ci, je me suis senti aidé au-delà même de mon espérance, grâce à vous qui avez élevé vos cœurs vers le ciel ; alors, j'ai honte de mon manque de confiance. Me reprochant cette crainte, j'affronte, non sans peine, ce que j'évitais avec appréhension. L'aide habituelle me viendra, j'en ai confiance. Sinon, ma décision ne sera pas pour autant infructueuse pour des auditeurs bienveillants. Mais ce sera le sujet du sermon suivant, car nous en restons là pour aujourd'hui. Que l'Époux de l'Église, Jésus-Christ notre Seigneur, vous donne non seulement de garder en mémoire ce que je dis, mais de l'aimer ardemment et de l'accomplir effectivement. C'est lui « qui est au-dessus de tout, Dieu béni dans les siècles. Amen[a]. »

---

plusieurs pièces, mais Bernard ne la reprend nulle part littéralement. De nombreux Pères avant lui avaient cité ce texte ainsi, l'associant avec plusieurs autres passages du Nouveau Testament, en particulier *Matth.* 16, 18, mais aussi d'autres, tel *I Cor.* 10, 4.

SERMO LXXVIII

I. Quomodo cooperantur in sponsae salutem Deus, angelus, homo. – II. De tribus in quibus Deus praevenit : praedestinatione, creatione, inspiratione, et quid fuit in causa non ab initio sponsam posse inveniri, nisi post inspirationem. – III. Quod a Deo praeparata, non autem inventa, recte dicitur sponsa, et propter praeparationem a vigilibus inventa.

I. Quomodo cooperantur in sponsae salutem Deus, angelus, homo.

1. Ad verbum inventionis, si bene memini, illic stetimus et haesimus, scrupulosius videlicet audientes quos sponsa a praedicatoribus suis se inventam dixerit. Porro causae nostrae cunctationis et dubitationis a nobis
5 expressae sunt, et visum est aliquid esse quaerendum ; sed non in calce sermonis, quo iam arctabamur, quod quaesitum est potuit explicari. Quid restat, nisi ut debitum iam solvamus ? In explicatione *sacramenti magni*[a] – illud loquor quod *Doctor gentium*[b] interpretatus est *in*
10 *Christo et in Ecclesia*[c], sanctum castumque connubium, ipsum est opus nostrae salutis –, in eo, inquam, tres sibi invicem cooperantur : Deus, angelus, homo. Et Deus quidem quidni operetur et curam gerat nuptiarum dilecti Filii sui ? Ipse vero, ac tota voluntate. Et utique per se
15 sufficeret ipse, et absque adminiculo horum ; hi autem

267

---

1. a. Éphés. 5, 32 ≠   b. I Tim. 2, 7   c. Éphés. 5, 32 ≠

SERMON 78

I. Comment Dieu, l'ange et l'homme coopèrent au salut de l'épouse.

1. Si j'ai bonne mémoire, nous nous sommes arrêtés et concentrés sur le mot « trouver », car nous étions assez intrigués en entendant l'épouse dire qu'elle a été trouvée par ses prédicateurs. Nous avons déjà exposé les raisons de notre hésitation et de notre embarras, et il nous a semblé qu'il y avait là une recherche à mener. Mais, parvenus au terme du sermon, et pressés de conclure, nous n'avons pas pu expliquer l'objet de notre recherche. Que reste-t-il, sinon à nous acquitter maintenant de cette dette ? Je vais expliquer « le grand lien sacré[a] » – je veux dire celui que « le docteur des Gentils[b] » a interprété comme le saint et chaste mariage « du Christ et de l'Église[c] », qui est l'œuvre même de notre salut. Dans ce mariage, dis-je, trois acteurs coopèrent tour à tour : Dieu, l'ange, l'homme. Comment Dieu n'agirait-il pas et ne prendrait-il pas soin des noces de son Fils bien-aimé ? Oui, c'est lui-même qui agit, et de tout son vouloir. Certes, il serait capable de tout faire par lui-même, sans le secours des deux autres acteurs ; ceux-ci en revanche

sine ipso possunt facere nihil[d]. Ergo quod ex illis ascivit *in opus ministerii*[e] huius, non sibi solatium, sed profectum quaesivit illis. Nam hominibus quidem merita locavit in opere, secundum illud : *Dignus est operarius mercede sua*[f],
20 et quia *unusquisque secundum proprium laborem accipiet*, sive *qui* in fide *plantat*, sive *qui rigat*[g] quod plantatum fuerit. Angelorum autem cum ad salutem humani generis ministerio[h] utitur, nonne facit ut ab hominibus angeli diligantur ? Nam quia ab angelis homines diligantur,
25 inde vel maxime adverti potest, quod antiqua suae civitatis damna ex hominibus resarcitum iri angeli non ignorant. Nec aliis profecto regi legibus regnum caritatis decebat, quam piis ipsorum, qui pariter regnaturi sunt, mutuisque amoribus, et puris affectionibus in invicem
30 et in Deum.

2. Est autem in modo operandi differentia multa, pro uniuscuiusque nimirum operarii dignitate. Deus nempe *facit quod vult*[a] sola ipsa facilitate volendi, sine aestu, sine motu, sine praeiudicio loci vel temporis, vel causae
5 vel personae. Est enim *Dominus Sabaoth, qui cum tranquillitate iudicat omnia*[b]. Est Sapientia *disponens omnia suaviter*[c]. Porro angelus non absque motu operatur, tam locali quam temporali, sine aestu tamen. Homo autem nec ab aestu animi, nec a motu corporis animique liber
10 est in operando. Denique *cum timore et tremore suam*

---

d. Jn 15, 5 ≠   e. Éphés. 4, 12   f. Lc 10, 7   g. I Cor. 3, 8
≠   h. Cf. Hébr. 1, 14
2. a. Ps. 113, 11 ≠   b. Jér. 11, 20 ≠ ; Sag. 12, 18 (Patr.)   c. Sag. 8, 1 ≠

---

1. *Mutuis amoribus*, « le doux amour mutuel ». Bernard n'emploie pas souvent l'adjectif *mutuus*. Cf. *SCt* 67, 8, *SC* 472, p. 384, n. 3 ; *SCt* 83, 6, *infra* p. 353.
2. * *Sag.* 12, 18. Bernard emploie 10 fois ce verset, avec bien des variations, ajoutant toujours *omnia* au texte reçu, substituant chaque

« sans lui ne peuvent rien faire[d] ». S'il se les est associés « dans l'accomplissement de ce ministère[e] », c'est qu'il a cherché leur avantage, et non une aide pour lui-même. En effet, il a placé les mérites des hommes dans leur travail, selon cette parole : « L'ouvrier mérite son salaire[f]. » Car « chacun recevra à la mesure de son travail », soit « celui qui plante » dans la foi, soit « celui qui arrose[g] » ce qui a été planté. Et lorsqu'il se sert du ministère des anges pour le salut du genre humain[h], n'est-ce pas pour que les anges soient aimés des hommes ? Que les hommes soient aimés des anges, on peut le reconnaître surtout à ceci : les anges n'ignorent pas que les dommages jadis survenus dans leur cité seront réparés grâce aux hommes. Oui, il convenait que le royaume de la charité ne fût régi par aucune autre loi que par le doux amour mutuel de ceux qui y règneront ensemble, et par la pure affection qu'ils auront les uns pour les autres[1] et pour Dieu.

2. Mais il y a une grande différence dans la manière d'agir, selon la diverse dignité de chacun des trois acteurs. Car Dieu « fait ce qu'il veut[a] » par la simple liberté de son vouloir, sans agitation, sans mouvement, sans présumer du lieu, du temps, de la cause ou de la personne. Il est « le Seigneur Sabaoth qui régit toutes choses avec sérénité[b][2] ». Il est la Sagesse « qui dispose tout avec douceur[c] ». Pour ce qui est de l'ange, il n'agit pas sans mouvement, aussi bien dans l'espace que dans le temps ; sans agitation toutefois. Quant à l'homme, il n'est pas libre d'agir sans agitation de l'esprit et sans mouvement du corps et de l'esprit. Aussi reçoit-il l'ordre

---

fois *Dominus (-e) Sabaoth* soit à *Dominator virtutis (Vg)*, soit à *Dominus (-e) virtutum (Vl)*. Autre particularité : la suite du verset *Vg* de *Sag.* 12, 18, si étroitement liée au début, est citée 4 fois par Bernard sans nul lien avec les occurrences de *Sag.* 12, 18, clair exemple de l'exégèse « ponctuelle » de Bernard.

ipsius iubetur *operari salutem*[d], atque *in sudore vultus sui comedere panem suum*[e].

II. De tribus in quibus Deus praevenit : praedestinatione, creatione, inspiratione, et quid fuit in causa non ab initio sponsam posse inveniri, nisi post inspirationem.

3. His ita explicitis, intuere nunc mecum in hoc tam magnifico opere nostrae salutis tria esse quaedam, quae sibi vindicat auctor Deus, praevenitque in illis omnes auxiliatores et cooperatores suos : praedestinationem, creationem, inspirationem. Quarum praedestinatio, non dico ab exortu Ecclesiae, sed ne a mundi principio quidem principium habuit, sane a tempore illo vel illo : ante tempora est. Porro creatio cum tempore, inspiratio iam in tempore fit, ubi et quando vult Deus. Sane secundum praedestinationem numquam Ecclesia electorum penes Deum non fuit. Si miratur hoc infidelis, audiat quod magis miretur : numquam non dilecta. Quidni audacter arcanum loquar, quod mihi de corde Dei promptus ille supernorum delator consiliorum aperuit ? Paulum dico qui, ut multa alia, ita hoc quoque de *divitiis bonitatis eius*[a] non est veritus divulgare secretum : *Benedixit nos,* inquiens, *in omni benedictione spirituali in caelestibus in Christo, sicut elegit nos in ipso ante mundi constitutionem, ut essemus sancti et immaculati in conspectu Dei in caritate* ; et addit : *Qui praedestinavit nos in adoptionem filiorum per Iesum Christum in ipso, secundum propositum voluntatis suae, in laudem gloriae gratiae suae, in qua gratificavit nos in dilecto Filio suo*[b]. Nec dubium quin voce

---

d. Éphés. 6, 5 ; Phil. 2, 12 ≠   e. Gen. 3, 19 ≠
3. a. Rom. 2, 4 ≠   b. Éphés. 1, 3-6 ≠

---

1. * *Gen.* 3, 19 Patr. *Comedere* à la place de *vesceris (VgC)* se retrouve chez Jérôme, Augustin et Cassien. Cf. *SCt* 9, 8 (*SC* 414, p. 199, n. 5).

« d'accomplir son salut avec crainte et tremblement[d] », et « de manger son pain à la sueur de son front[e 1] ».

II. Dieu prévient ses auxiliaires en trois choses : la prédestination, la création, l'inspiration. Pour quelle raison l'épouse n'a pu être trouvée dès le commencement, mais seulement après l'inspiration.

3. Après ces explications, observe avec moi que dans cette œuvre si magnifique de notre salut il y a trois choses que Dieu réserve à son propre agir. Il prévient en elles tous ses auxiliaires et collaborateurs. Les voici : la prédestination, la création, l'inspiration. Parmi elles, la prédestination ne remonte ni aux origines de l'Église, ni même au commencement du monde, ni à quelque temps que ce soit : elle est antérieure à tous les temps. En revanche, la création se fait avec le commencement du temps, et l'inspiration se fait dans le temps, où et quand Dieu le veut. Selon la prédestination, il n'y eut jamais de temps où l'Église des élus ne fût pas entre les mains de Dieu. Si l'infidèle s'en étonne, qu'il entende ce qui l'étonnera plus encore : il n'y eut jamais de temps où cette Église ne fût pas aimée. Pourquoi ne parlerais-je pas hardiment du secret que m'a découvert, l'ayant puisé au cœur de Dieu, cet audacieux révélateur des desseins divins ? Je veux dire Paul, qui n'a pas craint de divulguer, parmi tant d'autres, aussi ce secret des « richesses de la divine bonté[a] ». « Il nous a bénis, dit-il, de toute bénédiction spirituelle, aux cieux, dans le Christ, comme il nous a élus en lui avant la fondation du monde, pour être saints et immaculés en sa présence dans l'amour. » Et il ajoute : « Il nous a prédestinés à être des fils adoptifs par Jésus-Christ et en lui, selon le bon plaisir de sa volonté, à la louange de gloire de sa grâce, dont il nous a comblés en son Fils bien-aimé[b]. » Sans

omnium electorum ista dicantur : et ipsi Ecclesia sunt.
25 In illo igitur tam profundo aeternitatis sinu, antequam
in lucem opusque prodirent huius creationis, quis illam
vel beatorum spirituum invenire aliquo modo valuerit,
nisi si *cui* ipsa aeternitas Deus *voluerit revelare*[c] ?

4. Sed et cum iam ad nutum creantis visa est emersisse
in species formasque facticias has atque visibiles, non
continuo tamen inventa est a quoquam hominum vel
angelorum, eo quod non agnosceretur, *imagine terrestris*[a]
5 hominis adumbrata *et operta mortis caligine*[b], sine quo
generalis velamine confusionis nemo filiorum hominum
intravit hanc vitam, uno sane excepto *qui ingreditur
sine macula*[c]. *Emmanuel*[d] is est, qui tamen et ipse ex
nobis, pro nobis nostri se *induit maledicti*[e], nostrique
10 peccati similitudinem, non veritatem. Sic enim habes,
quia apparuit *in similitudine carnis peccati, ut de peccato
damnaret peccatum in carne*[f]. De cetero *unus omnibus*
per omnia *introitus est*[g], electis dico et reprobis : *non
enim est distinctio*[h] ; *omnes peccaverunt*[i], et omnes suae
15 verecundiae caputium portant. Propter hoc itaque, etsi
in rebus conditis iam creata exsistens Ecclesia, nec sic
tamen a creatura ulla inveniri poterat vel agnosci, miro
utroque modo interim latens, et intra gremium beatae
praedestinationis, et intra massam miserae damnationis.

269

c. Matth. 11, 27 ≠
4. a. I Cor. 15, 49 ≠   b. Job 10, 21 ≠   c. Ps. 14, 2   d. Is.
7, 14   e. Ps. 108, 18 ≠ ; Gal. 3, 13 ≠   f. Rom. 8, 3 ≠   g. Sag.
7, 6 ≠   h. Rom. 10, 12   i. Rom. 3, 23

1. L'opposition entre l'homme terrestre et l'homme céleste se lit en *I Cor.* 15, 47-49. Cf. *SCt* 24, 4 (*SC* 431, p. 262-264, n. 1).
2. « Le seul qui entre sans tache », c'est-à-dire le Christ. On sait que Bernard n'a pas admis l'immaculée conception de la sainte Mère de Dieu. *Ep* 174 (*SBO* II, p. 388-392).

aucun doute ces paroles sont dites par la voix de tous les élus ; et ce sont eux qui sont l'Église. Ainsi, dans le sein si profond de l'éternité, avant qu'ils viennent à la lumière et à l'ouvrage de la création, qui, même parmi les esprits bienheureux, aurait pu jamais trouver cette Église, sinon « celui à qui » Dieu, qui est l'éternité même, « aurait voulu le révéler[c] » ?

4. Mais lorsque, sur un signe du Créateur, on vit l'Église venir au jour sous des apparences et des formes concrètes et visibles, elle ne fut trouvée aussitôt par aucun des hommes ou des anges. Car elle était méconnaissable, cachée « sous l'image de l'homme terrestre[a] [1] » et « couverte de l'ombre de la mort[b] ». Aucun parmi les enfants des hommes n'est entré en cette vie sans ce voile d'universelle confusion, excepté bien sûr le seul « qui entre sans tache[c] [2] ». C'est « l'Emmanuel[d] » qui, tout en étant lui-même l'un de nous, « a revêtu » pour nous la ressemblance, non pas la réalité, de notre « malédiction[e] » et de notre péché. Tu lis ceci, qu'il est apparu « dans la ressemblance d'une chair de péché, afin que, par le péché, il condamne le péché dans la chair[f]. » « Pour tous les autres, il n'y a qu'une façon d'entrer dans la vie[g] », à tous égards, je le dis pour les élus aussi bien que pour les réprouvés. « Car il n'y a pas de distinction[h] » ; « tous ont péché[i] » et tous portent le capuchon de leur honte. C'est pourquoi, même si l'Église existait déjà parmi les choses créées, elle ne pouvait néanmoins être trouvée ni reconnue par aucune créature. A ce moment-là, elle était cachée de façon mystérieuse, aussi bien au sein des bienheureux prédestinés que dans la masse des malheureux damnés [3].

---

3. *massa damnationis.* Seul emploi chez Bernard.

5. Ceterum quam celaverat ab aeterno praedestinans sapientia, nec creans potentia satis in manifesto eduxerat, visitans profecto gratia suo tempore revelavit, secundum operationem, quam ideo inspirationem supra nominavi, quod de Sponsi spiritu humanis infusum quippiam spiritibus fuerit *in praeparationem Evangelii pacis*[a], id est *praeparare viam Domino*[b] atque *Evangelio gloriae eius*[c] ad corda omnium, *quotquot erant praedestinati ad vitam*[d]. Frustra vigiles laborassent[e] in praedicando, si non haec gratia praecessisset. Nunc vero videntes *velociter currere verbum*[f], et populos nationum ad Dominum in omni facilitate converti, *concurrere in unitatem fidei*[g] *tribus et linguas*[h], atque in unam colligi matrem catholicam *terminos terrae*[i], cognoverunt de *divitiis gratiae*[j], quae *a saeculis absconditae*[k] tenebantur in abscondito praedestinationis aeternae, et gavisi sunt eam se invenisse, quam ante saecula Dominus elegerat in sponsam sibi.

6. Ex quo, ut opinor, clarum sit non otiosum esse, quod se inventam ab his sponsa testata est, sed propterea quod se ab ipsis collectam agnosceret, non electam : compertam, non conversam.

III. Quod a Deo praeparata, non autem inventa, recte dicitur sponsa, et propter praeparationem a vigilibus inventa.

Ei nempe ascribenda cuiusque conversio est, cui dicere necesse habent universi illud de Psalmo : *Converte nos, Deus, salutaris noster*[a]. Sed non aeque illi fortassis inventionis vocem competenter aptarim, sicut conversionis.

---

5. a. Éphés. 6,15 ≠   b. Mal. 3, 1 ≠ ; Lc 1, 17 ≠   c. II Cor. 4, 4 ≠   d. Act. 13, 48 ≠   e. Cf. Ps. 126, 1   f. Ps. 147, 15 ≠ g. Éphés. 4, 13 ≠   h. Apoc. 5, 9 ≠   i. Ps. 2, 8   j. Éphés. 1, 7 ≠   k. Col. 1, 26 ≠
6. a. Ps. 84, 5 ≠

1. Cf. *SCt* 78, 3, *supra* p. 246, l. 5 et 8.

5. Mais celle que la sagesse prédestinante avait dissimulée de toute éternité et que la puissance créatrice n'avait pas davantage mise en lumière, la grâce visitante la révéla en son temps, par cette opération que j'ai nommée plus haut l'inspiration[1]. Un je ne sais quoi de l'Esprit de l'Époux fut insufflé aux esprits des hommes « pour les préparer à recevoir l'Évangile de la paix[a] », c'est-à-dire « pour préparer la voie au Seigneur[b] » et « à l'Évangile de sa gloire[c] » dans les cœurs de tous « ceux qui étaient prédestinés à la vie[d] ». C'est en vain que les veilleurs auraient peiné[e] à la prédication, si cette grâce ne les avait prévenus. Mais c'est maintenant que, voyant « la Parole courir rapide[f] », les peuples des nations se convertir si aisément au Seigneur, « les tribus et les langues[h] se rencontrer dans l'unité de la foi[g] » et « les confins de la terre[i] » se rassembler en une seule Église catholique, leur mère, les veilleurs ont connu « les richesses de la grâce[j] » qui étaient tenues « cachées depuis des siècles[k] » dans le secret de l'éternelle prédestination et se sont réjouis d'avoir trouvé celle que le Seigneur, avant les siècles, s'était choisie pour épouse.

6. Il en ressort clairement, à mon avis, que le témoignage de l'épouse n'est pas inutile, comme quoi elle a été trouvée par les veilleurs. Car elle se savait rassemblée par eux, non pas choisie ; découverte, non pas convertie.

III. Il est dit à juste titre que l'épouse a été préparée, non pas trouvée, par Dieu et qu'elle a été trouvée par les veilleurs grâce à cette préparation.

La conversion de chacun doit être attribuée à celui à qui tous sans exception doivent dire cette parole du psaume : « Convertis-nous, Dieu, notre salut[a]. » Mais peut-être ne pourrais-je pas appliquer à Dieu le mot « trouver » avec la même pertinence que le mot

270

Immo vero sic est : non invenire Domino, sed prae-
10 venire, et inventionem praeventio excludit. Denique quid
inveniat, qui nihil umquam non novit ? *Novit Dominus
qui sunt eius*[b], ait quidam. Ipse vero quid ? *Ego scio*, ait,
quos elegerim a principio[c]. Plane quam ab aeterno praescivit, quam elegit, quam dilexit, quam condidit, rationis
15 non erat ab eodem perhiberi inventam. Praeparatam
tamen ab ipso ut inveniretur, fidenter dixerim. Nam *qui
vidit, testimonium perhibuit, et scimus quia verum est testimonium eius*[d]. *Vidi*, inquit, *civitatem sanctam, Ierusalem
novam, descendentem de caelo a Deo, paratam tamquam
20 sponsam ornatam viro suo*[e], isque e vigilibus unus, *qui
custodiunt civitatem*[f]. Sed audi ipsum eius praeparatorem,
veluti digito eam demonstrantem vigilibus, sed sub
tropo altero : *Levate oculos vestros*, ait, *et videte regiones,
quia albae sunt iam*, id est praeparatae, *ad messem*[g].
25 Ex hoc *Paterfamilias operarios invitat ad opus*[h], quando
iam senserit sic omnia praeparata, ut absque multo
suo ipsorum labore gloriari et dicere queant quoniam
coadiutores Dei sumus[i]. Quid enim facturi sunt ? Nempe
sponsam quaesituri, inventaeque indicaturi de dilecto.
30 Non enim suam quaerent, sed Sponsi gratiam, quoniam
Sponsi amici[j] sunt. Et pro hac non multum apud illam
laborabunt : adest, iamque illum tota devotione requirit,
in tantum praeparata est voluntas eius a Domino.

---

b. II Tim. 2, 19 (Patr.)   c. Jn 13, 18 ≠   d. Jn 19, 35 ≠
e. Apoc. 21, 2 ≠   f. Cant. 3, 3   g. Jn 4, 35   h. Matth. 20, 1
i. I Cor. 3, 9 ≠   j. Jn 3, 29 ≠

1.* *II Tim.* 2, 19 Patr. Cf. *SC* 472, p. 128, n. 1 sur *SCt* 55, 1.
2.* *I Cor.* 3, 9. Cf. p. 239, n. 2 sur *SCt* 77, 7.

« convertir ». Oui, il en est bien ainsi : il n'appartient pas à Dieu de trouver, mais de prévenir, et ceci exclut cela. Car que pourrait-il trouver, celui qui n'a jamais rien ignoré ? « Le Seigneur connaît ceux qui sont à lui[b 1] », dit quelqu'un. Et que dit-il lui-même ? « Je connais ceux que j'ai choisis depuis le commencement[c]. » Sans aucun doute, il n'était pas raisonnable d'affirmer que l'Église a été trouvée par celui-là même qui l'a connue d'avance depuis l'éternité, qui l'a choisie, aimée, créée. Mais je dirai avec assurance qu'elle a été préparée par lui pour être trouvée. Car « celui qui a vu a rendu témoignage, et nous savons que son témoignage est vrai[d]. » « J'ai vu, dit-il, la ville sainte, la Jérusalem nouvelle, qui descendait du ciel d'auprès de Dieu, prête comme une épouse parée pour son époux[e]. » Et ce témoin est l'un des veilleurs « qui gardent la ville[f] ». Mais entends celui-là même qui l'a préparée, la montrant comme du doigt aux veilleurs, bien que sous une autre figure : « Levez vos yeux, dit-il, et voyez les champs : déjà ils sont blancs », c'est-à-dire préparés, « pour la moisson[g]. » De là vient que « le Père de famille invite les ouvriers au travail[h] » quand il perçoit que tout est déjà préparé. Ainsi, sans qu'il leur en coûte beaucoup de peine, ils peuvent se glorifier et dire : « Nous sommes les coadjuteurs de Dieu[i 2]. » Qu'auront-ils à faire ? Ils auront à chercher l'épouse et, l'ayant trouvée, lui donner des nouvelles de son bien-aimé. Car ils ne chercheront pas de faveurs pour eux-mêmes, mais pour l'Époux, puisqu'ils sont « les amis de l'Époux[j] ». Et pour cela, ils n'auront pas grand mal à se donner auprès de l'épouse : la voici, déjà elle recherche l'Époux avec toute sa ferveur, dans la mesure où sa volonté a été préparée par le Seigneur.

7. Denique, necdum illis quidquam loquentibus, interrogat de dilecto, et praevenit praedicatores suos praeventa ipsa, percunctans et dicens : *Num quem diligit anima mea vidistis ?* Bene proinde se inventam perhibuit
5 ab his *qui custodiunt civitatem*[a], quae a Domino civitatis praecognitam iam se noverat et praeventam, quatenus illi talem eam invenirent, non facerent. Sic a Petro Cornelius[b] et Paulus ab Anania[c] inventi sunt : nam ambo praeventi a Domino erant et praeparati. Quid Saulo
10 paratius, qui supplici iam et mente et voce clamaverat : *Domine, quid me vis facere*[d] ? Nec minus Cornelius, qui *eleemosynis et orationibus suis*[e], Domino quidem eas sibi inspirante, promeruit pervenire ad fidem. *Invenit quoque Philippus Nathanaelem*[f] ; sed prius Dominus illum, *cum*
15 *esset sub ficu*, iam *viderat*[g]. Quae Domini visio, numquid non praeparatio fuit ? Et *Andreas Simonem fratrem suum* nihilominus *invenisse* refertur[h], sed praevisum aeque a Domino atque praescitum, ut vocaretur Cephas[i], quasi *fortis in fide*[j].

8. Legimus de Maria quod *inventa fuerit in utero habens de Spiritu Sancto*[a]. Existimo autem simile quid habere in hac parte sponsam Domini Matri ipsius. Nisi enim et ipsa *inventa esset habens de Spiritu Sancto*, nequaquam
5 ab inventoribus suis tam familiariter requisisset de eo, cuius Spiritus est ille. Non sustinuit ut illi effarentur ad quod venissent ; ipsa *locuta est*, et quidem *ex abundantia cordis*[b] : *Num quem diligit anima mea vidistis*[c] ?

271

---

7. a. Cant. 3, 3 ≠   b. Cf. Act. 10, 25   c. Cf. Act. 9, 17   d. Act.
9, 6 ≠   e. Act. 10, 4 ≠   f. Jn 1, 45 ≠   g. Jn 1, 48 ≠   h. Jn
1, 41 ≠   i. Cf. Jn 1, 42   j. I Pierre 5, 9 ≠
8. a. Matth. 1, 18 ≠   b. Matth. 12, 34 ≠   c. Cant. 3, 3 ≠

---

1. Le paragraphe contient l'exemple de plusieurs personnes dont la conversion avait été préparée par le Seigneur : Pierre et Paul, Nathanaël et Simon.

2. Bernard attribue ici les paroles de l'épouse à Marie, qui est à la fois

7. Alors que les veilleurs ne lui ont encore rien dit, l'épouse les interroge sur son bien-aimé. Prévenue elle–même par Dieu, elle prévient ses prédicateurs ; elle s'enquiert et dit : « Avez-vous vu celui qu'aime mon âme ? » C'est donc avec à-propos qu'elle a affirmé avoir été trouvée par ceux « qui gardent la ville[a] ». Car elle se savait déjà connue d'avance et prévenue par le Seigneur de la ville, de sorte que les gardiens l'ont trouvée et non faite telle qu'elle est. Ainsi Corneille a été trouvé par Pierre[b], et Paul par Ananie[c 1] ; car tous deux avaient été prévenus et préparés par le Seigneur. Qui était mieux préparé que Saul ? L'esprit et la voix suppliants, il s'était déjà écrié : « Seigneur, que veux-tu que je fasse[d] ? » Et Corneille ne l'était pas moins, lui qui « par ses aumônes et ses prières[e] », certainement inspirées par Dieu, mérita de parvenir à la foi. « Philippe aussi trouva Nathanaël[f] » ; mais le Seigneur l'« avait déjà vu » auparavant, « lorsqu'il était sous le figuier[g] ». Ce regard du Seigneur, ne fut-il pas une préparation ? Il est rapporté qu'« André trouva pareillement son frère Simon[h] » ; mais celui-ci avait été vu et connu d'avance par le Seigneur, afin d'être appelé Céphas[i], c'est-à-dire « fort dans la foi[j] ».

8. Nous lisons de Marie qu'elle « fut trouvée enceinte par le fait de l'Esprit saint[a 2] ». J'estime qu'en cela il y a une ressemblance entre l'épouse du Seigneur et sa mère. Si l'épouse « n'avait pas été trouvée elle-même remplie de l'Esprit saint », elle n'eût jamais demandé si familièrement à ceux qui la trouvèrent des nouvelles au sujet de celui dont il est l'Esprit. Elle n'attendit pas que les gardiens lui annoncent pourquoi ils étaient venus ; elle « parla » la première, et « de l'abondance du cœur[b] » : « Avez-vous vu celui qu'aime mon âme[c] ? » Elle savait combien « heureux

---

épouse et mère. On sait que Rupert de Deutz a écrit un commentaire mariologique de tout le Cantique. Cf. F. OHLY, *Hoheliedstudien*, Wiesbaden 1958, p. 121-135.

Sciebat quia *beati oculi qui vidissent* ; et admirans eos qui
10 viderant, aiebat : Num vos estis, quibus *videre donatum
est quem tot reges et prophetae voluerunt videre, et non
viderunt*[d] ? Num vos estis qui meruistis in carne aspicere
Sapientiam, in corpore Veritatem, in homine Deum ?
Multi dicunt : *Ecce hic est et ecce illic*[e] ; sed ego tutius
15 mihi arbitror fidem accommodare *vobis, qui manducastis
et bibistis cum eo, postquam resurrexit a mortuis*[f]. Et hoc
dictum sit de eo, quod sponsa sciscitata est a vigilibus.
Si quominus, supplebitur sermone alio. Nunc autem
ex hoc vel maxime liquet praeventam fuisse a Spiritu
20 Sancto, ab his vero *qui custodiunt civitatem*[g] inventam
compertamque quod vere ipsa sit quam *praescivit et
praedestinavit ante saecula Deus*[h], praeparavitque dilecto
Filio suo delicias sempiternas *in saeculis aeternis*[i], *ut sit
sancta et immaculata in conspectu eius*[j], *germinans sicut
25 lilium et florens*[k] in aeternum ante Dominum, *Patrem
Domini mei Iesu Christi*[l], Sponsi Ecclesiae, *qui est super
omnia Deus benedictus in saecula. Amen*[m].

---

d. Lc 10, 23-24 ≠   e. Lc 17, 21 ≠   f. Act. 10, 41 ≠   g. Cant.
3, 3   h. I Cor. 2, 7 ≠ ; Rom. 8, 29 ≠   i. Is. 26, 4   j. Éphés.
5, 27 ; Éphés. 1, 4 ≠   k. Is. 35, 1-2 ≠ ; Os. 14, 6 ≠   l. Rom.
15, 6 ≠   m. Rom. 9, 5

étaient les yeux qui l'avaient vu ». Admirant ceux qui
l'avaient vu, elle disait : « Êtes-vous ceux à qui 'il a été
donné de voir celui que tant de rois et de prophètes
voulurent voir, et ne virent pas[d]' ? Est-ce vous qui avez
mérité de contempler la Sagesse dans la chair, la Vérité
dans un corps, Dieu dans un homme ? Bien des gens
disent : 'Il est ici, il est là[e].' Mais je crois qu'il est plus
sûr pour moi de me fier 'à vous, qui avez mangé et bu
avec lui après qu'il ressuscita d'entre les morts[f]'. » Voilà
pour la question que l'épouse a posée aux veilleurs. S'il
reste quelque chose à dire, un autre sermon complétera
l'exposé. Pour l'instant, il ressort avec la plus grande
évidence de ce sermon-ci que l'épouse a été prévenue
par l'Esprit saint, trouvée et découverte par ceux « qui
gardent la ville[g] ». Car c'est vraiment elle que « Dieu a
connue d'avance et prédestinée avant les siècles[h] ». Il l'a
préparée à faire les délices éternelles de son Fils bien-
aimé « pour les siècles éternels[i] », « sainte et immaculée
en sa présence[j], germant comme le lis et fleurissant[k] » à
jamais devant le Seigneur, « Père de mon Seigneur Jésus-
Christ[l] », l'Époux de l'Église, « qui est au-dessus de tout,
Dieu béni dans les siècles. Amen[m]. »

SERMO LXXIX

I. Qua ratione sponsa dicit : *Num quem diligit anima mea, etc.*, et quid sit ipsam vigiles pertransire. – II. De glutino amoris quo sponsa Sponsum tenet nec dimittit, et qua ratione in cubiculum genitricis suae illum introducere parat.

I. Qua ratione sponsa dicit : *Num quem diligit anima mea, etc.*, et quid sit ipsam vigiles pertransire.

1. *Num quem diligit anima mea vidistis*[a] ? O amor praeceps, vehemens, flagrans, impetuose, qui praeter te aliud cogitare non sinis, fastidis cetera, contemnis omnia prae te, te contentus ! Confundis ordines, dissimulas
5 usum, modum ignoras ; totum quod opportunitatis, quod rationis, quod pudoris, quod consilii iudiciive esse videtur, *triumphas in temetipso*[b] *et redigis in captivitatem*[c]. En omne quod cogitat ista, et quod loquitur, te sonat, te redolet, et aliud nihil : ita tibi ipsius et cor vindicasti
10 et linguam. Ait : *Num quem diligit anima mea vidistis ?* Quasi vero hi sciant quid cogitet ipsa. *Quem diligit anima tua*, de ipso sciscitaris ? Et non habet nomen ? Quaenam vero tu, et ille quis ? Et haec ita dixerim propter singularitatem eloquii et insignem verborum incuriam,

---

1. a. Cant. 3, 3 ≠   b. Col. 2, 15 ≠   c. II Cor. 10, 5 ≠

---

1. « Ô amour éperdu, véhément, brûlant, impétueux ! » Tout le paragraphe est proche de la poésie courtoise des troubadours et des trouvères. Il y a pourtant une distinction fondamentale entre l'amour mystique et

SERMON 79

I. Pour quelle raison l'épouse dit : « Avez-vous vu celui qu'aime mon âme ? » Que signifie le fait qu'elle dépasse les veilleurs. – II. Le ciment de l'amour grâce auquel l'épouse tient l'Époux et ne le lâche pas. Pour quelle raison l'épouse se prépare à faire entrer l'Époux dans la chambre de celle qui l'a conçue.

I. Pour quelle raison l'épouse dit : « Avez-vous vu celui qu'aime mon âme ? » Que signifie le fait qu'elle dépasse les veilleurs.

1. « Avez-vous vu celui qu'aime mon âme[a] ? » Ô amour éperdu, véhément, brûlant, impétueux[1] ! Tu ne permets pas de penser à autre chose qu'à toi, tu éprouves du dégoût pour tout le reste, tu méprises tout ce qui n'est pas toi, te contentant de toi-même ! Tu confonds les rangs, tu négliges les usages, tu ignores la mesure. Convenance, raison, pudeur, sagesse et jugement, tout cela « tu en triomphes en toi-même[b] et tu le réduis en captivité[c] ». Toutes les pensées et toutes les paroles de l'épouse ne résonnent que de toi, tu es leur unique parfum, tant tu t'es conquis son cœur et sa langue. « Avez-vous vu celui qu'aime mon âme ? » dit-elle. Comme s'ils savaient ce qu'elle pense ! « Celui qu'aime ton âme » : c'est de lui que tu t'enquiers ? Et n'a-t-il pas de nom ? Qui es-tu donc, et qui est-il ? Je dis cela à cause de la singularité de ce langage et de l'étonnante

l'amour profane. Cf. GILSON, *Mystique*, Appendice IV : « Saint Bernard et l'amour courtois », p. 193-215.

15 qua praesens Scriptura ceteris dissimilis satis apparet.
Unde in epithalamio hoc non verba pensanda sunt, sed
affectus. Cur ita, nisi quod amor sanctus, quem totius
huius voluminis unam constat esse materiam, *non verbo
sit aestimandus aut lingua, sed opere et veritate*[d] ? Amor
20 ubique loquitur ; et si quis horum quae leguntur cupit
notitiam adipisci, amet. Alioquin frustra ad audiendum
legendumve amoris carmen, qui non amat, accedit :
quoniam omnino *non potest capere ignitum eloquium*[e]
frigidum pectus. Quomodo enim graece loquentem non
25 intelligit qui graece non novit, nec latine loquentem qui
latinus non est, et ita de ceteris, sic lingua amoris ei qui
non amat barbara erit, *erit sicut aes sonans aut cymbalum
tinniens*[f]. Isti vero – vigiles loquor –, quoniam *de Spiritu* et
ipsi *acceperunt*[g] ut ament, sciunt quid loquitur Spiritus[h],
30 et amoris vocibus optime compertis sibi, in promptu
habent respondere in simili lingua, id est studiis amoris
pietatisque officiis.

2. Denique ita in brevi edoctam emittunt de eo quod
quaerit, ut dicat : *Paululum cum pertransissem eos, inveni
quem diligit anima mea*[a]. Bene *paululum,* quia *verbum
abbreviatum*[b] fecerunt ei, Symbolum fidei tradentes.
5 Et quod sequitur, tale est. Oportebat quidem sponsam

---

d. I Jn 3, 18 ≠   e. Matth. 19, 11 ≠ ; Ps. 118, 140   f. I Cor.
13, 1 ≠   g. Jn 7, 39 ≠   h. Cf. Rom. 8, 27
2. a. Cant. 3, 4   b. Rom. 9, 28 (Patr.)

1. « Car un cœur froid ne peut nullement saisir ce langage de feu. »
Allusion au psaume 118, 140 : *Ignitum eloquium tuum vehementer.* Texte
parallèle en *Div* 24, 2 (*SBO* VI-1, p. 184, l. 24-25). *Si tepidus es et evomi
iam formides, non discedas ab eloquio Domini, et inflammabit te, quia ignitum
eloquium eius valde,* « Si tu es tiède, si tu crains que Dieu ne te rejette,
ne t'éloigne pas de sa parole ; elle te réchauffera, parce que cette parole
est de feu. »

désinvolture des mots, par quoi ce texte de l'Écriture apparaît assez différent des autres. De là vient que dans cet épithalame il faut moins apprécier les mots que les sentiments. Pourquoi cela, sinon parce que l'amour saint, qui est manifestement le seul sujet de ce livre, ne doit pas être mesuré « aux mots et aux phrases, mais aux actes et à la vérité[d] » ? C'est l'amour qui parle d'un bout à l'autre ; et si quelqu'un désire atteindre l'intelligence de ce qu'on y lit, qu'il aime. Sans quoi, c'est en vain que celui qui n'aime pas s'approche pour entendre ou lire ce poème d'amour. Car un cœur froid « ne peut nullement saisir ce langage de feu[e 1] ». Comme celui qui ne sait pas le grec ne comprend pas celui qui parle grec, et qui n'est pas latin ne comprend pas qui parle latin, et ainsi des autres langues ; de même la langue de l'amour, pour qui n'aime pas, sera une langue barbare ; « elle sera comme airain qui sonne ou cymbale qui retentit[f] ». Mais ceux-là – je veux dire les veilleurs –, puisqu'« ils ont eux aussi reçu de l'Esprit[g] » le don d'aimer, savent ce que dit l'Esprit[h]. Les paroles de l'amour leur étant très bien connues, ils peuvent aisément répondre dans la même langue, c'est-à-dire par l'ardeur de l'amour et les devoirs de la piété.

2. Aussi la laissent-ils partir après l'avoir rapidement informée de ce qu'elle demande, si bien qu'elle dit : « A peine les avais-je dépassés, j'ai trouvé celui qu'aime mon âme[a]. » C'est bien dit : « à peine », car ils lui ont donné « une parole abrégée[b 2] », lui transmettant le Symbole de la foi. Et voici la suite. Il fallait certes que l'épouse

---

2. *Verbum abbreviatum*, « une parole abrégée ». Ce nom donné au Verbe sert à désigner l'abaissement, le dépouillement, l'humiliation volontaire du Fils de Dieu devenu homme. Cf. *SC* 393, p. 112, n. 2 sur *Dil* 21 ; *SC* 472, p. 218, n. 1 sur *SCt* 59, 9 ; *SC* 480, Introduction, p. 62 ; p. 198, n. 1 sur *NatV* 1, 1.

transire per eos, per quos cognosceret veritatem, sed
tamen transire. Nisi enim transisset et ipsos, non inve-
nisset quem quaerebat. Atque hoc ipsum suasam ab
illis non ambigas. *Non enim praedicabant semetipsos, sed*
10 *Dominum suum Iesum*[c], qui absque dubio et supra ipsos
est, et ultra. Unde et ait : *Transite ad me, omnes qui*
concupiscitis me[d]. Nec sufficiebat transire : et pertransire
docetur. Siquidem pertransierat is quem vestigabat. Non
modo enim *de morte ad vitam transierat*[e], sed pertran-
15 sierat ad gloriam. Quidni etiam hanc oportuit pariter
pertransire ? Alioquin non poterat apprehendere, quem
non per eadem vestigia *sequeretur quocumque ierat*[f].

3. Et ut quod dico clarius sit, si Dominus meus Iesus
surrexisset quidem a mortuis, sed ad caelos minime
ascendisset, non poterat dici de eo quod pertransierit,
sed transierit tantum ; ac per hoc sponsam illum quae-
5 rentem transire solummodo oporteret, non pertransire.
Nunc vero quoniam iam resurgendo transierat, et
adiecerat pertransire, utique ascendendo, merito se etiam
ista non transisse, sed pertransisse perhibuit, quae hunc
fide quidem et devotione ad caelos usque secuta est.
10 Igitur credere resurrectionem transire est ; credere etiam
ascensionem, pertransire. Et fortasse – quod una dierum
dixisse me memini cum tractarem –, noverat illam, istam
non noverat. Ergo quod sibi deerat instructa ab illis,
quia scilicet qui resurrexerat etiam ascendisset, ascendit
15 et ipsa pariter, hoc est : pertransiit et invenit. Quidni
invenerit pertingens fide, ubi ille corpore est ? *Paululum*

274

---

c. II Cor. 4, 5 ≠   d. Sir. 24, 26   e. Jn 5, 24 ≠   f. Apoc.
14, 4 ≠

---

1. Cf. *SCt* 76, 2-5, p. 207 s. Bernard a déjà expliqué la différence entre
la résurrection et l'ascension du Christ.

passe par eux, afin de connaître par eux la vérité ; mais il fallait néanmoins qu'elle les dépasse. Car si elle ne les avait pas dépassés, eux aussi, elle n'aurait pas trouvé celui qu'elle cherchait. Et c'est par eux qu'elle a été persuadée d'agir ainsi, n'en doute pas. « Car ils ne se prêchaient pas eux-mêmes, mais leur Seigneur Jésus[c] », qui sans aucun doute est au-dessus et au-delà d'eux. D'où vient aussi qu'il dit : « Passez jusqu'à moi, vous tous qui me désirez[d]. » Et il ne suffisait pas de passer : l'épouse apprend encore à dépasser. Parce que celui qu'elle suivait à la trace avait dépassé. Non seulement « il avait passé de la mort à la vie[e] », mais il avait dépassé celle-ci jusqu'à la gloire. Pourquoi n'aurait-il pas fallu qu'elle aussi dépasse à son tour ? Sinon, elle n'aurait pu saisir celui dont « elle n'aurait guère suivi » les pas « partout où il allait[f] ».

3. Je vais essayer de rendre mon propos plus clair. Si mon Seigneur Jésus était ressuscité d'entre les morts, mais sans monter aux cieux, on ne pourrait pas dire de lui qu'il a dépassé, mais seulement qu'il a passé. Dès lors, l'épouse qui le cherche n'aurait qu'à passer, sans dépasser. En revanche, puisqu'en ressuscitant il avait déjà passé, et que de plus il avait dépassé, à savoir en montant au ciel, l'épouse a déclaré à juste titre qu'elle non plus n'a pas passé, mais qu'elle a dépassé. Car, par la foi et la ferveur, elle l'a suivi jusqu'aux cieux. Donc, croire à la résurrection, c'est passer ; croire aussi à l'ascension, c'est dépasser. Peut-être l'épouse connaissait-elle la première, mais pas la seconde – ce que je me souviens d'avoir dit dans un de mes entretiens de ces jours-ci [1]. Ainsi, instruite par les gardiens de ce qui lui échappait encore, comme quoi celui qui était ressuscité était aussi monté au ciel, elle-même est montée pareillement au ciel, c'est-à-dire : elle a dépassé et l'a trouvé. Comment ne l'eût-elle pas trouvé, parvenant par la foi là où il est avec son corps ?

cum pertransissem eos[a]. Et bene *eos* : nam tam ipsos quam cetera *membra sua, quae sunt super terram*[b], caput nostrum punctis praecessit duobus atque transcendit,
20 resurrectione, ut iam diximus, et ascensione. Etenim *primitiae Christus*[c]. Quod si ille praecessit, et fides nostra. Ubi enim illa eum non sequeretur ? *Si ascenderit in caelum,* ipsa *illic est ; si descenderit in infernum, adest. Et si sumpserit pennas suas diluculo et habitaverit in extremis*
25 *maris, illuc,* ait, *manus tua deducet me et tenebit me dextera tua*[d]. Nonne denique secundum hanc omnipotens et summe bonus Pater Sponsi *consuscitavit, et consedere nos fecit* in dextra sua[e] ? Atque hoc pro eo quod dixit Ecclesia, quia *pertransivi eos* : quoniam et semet pertransiit, *fide*
30 *stans*[f] quo necdum re ipsa pervenit. Arbitror et illud planum, cur se pertransisse potius quam transisse dicere maluit. Et nos transeamus ad ea quae sequuntur.

II. De glutino amoris quo sponsa Sponsum tenet nec dimittit, et qua ratione in cubiculum genitricis suae illum introducere parat.

4. *Tenui eum nec dimittam, donec introducam illum in domum matris meae et in cubiculum genitricis meae*[a]. Ita est : ex tunc et deinceps non deficit genus christianum, nec fides de terra, nec caritas de Ecclesia.
5 *Venerunt flumina, flaverunt venti, et impegerunt in eam,*

---

3. a. Cant. 3, 4   b. Col. 3, 5 ≠   c. I Cor. 15, 23   d. Ps. 138, 8-10 ≠   e. Éphés. 2, 6 ≠   f. Rom. 11, 20 ≠
4. a. Cant. 3, 4

---

1. Éphés. 2, 6 ≠ : *consuscitavit ... consedere.* Unique référence chez Bernard. On retrouve *consuscitauit, et consedere nos fecit* chez JÉRÔME, *In Sophoniam* 1, *CCL* 76 A, l. 112.

2. *Fide stans quo necdum re ipsa pervenit,* « Demeurant par la foi où elle n'est pas encore parvenue dans la réalité ». L'opposition entre *spes* et

« A peine les avais-je dépassés[a]. » C'est bien dit, « les » ;
car aussi bien eux que « ses autres membres qui sont
sur la terre[b] », notre Chef les a précédés et surpassés en
deux points : la résurrection, comme nous l'avons déjà
dit, et l'ascension. « Le Christ, c'est les prémices[c]. » Et
s'il nous a précédés, notre foi nous a précédés aussi. Où
ne le suivrait-elle pas ? « S'il monte au ciel, elle est là ;
s'il descend aux enfers, la voici. Et s'il déploie ses ailes à
l'aurore et s'en va habiter au plus loin de la mer, même là,
dit-elle, ta main me conduira et ta droite me tiendra[d] ».
N'est-il pas vrai que, selon cette foi, le Père de l'Époux,
dans sa toute-puissance et sa souveraine bonté, « nous
a ressuscités avec lui et nous a fait asseoir avec lui à sa
droite[e] [1] » ? Voilà pour ce qu'a dit l'Église : « Je les ai
dépassés. » Car elle s'est dépassée elle-même, « demeurant
par la foi[f] » là où elle n'est pas encore parvenue dans
la réalité[2]. Je pense que maintenant la raison de cette
préférence est claire : elle a voulu dire « dépasser » plutôt
que « passer ». Nous aussi, passons à ce qui suit.

**II. Le ciment de l'amour grâce auquel l'épouse tient l'Époux et
ne le lâche pas. Pour quelle raison l'épouse se prépare à faire
entrer l'Époux dans la chambre de celle qui l'a conçue.**

4. « Je le tiens et ne le lâcherai pas, que je ne l'aie fait
entrer dans la maison de ma mère et dans la chambre
de celle qui m'a conçue[a]. » Il en est bien ainsi : depuis
lors et par la suite, la race des chrétiens ne disparaît pas,
ni la foi sur la terre, ni la charité dans l'Église. « Les
fleuves sont venus, les vents ont soufflé ; ils se sont rués

---

res joue un grand rôle dans le traité *Le Miroir de la foi* de Guillaume
de Saint-Thierry. Cf. § 2, l. 8-9, *SC* 301, p. 62 : *Sed neque spes iam erit
necessaria, quando erit res,* « L'espérance ne sera plus nécessaire, la réalité
une fois présente. »

et non cecidit, quod fundata esset supra firmam petram[b].
Petra autem est *Christus*[c]. Itaque nec verbositate philo-
sophorum, nec cavillationibus haereticorum, *nec gladiis*
persecutorum potuit ista aut *poterit aliquando separari*
10 *a caritate Dei, quae est in Christo Iesu*[d] : adeo fortiter
tenet quem diligit anima sua[e], adeo *illi adhaerere Deo
bonum est*[f]. *Glutino bonum est*[g], ait Isaias. Quid hoc
tenacius glutino, quod nec aquis eluitur, nec ventis
dissolvitur, nec scinditur gladiis ? Denique *aquae multae*
15 *non poterunt exstinguere caritatem*[h]. *Tenui eum, nec
dimittam.* Et sanctus Patriarcha : *Non te,* inquit, *dimittam,*
nisi benedixeris mihi[i]. Ita ista non vult dimittere eum ;
et forte magis quam Patriarcha id non vult, quia nec
pro benedictione quidem : siquidem ille, benedictione
20 accepta, dimisit eum ; haec autem non sic. « Nolo »,
inquit, « benedictionem tuam, sed te : *Quid enim mihi est*
in caelo, et a te quid volui super terram[j] *?* Non dimittam
te, nec si benedixeris mihi ».

5. *Tenui, nec dimittam*[a]. Nec minus forsitan ille teneri
vult, cum perhibeat dicens : *Deliciae meae esse cum filiis*
hominum[b], quodque pollicens ait : *Ecce ego vobiscum sum*
omnibus diebus usque ad consummationem saeculi[c]. Quid
5 hac copula fortius, quae una duorum tam vehementi
voluntate firmata est ? *Tenui eum,* inquit. Sed nihilominus
ipsa vicissim tenetur ab eo quem tenet, cui et loquitur :
Tenuisti manum dexteram meam[d]. Quae tenetur et tenet,

---

b. Matth. 7, 25 (Lit.)   c. I Cor. 10, 4 ≠   d. Rom. 8, 35 ≠. 39
≠ e. Cant. 3, 2 ≠   f. Ps. 72, 28 ≠   g. Is. 41, 7   h. Cant.
8, 7   i. Gen. 32, 26 ≠   j. Ps. 72, 25
5. a. Cant. 3, 4   b. Prov. 8, 31   c. Matth. 28, 20   d. Ps.
72, 24

1.* *Matth.* 7, 25. La *Vg* emploie *inruerunt* au lieu de *impegerunt*. Une
formulation voisine se retrouve chez AUG., *Epist.* 127, 7 (*CSEL* 44,
p. 26, l. 15) ; *In Iohannis euangelium tractatus* 7, 14, l. 11, *CCL* 36. *Firmam*

sur elle, et elle ne s'est pas écroulée, parce qu'elle était
fondée sur le roc ferme[b] [1]. Le roc, c'est le Christ[c]. » Aussi
ni le verbiage des philosophes, ni les sophismes des hérétiques, « ni le glaive » des persécuteurs n'ont-ils pu ni « ne
pourront jamais séparer l'Église de la charité de Dieu, qui
est dans le Christ Jésus[d] » ; tant « elle tient fortement celui
qu'aime son âme[e] », tant « il lui est bon de s'attacher à
Dieu[f] ». « Le ciment est bon[g] », dit Isaïe. Quoi de plus
ferme que ce ciment ? Il n'est pas dissous par les eaux,
ni amolli par le vent, ni fendu par le glaive. Enfin, « les
grandes eaux n'ont pu éteindre la charité[h]. » « Je le tiens
et ne le lâcherai pas. » Le saint Patriarche aussi dit : « Je
ne te lâcherai pas que tu ne m'aies béni[i]. » L'épouse, de
même, ne veut pas lâcher l'Époux. Peut-être sa volonté
est-elle encore plus résolue que celle du Patriarche, car
ce n'est pas seulement une bénédiction qu'elle veut. Le
Patriarche, une fois la bénédiction reçue, a lâché prise ;
mais pour l'épouse, il n'en va pas ainsi. « Ce n'est pas ta
bénédiction, dit-elle, c'est toi que je veux. 'Qu'y a-t-il pour
moi au ciel, et qu'ai-je désiré sur la terre, sinon toi[j] ?' Je
ne te lâcherai pas, même lorsque tu m'auras bénie. »

5. « Je le tiens et ne le lâcherai pas[a]. » Et lui, peut-être,
ne veut pas moins être tenu, car il déclare : « Je mets mes
délices à être avec les fils des hommes[b]. » Il fait aussi
cette promesse : « Voici, je suis avec vous tous les jours
jusqu'à la consommation des siècles[c]. » Quoi de plus fort
que cette liaison [2], qui est affermie par l'unique volonté
si passionnée de tous les deux ? « Je le tiens », dit-elle.
Mais à son tour elle est également tenue par celui qu'elle
tient et à qui elle dit : « Tu me tiens la main droite[d]. »

est absent de *Vg* : sur la formule *supra firmam petram*, cf. *supra* p. 240,
n. 1 sur *SCt* 77, 7.
    2. *Hac copula*. Ici, à propos du *nec* de *Tenui, nec dimittam* (*Cant.* 3, 4).
Usage identique du mot en *QH* 11, 7 (*SBO* IV, 453, l. 15).

quomodo iam cadere potest ? Tenet fidei firmitate,
10 tenet devotionis affectu. At nequaquam diu teneret, si
non teneretur. Tenetur autem potentia et misericordia
Domini. *Tenui eum nec dimittam, donec introducam*
illum in domum matris meae et in cubiculum genitricis
meae[e]. Magna Ecclesiae caritas, quae ne aemulae quidem
15 Synagogae suas delicias invidet. Quid benignius, ut *quem*
diligit anima sua[f], ipsum communicare parata sit et
inimicae ? Nec mirum tamen, *quia salus ex Iudaeis est*[g].
Ad locum unde exierat, revertatur Salvator[h], ut *reliquiae*
Israel salvae fiant[i]. Non rami radici, non matri filii ingrati
20 sint : non rami radici[j] invideant quod ex ea sumpsere,
non filii matri quod de eius suxere uberibus. Teneat
itaque Ecclesia firmiter salutem quam Iudaea perdidit :
ipsa apprehendit, *donec plenitudo gentium introeat, et sic*
omnis Israel salvus fiat[k]. Velit in commune communem
25 venire salutem quae sic ab omnibus capitur, ut singulis
non minuatur. Utique hoc facit, et plus. Quid plus ?
Quod et nomen sponsae illi optat, et gratiam. Prorsus
super salutem hoc.

6. Incredibilis caritas, si non sermo, quem locuta est
ipsa, fecisset fidem. Dixit enim, si advertisti, velle *se*
introducere quem tenebat, non modo *in domum matris*,
sed *et in cubiculum*[a] quoque, quod est praerogativae
5 indicium. Sufficiebat ad salutem, si domum intraret ; at

---

e. Cant. 3, 4   f. Cant. 3, 1 ≠   g. Jn 4, 22   h. Eccl. 1,
5 ≠ ; cf. Matth. 12, 44   i. Rom. 9, 27 ≠   j. Cf. Rom. 11, 16
k. Rom. 11, 25-26 ≠
6. a. Cant. 3, 4 ≠

---

1. « Le reste d'Israël doit être sauvé » (*Rom.* 9, 27). Mais deux phrases
plus loin : « Ainsi tout Israël sera sauvé » (*Rom.* 11, 25-26). Il est évident
que la fin du sermon montre une grande bienveillance pour le peuple
juif.

Elle est tenue et elle tient : comment peut-elle tomber désormais ? Elle tient l'Époux par la fermeté de sa foi, elle le tient par la ferveur de son amour. Mais elle ne le tiendrait pas longtemps si elle n'était tenue. Elle est tenue par la puissance et la miséricorde du Seigneur. « Je le tiens et ne le lâcherai pas, que je ne l'aie fait entrer dans la maison de ma mère et dans la chambre de celle qui m'a conçue[e]. » Grande est la charité de l'Église, qui ne refuse pas ses délices même à sa rivale, la Synagogue. Quoi de plus généreux ? Elle est prête à partager « celui qu'aime son âme[f] » avec son ennemie. Rien d'étonnant toutefois, « puisque le salut vient des Juifs[g]. » « Que le Sauveur revienne au lieu d'où il était issu[h] », afin que « le reste d'Israël soit sauvé[i 1] ». Que les branches ne soient pas ingrates envers la racine, ni les fils envers la mère. Que les branches ne refusent pas à la racine[j] la sève qu'elles ont reçue d'elle, ni les fils à la mère le lait qu'ils ont sucé de ses seins. Que l'Église donc tienne fermement le salut que la Judée a perdu : elle s'en saisit, « jusqu'à ce que la plénitude des nations fasse son entrée et qu'ainsi tout Israël soit sauvé[k] ». L'Église voudrait que le salut commun soit possédé en commun, car il est reçu par tous de telle sorte que la part de chacun n'en est pas diminuée. Oui, l'Église fait tout cela, et plus encore. Quoi de plus ? Elle souhaite à la Synagogue et le nom et la grâce de l'épouse. Cela est bien plus que le salut.

6. Charité incroyable, si ses propres paroles n'en faisaient foi. Car, si tu y as prêté attention, elle a dit qu'elle voulait « faire entrer celui qu'elle tenait » non seulement « dans la maison de sa mère, mais jusque dans la chambre[a] », ce qui est la marque d'un privilège. Pour le salut, il suffisait qu'il entrât dans la maison ;

276   *secretum cubiculi*[b] signat gratiam. *Hodie,* ait, *huic domui
         salus facta est*[c]. Quidni sit domesticis salus, Salvatore
         ingresso domum ? Sed quae in cubiculo meretur recipere,
         seorsum habet *secretum suum sibi*[d]. *Salus domui* sit :
    10   thalamo deliciae reconduntur. *In domum matris meae
         introducam eum*[e], inquit. In quam domum, nisi de qua
         olim praenuntiabat Iudaeis : *Ecce relinquetur vobis domus
         vestra deserta*[f] ? Fecit quod dixit, sicut habes et de hoc
         testimonium eius in Propheta : *Reliqui,* ait, *domum
    15   meam, dimisi hereditatem meam*[g] ; et nunc ista pollicetur
         reducere illum, et domui matris suae perditam salutem
         restituere. Et si hoc parum videtur, audi quod boni
         adiciat : *Et in cubiculum genitricis meae*[h]. Qui ingre-
         ditur thalamum, sponsus est. Magna amoris potentia !
    20   Salvator indignabundus exierat de domo et hereditate
         sua ; et nunc ad huius gratiam mitigatus inflectitur, ita
         ut redeat non modo Salvator, sed Sponsus. *Benedicta
         tu a Domino, filia*[i], quae et indignationem compescis,
         et hereditatem restituis. Benedicta tu matri tuae, cuius
    25   benedictione avertitur ira, revertitur salus, revertitur qui
         dicat illi : *Salus tua ego sum*[j]. Non sufficit hoc ; addat
         et dicat : *Desponsabo te mihi in fide, desponsabo te mihi
         in iudicio et iustitia, desponsabo te mihi in misericordia*

---

b. Eccl. 10, 20 ≠   c. Lc 19, 9 (Lit.) ≠   d. Is. 24, 16 ≠
e. Cant. 3, 4 ≠   f. Lc 13, 35 ≠   g. Jér. 12, 7   h. Cant. 3, 4
i. Judith 13, 23 ≠   j. Ps. 34, 3

1. * *Lc* 19, 9 Lit. Bernard omet le *a Deo* de l'antienne de la Dédicace
d'une Église (R.-J. HESBERT, *Corpus Antiphonalium Officii,* t. 3. Rome
1968, n° 3100) ; autre emploi : *Div* 41,7 (*SBO* VI-1, p. 249, l. 15).
2. Le verset du *Cant.* 3, 4, « Dans la chambre de celle qui m'a conçue ».
Bernard pense surtout à la synagogue d'où est sortie l'Église. Dans une

mais « le secret de la chambre[b] » désigne une grâce. « Aujourd'hui, est-il écrit, le salut est venu pour cette maison[c][1]. » Comment la maisonnée ne recevrait-elle pas le salut, lorsque le Sauveur entre dans la maison ? Mais celle qui mérite de le recevoir dans sa chambre a « son secret qui n'est qu'à elle[d] ». Que « le salut soit pour la maison » ; les délices sont cachées dans la chambre nuptiale. « Je le ferai entrer dans la maison de ma mère[e] », dit l'épouse. Quelle maison, sinon celle dont le Seigneur avait autrefois prédit aux Juifs : « Voilà que votre maison vous sera laissée à l'abandon[f] » ? Il a fait ce qu'il a dit, et tu en as le témoignage dans le Prophète : « J'ai quitté ma maison, dit-il, j'ai abandonné mon héritage[g]. » Et maintenant l'épouse promet de le ramener et de rendre à la maison de sa mère le salut qu'elle a perdu. Et si cela semble peu de chose, écoute quel bien elle ajoute : « et dans la chambre de celle qui m'a conçue[h][2] ». Celui qui entre dans la chambre nuptiale, c'est l'Époux. Ô grand pouvoir de l'amour ! Le Sauveur indigné était sorti de sa maison et de son héritage. Maintenant, apaisé par le charme de l'épouse, il se laisse fléchir, si bien qu'il revient non seulement en Sauveur, mais en Époux : « Bénie sois-tu par le Seigneur, ô fille[i] », toi qui apaises son indignation et lui restitues son héritage. Bénie sois-tu pour ta mère, car par la bénédiction qu'elle reçoit la colère est détournée, le salut revient, le Seigneur revient qui lui dit : « Je suis ton salut[j]. » Ce n'est pas assez ; il faut qu'il ajoute encore ces paroles : « Je te fiancerai à moi dans la foi, je te fiancerai à moi dans le droit et la justice, je te fiancerai à moi dans la miséricorde et

---

belle lettre à Guillaume de Saint-Thierry, Bernard identifie cette chambre au monastère de Cîteaux, comme étant la mère qui l'a conçu pour la vie spirituelle (*Ep* 506, *SBO* VIII, p. 464, l. 13-14).

et miserationibus[k]. Sed memento quia quae has conciliat
30 amicitias, sponsa est. Quomodo ergo Sponsum, et hunc
Sponsum alteri cedit, ne dicam cupit ? Non est ita. Cupit
quidem illum matri filia bona, non tamen ut cedat illi,
sed ut communicet. Sufficit unus duabus, nisi quod *iam
non erunt duae, sed una* in ipso[l]. *Ipse est pax nostra, qui*
35 *facit utramque unam*[m], ut sit una sponsa et unus Sponsus,
Iesus Christus Dominus noster, *qui est super omnia Deus
benedictus in saecula. Amen*[n].

k. Os. 2, 20.19 ≠   l. Matth. 19, 5-6 ≠   m. Éphés. 2, 14 ≠
n. Rom. 9, 5

1.* *Os.* 2, 20.19 ≠. Bernard emploie 4 fois ce texte ; il l'abrège, plus
ou moins, chaque fois. Chaque fois, sauf une, il change l'ordre et place

la bonté[k][1]. » Mais souviens-toi que celle qui ménage cette amitié, c'est l'épouse. Comment peut-elle céder son Époux, et un tel Époux, à une autre – pour ne pas dire qu'elle le souhaite pour sa rivale ? Ce n'est pas du tout cela. En fille affectueuse, elle le souhaite à sa mère, non pas pour le lui céder, mais pour le mettre en commun. Seul il suffit à toutes deux, ou plutôt « elles ne seront plus deux, mais une seule » en lui[l]. « C'est lui qui est notre paix, lui qui des deux n'en fait qu'une[m] », afin qu'il n'y ait qu'une seule épouse et un seul Époux, Jésus-Christ notre Seigneur, « qui est au-dessus de tout, Dieu béni dans les siècles. Amen[n]. »

---

l'expression *in fide* au début, comme ici, non pas à la fin avec *Vg.* Comme ici, il écrit 3 fois *desponsabo,* mais 1 fois *sponsabo* avec *Vg.*

SERMO LXXX

I. Regressus ad moralia, et quae cognatio sit inter Verbum et animam ex imagine et similitudine. – II. Quamplurimum habet Verbum amplius ab anima, et quomodo anima nequaquam sua sit rectitudo vel magnitudo, ut est Verbum. – III. Ratio qua monstratur a sua magnitudine differre. Et de simplicitate increatae naturae. – IV. Contra perversitatem dicentium quod divinitas Deus non est, et improbatio commenti quod facit Gillebertus Porata super Boetium, *De Trinitate*.

I. Regressus ad moralia, et quae cognatio sit inter Verbum et animam ex imagine et similitudine.

1. Quidam vestrum, ut comperi, minus aequo animo ferunt, quod ecce iam per aliquot dies, dum stupori et admirationi sacramentorum inhaerere delectat, sermo quem ministramus, aut nullo fuerit, aut exiguo admodum
5 moralium *sale conditus*[a]. Id quidem praeter solitum. Sed non quae dicta sunt, revisere licet. Non procedo, nisi prius revolvam omnia. Eia, dicite, si recordamini, a quonam Scripturae loco coeperit defraudatio haec, ut rursum inde adoriar. Meum est resarcire damna, immo
10 Domini, de quo totum praesumimus. Quo itaque repetendum principio ? An inde : *In lectulo meo per noctes quaesivi quem diligit anima mea*[b] ? Ni fallor, inde. Abhinc tantum et deinceps cura una fuit mihi, harum allegoriarum densa discussa caligine, ponere in lucem

---

1. a. Col. 4, 6 ≠   b. Cant. 3, 1

SERMON 80

I. Retour à l'exégèse morale. Quelle est l'affinité entre le Verbe et l'âme selon l'image et la ressemblance. – II. Le Verbe possède bien davantage que l'âme. L'âme n'est en aucune manière sa propre droiture ou sa propre grandeur, comme l'est le Verbe. – III. Pour quelle raison l'âme est différente de sa propre grandeur. La simplicité de la nature incréée. – IV. Contre l'erreur de ceux qui disent que la divinité n'est pas Dieu. Condamnation du commentaire de Gilbert de La Porrée sur le traité de Boèce : *La Trinité*.

I. Retour à l'exégèse morale. Quelle est l'affinité entre le Verbe et l'âme selon l'image et la ressemblance.

1. Certains d'entre vous, à ce que j'apprends, ne supportent pas de très bon gré que, prenant plaisir depuis quelques jours à contempler les mystères dans l'étonnement et l'admiration, mes sermons aient été très peu ou point « assaisonnés du sel[a] » de l'exégèse morale. Certes, cela est inhabituel. Mais il n'est pas possible de réviser ce qui a été dit. Je ne saurais aller plus loin, sans tout reprendre à nouveaux frais. Allons, dites-moi, si vous vous en souvenez, à partir de quel passage de l'Écriture ce manque s'est fait sentir, afin que je reprenne de là. C'est à moi de compenser les dommages, ou plutôt c'est au Seigneur, de qui j'espère tout. Par où faut-il donc recommencer ? N'est-ce pas par ce passage : « Dans mon petit lit, au long des nuits, j'ai cherché celui qu'aime mon âme[b] » ? Si je ne me trompe, c'est bien par celui-là. A partir de là seulement et dans la suite, je n'ai pas eu d'autre souci que de dissiper l'épaisse obscurité des allégories et de mettre en lumière les délices secrètes du

15 Christi et Ecclesiae secretas delicias. Igitur redeamus ad
indaganda moralia : nec enim mihi poterit esse pigrum
quod vobis commodum fuerit. Atque hoc ita congrue
fiet, si quae *dicta sunt in Christo et in Ecclesia*[c], Verbo
animaeque eadem nihilominus assignemus.

2. Sed dicit mihi aliquis : « Quid tu duo ista
coniungis ? Quid enim animae et Verbo ? » *Multum per
omnem modum*[a]. Primo quidem quod naturarum tanta
cognatio est, ut hoc *imago*[b], illa *ad imaginem*[c] sit. Deinde
5 quod cognationem similitudo testetur. Nempe non *ad
imaginem* tantum : *et ad similitudinem facta est*[d]. In quo
similis sit, quaeris ? Audi de imagine prius. Verbum est
veritas[e], est *sapientia*, est *iustitia*[f] : et haec imago. Cuius ?
Iustitiae, sapientiae, veritatis. Est enim Imago haec iustitia
10 de iustitia, sapientia de sapientia, veritas de veritate, quasi
de lumine lumen, de Deo Deus. Harum rerum nihil est
anima, quoniam non est imago. Est tamen earumdem
capax, appetensque et inde fortassis ad imaginem. Celsa
creatura, in capacitate quidem maiestatis, in appetentia
15 autem rectitudinis insigne praeferens. Legimus quia *Deus
hominem rectum fecit*[g], quod et magnum : capacitas,
ut dictum est, probat. Oportet namque id, quod ad

---

c. Éphés. 5, 32 ≠
2. a. Rom. 3, 2   b. Col. 1, 15   c. Gen. 1, 27   d. Gen. 1,
26 ≠   e. Jn 14, 6   f. I Cor. 1, 30 ≠   g. Eccl. 7, 30 ≠

---

1. A partir du sermon 75, Bernard s'est surtout intéressé au sens
allégorique du dialogue entre l'Époux et l'épouse. Il a montré les délices
secrètes du Christ et de l'Église. Maintenant il veut rechercher le sens
moral de ce dialogue (Pensons à la grande œuvre de Grégoire le Grand
intitulée *Moralia in Iob, SC* 32 bis, 212, 221, 476). Le sens moral concerne
les rapports entre le Verbe et l'âme individuelle.

2. *Celsa creatura, in capacitate maiestatis,* « Elle est une créature éminente,
puisqu'elle est capable de la majesté. » Bernard a déjà parlé plusieurs
fois de la *nobilis creatura.* Cf. *SCt* 11, 5 (*SC* 414, p. 246, l. 11) ; *SCt* 21, 6

Christ et de l'Église. Aussi revenons à la recherche du sens moral [1] : car je ne pourrai pas me montrer paresseux en ce qui vous sera profitable. Et cette recherche se fera très convenablement, si nous appliquons au Verbe et à l'âme ce qui « a été dit du Christ et de l'Église[c] ».

2. Mais quelqu'un va me dire : « Pourquoi rapproches-tu le Verbe et l'âme ? Qu'y a-t-il de commun entre les deux ? » « Bien des choses à tous égards[a]. » Premièrement, l'affinité des deux natures est si grande que le Verbe est « l'image[b] » et que l'âme est faite « à cette image[c] ». Ensuite, la ressemblance atteste l'affinité. Car l'âme « n'a pas seulement été faite à l'image », mais « aussi à la ressemblance[d] ». Me demandes-tu en quoi elle est semblable ? Écoute d'abord ce qui concerne l'image. Le Verbe est « la vérité[e] », il est « la sagesse », il est « la justice[f] » : voilà l'image. Image de quoi ? De la justice, de la sagesse, de la vérité. Car cette image est justice née de la justice, sagesse née de la sagesse, vérité née de la vérité, comme elle est lumière née de la lumière, Dieu né de Dieu. L'âme n'est rien de tout cela, parce qu'elle n'est pas l'image. Elle en est pourtant capable et désireuse : de là vient peut-être qu'elle est faite à l'image. Elle est une créature éminente, puisqu'elle est capable de la majesté[2] ; et dans son désir de la droiture, elle en porte la marque distinctive. Nous lisons que « Dieu a fait l'homme droit[g 3] », parce qu'il l'a fait aussi grand : sa capacité le prouve, comme il a été dit. Car il faut que

---

(*SC* 431, p. 158, l. 18). L'âme est *capax Dei :* cf. AUGUSTIN, *De Trinitate* XIV, 12, 15 (*BA* 16, p. 387).

3. *Eccl.* 7, 30. Ce sera le refrain précis de Bernard jusqu'à la p. 280, l. 18 ; cf. *SCt* 24, 5, *SC* 431, p. 248, l. 9-10. En *infra* p. 283-284, l. 24-25, Bernard ajoute *ipse autem se implicuit doloribus multis* (*I Tim.* 6, 10 ≠ : *inserverunt se doloribus multis*). On trouve chez Augustin l'expression : *doloribus implicantur* (*De moribus eccl. catholicae et Manichaeorum* I, PL 32, 1326, l. 21).

imaginem est, cum imagine convenire, et non in vacuum
participare nomen imaginis, quemadmodum nec imago
20 ipsa solo vel vacuo nomine vocitatur imago. Habes
vero de eo qui imago est, quia *cum in forma Dei esset,
non rapinam arbitratus est esse se aequalem Deo*[h]. Ubi
tibi utique eius et in forma Dei innuitur rectitudo, et
in aequalitate maiestas, ut dum rectitudini rectitudo
25 et magnitudo magnitudini comparatur, consonanter
sibi altrinsecus respondere appareat quod ad imaginem
est, et imaginem, sicut imago quoque nihilominus in
utroque respondet illi cuius imago est. Nempe ipse est
de quo sanctum David audisti in Psalmis canentem,
30 nunc quidem : *Magnus Dominus noster et magna virtus
eius*[i], nunc vero : *Rectus Dominus Deus noster, et non est
iniquitas in eo*[j]. Ab isto recto et magno Deo habet imago
eius, ut et ipsa recta, et magna sit ; habet anima, quae
ad imaginem est.

II. Quamplurimum habet Verbum amplius ab anima, et quomodo anima nequaquam sua sit rectitudo vel magnitudo, ut est Verbum.

3. Sed dico : Nihilne ergo amplius habet imago ab
anima, quae ad imaginem est, quia et huic magnum
rectumque assignamus ? Et plurimum. Haec ad
mensuram accepit, illa ad aequalitatem. Annon plus
5 hoc ? Adverte et aliud. Huic utrumque aut creatio, aut
dignatio contulit ; illi generatio. Atque id magnificentius

---

h. Phil. 2, 6   i. Ps. 146, 5   j. Ps. 91, 16

---

1. Cf. DANIÉLOU, *Pères grecs*, p. 52. Un trait dans ce sermon rappelle
Grégoire de Nysse. Cherchant ce qui définit la distinction entre l'image de
Dieu dans le Verbe et dans l'homme, Bernard note que cette image existe
dans le Verbe par génération, dans l'homme par création. Grégoire se

ce qui est fait à l'image s'accorde à l'image et ne partage pas en vain le nom d'image, de même que l'image n'est pas appelée image seulement de nom et en vain. Or, tu lis de celui qui est l'image qu'« étant dans la condition de Dieu, il n'a pas considéré comme une usurpation d'être l'égal de Dieu[h] ». Dans ce passage, la condition divine te montre sa droiture, et l'égalité sa majesté. En comparant la droiture à la droiture et la grandeur à la grandeur, il ressort que l'image et ce qui est fait à l'image s'accordent harmonieusement dans l'une comme dans l'autre. De même, l'image, elle aussi, s'accorde dans la droiture et la grandeur à celui dont elle est l'image. Car celui-là, c'est celui dont le saint roi David dans les Psaumes chante tantôt : « Grand est notre Seigneur et grande sa puissance[i] », et tantôt : « Droit est le Seigneur notre Dieu, et il n'y a pas d'injustice en lui[j]. » De ce Dieu droit et grand son image tient d'être droite et grande elle aussi ; et l'âme, qui est faite à l'image, le tient également.

II. Le Verbe possède bien davantage que l'âme. L'âme n'est en aucune manière sa propre droiture ou sa propre grandeur, comme l'est le Verbe.

3. Mais je dis : « L'image ne possède-t-elle donc rien de plus que l'âme, qui est faite à l'image, puisque nous attribuons aussi à l'âme la grandeur et la droiture ? » Elle possède bien davantage. L'âme a reçu à sa mesure ; l'image à égalité. N'y a-t-il rien de plus ? Observe encore autre chose. L'âme tient ces deux biens de la création ou de la complaisance de Dieu ; l'image les tient de naissance[1]. Ce qui est bien plus magnifique, sans aucun doute. Mais ceci

---

pose la même question et y répond de la même manière : cf. GRÉGOIRE DE NYSSE, *La Création de l'homme*, *SC* 6, p. 157 (*PG* 44, 184 C).

esse non dubium est. Sed ne hoc quidem eminentius
esse quis abnuat, quod cum a Deo huic, illi et de
Deo utrumque sit, id est de Dei substantia ? Est enim
10 consubstantialis Deo imago sua, et omne quod eidem
suae imagini impertiri videtur, ambobus est substantiale,
non accidentale. Adhuc unum attende, in quo imago non
parum eminet. Magnum et rectum – ista duo natura a
sese discrepare quis nesciat ? –, in imagine unum sunt.
15 Neque hoc solum : unum sunt et cum imagine. Imagini
enim non modo id rectum est esse, quod magnum esse,
sed etiam id magnum rectumque esse, quod esse. Animae
non ita : et magnitudo eius, et rectitudo ipsius diversae
ab ea, diversae ab invicem sunt. Si enim, ut supra docui,
20 eo anima magna est quo capax aeternorum, eo recta
quo appetens supernorum, quae non *quaerit nec sapit
quae sursum sunt, sed quae super terram*[a], non plane est
recta, sed curva, cum tamen pro huiusmodi magna esse
non desinat, manens utique etiam sic aeternitatis capax.
25 Neque enim illius aliquando non capax erit, etiamsi
numquam capiens fuerit, ut sit quomodo scriptum
est : *Verumtamen in imagine pertransit homo*[b] : ex parte
tamen, ut eminentia Verbi appareat de ipsa integritate.
Quo enim a magno rectove Verbum cadat, quod sic ea
30 utique habet, ut sit quae habet ? Vel ideo ex parte, ne
si toto privaretur, non superesset *spes salutis*[c] ; nam si
desinat magna esse, et capax : quippe de capacitate, ut

---

3. a. Col. 3, 1-2 ≠   b. Ps. 38, 7   c. Act. 27, 20 ≠

---

1. *Ambobus est substantiale, non accidentale,* « relève de la substance et non
de l'accident pour tous les deux ». Exemple de l'influence des Écoles
dans la terminologie de Bernard. Cette influence sera plus marquée
encore dans le *Csi.*

2. Bernard a déjà parlé longuement de l'âme droite et courbée.
Cf. *SCt* 24, 5-7 (*SC* 431, p. 247-252).

encore est un privilège plus éminent – qui le nierait ? – :
l'âme a reçu ces deux biens de Dieu, tandis que l'image
les tire de Dieu même, c'est-à-dire de la substance de
Dieu. Car l'image de Dieu lui est consubstantielle ; et
tout ce que Dieu semble communiquer à son image
relève de la substance, et non de l'accident, pour tous
les deux [1]. Songe encore à un dernier point, où l'image
montre une supériorité non petite. Qui ne sait que la
grandeur et la droiture sont deux réalités distinctes par
nature ? Or, dans l'image elles ne font qu'un. Bien plus :
elles ne font qu'un avec l'image elle-même. Non seulement, pour l'image, c'est une même chose que d'être
droite et d'être grande ; c'est encore une même chose
que d'être grande et droite et d'être. Pour l'âme, il n'en
va pas ainsi : aussi bien sa grandeur que sa droiture sont
différentes d'elle, et différentes entre elles. Comme je l'ai
montré plus haut, l'âme est grande dans la mesure où
elle est capable des réalités éternelles, et droite dans la
mesure où elle désire les réalités célestes. Par conséquent,
une âme qui « cherche et savoure non les réalités d'en
haut, mais celles qui sont sur terre [a] », n'est certes pas
droite, mais courbée [2]. Pourtant, elle ne cesse pas d'être
grande, car, même en cet état, elle demeure capable de
l'éternité. Elle en sera toujours capable, même si elle
ne l'atteint jamais, pour que se vérifie cette parole de
l'Écriture : « L'homme traverse la vie en image [b]. » Mais
il n'est image qu'en partie, pour que la supériorité du
Verbe apparaisse en ce qu'il est image intégralement.
Comment le Verbe pourrait-il déchoir de la grandeur
ou de la droiture, puisqu'il les possède de telle manière
qu'il est ce qu'il possède ? Par ailleurs, l'âme est image
en partie parce que, si elle en était entièrement privée, il
n'y aurait plus aucune « espérance de salut [c] ». Car, si elle
cessait d'être grande, elle cesserait aussi d'être capable :

dixi, aestimatur animae magnitudo. Quid vero sperare posset, cuius capax non foret ?

4. Itaque per magnitudinem, quam retentat etiam perdita rectitudine, *in imagine pertransit homo*[a], uno quasi claudicans pede et factus filius alienus. De talibus enim reor dictum : *Filii alieni mentiti sunt mihi, filii*
5 *alieni inveterati sunt, et claudicaverunt a semitis suis*[b]. Pulchre appellati sunt *filii alieni*, nam *filii* propter retentam magnitudinem, *alieni* propter amissam rectitudinem. Nec dixisset *claudicaverunt*, sed corruerunt aut quippiam simile, si ex toto homines imaginem exuissent.
10 Nunc vero secundum magnitudinem quidem *in imagine pertransit homo* ; quantum vero ad rectitudinem, veluti claudicans, conturbatur et deturbatur ab imagine, Scriptura ita dicente : *Verumtamen in imagine pertransit homo ; sed et frustra conturbatur.* Frustra omnino, nam
15 sequitur : *Thesaurizat et ignorat cui congregabit ea*[c]. Cur ignorat, nisi quia *inclinans se* ad haec infima et *terrena*[d], thesaurizat sibi terram ? Prorsus *ignorat* de his quae terrae committit, *cui congregabit ea, tineaene demolienti an furi effodienti*[e], hosti diripienti an *igni devoranti*[f]. Et
20 inde misero homini incurvanti se, et incubanti his quae in terra sunt, flebilis vox illa de Psalmo : *Miser factus sum et curvatus sum usque in finem, tota die contristatus ingrediebar*[g]. In semet siquidem experitur veritatem illius sententiae Sapientis : *Deus rectum hominem fecit, ipse*

---

4. a. Ps. 38, 7   b. Ps. 17, 46   c. Ps. 38, 7   d. Jn 8, 6 ≠
e. Matth. 6, 19 ≠   f. Deut. 9, 3 ≠ ; Is. 30, 27 ≠   g. Ps. 37, 7 ≠

c'est à sa capacité, comme je l'ai dit, que se mesure la grandeur de l'âme. Quelle espérance pourrait-elle avoir d'une chose dont elle ne serait pas capable ?

4. Ainsi, grâce à la grandeur qu'il garde même après la perte de la droiture, « l'homme traverse la vie en image[a] », sur un seul pied, comme un boiteux, étant devenu un fils rebelle. Je pense que c'est d'eux qu'il est dit : « Les fils rebelles m'ont menti, les fils rebelles se sont endurcis et ont boité hors de leurs chemins[b]. » C'est fort à propos qu'ils sont appelés « fils rebelles » : « fils », pour la grandeur gardée ; « rebelles », pour la droiture perdue. Il n'aurait pas non plus dit : « Ils ont boité », mais : « Ils sont tombés », ou quelque mot semblable, si les hommes avaient entièrement perdu l'image. Or, selon la grandeur, « l'homme traverse la vie en image » ; en revanche, quant à la droiture, comme s'il boitait, il est troublé et déchu de l'image. C'est ainsi que l'Écriture dit : « L'homme traverse la vie en image ; mais c'est pour rien qu'il est troublé. » Pour rien, absolument, car il est dit ensuite : « Il amasse des trésors, et il ignore pour qui il les entassera[c]. » Pourquoi l'ignore-t-il, sinon parce que, « penché » vers les réalités inférieures et « terrestres[d] », il n'amasse pour soi que de la terre ? Ces biens qu'il confie à la terre, « il ignore entièrement pour qui il les entassera » : « pour la rouille qui détruit ou pour le voleur qui fouille le sol[e] », pour l'ennemi qui pille ou « pour le feu qui dévore[f] ». De là vient cette voix plaintive que le Psaume prête à l'homme malheureux, courbé et accroupi sur les biens de la terre : « Malheureux, je suis courbé jusqu'à la fin ; tout le jour je marchais dans l'affliction[g]. » Oui, il expérimente en lui-même la vérité de cette maxime du Sage : « Dieu a fait l'homme droit, mais celui-ci s'est

²⁵ *autem se implicuit doloribus multis*[h]. Et continuo vox
ludibrii ad eum : *Incurvare, ut transeamus*[i].

III. Ratio qua monstratur a sua magnitudine differre. Et de simplicitate increatae naturae.

5. Sed unde venimus huc ? Nempe inde, cum docere
vellemus, rectum magnumque – quo gemino bono diffi-
nieramus imaginem –, nec in anima esse unum, nec cum
anima, quemadmodum in Verbo et cum Verbo ea unum
5 esse fideli aeque assertione docuimus. Et de rectitudine
quidem ex his quae dicta sunt liquet quod diversa ab
anima sit, et ab animae magnitudine, quandoquidem ea
etiam non exsistente, et anima manet, et magna. Verum
magnitudinis animaeque diversitas unde docebitur ? Non
10 enim inde potest, unde rectitudinis animaeque monstrata
est, cum non sicut rectitudine, ita et magnitudine sua
privari anima possit. Non est tamen sua magnitudo
anima. Nam etsi anima non invenitur absque magnitudine sua, ipsa tamen et extra animam reperitur. Quaeris
15 ubi ? In angelis : inde quippe angeli, unde animae
magnitudo probatur, ex captu videlicet aeternitatis. Quod
si eo constitit animam discrepare a rectitudine sua, quod
ea carere possit, quidni aeque liqueat esse diversam et

---

h. Eccl. 7, 30 ≠ ; I Tim. 6, 10 ≠   i. Is. 51, 23

---

1. L'arrangement de ces deux citations scripturaires (*Eccl.* 7, 30 et
I Tim. 6, 10) semble être trouvé par Bernard lui-même.

2. Cette citation d'*Isaïe* 51, 23 est expliquée davantage en *Div* 40,
4 (*SBO* VI-1, p. 237, l. 10-13). « Les esprits impurs se sont approchés
de nous, eux qui sont condamnés sont venus à nous qui devons être
sauvés, eux qui sont tous courbés, à nous qui sommes rétablis dans la
rectitude, et ils ont dit à notre âme : 'Courbe-toi, que nous passions.'
Hélas ! nous les avons écoutés ; nous nous sommes inclinés devant
eux ; ils ont passé sur nous et nous avons perdu l'innocence. » *Incurvare*
introduit ici va être répété ensuite.

3. * Les §§ 5-8 ne comportent aucune citation ou allusion bibliques.

enfoncé lui-même dans bien des douleurs[h 1]. » Et une voix railleuse s'adresse continuellement à lui : « Courbe-toi, que nous passions[i 2]. »

III. Pour quelle raison l'âme est différente de sa propre grandeur. La simplicité de la nature incréée.

5. Mais comment en sommes-nous venus là ? A partir de ceci : nous voulions montrer que la droiture et la grandeur – par ce double bien nous avions caractérisé l'image – ne font pas une seule chose dans l'âme ni avec l'âme [3]. En revanche, nous avons montré que, selon la foi, elles font une seule chose dans le Verbe et avec le Verbe. Quant à la droiture, il ressort clairement de ce qui a été dit qu'elle est différente de l'âme et de la grandeur de l'âme, puisque, même en son absence, l'âme demeure, et demeure grande. Et la différence entre la grandeur et l'âme, par où sera-t-elle montrée ? Elle ne peut pas être tirée du même argument qui a montré la différence entre l'âme et la droiture. Car l'âme ne peut pas être privée de sa grandeur comme elle peut l'être de sa droiture. Pourtant, l'âme n'est pas sa propre grandeur. En effet, même si l'âme n'est pas concevable sans sa grandeur, celle-ci toutefois existe aussi ailleurs que dans l'âme. Tu demandes où ? Dans les anges. Car la grandeur de l'ange est prouvée par le même argument qui prouve la grandeur de l'âme, c'est-à-dire par la possession de l'éternité. Nous avons constaté que l'âme diffère de sa droiture parce qu'elle peut en être privée. Pourquoi ne

---

Les premiers mots, ici, sont abstraits. Ils évoquent le langage de l'École, à propos de l'âme – l'une de ses sciences préférées –, et visent à établir une définition. La Bible, le souci de la « conversion » sont presque mis de côté. Dans son ensemble, le Sermon 81 se présente de même ; la Bible n'est plus l'argument pour convaincre, ni les fleurs pour attirer. La raison d'être de ces changements – dans de fort rares passages des *SBO* – aussi bien que leur mode de survenue, seraient à élucider.

a sua magnitudine, quam sibi propriam vindicare non
20 possit? Cum itaque nec illa in omni, nec ista in sola
sit anima, patet utramque indifferenter differre ab ea.
Item : nulla forma est id, cuius est forma. Est autem
magnitudo forma animae. Nec enim ideo non forma,
quia inseparabilis est illi. Hoc siquidem sunt substantiales
25 differentiae omnes, hoc non modo proprie propria, sed et
propria quaedam, hoc etiam aliae innumerabiles formae.
Non igitur sua magnitudo anima, non magis quam sua
nigredo corvus, quam suus candor nix, quam sua risi-
bilitas seu rationabilitas homo, cum tamen nec corvum
30 sine nigredine, nec sine candore nivem, nec hominem
qui non et risibilis et rationabilis umquam reperias. Ita et
anima, et animae magnitudo, etsi inseparabiles, diversae
tamen ab invicem sunt. Quomodo non diversae, cum
haec in subiecto, illa subiectum et substantia sit? Sola
35 summa et increata natura, quae est Trinitas Deus, hanc
sibi vindicat meram singularemque suae essentiae simplicitatem, ut non aliud et aliud, non alibi quoque et alibi,
sed ne modo quidem et modo inveniatur in ea : nempe
in semet manens, quod habet est, et quod est, semper
40 et uno modo est. In ea et multa in unum, et diversa in
idem rediguntur, ut nec de numerositate rerum sumat
pluralitatem, nec alterationem de varietate sentiat. Loca
omnia continet, et quaeque suis ordinat locis, nusquam
contenta locorum. Tempora sub ea transeunt, non ei.
45 Futura non exspectat, praeterita non recogitat, praesentia
non experitur.

conclura-t-on pas également qu'elle est aussi différente de sa grandeur parce qu'elle ne peut pas se l'attribuer en propre ? La droiture n'est pas dans toute âme, ni la grandeur dans l'âme seule ; il est dès lors évident que l'une aussi bien que l'autre diffèrent de l'âme. En outre, nulle forme n'est ce dont elle est la forme. Or, la grandeur est la forme de l'âme. Qu'elle en soit inséparable n'empêche pas qu'elle en soit la forme. Car telles sont toutes les différences substantielles, non seulement celles qui sont exclusivement propres à une substance, mais aussi celles qui lui sont propres d'une certaine manière ; telles sont aussi toutes les innombrables formes. L'âme n'est pas plus sa grandeur que le corbeau sa noirceur, la neige sa blancheur, l'homme sa faculté de rire ou sa raison ; même si tu ne trouves jamais de corbeau sans noirceur, de neige sans blancheur, d'homme qui ne soit doué de rire et de raison. Ainsi l'âme et la grandeur de l'âme, bien qu'inséparables, sont toutefois différentes l'une de l'autre. Comment ne seraient-elles pas différentes, puisque l'une est dans le sujet, l'autre est le sujet et la substance ? Seule la nature souveraine et incréée, qui est Dieu Trinité, revendique pour soi cette pure et singulière simplicité de son essence qui fait qu'on ne trouve pas en elle ceci et cela, ce lieu et cet autre lieu, ce temps et cet autre temps. Demeurant en elle-même, elle est ce qu'elle a, et ce qu'elle est, elle l'est toujours et de façon identique. En elle la multiplicité est ramenée à l'un et la diversité au même, si bien qu'elle ne revêt pas la pluralité à cause du nombre et ne ressent pas d'altération à cause de la variété. Elle contient tous les lieux, et dispose en leurs lieux toutes choses, sans être contenue en aucun. Les temps passent sous sa gouverne, mais ne passent pas pour elle. Elle n'attend pas l'avenir ; elle ne se remémore pas le passé ; elle n'expérimente pas le présent.

IV. Contra perversitatem dicentium quod divinitas Deus non est, et improbatio commenti quod facit Gillebertus Porata super Boetium, *De Trinitate*.

6. Recedant a vobis, carissimi, recedant novelli, non dialectici, sed haeretici, qui magnitudinem qua *magnus est Deus*[a], et item bonitatem qua bonus, sed et sapientiam qua sapiens, et iustitiam qua iustus, postremo divinitatem
5 qua Deus est, Deum non esse impiissime disputant. « Divinitate », inquiunt, « Deus est ; sed divinitas non est Deus ». Forsitan non dignatur Deus esse, quae tanta est ut faciat Deum ? Sed si Deus non est, quid est ? Aut enim Deus est, aut aliquid quod non est Deus, aut nihil.
10 Equidem non das Deum esse, sed ne nihilum quidem, ut opinor, dabis, quam usque adeo necessariam Deo esse fateris, ut non modo absque ea Deus esse Deus non possit, sed ea sit. Quod si aliquid est, quod non est Deus, aut minor erit Deo, aut maior, aut par. At quomodo
15 minor, qua Deus est ? Restat ut aut maiorem fateare, aut parem. Sed si maior, ipsa est summum bonum, non Deus ; si par Deo, duo sunt summa bona, non unum : quod utrumque catholicus refugit sensus. Iam de magnitudine, bonitate, iustitia sapientiaque idem per omnia
20 quod de divinitate sentimus : unum in Deo sunt, et cum Deo. Nec enim aliunde bonus, quam unde magnus ; nec aliunde iustus aut sapiens, quam unde magnus et bonus ;

---

6. a. II Chr. 2, 5

1. « Je ne dis pas dialecticiens, mais hérétiques. » Le rapprochement de *dialectique* et *hérétique* fait penser à la dispute de Bernard avec Abélard. Mais le paragraphe vise la doctrine de Gilbert de la Porrée (1076-1154), évêque de Poitiers. Bernard se montre bien agressif contre un évêque réputé que le Synode de Reims (1148) a refusé de condamner. Le sermon a sans doute été écrit avant ce synode, ouvert le 21 mars 1148.
2. C'est une thèse de Gilbert attaquée pendant le synode de Reims.

IV. Contre l'erreur de ceux qui disent que la divinité n'est pas Dieu. Condamnation du commentaire de Gilbert de La Porrée sur le traité de Boèce : *La Trinité*.

6. Loin de vous, très chers, loin de vous ces nouveaux, je ne dis pas dialecticiens, mais hérétiques [1], qui prétendent avec la plus détestable impiété que la grandeur par laquelle « Dieu est grand[a] », la bonté qui le fait bon, la sagesse qui le fait sage, la justice qui le fait juste, enfin la divinité qui le fait être Dieu, ne sont pas Dieu. « C'est par la divinité, disent-ils, qu'il est Dieu ; mais la divinité n'est pas Dieu [2]. » Peut-être ne daigne-t-elle pas être Dieu, elle qui est si grande qu'elle le fait être Dieu ? Mais si elle n'est pas Dieu, qu'est-elle ? Car ou elle est Dieu, ou quelque chose qui n'est pas Dieu, ou rien du tout. Assurément, tu ne concèdes pas qu'elle soit Dieu. Mais tu ne concèderas pas non plus qu'elle ne soit rien, je pense. Car tu la déclares si nécessaire à Dieu, que non seulement sans elle Dieu ne peut pas être Dieu, mais qu'il l'est par elle. Et si elle est quelque chose qui n'est pas Dieu, il faudra qu'elle soit moindre que Dieu, ou plus grande, ou égale. Mais comment serait-elle moindre, puisque c'est par elle qu'il est Dieu ? Il reste que tu la déclares ou plus grande ou égale. Mais si elle est plus grande, c'est elle qui est le souverain bien, et non Dieu. Si elle est égale à Dieu, il y a deux souverains biens, et non un seul. L'une et l'autre affirmation répugnent à la pensée catholique. Quant à la grandeur, à la bonté, à la justice et à la sagesse, nous en avons exactement la même compréhension que de la divinité : elles ne font qu'un en Dieu et avec Dieu. Sa bonté ne vient pas d'ailleurs que sa grandeur ; sa justice ou sa sagesse ne viennent

Cf. MANSI, *Concil.* XXI, p. 711. Cf. aussi *Csi* V, 7, 15 (*SBO* III, p. 479, l. 3-21).

nec aliunde denique simul haec omnia est, quam unde Deus ; et hoc quoque nonnisi seipso.

7. Sed dicit haereticus : « Quid ? Deum divinitate esse negas ? » Non ; sed eamdem divinitatem, qua est, Deum nihilominus assero, ne Deo excellentius aliquid esse assentiar. Nam et magnitudine dico magnum, sed 5 quae ipse est, ne maius aliquid Deo ponam ; et bonitate fateor bonum, sed non alia quam ipse est, ne melius ipso aliquid mihi videar invenisse : et de ceteris in hunc modum. Securus et libens pergo inoffenso, ut aiunt, pede, in eius sententiam qui dicebat : « Deus nonnisi ea 10 magnitudine magnus est, quae est quod ipse. Alioquin illa erit maior magnitudo quam Deus ». Augustinus hic est, validissimus malleus haereticorum. Si quid itaque de Deo proprie dici possit, rectius congruentiusque dicetur : « Deus est magnitudo, bonitas, iustitia, sapientia », quam 15 « Deus est magnus, bonus, iustus aut sapiens ».

8. Unde non immerito nuper in concilio, quod Papa Eugenius Remis celebravit, tam ipsi quam ceteris episcopis perversa visa est et omnino suspecta expositio illa in libro Gilleberti episcopi Pictavensis, quo super 5 verba Boetii de Trinitate, sanissima quidem atque catholica, commentabatur hoc modo : « Pater est veritas, id est verus ; Filius est veritas, id est verus ; Spiritus sanctus est veritas, id est verus. Et hi tres simul non tres veritates, sed una veritas, id est unus verus ». Obscuram

---

1. Geoffroy d'Auxerre, *Epistola ad Albinum cardinalem* (PL 185, c. 590 A B).

2. Cf. Tibulle, *Eleg.* 1, 7, 62 etc.

3. Augustin, *De Trinitate* V, 10, 11 (PL 42, 918 ; BA 15, p. 448).

4. Il s'agit du pape Eugène III, Bernard Paganelli, vidame de Pise, novice de Bernard à Clairvaux. Il a été élu pape en février 1145 et est mort le 8 juillet 1153, quelques semaines avant l'abbé de Clairvaux. Ce concile s'est tenu sans doute en mars-avril 1148.

5. Gilbert de la Porrée, *In Boethium de Trinitate* II, 1, 47 (éd. N. M. Haring, *Studies and Texts* I, Toronto 1966, p. 172).

pas d'ailleurs que sa grandeur et sa bonté. Bref, toutes ces propriétés ensemble ne viennent pas d'ailleurs que de ce qu'il est Dieu. Et cela aussi, il ne l'est que par lui-même.

7. Mais l'hérétique dit : « Quoi ! Tu nies qu'il soit Dieu par la divinité [1] ? » Non ; mais cette divinité par laquelle il est Dieu, j'affirme que c'est Dieu même. Sinon, je devrais accorder qu'il y a quelque chose de supérieur à Dieu. Car je dis aussi qu'il est grand par la grandeur, mais cette grandeur est lui-même ; sinon, je supposerais quelque chose de plus grand que Dieu. Je reconnais qu'il est bon par la bonté, mais par une bonté qui n'est autre que lui-même ; sinon, il me semblerait avoir trouvé quelque chose de meilleur que lui. Et ainsi des autres propriétés. C'est avec sûreté et avec plaisir que je me range sans trébucher, comme on dit [2], à l'avis de celui qui disait : « Dieu n'est grand que par une grandeur qui est lui-même. Autrement cette grandeur serait plus grande que Dieu [3]. » Cette parole est d'Augustin, le puissant marteau des hérétiques. Ainsi, si l'on peut dire quelque chose des propriétés de Dieu, on dira avec plus de justesse et de convenance : « Dieu est la grandeur, la bonté, la justice, la sagesse », plutôt que : « Dieu est grand, bon, juste ou sage. »

8. Ce n'est donc pas sans raison que dans le récent concile célébré à Reims par le pape Eugène [4], lui-même et tous les autres évêques estimèrent fausse et fort suspecte l'interprétation proposée dans leur livre par Gilbert, évêque de Poitiers. Celui-ci commentait les paroles très justes et catholiques de Boèce sur la Trinité de cette manière : « Le Père est vérité, c'est-à-dire vrai ; le Fils est vérité, c'est-à-dire vrai ; l'Esprit saint est vérité, c'est-à-dire vrai. Et tous les trois ensemble ne sont pas trois vérités, mais une seule vérité, c'est-à-dire un seul vrai [5]. »

10 perversamque explanationem! Quam verius saniusque
per contrarium ita dixisset : « Pater est verus, id est
veritas ; Filius est verus, id est veritas ; Spiritus Sanctus
est verus, id est veritas. Et hi tres unus verus, id est una
veritas ». Quod quidem fecisset, si sanctum dignaretur
15 Fulgentium imitari, qui ait : « Una quippe veritas unius
Dei, immo una veritas unus Deus non patitur servitium
atque culturam Creatoris creaturaeque coniungi ». Bonus
corrector, qui veracissime de veritate loqueretur, qui pie
catholiceque sentiret de vera et mera divinae simplicitate
20 substantiae, in qua nihil esse possit quod ipsa non sit,
et ipsa Deus. Quamquam manifestius in nonnullis aliis
locis a rectitudine fidei liber ille praefati episcopi visus
est discrepare, quorum, verbi causa, adhuc unum pono.
Nam, dicente auctore : « Cum dicitur : Deus, Deus,
283 25 Deus, pertinet ad substantiam », noster commentator
intulit : « Non quae est, sed qua est ». Quod absit, ut
assentiat Catholica, esse videlicet substantiam vel aliquam
omnino rem, qua Deus sit et quae non sit Deus.

9. Sed haec minime iam contra ipsum loquimur,
quippe qui in eodem conventu sententiae episcoporum
humiliter acquiescens, tam haec quam cetera digna
reprehensione inventa, proprio ore damnavit, sed propter
5 eos qui adhuc librum illum, contra apostolicum utique

1. FULGENCE DE RUSPE (467-532), *Epist VIII*, 12 (*PL* 65, 365 D
- 366 A ; *CCL* 91, p. 211, l. 216-218).
2. Le texte de Bernard doit se lire comme suit : *Dicente auctore (Boethio) :
« Cum dicitur : Deus, Deus, Deus, pertinet ad substantiam », noster commentator
(Gilbertus) intulit : « Non quae est, sed qua est ».* Selon N.M. Haring, Bernard
se trompe. La première phrase, *Cum dicitur : Deus...* est de Gilbert,
tandis que l'expression *Non quae est, sed qua est* est de Boèce. Bernard
a suivi sans doute la compilation *Libellus* de son secrétaire Geoffroy
d'Auxerre. Cf. N.M. HARING, « The Case of Gilbert de la Porrée Bishop
of Poitiers », *Mediaeval Studies* 13, 1951, p. 12-13.
3. La conclusion de Bernard est tendancieuse. Otto de Freising décrit
la fin du concile par cette phrase : « Gilbert accepta respectueusement

Explication obscure et tordue ! Il se serait exprimé de façon bien plus vraie et plus juste en disant au contraire : « Le Père est vrai, c'est-à-dire vérité ; le Fils est vrai, c'est-à-dire vérité ; l'Esprit saint est vrai, c'est-à-dire vérité. Et ces trois sont un seul vrai, c'est-à-dire une seule vérité. » Il aurait certainement parlé ainsi s'il avait daigné imiter saint Fulgence, qui dit : « L'unique vérité de l'unique Dieu, ou plutôt l'unique vérité qui est l'unique Dieu, n'admet pas que le Créateur et la créature soient associés dans un même honneur et un même culte[1]. » Excellent censeur, qui parlait très véridiquement de la vérité, qui comprenait de façon très sainte et très catholique la vraie et pure simplicité de la substance divine, en qui rien ne peut être qui ne soit elle-même, elle-même étant Dieu. Mais il apparaît qu'en plusieurs autres endroits le livre dudit évêque s'écarte encore plus manifestement de la foi orthodoxe. J'en donne encore un seul exemple. Boèce dit : « Lorsqu'on dit : Dieu, Dieu, Dieu, cela se rapporte à la substance. » Notre commentateur a ajouté : « Non la substance qu'il est, mais par laquelle il est[2]. » A Dieu ne plaise que l'Église catholique approuve cette pensée : qu'il y ait une substance ou n'importe quelle autre chose par laquelle Dieu soit et qui ne soit pas Dieu.

9. Mais ce n'est pas contre Gilbert que nous disons maintenant cela, puisque dans le même concile il a acquiescé humblement à l'opinion des évêques. Il a condamné de sa propre bouche aussi bien ces propositions que les autres jugées répréhensibles[3]. Nous parlons pour ceux qui, dit-on, continuent à lire et relire ce livre et à en faire des copies, contre l'interdiction papale pro-

la sentence du pape et il retourna à son diocèse avec le pouvoir intègre de son rang et la plénitude de son honneur » (*Gesta Federici I imperatoris in Lombardia* I, 57, *Monumenta Germaniae Historica, Scriptores rerum Germanicarum* 27, Hanovre 1892, p. 384).

promulgatum ibidem interdictum, transcribere et lectitare
feruntur, contentiosius persistentes sequi episcopum
in quo ipse non stetit, et erroris quam correctionis
magistrum habere malentes. Non solum autem, sed et
10 propter vos, occasione accepta de differentia imaginis
et animae, quae ad imaginem facta est, operae pretium
credidi excursum hunc facere, ut si qui forte ex *aquis*
furtivis, quae *dulciores* videntur[a], aliquando aliquid
biberint, sumpto antidoto, evomant illud et, purgato
15 mentis stomacho, ad id quod, secundum promissionem
nostram, dicendum de similitudine superest, accedentes,
puriora iam *in gaudio* non de nostris *hauriant*, sed *de*
fontibus Salvatoris[b], Sponsi Ecclesiae, Iesu Christi Domini
nostri, *qui est super omnia Deus benedictus in saecula.*
20 *Amen*[c].

9. a. Prov. 9, 17 ≠   b. Is. 12, 3 ≠   c. Rom. 9, 5

mulguée au concile. Avec une obstination outrancière, ils persistent à suivre l'évêque dans ces opinions qu'il n'a pas maintenues ; ils préfèrent l'avoir pour maître d'erreur plutôt que de résipiscence. D'autre part, nous ne parlons pas seulement pour eux, mais aussi pour vous [1]. Saisissant l'occasion offerte par la différence entre l'image et l'âme faite à l'image, j'ai cru bon de faire cette digression. Ainsi, si par hasard quelques-uns avaient parfois bu quelques gorgées de ces « eaux dérobées », qui paraissent « plus douces [a] », ils les vomiront après avoir pris cet antidote. Alors, ayant purifié l'estomac de l'esprit, ils pourront aborder ce qui nous reste à dire de la ressemblance, selon notre promesse. « Dans la joie, ils puiseront » désormais des eaux plus pures, non pas à nos sources, mais « à celles du Sauveur [b] », l'Époux de l'Église, Jésus-Christ notre Seigneur, « qui est au-dessus de tout, Dieu béni dans les siècles. Amen [c]. »

---

1. Cette adresse finale de Bernard à ses propres moines est plutôt factice. Gilbert n'a sûrement pas eu des disciples parmi les moines de Clairvaux et on n'y a pas copié ses écrits. On peut en conclure que ce sermon s'adressait surtout à des lecteurs non cisterciens.

SERMO LXXXI

I. Quod in hoc potissimum animae ad Verbum est similitudo, quod ei hoc est esse quod vivere, ut Verbo esse quod beate vivere. – II. De diversis viventium generibus, in quibus soli animae hoc est esse quod vivere, et quid ipsa accepit in sua conditione. – III. Quod immortalis est anima, sed non ut Verbum, et de trina eius vicinitate cum Verbo, id est simplicitate, perpetuitate et libertate, et in quo eius sit libertas. – IV. Quomodo animae libertas in captivitatem addicitur per peccatum. – V. De lege Dei vel lege peccati, quae in anima una sunt et in voluntate.

I. Quod in hoc potissimum animae ad Verbum est similitudo, quod ei hoc est esse quod vivere, ut Verbo esse quod beate vivere.

1. Quaesitum ante de affinitate animae ad Verbum, atque id quidem necessarie. Quae enim conventio tantae maiestati et tantae paupertati[a], ut more et amore sponsorum, veluti ex aequo sese complecti referantur
5 sublimitas illa et illa humilitas ? Nam si vere id dicimus, valde laeta fiducia est ; si falso, valde punienda audacia. Propterea ergo de convenientia horum quaerendum fuit : quae quidem iam multa inventa est, sed non omnis. Quis enim vel nimis hebes non videat, quam se e vicino
10 respiciant *imago*[b] et quod *ad imaginem*[c] est ? Quorum utique unum uni, et alterum alteri sermo, si recolitis, assignavit hesternus. Nec de imagine tantum : etiam *de similitudine*[d] demonstrata ibidem propinquitas est,

---

1. a. Cf. II Cor. 6, 15   b. Col. 1, 15   c. Gen. 1, 27   d. Gen. 1, 26 ≠

SERMON 81

I. La ressemblance de l'âme avec le Verbe consiste surtout en ceci : pour l'âme, être et vivre sont la même chose, comme pour le Verbe être et vivre heureux. – II. Les diverses sortes de vivants. Pour l'âme seule, être est la même chose que vivre. Ce que l'âme a reçu dans sa création. – III. L'âme est immortelle, mais non comme le Verbe. La triple proximité de l'âme et du Verbe : la simplicité, la perpétuité et la liberté. En quoi consiste la liberté de l'âme. – IV. Comment la liberté de l'âme est livrée à la captivité par le fait du péché. – V. La loi de Dieu et la loi du péché, qui coexistent dans l'âme et dans la volonté.

I. La ressemblance de l'âme avec le Verbe consiste surtout en ceci : pour l'âme, être et vivre sont la même chose, comme pour le Verbe être et vivre heureux.

1. Nous nous sommes enquis auparavant de l'affinité de l'âme avec le Verbe, et c'était très utile. Car quel rapport y a-t-il entre une si grande majesté et une si grande pauvreté[a] pour qu'on dise que cette sublimité et cette humilité s'embrassent comme d'égal à égal, semblables à deux époux qui s'aiment ? Si ce que nous disons est vrai, cela engendre une confiance pleine de joie ; si c'est faux, notre hardiesse doit être sévèrement punie. C'est pourquoi il fallait s'enquérir de la conformité de l'âme et du Verbe : nous en avons déjà découvert bien des aspects, mais pas tous. Qui ne verrait pas, fût-il très borné, combien « l'image[b] » et ce qui est « à l'image[c] » se reflètent de très près ? Si vous vous en souvenez, le sermon d'hier a assigné à chacun des deux ses qualités propres. Et non seulement à propos de l'image, mais encore « de la ressemblance[d] », y a été démontrée la

nisi quod ipsa similitudo, in quo vel in quibus potis-
15 simum constet, necdum a nobis est declaratum. Age,
iam intendamus declarationi huic, ut quo anima suam
plenius agnoscet originem, eo amplius erubescat vitam
habere degenerem, immo vero quod peccato vitiatum
deprehenderit in natura, studeat reformare industria, ut
20 digne suo genere, Dei quidem munere, sese regens, ad
amplexus Verbi fidenter accedat.

    2. Advertat igitur ex hac divinae ingenuitate simi-
litudinis inesse sibi illam suae substantiae naturalem
285   simplicitatem, qua hoc est illi esse quod vivere, etsi non
quod bene quodve beate vivere, ut sit similitudo, non
5 aequalitas. Gradus propinquus : gradus tamen. Neque
enim unius excellentiae parisve fastigii sunt, hoc habere
esse quod vivere, et item habere hoc esse quod beate
vivere. Ergo si Verbi est illud propter sublimitatem, hoc
animae propter similitudinem, salva quidem eminentia
10 Verbi, palam est affinitas naturarum, palam animae praerogativa. Et ut quod dicitur planius fiat, soli Deo id est
esse quod beatum esse : atque hoc primum et purissimum
simplex. *Secundum autem simile est huic*[a], id videlicet
habere esse quod vivere : atque hoc animae est. Ex hoc,
15 etsi inferiori gradu, ascendi potest, non modo ad bene,
sed etiam ad beate vivendum : non quia vel tunc sit hoc
esse quod beatum esse, illi qui eo pervenerit, quatenus
ita glorietur pro similitudine, ut tamen pro disparitate
habeat semper unde *omnia ossa* eius *dicant : Domine,*
20 *quis similis tibi*[b] ? Bonus tamen animae gradus, ex quo,
et solo, ascenditur ad beatam vitam.

---

    2. a. Matth. 22, 39   b. Ps. 34, 10 ≠

---

    1. Le premier trait de la ressemblance de l'âme avec Dieu : la simplicité.
Ce premier trait est nettement bernardin. Les deux traits qui suivent,
l'immortalité et la liberté, se trouvent déjà chez GRÉGOIRE DE NYSSE
(*La Création de l'homme, SC* 6, p. 95 et p. 157).

proximité. Pourtant, nous n'avons pas encore expliqué en quoi ou en quels éléments surtout consiste cette ressemblance. Allons, appliquons-nous maintenant à cette explication. Plus parfaitement l'âme connaîtra son origine, plus violemment elle rougira de mener une vie dégénérée. Bien plus, elle s'efforcera de corriger avec zèle la dégradation du péché qu'elle aura découverte dans sa nature. Se conduisant, par un don de Dieu, de façon digne de sa noblesse, elle approchera avec confiance des embrassements du Verbe.

2. L'âme remarquera donc que par la noblesse de sa ressemblance divine elle possède cette simplicité naturelle de substance par laquelle être et vivre sont pour elle la même chose[1]. Je dis « vivre » et non « bien vivre » ou « vivre heureux », car il y a ressemblance, non égalité. C'est un degré tout proche ; un degré néanmoins. Il n'appartient pas à la même excellence ni à la même élévation de posséder l'être qui est vivre et de posséder l'être qui est vivre heureux. Si le second appartient au Verbe grâce à sa sublimité, et que le premier appartienne à l'âme grâce à sa ressemblance, l'affinité des natures est manifeste, la prérogative de l'âme est manifeste, sans préjudice certes de l'éminence du Verbe. Et pour que mes dires vous deviennent plus clairs, pour Dieu seul être et être heureux sont la même chose : c'est la simplicité première et toute pure. « La seconde lui est semblable[a] » : avoir un être qui est la même chose que vivre. Cela est le propre de l'âme. De ce degré, bien qu'inférieur, on peut monter non seulement au bien vivre, mais aussi au vivre heureux. Non pas que même alors être soit la même chose qu'être heureux pour celui qui est parvenu jusque là. Il pourra se glorifier de la ressemblance, mais la différence subsistera, si bien que « tous ses os » auront toujours lieu de « dire : Seigneur, qui est semblable à toi[b] ? » Il est bon pourtant, le degré propre de l'âme car c'est de là, et de là seulement, qu'on monte à la vie heureuse.

II. De diversis viventium generibus, in quibus soli animae hoc est esse quod vivere, et quid ipsa accepit in sua conditione.

3. Sunt namque viventia, et horum genera duo, quae sentiunt et quae non sentiunt. Porro insensibilibus sensibilia praeferuntur, atque utrisque vita, qua vivitur et sentitur. Non stabunt pariter in gradu uno vita et
5 vivens, multo minus vita et quae sunt sine vita. Vita anima est vivens quidem, sed non aliunde quam seipsa ; ac per hoc non tam vivens quam vita, ut proprie de ea loquamur. Inde est quod infusa corpori vivificat illud, ut sit corpus de vitae praesentia, non vita, sed vivens. Unde
10 liquet ne vivo quidem corpori id vivere esse quod esse, cum esse et minime vivere possit. Multo minus quae vitae experta sunt, ad hunc gradum assurgent. Sed nec omne quod vita dicitur vel est, continuo valebit pertingere huc. Est pecorum, est et arborum vita, sensu altera vigens,
15 altera carens. At neutri tamen id esse quod vivere est, cum, ut quidem multorum opinio est ante in elementis quam vel illa in membris, vel ista in ramis exstiterint. At secundum hoc cum desinunt vivificare, simul vivere cessant, sed non et esse. Solvuntur pariter et dissolvuntur,
20 tamquam non alligatae tantum, sed et colligatae. Neque enim unum simplex est quaeque harum, sed ex pluribus constans. Et propterea non *redigitur in nihili*[a], sed dissilit in partes, ut ad suum quodque recurrat principium, verbi

286

3. a. Job 17, 7 ≠

II. Les diverses sortes de vivants. Pour l'âme seule, être est la même chose que vivre. Ce que l'âme a reçu dans sa création.

3. Il y a des vivants, et il y en a de deux sortes : ceux qui ont la sensibilité et ceux qui ne l'ont pas. Or, ceux qui ont la sensibilité sont au-dessus de ceux qui ne l'ont pas, et au-dessus des deux est la vie, qui fait vivre et sentir. La vie et le vivant ne sont pas sur un pied d'égalité ; moins encore la vie et les choses qui sont sans vie. L'âme est certes vivante grâce à la vie, mais ne la tire pas d'ailleurs que d'elle-même. C'est pourquoi, strictement parlant, l'âme, plus que vivante, est la vie même. De là vient qu'infuse dans le corps, elle le vivifie, de sorte que le corps, par la présence de la vie, n'est pas la vie, mais il est vivant. D'où il paraît clairement que pour le corps, même vivant, vivre n'est pas la même chose qu'être, puisqu'il peut être et ne pas vivre. Combien moins les choses qui sont dépourvues de vie pourront-elles s'élever à ce degré ! Mais même tout ce qui s'appelle vie ou qui l'est ne pourra pas y atteindre continuellement. Il y a une vie des animaux et une vie des arbres : l'une est douée de sensibilité, l'autre en est privée. Mais ni pour l'une, ni pour l'autre, être est la même chose que vivre. Selon l'opinion de plusieurs, ces deux sortes de vie ont existé dans les éléments avant d'exister l'une dans les membres des animaux, l'autre dans les branches des arbres. Or, selon cette opinion, lorsque ces deux sortes de vie cessent de vivifier, elles cessent en même temps de vivre, mais non pas d'être. Elles se délient et se décomposent à la fois, car elles ne sont pas seulement liées aux vivants, mais elles sont aussi composées en elles-mêmes. En effet, chacune de ces deux sortes de vie n'est pas une unité simple, mais constituée de plusieurs éléments. C'est pourquoi aucune n'« est réduite au néant[a] », mais chacune se désagrège en plusieurs parties, afin que chaque élément

causa aer ad aerem, ignis ad ignem, et reliqua in hunc
25 modum. Nequaquam igitur tali vitae idem esse et vivere
est, quae est et quando non vivit.

4. Porro nihil horum, quibus non hoc esse quod vivere
sit, ad bene beateque vivendum quandoque proficiet vel
emerget, quippe quod neque ad hunc inferiorem gradum
potuit pervenire. Sola, quae in ipso stare cognoscitur,
5 anima hominis in eo dignitatis creata est, vita a vita,
simplex a simplici, immortalis ab immortali, ut non sit
longe a summo gradu, ubi scilicet id esse quod beate
vivere est, in quo solus stat beatus et *solus potens, Rex
regum et Dominus dominantium*[a]. Accepit itaque in sui
10 conditione anima, etsi non esse, posse tamen esse beata ;
summo perinde gradui, quantum licet, appropians, non
pertingens tamen. Neque enim vel ipsi, ut supra diximus,
hoc erit aliquando esse quod beatam esse, nec quando
beata erit. Fatemur similitudinem, aequalitatem renuimus.
15 Verbi causa, vita Deus, vita et anima est : similis quidem,
sed dispar. Porro similis, quod vita, quod seipsa vivens,
quod non tantum vivens, sed et vivificans, sicut et ille
haec omnia est ; dispar vero, quantum a creante creata,
dispar quod, ut nisi creata ab illo non esset, sic nisi ab
20 ipso vivificata non viveret. Non viveret dico, sed spirituali
vita, non naturali. Nam naturali quidem, etiam quae
non spiritualiter vivit, immortaliter vivat necesse est. At

---

4. a. I Tim. 6, 15

---

1. Bernard exprime à plusieurs reprises ce principe selon lequel toute
chose tend à retourner à son origine : *Ann* I, 1 (*SBO* V, p. 13-14) ; *SCt* 7,
2 (*SC* 414, p. 156-158) ; *SCt* 13, 1 (*SC* 414, p. 280-281) ; *SCt* 83, 4,
l 20-22, *infra* p. 348. Rémi Brague y décèle l'idée aristotélicienne de
la tendance d'un élément à son lieu naturel et celle, néoplatonicienne,
de conversion : R. BRAGUE, *Saint Bernard et la philosophie*, Paris 1993,
p. 183.

retourne à son principe : l'air par exemple retourne à l'air, le feu au feu, et les autres éléments pareillement[1]. Ainsi, pour une telle sorte de vie, être n'est pas du tout la même chose que vivre, puisqu'elle continue à être même quand elle ne vit plus.

4. Or, aucun de ces vivants, pour qui être n'est pas la même chose que vivre, ne pourra jamais progresser ou s'élever jusqu'au bien vivre et au vivre heureux, puisqu'il n'a même pas pu parvenir à ce degré inférieur. On ne connaît que l'âme de l'homme qui se tienne à ce degré. Vie issue de la Vie, simple issue de celui qui est simple, immortelle issue de celui qui est immortel, elle a été créée dans une telle dignité qu'elle n'est pas loin de ce degré suprême où être est la même chose que vivre heureux. A ce degré se tient celui qui seul est heureux et « puissant, le Roi des rois et le Seigneur des seigneurs[a] ». Aussi l'âme a-t-elle reçu dans sa création, sinon d'être heureuse, au moins de pouvoir l'être ; elle s'approche, autant qu'il lui est permis, du degré suprême, sans l'atteindre toutefois. Car pour elle aussi, nous l'avons dit plus haut, être ne sera jamais la même chose qu'être heureuse, même lorsqu'elle sera heureuse. Nous reconnaissons la ressemblance ; nous récusons l'égalité. Par exemple, Dieu est vie, et l'âme aussi est vie : semblable certes, mais différente. Elle est semblable, parce qu'elle est vie, qu'elle est vivante par elle-même, et qu'elle n'est pas seulement vivante, mais aussi vivifiante : Dieu aussi est tout cela. Mais elle est différente, autant qu'une créature l'est du créateur. Elle est différente, parce qu'elle ne serait pas si elle n'était pas créée par lui, de même qu'elle ne vivrait pas si elle n'était pas vivifiée par lui. Je dis qu'elle ne vivrait pas, mais de la vie spirituelle, non de la naturelle. Car même l'âme qui ne vit pas spirituellement possède par nécessité une vie naturelle immortelle. Mais quelle vie est celle où il eût mieux valu

qualis vita in qua satius foret non nasci, quam non ab
ea mori ? Mors potius est, et ideo gravior, quia peccati,
25 non naturae. Denique *mors peccatorum pessima*[b]. Ita ergo
quae *secundum carnem vivit*[c] anima, *vivens mortua est*[d],
quippe cui bonum erat omnino non vivere[e], quam sic
vivere. A qua nimirum vitali quadam morte minime
umquam resurget, nisi per *verbum vitae*[f], immo per
30 Verbum vitam, viventem utique et vivificantem.

**III. Quod immortalis est anima, sed non ut Verbum, et de trina
eius vicinitate cum Verbo, id est simplicitate, perpetuitate
et libertate, et in quo eius sit libertas.**

5. Alias autem immortalis est anima, et in hoc nihilominus Verbo similis quidem, sed non aequalis. Nam in
tantum superexcellit immortalitas Deitatis, ut Apostolus
dicat de Deo : *Qui solus habet immortalitatem*[a]. Quod ego
287   5 reor pro eo dictum, quod solus sit natura incommutabilis Deus, qui ait : *Ego Dominus, et non mutor*[b]. Vera
namque et integra immortalitas tam non recipit muta-
tionem, quam nec finem, quod omnis mutatio quaedam
mortis imitatio sit. Omne etenim quod mutatur, dum
10 de uno ad aliud transit esse, quodammodo necesse est
moriatur quod est, ut esse incipiat quod non est. Quod
si tot mortes quot mutationes, ubi immortalitas ? Et huic
*vanitati subiecta est ipsa creatura non volens, sed propter
eum qui subiecit in spe*[c]. Attamen immortalis anima est,

---

b. Ps. 33, 22   c. Rom. 8, 13 ≠   d. I Tim. 5, 6   e. Cf. Matth.
26, 24   f. Éphés. 5, 26 ≠
5. a. I Tim. 6, 16   b. Mal. 3, 6   c. Rom. 8, 20 ≠

---

1 Pour les expressions « Vie mortelle » et « Mort vivante », cf. ISAAC
DE L'ÉTOILE, *Sermons* I (*SC* 130, p. 334-335). Cf. aussi *Csi* V, 25 : *Horreo*

ne pas naître que de n'y pouvoir jamais mourir ? C'est bien plutôt une mort, et d'autant plus pénible que c'est la mort du péché, non de la nature. Bref, « la pire mort est celle des pécheurs[b] ». L'âme qui « vit selon la chair[c] est donc une morte vivante[d] » ; mieux valait pour elle ne pas vivre du tout[e] que de vivre ainsi. Oui, de cette sorte de mort vivante elle ne ressuscitera jamais, sinon par « la parole de vie[f] », ou plutôt par le Verbe qui est vie vivante et vivifiante [1].

III. L'âme est immortelle, mais non comme le Verbe. La triple proximité de l'âme et du Verbe : la simplicité, la perpétuité et la liberté. En quoi consiste la liberté de l'âme.

5. Par ailleurs, l'âme est immortelle, et en cela aussi elle est semblable au Verbe, sans lui être égale. Car l'immortalité de la Divinité la surpasse de si loin que l'Apôtre dit de Dieu : « Lui qui seul possède l'immortalité[a]. » Ce qui a été dit, je pense, parce que Dieu seul est par nature immuable, lui qui déclare : « Je suis le Seigneur et je ne change pas[b]. » La vraie et parfaite immortalité n'est pas plus susceptible de changement que de fin, car tout changement est en quelque façon une imitation de la mort. Tout ce qui change, passant d'un être à un autre, doit en quelque sorte mourir à ce qu'il est pour commencer d'être ce qu'il n'est pas. Et s'il y a autant de morts que de changements, où est l'immortalité ? Et à cette « inconstance la créature a été assujettie non de son propre gré, mais par celui qui l'y a assujettie dans l'espérance[c] ». Cependant l'âme est

incidere in manus mortis viventis et vitae morientis (*SBO* III, p. 488, l. 19), « Je tremble de tomber aux mains d'une mort qui vivra toujours et d'une vie qui meurt sans cesse. »

15 quoniam, cum ipsa sibi vita sit, sicut non est quo cadat a
se, sic non est quo cadat a vita. Verum cum constet suis
affectibus mutari eam, agnoscat ita se Deo in immortalitate similem, ut sciat sibi deesse non modicam immortalitatis partem, soli cedens absolutam perfectamque
20 immortalitatem, *apud quem non est transmutatio nec
vicissitudinis obumbratio*[d]. Nec mediocris tamen animae
dignitas praesenti disputatione comperta est, quae gemina
quadam vicinitate naturae Verbo appropiare videtur,
simplicitate essentiae et perpetuitate vitae.

6. Sed enim adhuc unum occurrit, quod minime
praeteribo : nec enim minus insignem similemve minus
Verbo animam facit, et forte etiam plus. Arbitrii libertas
haec est, plane divinum quiddam praefulgens in anima,
5 tamquam gemma in auro. Ex hac nempe inest illi
inter bonum quidem et malum, nec non inter vitam
et mortem, sed et nihilominus inter *lucem et tenebras*[a],
et cognitio iudicii, et optio eligendi, et si qua sunt
alia quae similiter circa animi habitum sese e regione
10 respicere videantur. Nihilominus inter ipsa censorius
quidam arbiter, is animae oculus, diiudicat et discernit,
sicut arbiter in discernendo, ita in eligendo liber. Unde
et liberum nominatur arbitrium, quod liceat versari in
his pro arbitrio voluntatis. Inde homo ad promerendum
15 potis : omne etenim quod feceris bonum malumve quod
quidem non facere liberum fuit, merito ad meritum
reputatur. Et ut merito laudatur, non is tantum *qui
potuit facere mala et non fecit*[b], sed et qui potuit non
facere bona et fecit, ita malo non caret merito tam is
20 qui potuit non facere mala et fecit, quam qui potuit

d. Jac. 1, 17
6. a. Gen. 1, 4 ≠   b. Sir. 31, 10 ≠

immortelle puisque, étant à elle-même sa propre vie, elle ne saurait pas plus déchoir de sa vie que d'elle-même. Mais il est certain qu'elle change de sentiments. Elle doit donc se reconnaître semblable à Dieu en immortalité tout en sachant qu'il lui manque une part non négligeable de cette immortalité. Elle réservera l'immortalité absolue et parfaite à celui-là seul « chez qui il n'existe aucun changement ni l'ombre d'une variation[d] ». Néanmoins, la présente discussion nous a fait découvrir la dignité non petite de l'âme, qui apparaît proche du Verbe par une double proximité de nature : par la simplicité de l'essence et la perpétuité de la vie.

6. Mais il me vient à l'esprit un autre aspect que je ne passerai point sous silence : car il rend l'âme ni moins noble ni moins semblable au Verbe, mais peut-être plus encore. C'est le libre arbitre, réalité tout à fait divine, qui resplendit dans l'âme comme une pierre précieuse enchâssée dans l'or. Oui, c'est par lui que l'âme possède la capacité de discerner et la faculté de choisir entre le bien et le mal, entre la vie et la mort, mais aussi entre « la lumière et les ténèbres[a] », et entre tous les contraires qui semblent pareillement s'opposer l'un à l'autre dans la vie de l'esprit. Cet œil de l'âme est comme un arbitre rigoureux qui juge et discerne entre ces contraires : arbitre dans son discernement, libre dans son choix. De là vient aussi qu'il se nomme libre arbitre, parce qu'il a le pouvoir de se conduire en tout cela selon l'arbitrage de sa volonté. D'où vient que l'homme est capable de mériter. Car tout le bien ou le mal que tu auras fait, et que tu étais libre de ne pas faire, est imputé à juste titre au mérite. Est loué à juste titre non seulement celui « qui, pouvant faire le mal, ne l'a pas fait[b] », mais aussi celui qui, pouvant ne pas faire le bien, l'a fait. De même est puni à juste titre tant celui qui, pouvant ne pas faire

facere bona nec fecit. Ubi autem non est libertas, nec meritum. Propterea quae sunt carentia ratione animalia, nihil merentur, quia sicut deliberatione, ita et libertate carent : sensu aguntur, feruntur impetu, rapiuntur appetitu. Neque enim iudicium habent, quo se diiudicent sive regant, sed ne instrumentum quidem iudicii, id est rationem. Inde est quod non iudicantur, quia non iudicant. Quanam quippe ratione ab his ratio exigatur, quam non acceperunt ?

IV. Quomodo animae libertas in captivitatem addicitur per peccatum.

7. Hanc vim a natura solus homo non patitur, et ideo solus inter animantia liber. Et tamen, interveniente peccato, patitur quamdam vim et ipse, sed a voluntate, non a natura, ut ne sic quidem ingenita libertate privetur. Quod enim voluntarium, et liberum. Et quidem peccato factum, ut *corpus quod corrumpitur aggravet animam*[a], sed amore, non mole. Nam quod surgere anima per se iam non potest, quae per se cadere potuit, voluntas in causa est, quae corrupti corporis vitiato ac vitioso amore languescens et iacens, amorem pariter iustitiae non admittit. Ita nescio quo pravo et miro modo ipsa sibi voluntas, peccato quidem in deterius mutata, necessitatem facit, ut nec necessitas, cum voluntaria sit, excusare valeat voluntatem, nec voluntas, cum sit illecta, excludere necessitatem. Est enim necessitas haec quodammodo voluntaria. Est favorabilis vis quaedam,

---

7. a. Sag. 9, 15 ≠

---

1. Ravelet traduit : « par le poids des affections et non par un poids matériel ».

le mal, l'a fait, que celui qui, pouvant faire le bien, ne l'a pas fait. Là où il n'y a pas de liberté, pas de mérite non plus. C'est pourquoi les animaux dépourvus de raison n'ont pas de mérites ; car ils sont aussi dépourvus de réflexion que de liberté. Ils sont mus par l'instinct, emportés par la fougue, entraînés par l'appétit. Car ils n'ont pas de jugement pour se juger et se conduire, ni non plus l'organe du jugement, c'est-à-dire la raison. D'où vient qu'ils ne sont pas jugés, puisqu'ils ne jugent pas. Pour quelle raison demanderait-on raison à ceux qui ne l'ont pas reçue ?

IV. Comment la liberté de l'âme est livrée à la captivité par le fait du péché.

7. Seul l'homme ne subit pas cette violence de la nature ; aussi est-il seul libre entre les êtres animés. Pourtant, par l'intervention du péché, il subit lui aussi une certaine violence, mais de la volonté, non de la nature, si bien que même alors il n'est pas privé de la liberté innée. Car ce qui est volontaire est aussi libre. Certes le péché fait que « le corps qui se corrompt appesantit l'âme[a] », mais par son amour déréglé, non par son poids[1]. Si l'âme, qui a pu tomber d'elle-même, ne peut plus se relever d'elle-même, c'est la volonté qui en est la cause. Celle-ci, languissante et sans force par l'amour dépravé et vicieux du corps corrompu, ne s'ouvre plus à l'amour de la justice. Ainsi, je ne sais de quelle manière étonnante et perverse, la volonté, détériorée par le péché, s'impose d'elle-même une telle nécessité. Or la nécessité, lorsqu'elle est volontaire, ne peut pas excuser la volonté ; la volonté, lorsqu'elle est captivée, ne peut plus échapper à la nécessité. Car cette nécessité est en quelque sorte volontaire. C'est une sorte d'aimable violence, qui caresse

premendo blandiens et blandiendo premens ; unde sese
rea voluntas, ubi semel peccato consenserit, nec excutere
iam per se, nec excusare tamen ullatenus de ratione
20 queat. Inde querula illa vox veluti gementis sub onere
necessitatis huius : *Domine,* inquit, *vim patior, responde
pro me*[b]. Sed rursus, sciens quod non iuste causaretur
adversus Dominum, cum voluntas sua ipsius potius in
causa foret, attende quid secutus intulerit : *Quid dicam
25 aut* quis *respondebit mihi, cum ipse fecerim*[c] ? Premebatur
iugo, non alio tamen quam voluntariae cuiusdam servitutis, et erat pro servitute quidem miserabilis, sed pro
voluntate inexcusabilis. Voluntas enim est, quae, cum
esset libera, serva facta est peccati, peccato assentiendo ;
30 voluntas nihilominus est, quae se sub peccato tenet,
voluntarie serviendo.

8. « Vide quid dicas », ait aliquis mihi. « Tu voluntarium dicis quod iam necessarium constat esse ? Verum
quidem est, quod voluntas seipsa addixerit ; sed non ipsa
se retinet : magis retinetur et nolens. » « Bene hoc saltem
5 das, quia retinetur. Sed vigilanter retine voluntatem esse,
quam retineri fateris. Itaque voluntatem nolentem dicis ?
Non utique voluntas retinetur non volens. Voluntas enim
volentis est, non nolentis. Quod si volens retinetur, ipsa
se retinet. *Quid* ergo *dicet, aut quis respondebit ei, cum
10 ipsa fecerit*[a] ? Quid fecit ? Servam se fecit ; unde dicitur :
Qui facit peccatum, servus est peccati[b]. Propterea cum

b. Is. 38, 14   c. Is. 38, 15 ≠
8. a. Is. 38, 15 ≠   b. Jn 8, 34

en harcelant et qui harcèle en caressant. De là vient que la volonté coupable, dès lors qu'elle a une fois consenti au péché, ne peut plus s'en dégager par elle-même, ni non plus s'en excuser raisonnablement. D'où cette voix plaintive, comme de quelqu'un qui gémit sous le poids d'une telle nécessité : « Seigneur, dit-il, je souffre violence, réponds pour moi[b]. » Mais d'autre part, sachant qu'il ne se plaint pas avec justice contre le Seigneur, car c'est sa propre volonté qui est en cause, remarque ce qu'il a ajouté ensuite : « Que dirai-je, ou qui me répondra, puisque c'est moi-même qui ai fait tout cela[c] ? » Il était opprimé par le joug, mais qui n'était autre que celui d'une servitude volontaire ; il était certes digne de pitié à cause de la servitude, mais inexcusable à cause de la volonté. Car c'est la volonté qui, étant libre, s'est faite esclave du péché en consentant au péché. Et c'est encore la volonté qui se tient sous le joug du péché, en servant volontairement.

8. « Prends garde à ce que tu dis », me dira quelqu'un. « Tu appelles volontaire ce qui manifestement est déjà nécessaire ? Il est bien vrai que la volonté s'est livrée elle-même ; mais ce n'est pas elle-même qui se maintient en cet état : bien plutôt, elle est retenue contre son vouloir. » — « Tu as raison d'accorder au moins ceci, qu'elle est retenue. Mais retiens attentivement que c'est la volonté dont tu reconnais qu'elle est retenue. Tu dis donc que la volonté ne veut pas ? La volonté n'est certes pas retenue sans le vouloir. Car c'est la volonté d'un sujet qui veut, non d'un sujet qui ne veut pas. Et si elle est retenue le voulant, c'est elle-même qui se maintient en cet état. 'Que dira-t-elle donc, ou qui lui répondra, puisque c'est elle-même qui a fait tout cela[a] ?' Qu'a-t-elle fait ? Elle s'est faite esclave ; d'où vient qu'il est dit : 'Celui qui commet le péché est esclave du péché[b].' Aussi lorsqu'elle

peccavit – peccavit autem cum peccato oboedire decrevit
–, servam se fecit. Sed sit libera, si non adhuc facit. Facit
autem, in eadem servitute se retinens. Neque enim non
15 volens voluntas tenetur : voluntas enim est. Ergo quia
volens, servam seipsam non modo fecit, sed facit. Merito
proinde, quod saepe memorandum est, *quis respondebit
illi, cum ipsa fecerit,* ipsa et faciat ? »

9. « Sed non me », inquis, « decredere facies necessitatem quam patior, quam in memetipso experior, contra
quam et assidue luctor ». « Ubinam », quaeso, « hanc
necessitatem sentis ? Nonne in voluntate ? Non ergo
5 parum firmiter vis quod et necessario vis. Multum vis
quod nolle nequeas, nec multum obluctans. Porro ubi
voluntas, et libertas[a] ». Quod tamen dico de naturali, non
de spirituali, *qua libertate,* ut ait Apostolus, *Christus nos
liberavit*[b]. Nam de illa idem ipse dicit : *Ubi Spiritus, ibi*
10 *libertas*[c]. Ita anima, miro quodam et malo modo, sub hac
voluntaria quadam ac male libera necessitate, et *ancilla*
tenetur, *et libera*[d] : *ancilla* propter necessitatem, *libera*
propter voluntatem, et quod magis mirum magisque
miserum est, eo rea quo *libera,* eoque *ancilla* quo rea, ac
15 per hoc eo *ancilla* quo *libera. Miser ego homo, quis me
liberabit a* calumnia *huius* pudendae *servitutis*[e] *?* Miser,
sed liber : liber quia homo, miser quia servus ; liber
quia similis Deo, miser quia contrarius Deo. *O custos
hominum, quare posuisti me contrarium tibi ?* Posuisti

---

9. a. Cf. II Cor. 3, 17   b. Gal. 4, 31 ≠   c. II Cor. 3, 17 ≠
d. Gal. 4, 22 ≠   e. Rom. 7, 24 ≠

---

1. Bernard ne dialogue pas souvent avec son auditoire. Cf. pourtant
SCt 9, 1-2 (*SC* 414, p. 194-200).

2. * *II Cor.* 3, 17 ≠. En citant ce mot de Paul, Bernard omet, ici et
4 autres fois, *Spiritus,* qu'il exprime cependant une fois.

a péché – elle a péché lorsqu'elle a décidé d'obéir au péché – s'est-elle faite esclave. Mais elle sera libre, si elle ne commet plus le péché. Or, elle le commet, et elle se maintient dans la même servitude. Car la volonté n'est pas retenue sans le vouloir, puisqu'elle est la volonté. C'est bien parce qu'elle le veut, qu'elle ne s'est pas seulement faite esclave, mais qu'elle continue de se faire telle. A juste titre donc, et il faut s'en souvenir souvent, 'qui lui répondra, puisque c'est elle-même qui a fait tout cela', et qui le fait encore ? »

9. « Mais, dis-tu, tu ne me feras pas cesser de croire à la nécessité que je subis, que j'expérimente en moi-même, contre laquelle aussi je lutte continuellement [1]. » – « Où, je te le demande, sens-tu cette nécessité ? N'est-ce pas dans la volonté ? C'est donc que tu veux avec une fermeté non petite ce que tu veux aussi par nécessité. Tu veux intensément ce que tu ne peux pas ne pas vouloir, et tu n'y opposes guère de résistance. Or, où il y a volonté, il y a aussi liberté [a] [2]. » Pourtant, je parle ici de la liberté naturelle, non de « cette liberté » spirituelle « par laquelle le Christ nous a libérés [b] », comme dit l'Apôtre. Car de celle-ci le même Apôtre dit : « Où est l'Esprit, là est la liberté [c]. » Ainsi l'âme, d'une manière étonnante et funeste, se tient à la fois « servante et libre [d] » sous cette nécessité en quelque sorte volontaire et malheureusement libre : « servante » à cause de la nécessité ; « libre » à cause de la volonté. Chose plus étonnante et plus affligeante encore, elle est d'autant plus coupable qu'elle est plus « libre », et d'autant plus « servante » qu'elle est plus coupable ; du coup, elle est d'autant plus « servante » qu'elle est plus « libre ». « Malheureux homme que je suis ! Qui me délivrera du piège de cette honteuse servitude [e] ? » Malheureux, mais libre. Libre, en tant qu'homme ; malheureux, en tant qu'esclave. Libre, en tant que semblable à Dieu ; malheureux, en tant qu'ennemi de Dieu. « Ô gardien des hommes, pourquoi

20 enim, cum non prohibuisti. Alioquin ipse me posui, *et factus sum mihimetipsi gravis*[f]. Iustissime quidem, ut hostis tuus hostis sit meus, et qui tibi repugnat, et mihi. Ego vero, qui tibi ; ego, qui mihimet *contrarius factus sum,* atque *in membris meis invenio quod contradicat et menti*
25 *meae, et legi tuae*[g].

V. De lege Dei vel lege peccati, quae in anima una sunt et in voluntate.

290   *Quis me liberabit de* manibus meis[h] ? *Non enim quod volo, hoc ago,* sed me, non alio prohibente ; *et quod odi, illud facio*[i], sed me, non alio compellente. Atque utinam prohibitio haec et haec compulsio ita esset violenta, ut
5 non esset voluntaria ; forsitan enim sic possem excusari. Aut certe ita esset voluntaria, ut non violenta ; profecto enim sic possem corrigi. Nunc vero nusquam exitus misero patet, quem et voluntas, ut dixi, inexcusabilem, et incorrigibilem necessitas facit. Quis *me eripiet de manu*
10 *peccatoris, de manu contra legem agentis et iniqui*[j] ?

      10. Quaerit quis, de quo querar ? De me. Ego ille peccator, ille exlex, ille iniquus : peccator quia peccavi, exlex quia voluntate persisto agere contra legem. Nam mea voluntas ipsa est lex in membris meis, legi divinae
5 recalcitrans. Et quoniam lex Domini *lex mentis meae*[a], sicut scriptum est : *Lex Dei eius in corde ipsius*[b], per hoc et mihi ipsi mea ipsius voluntas contraria invenitur, quae

---

f. Job 7, 20   g. Rom. 7, 23 ≠   h. Rom. 7, 24 ≠   i. Rom.
7, 15 ≠   j. Ps. 70, 4 ≠
10. a. Rom. 7, 23 ≠   b. Ps. 36, 31

---

1. L'opposition entre volonté et nécessité est un thème important du *De Gratia* : cf. *Gra* 4-5 (*SC* 393, p. 250-255).

m'as-tu posé en ennemi face à toi ? » Car tu m'as ainsi posé, lorsque tu ne l'as pas empêché. D'autre part, c'est moi-même qui me suis ainsi posé, « et je suis devenu insupportable à moi-même[f] ». Il est certes très juste que ton ennemi soit mon ennemi, et que celui qui te combat me combatte aussi. Or, c'est moi qui combats contre toi ; c'est moi qui « suis devenu mon propre ennemi » et « qui trouve dans mes membres un principe qui s'oppose à mon esprit et à ta loi[g] ».

V. La loi de Dieu et la loi du péché, qui coexistent dans l'âme et dans la volonté.

« Qui me délivrera de » mes propres mains[h] ? « Car ce que je veux, je ne le fais pas », mais c'est moi, non pas un autre, qui m'en empêche. « Et ce que je hais, je le fais[i] », mais c'est moi, non pas un autre, qui m'y pousse. Si seulement cet empêchement et cette pulsion étaient si violents qu'ils ne fussent pas volontaires ! Ainsi je pourrais peut-être avoir une excuse. Ou bien, s'ils étaient volontaires de telle sorte qu'ils ne fussent pas violents ! Ainsi je pourrais certes me corriger. Maintenant, en revanche, je ne trouve aucune issue à mon malheur. D'une part, comme je l'ai dit, la volonté me rend inexcusable ; de l'autre, la nécessité me rend incorrigible[1]. Qui « m'arrachera de la main du pécheur, de la main du méchant qui agit contre la loi[j] » ?

10. Quelqu'un demande-t-il de qui je me plains ? De moi ! C'est moi qui suis ce pécheur, ce hors-la-loi, cet homme injuste. Pécheur, parce que j'ai péché ; hors-la-loi, parce que ma volonté persiste à agir contre la loi. Car ma volonté est cette même loi qui, dans mes membres, regimbe contre la loi divine. Et puisque la loi du Seigneur « est la loi de mon esprit[a] », comme il est écrit : « La loi de son Dieu est dans son cœur[b] », il se trouve donc que ma propre volonté est ma propre ennemie, ce

est iniquitas maxima. Cui enim non iniquus, qui mihi
sum ? *Qui sibi nequam,* ait, *cui bonus*[c] ? Fateor : non
10 sum bonus, quia non est in me bonum. Consolabor me
tamen, quia et sanctorum vox ista est : *Scio quia non est
in me bonum,* inquit. Discernit tamen quod dicit « in
se », *in carne sua*[d] interpretans, propter contradictoriam
legem, quae in ea est. Nam habet legem et in mente,
15 eaque melior. Annon lex Dei bona ? Quod si malus
propter legem malam, quomodo non propter bonam
bonus ? An mala sua est quae est in carne sua, et ideo
de mala malus, et minime bonus de bona ? Non est
ita : *lex Dei eius in* mente *ipsius*[e], atque ita in mente,
20 ut sit et mentis. Testis ipse est qui ait : *Invenio aliam
legem in membris meis, repugnantem legi mentis meae*[f].
Numquid suum quod carnis suae est, et non suum quod
mentis suae est ? Ego dico : et plus. Quidni dicam, quod
idem ipse magister dicit ? Nam *mente quidem serviens
25 legi Dei, carne autem legi peccati*[g], quid magis suum
fateatur evidenter ostendit, cum malum, quod in carne
est, ita a se alienum censet, ut dicat : Itaque *iam non
ego operor illud, sed quod habitat in me peccatum*[h]. Et
ideo fortassis signanter *aliam* dixerit legem inventam in
30 membris suis, quod alienam hanc et quasi adventitiam
reputaret. Unde et adhuc ego aliquid audeo amplius,

291

---

c. Sir. 14, 5 (Patr.)   d. Rom. 7, 18 ≠   e. Ps. 36, 31 ≠   f. Rom.
7, 21. 23 ≠   g. Rom. 7, 25 ≠   h. Rom. 7, 20 ≠

1. * *Sir.* 14, 5 Patr. Bernard emploie 9 fois ce verset, une fois très
librement en *SCt* 18, 4, *SC* 431, p. 96, l. 43. Le texte *Vg* comporte
en plus les mots *enim, est, alii, erit*. On le trouve à peu près tel au
long des siècles, sans qu'il paraisse possible de repérer un texte *Vl.*
Il semble que Bernard a préféré un texte rare (attribué à « la glose »),
celui que nous avons ici, d'une concision toute latine. Il l'encadre
volontiers dans une sorte de commentaire interrogatif : ici, en *Csi* I, 6

qui est la pire des injustices. Car envers qui ne serais-je pas injuste, moi qui le suis envers moi-même ? « Celui qui est cruel envers soi-même, est-il dit, envers qui est-il bon[c1] ? » Je l'avoue : je ne suis pas bon, puisqu'il n'y a aucun bien en moi. Je me consolerai pourtant par cette parole prononcée, elle aussi, par les saints : « Je sais qu'il n'y a aucun bien en moi », est-il dit. Paul distingue pourtant, car il dit : « en lui ». Il entend par-là « dans sa chair[d] », à cause de cette loi de rébellion qui est en elle. Car il a une loi aussi en son esprit, et meilleure. La loi de Dieu ne serait-elle pas bonne ? Si Paul est mauvais à cause de la loi mauvaise, comment ne serait-il pas bon à cause de la loi bonne ? Ou alors la loi mauvaise qui est dans sa chair est à lui, et elle le rendrait mauvais sans que la loi bonne puisse le rendre bon ? Il n'en va pas ainsi : « la loi de son Dieu est dans son esprit[e] », et elle y est de telle sorte qu'elle est aussi celle de son esprit. Il en témoigne lui-même en disant : « Je trouve dans mes membres une autre loi qui résiste à la loi de mon esprit[f]. » Ce qui est de sa chair est de lui, et ce qui est de son esprit ne le serait-il pas ? Moi je dis : il l'est bien davantage. Pourquoi ne dirais-je pas ce que le maître lui-même dit ? « En obéissant par l'esprit à la loi de Dieu, et par la chair à la loi du péché[g] », il montre à l'évidence ce qu'il reconnaît comme davantage sien. Le mal qui est dans sa chair, il l'estime tellement étranger à lui qu'il dit : « Ainsi ce n'est plus moi qui l'accomplis, mais le péché qui habite en moi[h]. » C'est peut-être pour cela qu'il appelle expressément « autre » la loi trouvée dans ses membres, car il la considère comme étrangère et, pour ainsi dire, comme venue du dehors. De là vient

(*SBO* III, p. 400, l. 17), en *QH* 11, 8 (*SBO* IV, p. 454, l. 11), en *Ep* 1, 4 (*SC* 425, p. 68, l. 22).

haud temere quidem : Paulum videlicet non iam malum
propter malum quod in carne habet, magis autem bonum
propter bonum quod in mente habet. Annon bonus
35 qui consentit legi Dei, quoniam bona est ? Nam etsi se
itidem fateatur servire legi peccati, carne hoc facit, non
mente. Cum autem *mente quidem serviat legi Dei, carne
autem legi peccati*[i], quidnam potissimum horum Paulo
40 imputandum putes, tu videris. Nam mihi, fateor, facile
persuasum quod mentis quam quod carnis est, pluris
esse, non solum mihi, sed et ipsi Paulo, ut iam dictum
est, qui ait : *Si autem quod nolo, illud facio, iam non ego
operor illud, sed quod habitat in me peccatum*[j].

11. Sed de libertate ista sufficiant. In libello, quem
de gratia et libero arbitrio scripsi, diversa fortassis de
imagine et similitudine disputata leguntur, sed, ut arbitror,
non adversa. Legistis illa, ista audistis : quaenam magis
5 probanda, vestro iudicio derelinquo ; vel si quid melius
utrisque sapitis, *in hoc gaudeo, et gaudebo*[a]. At quoquo
modo illa se habeant, tria quaedam in praesentiarum
praecipua commendata tenetis : simplicitatem, immortalitatem, libertatem. Et hoc vobis liquido apparere iam
10 arbitror, animam pro ingenita atque ingenua similitudine,
quae in his tam eximie claret, non parvam cum Verbo
habere affinitatem, Sponso Ecclesiae, Iesu Christo Domino
nostro, *qui est super omnia Deus benedictus in saecula.
Amen*[b].

i. Rom. 7, 25 ≠   j. Rom. 7, 20 ≠
11. a. Phil. 1, 18 ≠   b. Rom. 9, 5

1. « Des opinions différentes, mais non contraires ». Dans le *De Gratia*
(*SC* 393, p. 169-361), Bernard distingue les trois idées : *liberum consilium,
liberum arbitrium, liberum complacitum*, et il cherche ainsi une explication plus
spéculative aux problèmes de la liberté et de la nécessité humaines.

que j'ose encore une fois aller plus loin, mais sans aucune témérité. Je dirai que Paul n'est plus mauvais à cause du mal qu'il garde dans sa chair, mais plutôt qu'il est bon à cause du bien qu'il garde dans son esprit. N'est-il pas bon, celui qui consent à la loi de Dieu, puisqu'elle est bonne ? S'il avoue en même temps qu'il obéit à la loi du péché, c'est par la chair qu'il fait cela, non par l'esprit. Puisqu'« il obéit par l'esprit à la loi de Dieu et par la chair à la loi du péché[i] », vois laquelle des deux actions, à ton avis, doit être principalement imputée à Paul. Pour moi, je l'avoue, je me persuade facilement que ce qui appartient à l'esprit l'emporte sur ce qui appartient à la chair. Et ce n'est pas seulement ma conviction, c'est aussi celle de Paul lui-même, comme il a déjà été dit. Car il déclare : « Or, si ce que je ne veux pas, je le fais, ce n'est plus moi qui l'accomplis, mais le péché qui habite en moi[j]. »

11. Mais en voilà assez sur la liberté. Dans l'opuscule que j'ai écrit sur la grâce et le libre arbitre on peut lire, sur l'image et la ressemblance, des opinions peut-être différentes mais non contraires [1], je pense. Vous avez lu celles-là, et vous avez entendu celles-ci : je vous laisse juger lesquelles sont plus dignes d'approbation. Et si vous trouvez mieux, « je m'en réjouis et m'en réjouirai[a] ». Quoi qu'il en soit, retenez pour le moment en mémoire ces trois points surtout : la simplicité, l'immortalité, la liberté. A mon avis, vous devez voir maintenant en toute clarté que l'âme, par la noble ressemblance de nature qui ressort si nettement de ces trois points, n'a pas peu d'affinité avec le Verbe, l'Époux de l'Église, Jésus-Christ notre Seigneur, « qui est au-dessus de tout, Dieu béni dans les siècles. Amen[b]. »

SERMO LXXXII

I. Quid adhuc dubium residet in iam dictis, quod revelandum est, et de voce cuidam facta : Donec istud tenebis, aliud non accipies. – II. Quod similitudo Dei in homine, quae secundum quaedam loca Scripturae videtur per peccatum deleta, intelligenda est obscurata et confusa, tam in simplicitate quam immortalitate et libertate, et quomodo. – III. Quod adventitia animae naturalia turpant, et inde homini et iumento unus exitus et introitus ; et quod pro retentae portione similitudinis accedere ad Verbum potest.

I. Quid adhuc dubium residet in iam dictis, quod revelandum est, et de voce cuidam facta : Donec istud tenebis, aliud non accipies.

1. *Quid vobis videtur* [a] ? Possumus ne iam regredi ad exponendi ordinem unde digressi sumus, quia patet propinquitas Verbi et animae, pro qua utique demonstranda digressio ipsa facta est ? Possemus, ut mihi videtur,
5 nisi parum quid dubietatis *in his, quae dicta sunt* [b], adhuc residere sentirem. Nil furari volo. Non libenter praetereo quod vobis utile putem. Et quomodo id audeam, de his praesertim quae vobis accipio ? *Scio hominem* [c] aliquid aliquando inter loquendum ex his quae *suggerebat*
10 *Spiritus* [d], etsi non infideli, minus tamen fidenti animo retentantem et reservantem sibi, ut haberet quid diceret

---

1. a. Mc 14, 64   b. Ps. 121, 1   c. II Cor. 12, 2   d. Jn 14, 26 ≠

---

1. « Je connais un homme… » : sans doute faut-il penser à Bernard lui-même.

SERMON 82

I. Quelques doutes subsistent encore dans ce qui a été dit. De cette voix adressée à quelqu'un : « Tant que tu garderas cela, tu ne recevras pas autre chose. » – II. La ressemblance de Dieu en l'homme, qui selon certains passages de l'Écriture semble détruite par le péché, doit être comprise comme étant obscurcie et brouillée, tant pour la simplicité que pour l'immortalité et la liberté. Comment cela se fait. – III. Les maux adventices défigurent les biens naturels de l'âme. De là vient que pour l'homme et pour la bête il n'y a qu'une façon de sortir de la vie comme d'y entrer. En vertu de la ressemblance partielle qu'elle garde, l'âme peut approcher du Verbe.

I. Quelques doutes subsistent encore dans ce qui a été dit. De cette voix adressée à quelqu'un : « Tant que tu garderas cela, tu ne recevras pas autre chose. »

1. « Qu'en pensez-vous[a] ? » Pouvons-nous maintenant revenir à la suite de notre exposé, dont nous nous sommes écartés, puisque vous voyez clairement la proximité du Verbe et de l'âme ? C'est bien pour démontrer cette proximité que la présente digression a été faite. Nous le pourrions, me semble-t-il, si je ne sentais pas subsister encore quelques petits doutes « dans ce qui a été dit[b] ». Je ne veux rien vous dérober. Je ne passe pas volontiers sous silence ce que je crois vous être utile. Et comment l'oserais-je, surtout lorsqu'il s'agit de ce que je reçois pour vous ? « Je connais un homme[c 1] » qui, un jour, lors d'un entretien, voulut garder et réserver pour lui certaines idées que lui « inspirait l'Esprit[d] ». Il le faisait non par infidélité, mais par manque de confiance, afin d'avoir des choses à dire quand il aurait à parler une autre fois sur

denuo tractaturus ; et ecce vox ad eum, ut quidem ei
visum est : « Donec istud tenebis, aliud non accipies ».
Quid, si retinuisset, non providendo suae inopiae, sed
15 fraternis profectibus invidendo ? Nonne merito *et* hoc
ipsum, *quod videbatur habere, auferretur ab eo*[e] ? Quod
quidem longe a servo vestro semper faciat Deus, sicut
semper fecit. Sic mihi iugiter abundare dignetur *fons*
ille indeficiens *sapientiae*[f] salutaris, quomodo *sine invidia*
20 vobis *communicavi*[g], et refudi quidquid mihi infundere
hactenus dignatus est ipse. Si ego vos fraudo, a quo iam
non verear ipse fraudari ? Ne a Deo quidem ?

2. Est itaque *in his quae dicta sunt*[a] aliquid, quod, ut
vereor ego, offendiculum dare queat, si non complanetur.
293 Et, ni fallor, *sunt de hic stantibus*[b], quibus iam scrupulum
movit quod dicere volo. Trina illa Verbi similitudo, quam
5 animae assignavimus, immo qua insignitam advertimus,
recolitisne quod etiam inseparabiliter inesse illi visa
fuerit nobis ? Id quidem videatur aliquibus Scripturarum
testimoniis obviare, ut, verbi gratia, est illud in Psalmis :
Homo cum in honore esset, non intellexit ; comparatus est
10 *iumentis insipientibus, et similis factus est illis*[c], et item
illud : *Mutaverunt gloriam suam in similitudinem vituli*
comedentis fenum[d], sed et quod aperte dictum est in
persona Dei : *Existimasti, inique, quod ero tui similis*[e], et
pleraque alia, quae similitudinem Dei in homine post
15 peccatum deletam concorditer asseverare videntur. *Quid*

e. Matth. 25, 29 ≠   f. Prov. 18, 4 ≠   g. Sag. 7, 13 ≠
2. a. Ps. 121, 1   b. Matth. 16, 28 ≠   c. Ps. 48, 13   d. Ps. 105,
20 ≠   e. Ps. 49, 21

1. Cf. *SCt* 81, 5, *supra* p. 305 s.

le même sujet. Et voici qu'une voix s'adressa à lui, du moins lui sembla-t-il : « Tant que tu garderas cela, tu ne recevras pas autre chose. » Que serait-il arrivé, s'il l'avait gardé non pour parer à son indigence, mais en enviant les progrès de ses frères ? Ne « lui enlèverait-on pas à bon droit même ce qu'il semblait avoir[e] » ? Que Dieu veuille toujours écarter ce malheur de votre serviteur, comme il l'a toujours fait. Que cette « source » intarissable « de sagesse[f] » salutaire daigne couler toujours abondamment en moi, comme « je vous ai communiqué » et reversé « sans envie[g] » tout ce qu'elle a daigné répandre sur moi jusqu'ici. Si je vous frustrais, par qui ne devrais-je pas craindre désormais d'être frustré à mon tour ? N'est-ce pas par Dieu lui-même ?

2. Il y a « dans ce qui a été dit[a] » une difficulté qui, je le crains, pourrait être une pierre d'achoppement, si elle n'était pas aplanie. Et si je ne me trompe, « parmi ceux qui sont ici, il en est[b] » qui déjà se posent des questions sur ce que je veux dire. Cette triple ressemblance du Verbe que nous avons attribuée à l'âme, ou plutôt dont nous avons perçu en l'âme la marque distinctive, vous rappelez-vous qu'elle nous a paru aussi être inséparablement inhérente à l'âme [1] ? Cela pourrait sembler à certains en contradiction avec le témoignage des Écritures, par exemple avec cette parole des Psaumes : « L'homme, quand il était à l'honneur, n'a pas compris ; il a été assimilé aux bêtes sans raison, et il leur est devenu semblable[c]. » Ou avec cette autre parole : « Ils échangèrent leur gloire contre la ressemblance d'un veau broutant du foin[d]. » Mais aussi cette parole que Dieu dit explicitement en personne : « Tu t'es imaginé, méchant, que je serais semblable à toi[e]. » Et plusieurs autres passages qui s'accordent apparemment à affirmer que la ressemblance de Dieu dans l'homme a été détruite

ergo dicemus ad haec[f] *?* Tria illa minime in Deo esse, et
sic alia quaerenda, in quibus similitudinem assignemus ?
Aut esse quidem in Deo, sed non in anima, et ne sic
quidem in his similitudinem inveniri ? Aut esse et in
20 anima, sed posse etiam non inesse, ac per hoc non
inseparabilia esse ? Absit. Et in Deo, et in anima sunt,
et semper insunt ; nec est quod nos aliquid horum
dixisse paeniteat : ita totum subnixum est indubitata et
absolutissima veritate.

II. Quod similitudo Dei in homine, quae secundum quaedam loca Scripturae videtur per peccatum deleta, intelligenda est obscurata et confusa, tam in simplicitate quam immortalitate et libertate, et quomodo.

25 Sed quod Scriptura loquitur de dissimilitudine facta,
non quia similitudo ista deleta sit loquitur, sed quia alia
superducta. Non plane anima nativam se exuit formam,
sed superinduit peregrinam. Illa addita, non ista perdita
est ; et quae supervenit, obscurare ingenitam potuit, sed
30 non exterminare. Denique *obscuratum est insipiens cor
illorum*[g], Apostolus ait ; et Propheta : *Quomodo obscuratum est aurum, mutatus est color optimus*[h] *?* Obscuratum
aurum plangit, sed aurum tamen ; mutatum colorem
optimum, sed non fundamentum coloris evulsum.

---

f. Rom. 8, 31   g. Rom. 1, 21 ≠   h. Lam. 4, 1

1. L'Écriture semble dire que l'homme est devenu semblable aux
animaux (*Ps.* 48, 21). Est-ce à dire que l'âme puisse perdre la ressemblance avec Dieu ? Aucunement, dit Bernard ici. Doctrine qui est nettement différente de celle du *De Gratia*. Dans ce texte, l'image seule ne
pouvait être enlevée, mais la ressemblance pouvait se perdre. Cf. *Gra* 28
(*SC* 393, p. 304-305).

2. *Formam... superinduit peregrinam* à rapprocher de *Soph.* 1, 8 : *In die
hostiae Domini, visitabo super principes, et super filios regis, et super omnes qui
induti sunt veste peregrina,* « En ce jour de la victime du Seigneur, je visiterai

après le péché. « Que dirons-nous à cela[f 1] ? » Dirons-nous que ces trois caractères n'existent nullement en Dieu, et qu'ainsi il faut en chercher d'autres où situer la ressemblance ? Ou bien qu'ils existent en Dieu mais non en l'âme, et que, dans ce cas non plus, la ressemblance ne consiste pas en eux ? Ou bien qu'ils existent aussi en l'âme, mais qu'ils pourraient aussi ne pas lui être inhérents, et donc qu'ils n'en sont pas inséparables ? Loin de nous tout cela. Ces caractères existent aussi bien en Dieu que dans l'âme, et ils leur sont toujours inhérents. Nous n'avons pas à nous repentir d'avoir posé telle ou telle de ces affirmations. Ainsi tout repose sur la vérité la plus absolue, sans l'ombre d'un doute.

II. La ressemblance de Dieu en l'homme, qui selon certains passages de l'Écriture semble détruite par le péché, doit être comprise comme étant obscurcie et brouillée, tant pour la simplicité que pour l'immortalité et la liberté. Comment cela se fait.

Ce que l'Écriture dit d'une dissemblance survenue, elle ne le dit pas parce que la ressemblance originelle aurait été détruite, mais parce qu'une autre a été surajoutée. Oui, l'âme n'a pas dépouillé sa forme native, mais elle a revêtu par-dessus une forme étrangère[2]. Cette dernière a été ajoutée, mais la première n'a pas été perdue ; celle qui est survenue a pu obscurcir la forme innée, mais non l'anéantir. Bref, « leur cœur insensé s'est obscurci[g] », dit l'Apôtre. Et le Prophète : « Comment l'or s'est-il obscurci, sa couleur splendide s'est-elle altérée[h] ? » Il pleure sur l'or obscurci, mais c'est toujours de l'or ; il déplore sa splendide couleur altérée, mais le fond de la couleur

les princes, les fils du roi, et tous ceux qui s'habillent d'un vêtement étranger. » Cf. *SCt* 30, 10 (*SC* 431, p. 418, l. 25-27).

35 Manet in fundamento prorsus inconcussa simplicitas, sed
    minime apparet duplicitate operta humanae dolositatis,
    simulationis, hypocrisis.

    3. Quam incongrue simplicitati duplicitas admis-
    cetur ! Quam indigne tali fundamento talis structura
    committitur ! Huiusmodi sibi versutiam serpens induerat,
    cum se, ut deciperet, consiliarium exhibebat, simulabat
5   amicum[a]. Huiusmodi quoque seducti ab eo paradisi
    incolae induerant sibi, cum pudendam iam nuditatem
    tegere conarentur, et umbra frondosi ligni, et frondium
    succinctoriis, et verbis excusatoriis[b]. Quam late, ex tunc
    et deinceps, omnem posteritatem hereditarium hypocrisis
10 virus infecit ! Quem dabis de filiis Adam, qui quod est,
    non dico velit, sed vel patiatur videri ? Sed perseverat
    nihilominus in omni anima cum originali duplicitate
    generalis simplicitas, ut de collatione confusio augeatur ;
    perseverat aeque immortalitas, sed fusca et tetra, irruente
15 *tenebrosa* corporeae *mortis caligine*[c]. Nam etsi non
    privatur vita, vitae tamen beneficium suo corpori iam
    non sufficit vindicare. Quid, quod ne suam quidem, spiri-
    tualem dumtaxat, vitam retinet sibi ? *Anima* nempe *quae*
    peccaverit, ipsa morietur[d]. Nonne morte ista duplici incur-
20 sante, illa qualiscumque immortalitas, quam retentat,
    tenebrosa satis redditur et misella ? Adde quod appetentia
    terrenorum – quae quidem omnia ad interitum sunt
    – densat tenebras, ita ut in anima sic vivente, nil a
    parte aliqua, nisi pallida facies et imago quaedam mortis,
25 apparere cernatur. Cur non enim quae immortalis est,

---

3. a. Cf. Gen. 3, 5   b. Cf. Gen. 3, 7-8.12-13 ; cf. Ps. 140, 4
c. Job 10, 21 ≠   d. Éz. 18, 4

1. * *Gen.* 3, 5. Ce *versutiam*, lié à *Gen.* 3, 1-15 par le sens, est lié à
un autre mot paulinien *VI* : *non ignoramus astutias (Vg : cogitationes) eius.*
Cf. *II Cor.* 11, 3 : *Timeo autem ne sicut serpens Evam seduxit astutia sua...,*
« Je crains que, comme le serpent séduisit Ève par sa ruse... ». Souvent
Ambroise et Augustin utilisent *versutia* à la place d'*astutia.*

n'a pas été arraché. La simplicité demeure absolument inentamée au fond, mais elle ne le paraît point, étant couverte par la duplicité de la ruse, de la simulation et de l'hypocrisie humaines.

3. Qu'il est inconvenant de mêler ainsi la duplicité avec la simplicité ! Qu'il est indigne de confier un tel édifice à de telles fondations ! C'est ainsi que le serpent s'était revêtu de ruse[1] quand, pour tromper, il se présentait en conseiller, se déguisait en ami[a]. C'est ainsi que s'étaient pareillement revêtus les habitants du paradis, séduits par lui, quand ils cherchaient à couvrir leur nudité, désormais honteuse, soit par l'ombre d'un arbre feuillu, soit par des ceintures de feuilles, soit par des paroles d'excuses[b]. Depuis lors, combien profondément le venin héréditaire de l'hypocrisie a-t-il infecté toute leur descendance ! Vas-tu me trouver, parmi les fils d'Adam, quelqu'un qui, je ne dis pas désire, mais au moins supporte d'être vu pour ce qu'il est ? Pourtant, en toute âme, la simplicité propre au genre humain subsiste avec la duplicité des origines, si bien que leur confrontation augmente la confusion. L'immortalité subsiste pareillement, mais sombre et obscure, car « les ténèbres épaisses de la mort[c] » du corps fondent sur elle. Bien que l'âme ne soit pas privée de la vie, elle n'est plus en mesure de garantir le bienfait de la vie à son corps. Quoi d'étonnant, puisqu'elle ne garde même pas pour elle sa propre vie, du moins spiri-tuelle ? Car « l'âme qui a péché, c'est elle qui mourra[d]. » Devant l'irruption de cette double mort, l'immortalité que l'âme conserve, quelle qu'elle soit, ne devient-elle pas bien ténébreuse et chétive ? Ajoute que l'appétit des choses terrestres – qui sont certes toutes vouées à la mort – épaissit les ténèbres. Dans l'âme qui vit ainsi on ne voit plus rien paraître, d'aucun côté, sinon un visage blême et comme une image de la mort. Pourquoi cette âme qui

similia sibi immortalia appetit et aeterna, ut quod est
appareat, et quod facta est vivat ? Ceterum contraria
sapit et quaerit, et mortalibus sese degeneri conversatione
conformans, immortalitatis candorem quodam mortiferae
30 consuetudinis piceo colore denigrat. Quidni mortalium
appetitus immortalem mortali similem, immortali dissimilem faciat ? *Qui tangit picem,* ait Sapiens, *inquinabitur
ab ea*[e]. Fruendo mortalibus mortalitatem se induit, et
vestem immortalitatis, incidente mortis similitudine,
35 decoloravit, non exuit.

4. Evam attende, quomodo eius anima immortalis
immortalitatis suae gloriae fucum mortalitatis invexit,
mortalia utique affectando. Ut quid enim, cum immortalis
esset, mortalia non contempsit et transitoria, contenta sibi
5 similibus, immortalibus et aeternis ? *Vidit,* inquit, *lignum,
quod esset pulchrum oculis et aspectu delectabile, ac suave
ad vescendum*[a]. Non est tua, o mulier, ista suavitas, ista
delectatio, istaque pulchritudo ; et si tua pro parte luti,
non tua solius, sed communis *cunctis animantibus terrae*[b].
10 Tua, quae vere tua est, aliunde et alia : nam aeterna est
de aeternitate. Quid tu animae tuae alteram formam,
immo deformitatem, imprimis alienam ? Enimvero quod

---

e. Sir. 13, 1 ≠
4. a. Gen. 3, 6 ≠   b. Gen. 2, 19

1. * *Sir.* 13, 1. Dans son unique autre citation de ce verset, Bernard
suit la *Vg* avec le passé *tetigerit.* Ici, il emploie le présent *tangit,* qui
correspond mieux au grec ; il suit ainsi de nombreux Pères : Pacien,
Paulin de Nôle, Jérôme, Eucher, Léon.

2. Ce paragraphe décrit la double tunique de l'immortalité et de
la mortalité. Bernard suit de près la doctrine de Grégoire de Nysse.
Cf. DANIÉLOU, *Pères grecs,* p. 54-55.

est immortelle ne désire-t-elle pas les réalités immortelles et éternelles qui lui sont semblables, afin de paraître ce qu'elle est et de vivre telle qu'elle a été faite ? Non, elle savoure et cherche ce qui lui est contraire. Se conformant aux réalités mortelles par une conduite dégénérée, elle obscurcit l'éclat de son immortalité comme par la poix noire d'une accoutumance mortifère. Comment l'appétit des biens mortels ne rendrait-il pas l'âme immortelle semblable à ce qui est mortel, dissemblable à ce qui est immortel ? « Qui touche à la poix, dit le Sage, en sera souillé[e 1]. » En jouissant des biens mortels, l'âme s'est revêtue de mortalité. La ressemblance de la mort survenant en elle, elle a terni sa robe d'immortalité, elle ne l'a pas dépouillée[2].

4. Songe à Ève, comment son âme immortelle a introduit dans la gloire de son immortalité la corruption de la mortalité, en convoitant les biens mortels. Pourquoi, étant immortelle, n'a-t-elle pas méprisé les biens mortels et passagers, se contentant des biens immortels et éternels qui lui étaient semblables ? « Elle vit, est-il dit, que l'arbre était beau à voir et délectable à regarder, et doux à manger[a 3]. » Ô femme ! cette douceur, cette délectation et cette beauté ne sont pas les tiennes. Et si elles sont tiennes eu égard à ta part de limon, elles ne te sont pas propres, mais communes « avec tous les animaux de la terre[b] ». Les tiennes, celles qui sont vraiment tiennes, viennent d'ailleurs et sont autres ; car elles sont éternelles et leur source est l'éternité. Pourquoi graves-tu dans ton âme une autre forme, ou plutôt une difformité, qui t'est étrangère ? Oui, ce que la femme se plaît à avoir, elle

---

3. * *Gen.* 3, 6. L'inversion entre *pulchrum* et *suave* peut provenir d'une contamination de *Gen.* 2, 9 que l'on trouve déjà chez GRÉGOIRE LE GRAND, *Moralia in Job* 5, 54.

295   delectat habere, id etiam perdere timet ; et timor color
       est. Is libertatem, dum tingit, tegit, et eam nihilominus
  15   sibimet reddit dissimilem. Quam dignius sua origine nihil
       cuperet, ubi nihil metueret, ac per hoc a servili timore
       isto ingenitam sibi defenderet libertatem, manentem in
       vigore et decore suo ! Heu, non ita est ! *Mutatus est color
       optimus*[c]. Fugitas et latitas ; *audis vocem Domini Dei, et
  20   abscondis te*[d]. Cur hoc, nisi quia quem amabas times, et
       libertatis speciem *forma servilis*[e] exclusit ?

       5. Sed et voluntaria illa necessitas, et contraria *lex*
       inflicta *membris*[a], de qua proximo sermone disserui,
       eidem incubat libertati, et liberam natura creaturam per
       propriam ipsius voluntatem, dum allicit, subicit servituti,
   5   *implens faciem eius ignominia*[b], ita ut vel *carne serviat
       legi peccati*[c], et *non volens*[d]. Quia ergo naturae ingenui-
       tatem morum probitate defensare neglexit, iusto Auctoris
       iudicio factum est, non quidem ut libertate propria
       nudaretur, sed tamen superindueretur, *sicut diploide,
  10   confusione sua*[e]. Et bene dixit *sicut diploide*, ubi veste
       veluti duplicata, manente libertate propter voluntatem,
       servilis nihilominus conversatio necessitatem probat. Hoc
       de simplicitate, hoc de immortalitate animae advertere
       est ; et nil tibi in ea, si bene consideres, apparebit, quod
  15   non sit istiusmodi similitudinis pariter et dissimilitudinis
       diploide adopertum. An non diplois, ubi non innata, sed

---

c. Lam. 4, 1   d. Gen. 3, 8 ≠   e. Phil. 2, 7 ≠
5. a. Rom. 7, 23 ≠   b. Ps. 82, 17 ≠   c. Rom. 7, 25 ≠   d. Rom.
8, 20   e. Ps. 108, 29

1. A propos de la « décoloration », cf. R. JAVELET, *Image et ressemblance
au XIIe siècle de saint Anselme à Alain de Lille,* Paris 1967, t. 1, p. 258,
n. 131.
2. Cf. *SCt* 81, 6-10, *supra* p. 307-319.
3. « Le double manteau de ressemblance et de dissemblance à la fois ».

craint de le perdre ; et la crainte est une teinture qui, teignant la liberté, la couvre et la rend méconnaissable [1]. Qu'il eût été plus digne de son origine de ne rien convoiter, pour n'avoir rien à redouter ! Elle aurait ainsi préservé de cette crainte servile sa liberté innée, qui aurait subsisté dans sa force et son éclat. Hélas, il n'en est pas ainsi ! « La couleur splendide s'est altérée[c]. » Tu t'enfuis et tu te caches ; « tu entends la voix du Seigneur Dieu et tu te dérobes[d] ». Pourquoi cela, sinon parce que tu crains celui que tu aimais, et qu'« une condition servile[e] » a effacé la beauté de la liberté ?

5. Mais cette nécessité volontaire et cette « loi rebelle imposée aux membres[a] » du corps, dont j'ai parlé dans le dernier sermon [2], pèsent sur la liberté. Elles attirent et soumettent à la servitude, de son plein gré, la créature libre par nature, « couvrant sa face de honte[b] », si bien que jusque « dans sa chair elle obéit à la loi du péché[c] », même « sans le vouloir[d] ». Puisqu'elle a négligé de défendre la noblesse de sa nature par l'honnêteté de ses mœurs, il est arrivé, par un juste jugement du Créateur, non pas qu'elle soit dépouillée de sa propre liberté, mais qu'elle soit revêtue « de sa honte, comme d'un double manteau[e] ». C'est fort à propos qu'il est dit : « comme d'un double manteau ». Sa robe a été comme doublée : tandis que la liberté demeure à cause de la volonté, sa conduite servile trahit la présence de la nécessité. On en peut dire autant de la simplicité et de l'immortalité de l'âme. Et si tu fais bien attention, tu ne verras rien en elle qui ne soit couvert de ce double manteau de ressemblance et de dissemblance à la fois [3]. N'est-ce pas là un double manteau, lorsque la ruse n'est pas innée, mais

---

Les maux étrangers étant ajoutés aux biens qui nous sont naturels, ils les défigurent sans les détruire.

affixa, et quadam quasi peccati acu assuta est simplicitati
fraus, immortalitati mors, necessitas libertati ? Neque
enim essentiae simplicitati praescribit duplicitas cordis ;
20 non naturae immortalitati mors, aut voluntaria peccati,
aut necessaria corporis ; non arbitrii libertati necessitas
voluntariae servitutis.

**III. Quod adventitia animae naturalia turpant, et inde homini
et iumento unus exitus et introitus ; et quod pro retentae
portione similitudinis accedere ad Verbum potest.**

Ita bonis naturae adventitia, dum non succedunt,
sed accedunt, turpant utique ea, non exterminant ;
25 conturbant, non deturbant. Inde anima dissimilis Deo,
inde dissimilis est et sibi ; inde *comparata iumentis
insipientibus, et similis facta illis*[f] ; inde quod legitur
296   *commutasse gloriam suam in similitudinem vituli comedentis fenum*[g] ; inde homines, tamquam *vulpes*, duplici-
30 tatis et fraudis *foveam habent*[h] et, quia pares vulpium se
fecerunt, *partes vulpium erunt*[i] ; inde, iuxta Salomonem,
unus exitus homini et iumento[j]. Quidni similiter exeat,
qui similiter vixit ? More bestiali incubuit terrenis,
morte bestiali excedet terris. Audi aliud : quid mirum,
35 si similem sortimur exitum, qui et similem habemus
introitum[k] ? Unde enim hominibus, nisi de similitudine

---

f. Ps. 48, 13 ≠   g. Ps. 105, 20 ≠   h. Matth. 8, 20 ≠   i. Ps.
62, 11   j. Eccl. 3, 19 ≠   k. Cf. Sag. 7, 6

1. * *Eccl.* 3, 19 ≠. Bernard emploie *exitus* à la place de *interitus (Vg)*,
unique emploi par lui. L'expression *unus exitus* se trouve déjà chez le
Pseudo-QUINTILIEN, *Declamationes* 17, 16; elle paraît bien être absente
de la *PL*.
2. « Pourquoi s'étonner que nous sortions de la vie de la même
manière que les bêtes... » Idée reprise à Grégoire de Nysse (*La Création
de l'homme, SC* 6, p. 165-166 ; *PG* 44, 189 D). Cette idée platonicienne
n'est pas très chrétienne. L'aspect biologique de la naissance et de la
mort n'exprime pas toute la réalité de ces phénomènes humains.

attachée et comme cousue à la simplicité par l'aiguille du péché, la mort est cousue à l'immortalité, la nécessité à la liberté ? Car la duplicité du cœur ne supprime pas la simplicité de l'essence ; la mort volontaire du péché ou la mort nécessaire du corps ne suppriment pas l'immortalité de la nature ; la nécessité de la servitude volontaire ne supprime pas le libre arbitre.

III. Les maux adventices défigurent les biens naturels de l'âme. De là vient que pour l'homme et pour la bête il n'y a qu'une façon de sortir de la vie comme d'y entrer. En vertu de la ressemblance partielle qu'elle garde, l'âme peut approcher du Verbe.

Ces maux adventices ne remplacent pas les biens de la nature, mais s'y ajoutent. Ainsi ils les défigurent, certes, sans pourtant les détruire ; ils les gâtent sans les chasser. De là vient que l'âme est dissemblable à Dieu et dissemblable aussi à elle-même. De là vient qu'« elle a été assimilée aux bêtes sans raison et leur est devenue semblable[f] ». De là ce que nous lisons : elle « a échangé sa gloire contre la ressemblance d'un veau broutant du foin[g]. » De là vient que les hommes, « comme les renards, ont des tanières[h] » de duplicité et de ruse et, puisqu'ils se sont rendus pareils aux renards, « ils seront la proie des renards[i] ». De là vient que, selon Salomon, « il n'y a qu'une façon de sortir de la vie pour l'homme et pour la bête[j1]. » Pourquoi ne sortirait-il pas de semblable façon, l'homme qui a vécu de façon semblable ? Il s'est jeté comme une bête sur les biens de la terre, il s'en ira de la terre par une mort bestiale. Écoute encore ceci : quoi d'étonnant si nous avons pour lot une sortie de la vie semblable à celle des bêtes, nous qui avons aussi une entrée semblable à la leur[k2] ? D'où viennent aux

bestiali, ille tam intemperans ardor in coitu, tam immo-
deratus dolor in partu ? Ita *homo*, in conceptu et ortu,
in vita et morte, *comparatus est iumentis insipientibus, et*
40 *similis factus est illis*[1].

6. Quid, quod *libera* creatura sibi subditum appetitum
non regit domina, sed sequitur et obsequitur ut *ancilla* ?
Nonne et in hoc se assimilat et annumerat ceteris
animantibus, quae natura non in libertatem vocavit,
5 sed condidit in servitutem *servire suo ventri*[a], appetitui
oboedire ? Nonne tali merito confunditur perhiberi vel
existimari similis Deus ? Ideoque ait : *Existimasti, inique,
quod ero tui similis* ; et infert : *Arguam te, et statuam
contra faciem tuam*[b]. Non est sese videntis animae, Deum
10 existimare similem sibi, animae dumtaxat, qualis mea est,
peccatricis et iniquae. Eiusmodi namque arguitur ; *Existimasti, inique*, ait ; et non dicit : « existimasti, anima »,
vel : « existimasti, homo », *quod ero tui similis*. Sed si
statuatur iniquus ante faciem suam, et contra vultum
15 quemdam morbidum putidumque interioris hominis sui
sistatur, ut dissimulare aut declinare non queat impu-
ritatem conscientiae suae, sed videat vel invitus sordes
peccatorum suorum, vitiorum inspiciat deformitatem,
nequaquam iam poterit existimare Deum fore similem
20 sibi ; sed quasi diffidens pro tanta dissimilitudine quam
videbit, puto exclamabit et *dicet* : *Domine, quis similis
tibi*[c] ? quod quidem dictum pro voluntaria illa et novitia
dissimilitudine. Nam manet prima similitudo ; et ideo
illa plus displicet, quod ista manet. O quantum bonum

---

1. Ps. 48, 13
6. a. Rom. 16, 18 ≠   b. Ps. 49, 21   c. Ps. 34, 10 ≠

1. *Ceteris animantibus* : cf. AUGUSTIN, *Enarrationes in Psalmos*, Ps. 99, 5, l. 2-6, *CCL* 39.

hommes, sinon de leur ressemblance avec les bêtes, une ardeur si immodérée dans l'acte sexuel, une douleur si vive dans l'enfantement ? C'est ainsi que « l'homme », dans sa conception et dans sa naissance, dans sa vie et dans sa mort, « a été assimilé aux bêtes sans raison et leur est devenu semblable[1] ».

6. Que dirai-je de ceci : la créature « libre » ne domine pas en souveraine sa convoitise assujettie, mais la suit et lui obéit comme une « servante » ? N'est-ce pas qu'en cela aussi elle s'assimile et se met au rang des autres animaux [1], que la nature n'a pas appelés à la liberté, mais a établis dans la servitude, « esclaves de leur ventre[a] », obéissants à leur convoitise ? N'est-ce pas à juste titre que Dieu a honte d'être dit ou estimé semblable à une telle créature ? C'est pourquoi il déclare : « Tu t'es imaginé, méchant, que je serais semblable à toi. » Et il ajoute : « Je vais te mettre en accusation et siéger contre ta face[b]. » Il n'appartient pas à une âme qui se regarde d'estimer Dieu semblable à soi ; une âme du moins telle que la mienne, pécheresse et méchante. Car une âme de telle sorte est mise en accusation : « Tu t'es imaginé, méchant », dit Dieu – et il ne dit pas : « Tu t'es imaginé, âme » ou : « Tu t'es imaginé, homme » – « que je serais semblable à toi. » Mais si le méchant est placé devant sa propre face, et qu'il soit assigné en justice contre le visage pour ainsi dire morbide et puant de son homme intérieur, il ne pourra plus dissimuler ou renier l'impureté de sa conscience. Il verra, même malgré lui, les ordures de ses péchés, il découvrira la laideur de ses vices. Alors il ne pourra plus croire que Dieu lui est semblable. Comme se défiant de lui-même à cause de l'immense dissemblance qu'il verra, je pense qu'il s'écriera et « dira : Seigneur, qui est semblable à toi[c] ? » Et ce cri sera provoqué par cette dissemblance récente et volontaire. Car la ressemblance première subsiste ; et la dissemblance est d'autant plus déplaisante que la ressemblance subsiste.

25 ista, quantumque malum illa ! Et mutua tamen collatione, utraque res in genere suo plus eminet.

297   7. Cum ergo anima tantam in se una rerum distantiam cernit, quidni clamet, inter spem et desperationem utique posita : *Domine, quis similis tui*[a] *?* Trahitur in desperationem pro tanto malo ; sed revocatur in spem a tanto 5 bono. Inde est, ut quo sibi plus displicet in malo, quod in se videt, eo se ardentius ad bonum, quod aeque in se conspicit, trahat, cupiatque fieri ad quod facta est, *simplex et recta, et timens Deum, ac recedens a malo*[b]. Quidni recedere possit, ad quod accedere potuit ? Quidni 10 accedere, a quo discedere potuit ? Quod tamen utrumque dixerim de gratia praesumendum, non de natura, sed ne de industria quidem. Nempe *sapientia vincit malitiam*[c], non industria vel natura. Nec deest occasio praesumendi : *ad* Verbum est *conversio eius*[d]. Non est apud Verbum 15 otiosa animae generosa cognatio, de qua triduo iam tractavimus, et cognationis testis similitudo perseverans. Dignanter admittit in societatem Spiritus similem in natura. Et certe de ratione naturae, similis similem quaerit. Vox requirentis : *Revertere, Sunamitis, revertere,* 20 *ut intueamur te*[e]. Intuebitur similem, qui dissimilem non

---

7. a. Ps. 34, 10   b. Job 1, 1 ≠   c. Sag. 7, 30 ≠   d. Cant. 7, 10 ≠   e. Cant. 6, 12 ≠

---

1. * *Sag.* 7, 30. Bernard, selon son habitude constante, bouleverse ici la phrase et le sens de *Vg* ≠. Cf. *SC* 458, p. 267, n. 4 sur *Ep* 69, 1. Voir *infra SCt* 85, 1 ; 85, 8-9.

2. *Sir.* 13, 19 : *Omne animal diligit simile sibi* (CICÉRON, *De amicitia* 50).

3. * Dans les 9 emplois qu'il fait de ce verset, Bernard égrène, de façon variée, les appels qui encadrent le nom de la Bien-Aimée. D'autre part, pour désigner la Sulamite du *Cantique* et les deux Sulamites du *Livre des Rois,* Bernard ne connaît que le mot Sunamite. Notons que la Bible latine a beaucoup hésité entre ces deux graphies, ce que reflètent les

Quel grand bien que l'une, quel grand mal que l'autre ! Car leur confrontation mutuelle fait éclater davantage chacune d'elles en son genre.

7. L'âme, voyant en elle seule un tel abîme entre ces deux réalités, comment ne s'écrierait-elle pas, à mi-chemin entre l'espérance et le désespoir : « Seigneur, qui est semblable à toi[a] ? » Elle est entraînée au désespoir par la vue d'un si grand mal ; mais elle est ramenée à l'espérance par la vue d'un si grand bien. De là vient que, plus elle est mécontente de soi dans le mal qu'elle voit en elle, plus elle se porte avec ardeur vers le bien qu'elle aperçoit également en elle-même. Et elle désire d'autant plus devenir telle qu'elle a été faite, « simple et droite, craignant Dieu et s'écartant du mal[b] ». Pourquoi ne pourrait-elle pas s'écarter du mal, puisqu'elle a pu s'en approcher ? Pourquoi ne pourrait-elle pas s'approcher du bien dont elle a pu s'éloigner ? Mais cette double faveur dont je viens de parler, l'âme doit l'espérer de la grâce, non de la nature, ni non plus de ses efforts. Oui, « c'est la sagesse qui l'emporte sur le mal[c 1] », non les efforts ni la nature. Et l'âme a tout lieu d'espérer, car « elle est tournée vers » le Verbe[d]. La noble parenté de l'âme avec le Verbe, dont nous parlons déjà depuis trois jours, n'est pas sans effet auprès du Verbe, ainsi que la ressemblance qui persiste et qui atteste cette parenté. Le Verbe daigne accueillir dans la communion de son Esprit celle qui lui est semblable par nature. Certes, en raison de la nature, le semblable cherche son semblable[2]. Écoutez la voix de celui qui la cherche : « Reviens, Sunamite, reviens, que nous te regardions[e 3]. » Il regardera, lorsqu'elle lui sera semblable, celle qu'il ne

---

très nombreuses « secondes mains » des versets 6, 12 et 7, 1, Sulamite et Sunamite. On retrouve la même formule dans BURGINDA (VII[e] s.), *Exp. Apponii in Cant. cant. libri xii (expositio breuis II)*, IX, l. 265, *CCL* 19, et chez Bède. *Vg : Revertere, revertere, Sulamitis.*

videbat ; sed et se intuendum praestabit. *Scimus quoniam,
cum apparuerit, similes ei erimus, quoniam videbimus
eum sicuti est*[f]. Puta ergo de difficultate, magis quam de
impossibilitate, venire illam percunctationem : *Domine,*
25 *quis similis tibi*[g] *?*

8. Aut, si hoc magis probas, vox est admirantis.
Admiranda prorsus et stupenda illa similitudo, quam
Dei visio comitatur, immo quae Dei visio est, ego autem
dico in caritate. Caritas illa visio, illa similitudo est. Quis
5 non stupeat caritatem Dei spreti et revocantis ? Merito
iniquus arguitur ille, qui supra inductus est, Dei similitudinem usurpans sibi[a], cum, diligendo iniquitatem,
neque se possit diligere, neque Deum. Sic enim habes :
Qui diligit iniquitatem, odit animam suam[b]. Facta igitur
10 de medio iniquitate, quae eam quae ex parte est dissi-
militudinem facit, erit unio spiritus[c], erit mutua visio
mutuaque dilectio. Siquidem *veniente quod perfectum est,
evacuabitur quod ex parte est*[d] ; eritque ad alterutrum casta
et consummata dilectio, agnitio plena, *visio manifesta*[e],
15 coniunctio firma, societas individua, similitudo perfecta.
Tunc cognoscet anima *sicut cognita est*[f] ; tunc amabit sicut
amata est ; *et gaudebit Sponsus super sponsam*[g], *cognoscens
et cognitus,* diligens et dilectus, Iesus Christus Dominus
noster, *qui est super omnia Deus benedictus in saecula.*
20 *Amen*[h].

298

---

f. I Jn 3, 2   g. Ps. 34, 10 ≠
8. a. Cf. Ps. 49, 21   b. Ps. 10, 6   c. Cf. I Cor. 6, 17   d. I Cor.
13, 10 ≠   e. I Sam. 3, 1   f. I Cor. 13, 12 ≠   g. Is. 62, 5
h. Rom. 9, 5

voyait pas dans sa dissemblance[1] ; mais il s'offrira aussi à son regard à elle. « Nous savons que, lorsqu'il apparaîtra, nous lui serons semblables, parce que nous le verrons tel qu'il est[f]. » Pense donc que cette question : « Seigneur, qui est semblable à toi[g] ? » vient plutôt de la difficulté que de l'impossibilité de cette ressemblance.

8. Ou bien, si tu le préfères, c'est là un cri d'admiration. Qu'elle est vraiment admirable et stupéfiante, cette ressemblance dont s'accompagne la vision de Dieu, ou mieux qui est la vision de Dieu – je parle de celle qui s'accomplit dans l'amour. Cette vision, cette ressemblance est amour. Qui ne resterait stupéfait devant l'amour d'un Dieu méprisé et qui nous fait revenir à lui ? C'est à juste titre que l'homme évoqué ci-dessus est accusé de méchanceté, lui qui s'arroge la ressemblance de Dieu[a]. Car, en aimant la méchanceté, il ne peut ni s'aimer lui-même, ni aimer Dieu. Il est écrit en effet : « Qui aime la méchanceté hait son âme[b]. » Otez la méchanceté, qui produit cette dissemblance partielle, et il n'y aura plus qu'unité d'esprit[c], vision réciproque et mutuelle affection. Oui, « quand viendra ce qui est parfait, ce qui est partiel sera aboli[d]. » Alors il y aura entre Dieu et l'âme une affection chaste et accomplie, une connaissance plénière, « une vision claire[e] », une union ferme, un lien indissoluble, une ressemblance parfaite. « Alors l'âme connaîtra comme elle est connue[f] » ; alors elle aimera comme elle est aimée. « Et l'Époux trouvera sa joie dans l'épouse[g] », « connaissant et connu », aimant et aimé, lui, Jésus-Christ notre Seigneur, « qui est au-dessus de tout, Dieu béni dans les siècles. Amen[h]. »

---

1. Augustin, *Conf.* VII, 10, 16 (*BA* 13, p. 616-617 et p. 689-693).

SERMO LXXXIII

I. Quomodo quaevis anima, ex his quae dicta sunt, redire ad Verbum fiduciam habere possit, reformanda et ei conformanda. – II. Quomodo affectus amoris ceteris affectibus sit potentior. – III. Quod Sponsus et prius et plus diligit, sponsae tamen sufficere si ex se tota diligat.

I. Quomodo quaevis anima, ex his quae dicta sunt, redire ad Verbum fiduciam habere possit, reformanda et ei conformanda.

1. Quantum quidem regularis hora permisit, quam nobis constituimus ad loquendum, triduum hoc in demonstranda Verbi animaeque affinitate expensum est. Quae utilitas in omni labore isto ? Nempe haec : docuimus
5 omnem animam, licet *oneratam peccatis*[a], vitiis irretitam, captam illecebris, exsilio captivam, corpore carceratam, luto haerentem, *infixam limo*[b], affixam membris, confixam curis, distentam negotiis, contractam timoribus, afflictam doloribus, erroribus vagam, sollicitudinibus anxiam,
10 suspicionibus inquietam, et postremo *advenam in terra inimicorum*[c], iuxta Prophetae vocem, *coinquinatam cum mortuis, deputatam cum his qui in inferno sunt*[d] ; licet, inquam, sic damnatam et sic desperatam, docuimus tamen hanc in sese posse advertere, non modo unde respirare
15 in spem veniae, in spem misericordiae queat, sed etiam

---

1. a. II Tim. 3, 6 ≠   b. Ps. 68, 3 ≠   c. Ex. 2, 22 ≠ ; Bar. 3, 10 ≠   d. Bar. 3, 11 ≠

SERMON 83

I. Comment n'importe quelle âme, d'après ce qui a été dit, peut revenir avec confiance au Verbe, pour qu'il la reforme et la rende conforme à lui. – II. Comment le sentiment de l'amour est plus fort que tous les autres sentiments. – III. L'Époux aime le premier et il aime davantage ; pour l'épouse, il suffit qu'elle aime de tout son être.

I. Comment n'importe quelle âme, d'après ce qui a été dit, peut revenir avec confiance au Verbe, pour qu'il la reforme et la rende conforme à lui.

1. Pendant trois jours, tout le temps que, selon la règle, nous avons destiné à la prédication a été employé à démontrer l'affinité du Verbe et de l'âme. Quelle utilité dans tout ce travail ? La voici. Nous avons fait voir que toute âme – même « chargée de péchés[a] », enveloppée de vices, captivée par les plaisirs, prisonnière en son exil, incarcérée dans son corps, enlisée dans la boue, « plongée dans la vase[b] », attachée à ses membres, clouée à ses soucis, accablée d'affaires, paralysée par ses craintes, égarée sur une fausse route, rongée d'inquiétudes, agitée par les soupçons ; enfin, « étrangère en pays ennemi[c] », selon la parole du Prophète, « souillée avec les morts, comptée parmi ceux qui sont en enfer[d] » – toute âme, dis-je, même ainsi damnée et désespérée, peut cependant trouver en elle-même non seulement de quoi respirer dans l'espérance du pardon et de la miséricorde, mais

unde audeat adspirare ad nuptias Verbi, cum Deo inire
foedus societatis non trepidet, *suave* amoris *iugum*[e] cum
Rege ducere angelorum non vereatur. Quid enim non
tute audeat apud eum, cuius se insignem cernit imagine,
20 illustrem similitudine novit ? Quid, inquam, vereatur
de maiestate, cui de origine fiducia datur ? Tantum est
ut curet naturae ingenuitatem vitae honestate servare ;
immo caeleste decus, quod sibi originaliter inest, dignis
quibusdam studeat morum affectuumque venustare et
25 decorare coloribus.

2. Ut quid enim dormitet industria ? Grande profecto
in nobis donum naturae ipsa est, quae si minus suas
exsequatur partes, nonne quod reliquum habet natura
in nobis turpabitur, totum quasi quadam vetustatis
5 operietur rubigine ? Id quidem iniuria auctori. Et utique
ad hoc auctor ipse Deus divinae insigne generositatis
perpetuo voluit in anima conservari, ut semper haec
in sese ex Verbo habeat, quo admoneatur semper, aut
stare cum Verbo, aut redire, si mota fuerit. Non mota
10 quasi locis migrans, aut pedibus gradiens ; sed mota,
sicut substantiae utique spirituali moveri est, cum suis
affectibus, immo defectibus, a se quodammodo in peius
vadit, cum se sibi vitae et morum pravitate dissimilem
facit, reddit degenerem : quae tamen dissimilitudo, non
15 naturae abolitio, sed vitium est, bonum ipsum naturae
quantum sui comparatione attollens, tantum foedans
coniunctione. Iam vero animae reditus, *conversio eius ad
Verbum*[a], reformandae per ipsum, conformandae ipsi. In

e. Matth. 11, 30 ≠
2. a. Cant. 7, 10 ≠

1. L'union amoureuse avec Dieu est offerte à tous, même au plus misérable des pécheurs. Cf. A. LOUF, « Bernard abbé », in *BdC,* p. 371-372.
2. Il est difficile de garder dans la traduction l'allitération latine *affec-
tibus-defectibus.*

aussi l'audace d'aspirer aux noces du Verbe, de conclure sans peur un traité d'alliance avec Dieu, de porter sans crainte avec le Roi des anges « le joug aisé[e] » de l'amour[1]. Quelles audaces ne pourrait-elle pas se permettre tranquillement envers celui dont elle se voit l'image glorieuse, dont elle se sait porter noblement la ressemblance ? Oui, que craindrait-elle de la majesté divine, elle qui tire sa confiance de son origine ? Il suffit qu'elle s'applique à conserver la noblesse de sa nature par la probité de sa vie. Ou plutôt, qu'elle s'efforce de rehausser et de parer la beauté céleste, qui est en elle en raison de son origine, comme par les couleurs éclatantes de ses mœurs et de ses sentiments.

2. Pourquoi notre zèle somnolerait-il ? Il est en nous un bien grand don de la nature. S'il ne joue pas son rôle, n'est-ce pas vrai que nos autres facultés naturelles seront défigurées et comme toutes recouvertes d'une rouille de vétusté ? Ce serait faire injure au Créateur. Oui, c'est pour cela que Dieu Créateur lui-même a voulu que cette marque de notre noblesse divine soit toujours conservée dans l'âme, afin qu'elle ait toujours en elle-même cette empreinte du Verbe qui l'engage à demeurer avec le Verbe, ou à revenir si elle s'en est écartée. Elle ne s'en écarte pas en changeant de lieu ou en marchant. Mais, comme il appartient à une substance spirituelle, elle s'en écarte lorsque, par ses sentiments, ou plutôt par ses manquements[2], elle tombe plus bas qu'elle-même ; lorsque, par la dépravation de sa vie et de ses mœurs, elle se rend dissemblable à elle-même et se pervertit. Néanmoins cette dissemblance n'abolit pas la nature, mais la corrompt ; elle fait d'autant plus ressortir par comparaison la bonté de la nature qu'elle la souille en s'y joignant. Or, le retour de l'âme, c'est « sa conversion au » Verbe[a], pour qu'il la reforme et la rende

quo ? In caritate. Ait enim : *Estote imitatores Dei, sicut*
20 *filii carissimi, et ambulate in dilectione, sicut et Christus*
dilexit vos[b].

3. Talis conformitas maritat animam Verbo, cum cui
videlicet similis est per naturam, similem nihilominus ipsi
se exhibet per voluntatem, diligens sicut dilecta est. Ergo si
perfecte diligit, nupsit. Quid hac conformitate iucundius ?
5 Quid optabilius caritate, qua fit ut, humano magisterio
non contenta, per temet, o anima, fiducialiter accedas ad
Verbum, Verbo constanter inhaereas, Verbum familiariter
percuncteris consultesque de omni re, quantum intellectu
capax, tantum audax desiderio ? Vere spiritualis sanctique
10 connubii contractus est iste. Parum dixi, contractus :
complexus est. Complexus plane, ubi idem velle, et nolle
idem, *unum* facit *spiritum de duobus*[a]. Nec verendum ne
disparitas personarum claudicare in aliquo faciat conni-
ventiam voluntatum, quia amor reverentiam nescit. Ab
15 amando quippe amor, non ab honorando denominatur.
Honoret sane qui horret, qui stupet, qui metuit, qui
miratur ; vacant haec omnia penes amantem. Amor sibi
abundat ; amor, ubi venerit, ceteros in se omnes traducit
et captivat affectus. Propterea quae amat, amat, et aliud
20 novit nihil. Ipse qui honori merito, merito stupori et
miraculo est, amari tamen plus amat. Sponsus et sponsa
sunt. Quam quaeris aliam inter sponsos necessitudinem
vel connexionem, praeter amari et amare ?

b. Éphés. 5, 1-2 ≠
3. a. I Cor. 6, 17 ≠ ; cf. Matth. 19, 6

1. « D'autant plus capable de comprendre que tu es plus audacieuse
dans tes désirs ». Bernard développe ici une idée chère à Guillaume de
Saint-Thierry : l'intelligence de l'amour.
2. *Idem velle atque idem nolle ea demum firma amicitia est,* « Même vouloir
et même non-vouloir, cela, c'est l'amitié la plus solide » (SALLUSTE,
Catilina 20, 4). * *I Cor.* 6, 17. Cf. *SC* 472, p. 244, n. 1 sur *SCt* 61, 1.

conforme à lui-même. En quoi ? En l'amour. Car il est dit : « Soyez les imitateurs de Dieu, comme des enfants bien-aimés, et marchez dans l'amour, comme le Christ lui aussi vous a aimés[b]. »

3. Une telle conformité marie l'âme au Verbe. Déjà semblable à lui par nature, elle se rend aussi semblable à lui par la volonté, en l'aimant comme il l'aime. Si elle aime parfaitement, son mariage est consommé. Quoi de plus joyeux que cette conformité ? Quoi de plus désirable que cet amour ? Il fait en sorte que, âme insatisfaite d'un enseignement humain, tu t'approches toi-même du Verbe avec confiance ; tu t'attaches fermement au Verbe ; tu questionnes et consultes familièrement le Verbe sur toutes choses, d'autant plus capable de comprendre que tu es plus audacieuse dans tes désirs[1]. Voilà le contrat d'un mariage vraiment spirituel et saint. C'est trop peu dire, un contrat ; c'est une étreinte. Oui, c'est bien une étreinte, là où même vouloir et même non-vouloir font « des deux un seul esprit[a 2] ». Et il ne faut pas craindre que l'inégalité des personnes rende quelque peu boiteuse l'harmonie des volontés, car l'amour ignore le respect craintif. C'est d'aimer que vient le mot 'amour', non d'honorer. Qu'il honore, celui qui tremble, qui s'étonne, qui a peur, qui s'ébahit ; tout cela est étranger à celui qui aime. L'amour est à lui-même sa plénitude ; quand il survient, il attire et absorbe en lui tous les autres sentiments. C'est pourquoi celle qui aime, aime, et ne sait rien d'autre. Celui qui inspire à juste titre l'honneur, l'étonnement et l'admiration, aime mieux cependant être aimé. Ils sont époux et épouse. Quelle autre liaison ou relation cherches-tu entre époux, sinon aimer et être aimé ?

Cf. Augustin, *De Trinitate* VI, 3, *CCL* 50, l. 21 s. ; *BA* 15, p. 479 ; IX, 2, *CCL* 50, l. 26 ; *BA* 16, p. 79.

II. Quomodo affectus amoris ceteris affectibus sit potentior.

Hic nexus vincit etiam quod natura arctius iunxit,
25 vinculum parentum ad filios. Denique *propter hoc,* ait,
*relinquet homo patrem suum et matrem suam, et adhaerebit
sponsae*[b]. Vides, affectus iste quam sit in sponsis, non
ceteris tantum affectibus, sed etiam seipso potentior.

4. Adde quod iste Sponsus non modo amans, sed
amor est. Numquid honor ? Contendat quis esse ; ego
non legi. Legi autem quia *Deus caritas est*[a], et non quia
honor est legi. Non quia honorem non vult Deus, qui
5 ait : *Si ego pater, ubi est honor meus*[b] ? Verum id pater.
Sed si sponsum exhibeat, puto quia mutabit vocem et
dicet : « Si ego sponsus, ubi est amor meus ? » Nam et
ante ita locutus est : *Si ego Dominus, ubi est timor meus*[c] ?
Exigit ergo Deus timeri ut Dominus, honorari ut pater,
10 et ut sponsus amari. Quid in his praestat, quid eminet ?
Nempe amor. Absque hoc et *timor poenam habet*[d], et
honor non habet gratiam. Servilis est timor, quamdiu
ab amore non manumittitur. Et qui de amore non venit
honor, non honor, sed adulatio est. Et quidem *soli Deo
15 honor et gloria*[e] ; sed horum acceptabit neutrum Deus, si
melle amoris condita non fuerint. Is per se sufficit, is per
se placet, et propter se. Ipse meritum, ipse praemium est
sibi. Amor praeter se non requirit causam, non fructum :

b. Éphés. 5, 31 ≠
4. a. I Jn 4, 16   b. Mal. 1, 6 ≠   c. Mal. 1, 6 ≠   d. I Jn 4,
18   e. I Tim. 1, 17

1. * *Éphés.* 5, 31. La substitution de *sponsae* à *uxori* paraît propre à
Bernard et liée aux thèmes du *Cant.* Cf. *Par* 6, 6 (*SBO* VI-2, p. 295,
l. 4) ; *SCt* 68, 4, *SC* 472, p. 400, l. 11.
2. Même triade (Seigneur, Père, Époux) chez GRÉGOIRE LE GRAND,
Comm. sur le Cantique 8 (*SC* 314, p. 80-83).
3. *Dil.* 34 et 38 (*SC* 393, p. 148-149 ; p. 158-159, n. 1) : « Que l'esclave
garde sa loi ; la peur même qui l'enchaîne. »

II. **Comment le sentiment de l'amour est plus fort que tous les autres sentiments.**

Ce nœud surpasse même celui que la nature a tressé le plus étroitement : le lien entre parents et enfants. Car enfin, il est écrit : « C'est pourquoi l'homme quittera son père et sa mère, et s'attachera à sa femme[b] [1]. » Tu vois combien ce sentiment chez les époux est plus fort non seulement que tous les autres sentiments, mais aussi plus fort que lui-même.

4. Ajoute que cet Époux n'est pas seulement aimant : il est l'amour. N'est-il pas aussi l'honneur ? L'affirme qui voudra ; pour moi, je ne l'ai lu nulle part. J'ai lu que « Dieu est amour[a] » ; je n'ai pas lu qu'il est honneur. Ce n'est pas que Dieu ne veuille pas l'honneur, lui qui dit : « Si je suis Père, où est l'honneur qui m'est dû[b] ? » Il parle là en Père. Mais veut-il se montrer l'Époux, je pense qu'il changera de langage et dira : « Si je suis l'Époux, où est l'amour qui m'est dû ? » Car il avait déjà dit aussi : « Si je suis le Seigneur, où est la crainte qui m'est due[c] ? » Dieu exige donc d'être craint comme Seigneur, d'être honoré comme Père et, comme Époux, d'être aimé [2]. Lequel des trois l'emporte, lequel a le plus de prix ? L'amour, bien sûr. Sans lui, « la crainte implique le châtiment[d] » et l'honneur est sans beauté. Servile est la crainte tant qu'elle n'est pas affranchie par l'amour [3]. Et l'honneur qui ne provient pas de l'amour n'est pas honneur, mais flatterie. Certes, « à Dieu seul l'honneur et la gloire[e] » ; mais Dieu n'acceptera ni l'un ni l'autre, s'ils n'ont pas été assaisonnés du miel de l'amour. L'amour se suffit à lui-même, il plaît par lui-même et pour lui-même. Il est à lui-même son mérite, à lui-même sa récompense. L'amour ne cherche hors de lui-même ni sa cause ni

fructus eius, usus eius. Amo, quia amo ; amo, ut amem.
20 Magna res amor, si tamen ad suum recurrat principium,
si suae origini redditus, si refusus suo fonti, semper ex
eo sumat unde iugiter fluat[f]. Solus est amor ex omnibus
animae motibus, sensibus atque affectibus, in quo potest
creatura, etsi non ex aequo, respondere Auctori, vel de
25 simili mutuam rependere vicem. Verbi gratia, si mihi
irascatur Deus, num illi ego similiter reirascar ? Non
utique, sed pavebo, sed contremiscam[g], sed veniam
deprecabor. Ita si me arguat, non redarguetur a me, sed
ex me potius iustificabitur. Nec si me iudicabit, iudicabo
30 ego eum, sed adorabo : et salvans me non quaerit ipse a
me salvari ; nec vicissim eget ab aliquo liberari, qui liberat
omnes. Si dominatur, me oportet servire ; si imperat, me
oportet parere, et non vicissim a Domino vel servitium
exigere, vel obsequium. Nunc iam videas de amore quam
35 aliter sit. Nam cum amat Deus, non aliud vult, quam
amari : quippe non ad aliud amat, nisi ut ametur, sciens
ipso amore beatos, qui se amaverint.

5. Magna res amor ; sed sunt in eo gradus. Sponsa
in summo stat. Amant enim et filii, sed de hereditate
cogitant, quam dum verentur quoquo modo amittere,
ipsum, a quo exspectatur hereditas, plus reverentur,
5 minus amant. Suspectus est mihi amor, cui aliud quid
adipiscendi spes suffragari videtur. Infirmus est, qui forte,
spe subtracta, aut exstinguitur, aut minuitur. Impurus

---

f. Cf. Eccl. 1, 7   g. Cf. Job 26, 11

1. Cicéron, *De amicitia* 51 : *Non igitur utilitatem amicitia, sed utilitas
amicitiam secuta est,* « L'utilité est l'effet et non la cause de l'amitié. »
2. Cf. p. 303, n. 1.
3. L'amour suppose ou bien instaure une certaine forme d'égalité. Cela
vaut également pour l'amour conjugal. C'est pour cet aspect égalitaire
que la mystique chrétienne se reconnaît dans les relations de l'époux
et de l'épouse : cf. la suite, *SCt* 83, 5.

son fruit : en jouir, voilà son fruit[1]. J'aime parce que
j'aime ; j'aime pour aimer. Grande chose que l'amour, si
du moins il remonte à son principe, s'il retourne à son
origine, s'il reflue vers sa source pour y puiser sans cesse
son pérenne jaillissement[f 2]. De tous les mouvements de
l'âme, de ses sentiments et de ses affections, l'amour est le
seul qui permette à la créature de répondre au Créateur,
sinon d'égal à égal, du moins dans une réciprocité de
ressemblance[3]. Par exemple, si Dieu se met en colère
contre moi, riposterai-je par une colère semblable ? Non,
certes, mais je craindrai, je tremblerai[g], j'implorerai le
pardon. De même, s'il m'accuse, il ne sera pas réfuté
par moi, mais plutôt justifié. Et s'il me juge, je ne vais
pas le juger, mais l'adorer. En me sauvant, il ne me
demande pas de le sauver à mon tour ; et il n'a besoin
d'être en retour libéré par personne, lui qui libère tout
le monde. S'il règne, il me faut le servir ; s'il commande,
il me faut lui obéir, et non exiger à mon tour du Seigneur service ou obéissance. Maintenant, vois comme il
en va tout autrement de l'amour. Quand Dieu aime, il
ne veut rien d'autre que d'être aimé. Car il n'aime que
pour être aimé, sachant que ceux qui l'aimeront seront
bienheureux par cet amour même.

5. Grande chose que l'amour ! Mais il comporte des
degrés. L'épouse est au degré le plus élevé. Les enfants
aiment aussi, mais ils songent à l'héritage ; craignant de
le perdre d'une façon ou d'une autre, ils manifestent plus
de crainte que d'amour envers celui dont ils attendent
l'héritage[4]. Je trouve suspect un amour que semble soutenir l'espoir d'obtenir autre chose que lui-même. Il est
fragile car, si cet espoir s'évanouit, il s'éteint ou faiblit. Il

---

4. Les considérations à propos des degrés de l'amour reprennent la
doctrine du *Dil* 23-30 (*SC* 393, p. 118-139).

est, qui et aliud cupit. Purus amor mercenarius non est.
Purus amor de spe vires non sumit, nec tamen diffi-
10 dentiae damna sentit. Sponsae hic est, quia haec sponsa
est, quaecumque est. Sponsae res et spes unus est amor.
Hoc sponsa abundat, hoc Sponsus contentus est. Nec
is aliud quaerit, nec illa aliud habet. Hinc ille Sponsus,
et sponsa illa est. Is sponsis proprius, quem alter nemo
15 attingat, ne filius quidem.

III. Quod Sponsus et prius et plus diligit, sponsae tamen sufficere si ex se tota diligat.

Denique ad filios clamat : *Ubi est honor meus*[a] *?* et
non : « Ubi est amor meus » dicit, servans sponsae prae-
rogativam. Sed et iubetur homo *honorare patrem suum
et matrem suam*[b], et de amore tacetur : non quia non
20 amandi sint parentes a filiis, sed quia multi filiorum
honorare parentes, magis quam amare, affecti sunt. Esto
quod *honor regis iudicium diligat*[c] ; sed Sponsi amor,
immo Sponsus amor, solam amoris vicem requirit et
fidem. Liceat proinde redamare dilectam. Quidni amet
25 sponsa, et sponsa Amoris ? Quidni ametur Amor ?

302   **6.** Merito cunctis renuntians affectionibus aliis, soli et
tota incumbit amori, quae ipsi respondere amori habet
in reddendo amorem. Nam et cum se totam effuderit
in amorem, quantum est hoc ad illius fontis perenne
5 profluvium ? Non plane pari ubertate fluunt amans et

---

5. a. Mal. 1, 6   b. Deut. 5, 16 ≠   c. Ps. 98, 4 ≠

---

1. « Comment l'Amour ne serait-il pas aimé ? » On peut penser ici à la
devise de Ruusbroec : *Mint de Minne,* « Aimez l'Amour ». Cf. RUUSBROEC,
« Les Sept Degrés de l'Amour », dans *Écrits* I, trad. A. Louf, p. 225.

est impur, car il désire autre chose que soi. L'amour pur n'est pas mercenaire. L'amour pur ne tire pas ses forces d'un espoir, ni n'est atteint par le doute que cet espoir ne soit comblé. Tel est l'amour de l'épouse, car telle est l'épouse, quelle qu'elle soit. La seule richesse, le seul espoir de l'épouse est l'amour. L'épouse en déborde, et l'Époux en est content. Il ne demande rien d'autre, et elle n'a rien d'autre à offrir. De là vient qu'il est l'Époux et elle, l'épouse. Cet amour est propre aux époux, personne d'autre ne peut y atteindre, pas même l'enfant.

III. L'Époux aime le premier et il aime davantage ; pour l'épouse, il suffit qu'elle aime de tout son être.

Ainsi, Dieu crie à ses enfants : « Où est l'honneur qui m'est dû[a] ? » Et il ne dit pas : « Où est l'amour qui m'est dû ? », car il réserve ce privilège à l'épouse. En outre, il est enjoint à l'homme « d'honorer son père et sa mère[b] », et rien n'est dit de l'amour : non que les parents ne doivent pas être aimés des enfants, mais parce que beaucoup d'enfants sont plus portés à honorer les parents qu'à les aimer. Je veux bien que « l'honneur du roi se complaise dans le jugement[c] » ; mais l'amour de l'Époux, ou mieux l'Époux qui est amour, ne demande qu'amour réciproque et fidélité. Qu'il soit donc permis à la bien-aimée d'aimer en retour. Comment n'aimerait-elle pas, elle qui est l'épouse, et l'épouse de l'Amour ? Comment l'Amour ne serait-il pas aimé[1] ?

6. A juste titre l'épouse, renonçant à toute autre affection, s'adonne toute au seul amour. Car elle se doit de répondre à l'amour même par un amour réciproque. Et quand même elle se répandrait toute en amour, que serait-ce à côté du jaillissement pérenne de cette source ? Certes, ce n'est pas avec la même abondance que ruissellent l'amante et l'Amour, l'âme et le Verbe,

Amor, anima et Verbum, sponsa et Sponsus, Creator et
creatura, non magis quam sitiens et fons. Quid ergo ?
Peribit propter hoc, et ex toto evacuabitur nupturae
votum, desiderium suspirantis, amantis ardor, praesu-
10 mentis fiducia, quia non valet ex aequo currere cum
gigante[a], dulcedine cum melle contendere, lenitate cum
agno, candore cum lilio[b], claritate cum sole, caritate cum
eo qui *caritas est*[c] ? Non. Nam etsi minus diligit creatura,
quoniam minor est, tamen si ex tota se diligit[d], nihil
15 deest ubi totum est. Propterea, ut dixi, sic amare, nupsisse
est, quoniam non potest sic diligere, et parum dilecta
esse, ut *in consensu duorum* integrum *stet*[e] perfectumque
connubium. Nisi quis dubitet, animam a Verbo et prius
amari, et plus. Prorsus et praevenitur amando, et vincitur.
20 Felix quae meruit *praeveniri in* tantae *benedictione dulce-
dinis*[f] ! Felix cui tantae suavitatis complexum experiri
donatum est ! Quod non est aliud, quam amor sanctus
et castus, amor suavis et dulcis, amor tantae serenitatis
quantae et sinceritatis, amor mutuus, intimus validusque
25 qui non in carne una, sed uno plane in spiritu duos
iungat, duos faciat iam non duos, sed unum[g], Paulo ita
dicente : *Qui adhaeret Deo, unus spiritus est*[h]. Et nunc
potius eam super his audiamus, quam facile *magistram*

---

6. a. Cf. Ps. 18, 6   b. Cf. Cant. 2, 1   c. I Jn 4, 16   d. Cf. Matth.
22, 37   e. Matth. 18, 16 ≠   f. Ps. 20, 4 ≠   g. Cf. Matth. 19,
5-6   h. I Cor. 6, 17 ≠

l'épouse et l'Époux, le Créateur et la créature ; pas plus
que l'homme assoiffé et la source. Quoi donc ? Cela
veut-il dire que seront perdus et totalement vains le
souhait de l'âme qui aspire aux noces, le désir de celle
qui soupire, l'ardeur de l'amante, la confiance de celle
qui montre une telle audace, parce qu'elle ne peut pas
courir du même pas qu'un géant[a], rivaliser en douceur
avec le miel, en mansuétude avec l'agneau, en blancheur
avec le lis[b], en clarté avec le soleil, en amour avec celui
qui « est l'amour[c] » ? Non. S'il est vrai que la créature,
étant inférieure, aime moins, si pourtant elle aime de
tout son être[d], rien ne manque là où il y a totalité.
C'est pourquoi, comme je l'ai dit, aimer ainsi c'est avoir
consommé le mariage. Car l'âme ne saurait aimer ainsi
et être peu aimée. Or, « dans l'unanimité des deux époux
consiste[e] » l'entière perfection des noces. Mais quelqu'un
objectera peut-être que le Verbe aime l'âme le premier,
et qu'il aime davantage. Bien sûr, l'âme est devancée en
amour, et dépassée. Heureuse celle qui a mérité « d'être
devancée dans la bénédiction d'une si grande douceur[f] » !
Heureuse celle à qui il a été donné d'expérimenter cette
étreinte d'une si grande suavité ! Ce n'est là rien d'autre
que l'amour saint et chaste, l'amour suave et doux,
l'amour aussi serein que sincère, l'amour mutuel, intime
et fort, qui unit les deux amants non pas en une seule
chair mais en un seul esprit, qui des deux n'en fait plus
qu'un[g], selon la parole de Paul : « Celui qui s'attache à
Dieu est avec lui un seul esprit[h] [1]. » Maintenant écoutons-
la plutôt sur ce point, elle que « l'onction maîtresse de

---

1. * *I Cor.* 6, 17. Cf. *SC* 481, p. 42 sur *Nat* 2, 6.

de omnibus fecit et *magistra unctio*[i], et frequens expe-
30 rientia. Nisi forte id melius servamus in aliud sermonis
principium, ne rem bonam coarctemus inter angustias
huius iam propemodum finiendi. Et si probatis, facio
finem etiam ante finem, ut famelici tempestive conve-
niamus cras ad delicias sanctae animae, quibus beata
35 meretur frui cum Verbo, et de Verbo, Sponso utique
suo, Iesu Christo Domino nostro, *qui est super omnia
Deus benedictus in saecula. Amen*[j].

i. I Jn 2, 20.27 ≠   j. Rom. 9, 5

1. *Magistram de omnibus... magistra unctio.* Ces mots sont évocateurs
tant de la Règle que de l'Épître de S. Jean : la *RB* en 1, 6 (*experientia
magistra;* cf. *SCt* 6, 9, l. 9, *SC* 414, p. 150, l. 14) et en 3, 7 (*magistram
sequantur Regulam;* deux citations expresses par Bernard : *Pre* 10, *SC* 457,
p. 164, l. 5-8 ; *Ep* 7, 17, *SC* 425, p. 192, l. 27-31). Ces quelques mots
évoquent plusieurs thèmes bernardins importants : « l'onction maîtresse
de vérité » se retrouve en *SCt* 17, 2, *SC* 431, p. 72, l. 9. Si le mot de

vérité » et la fréquente expérience ont rendue « capable
de nous instruire aisément de tout[i1] ». Mais peut-être
ferons-nous mieux de réserver cela pour le développement
d'un autre sermon, pour ne pas resserrer ce beau sujet
dans les limites étroites d'une fin de sermon désormais
toute proche. Si vous le voulez bien, je finis avant la fin.
Ainsi, nous nous retrouverons demain avec tout l'appétit
qui convient pour goûter aux délices dont l'âme sainte et
comblée mérite de jouir avec le Verbe et par le Verbe, son
Époux, Jésus-Christ notre Seigneur, « qui est au-dessus
de tout, Dieu béni dans les siècles. Amen[j]. »

« vérité » paraît être ici même une paraphrase, il s'inspire bel et bien
des divers textes de Bernard reprenant la formule johannique : « ...vous
instruira de tout » (*I Jn* 2, 27), le *de* latin valant pour « instruire ».
Cette onction magistrale peut se muer en « vengeance magistrale » par
un jeu de mot de Bernard *(unctio / ultio),* en *SCt* 69, 2. Notons enfin
que l'onction de l'Esprit (voir ici la notation : « un seul esprit ») est
une expression chère à Bernard ; on la trouve en *SCt* 44, 6, *SC* 452,
p. 248, l. 10-15.

SERMO LXXXIV

I. Quam magnum bonum sit quaerere Deum, et quod ad hoc a Sponso anima praevenitur cum voluntas inspiratur. – II. Cui animae competit quaerere Verbum, et quid sit quaeri a Verbo, et quod animae haec incumbit necessitas, non Verbo.

I. Quam magnum bonum sit quaerere Deum, et quod ad hoc a Sponso anima praevenitur cum voluntas inspiratur.

1. *In lectulo meo per noctes quaesivi quem diligit anima mea*[a]. Magnum bonum quaerere Deum : ego hoc nulli in bonis animae secundum existimo. Primum in donis, ultimum in profectibus est. Virtutum nulli accedit, cedit
5 nulli. Cui accedat, quam nulla praecedit ? Cui cedat, quae omnium magis consummatio est ? Quae enim virtus adscribi possit non quaerenti Deum, aut quis terminus quaerendi Deum ? *Quaerite,* inquit, *faciem eius semper*[b]. Existimo quia, nec cum inventus fuerit, cessabitur a
10 quaerendo. Non pedum passibus, sed desideriis quaeritur Deus. Et utique non extundit desiderium sanctum felix inventio, sed extendit. Numquid consummatio gaudii, desiderii consumptio est ? Oleum magis est illi : nam ipsum flamma. Sic est. *Adimplebitur laetitia*[c] ; sed
15 desiderii non erit finis, ac per hoc nec quaerendi. Tu vero

---

1. a. Cant. 3, 1   b. Ps. 104, 4   c. Ps. 15, 11 ≠

---

1. Cf. *SCt* 74, 2, p. 160, n. 1 ; *Conv* 25 (*SC* 457, p. 380-381). *Desideriis* remplace ici les *affectibus* du traité *Conv.*

SERMON 84

I. Quel grand bien que de chercher Dieu. L'Époux y prédispose l'âme en la devançant et en lui en inspirant le désir. – II. A quelle âme il appartient de chercher le Verbe. Ce que signifie être cherché par le Verbe. Cette nécessité revient à l'âme, non au Verbe.

I. Quel grand bien que de chercher Dieu. L'Époux y prédispose l'âme en la devançant et en lui en inspirant le désir.

1. « Dans mon petit lit, au long des nuits, j'ai cherché celui qu'aime mon âme[a]. » C'est un grand bien que de chercher Dieu. A mon avis, parmi les biens de l'âme, il n'est dépassé par aucun autre. C'est le premier des biens, l'étape ultime du progrès. Il ne vient s'ajouter à aucune des vertus ; il ne le cède à aucune. A laquelle viendrait-il s'ajouter, puisque aucune ne le précède ? A laquelle le céderait-il, puisqu'il est l'achèvement de toutes ? Quelle vertu peut être attribuée à qui ne cherche pas Dieu ? Ou quel terme à la recherche de Dieu ? « Cherchez sa face toujours[b] », est-il dit. A mon sens, même quand il aura été trouvé, il ne cessera pas d'être cherché. Ce n'est pas par le mouvement des pieds, mais par les désirs que Dieu est cherché[1]. Et l'heureuse découverte, loin d'éteindre le saint désir, l'attise. La consommation de la joie consumerait-elle le désir ? Elle est bien plutôt l'huile pour lui qui est une flamme. Oui, c'est ainsi. « L'allégresse atteindra sa plénitude[c] » ; mais le désir n'aura pas de fin, et par conséquent la recherche non plus[1]. Représente-toi,

cogita, si potes, quaeritandi hoc studium sine indigentia, et desiderium sine anxietate : alterum profecto praesentia, alterum copia excludit.

2. Nunc iam videte cur ista praemiserim. Nimirum, ut omnis inter vos anima quaerens Deum, ne magnum bonum in magnum sibi detorqueat malum, noverit se praeventam in illo, et ante quaesitam quam quaerentem.
5 Sic enim de magnis bonis mala oriri non minora solent, cum, facti eximii de bonis Domini, utimur donis tamquam non datis, non *damus gloriam Deo*ᵃ. Ita profecto, qui maximi videbantur pro accepta gratia, pro non redhibita minimi reputantur apud Deum. *Ego*
10 *autem parco vobis*ᵇ. Usus sum modestioribus vocibus, maximo minimoque sed quod sentio non expressi. Discrimen involvi, ipse nudabo : optimum pessimumque dixisse debueram. Nam vere et absque dubio eo quisque pessimus, quo optimus est, si hoc ipsum quo est optimus,
15 adscribat sibi. Nempe pessimum hoc. Quod si dicat quis : « Absit ! Agnosco : *Gratia Dei sum id quod sum*ᶜ», studeat autem captare gloriolam pro gratia quam accepit, nonne *fur est et latro*ᵈ ? Audiet qui eiusmodi est : *Ex ore tuo te iudico, serve nequam*ᵉ. Quid nequius servo usurpante
20 sibi gloriam domini sui ?

2. a. Lc 17, 18 ≠   b. I Cor. 7, 28 ≠   c. I Cor. 15, 10   d. Jn 10, 1   e. Lc 19, 22 ≠

1. Bernard reprend ici la doctrine de Grégoire de Nysse sur l'épectase : cf. P. Deseille, art. « Épectase », *DSp* 4, 1960, col. 785-788. Toute possession de Dieu reste désir, désir entendu au sens d'une « suspension » à sa transcendance. Dieu n'est jamais la propriété de l'homme. Il demeure à tout moment Don, et ainsi sa possession demeure toujours désir. (P. Delfgaauw, « La Lumière de la charité chez S. Bernard », *COCR* 18, 1956, p. 63).

2. « Qu'elle se sache cherchée avant de s'être mise elle-même à chercher. » Toujours la pensée johannique : *Deus prior dilexit nos,* « Dieu,

si tu le peux, cette recherche ardente sans indigence, et ce désir sans inquiétude. Car la présence exclut la recherche, et l'abondance le désir inquiet.

2. Voyez maintenant le pourquoi de ces réflexions préalables. C'est pour que, parmi vous, toute âme qui cherche Dieu ne tourne pas ce grand bien en un grand malheur pour elle. Qu'elle se sache devancée dans cette recherche et cherchée avant de s'être mise elle-même à chercher [2]. C'est ainsi que de grands biens ont coutume de produire des maux aussi grands lorsque, comblés des biens du Seigneur, nous utilisons ses dons comme s'ils ne nous avaient pas été donnés : « nous ne lui en rendons pas gloire [a] ». Aussi ceux qui semblaient les plus grands pour la grâce reçue sont-ils regardés par Dieu comme les plus petits pour l'action de grâces non rendue. « Et encore, je vous ménage [b]. » J'ai employé des mots assez mesurés : le plus grand et le plus petit ; mais je n'ai pas exprimé mon sentiment. J'ai voilé le contraste : je vais le mettre à nu. J'aurais dû dire : le meilleur et le pire [3]. Car il est vrai et hors de doute que le meilleur devient le pire s'il s'attribue ce qui le rendait meilleur. Oui, c'est cela la pire des choses. Et si quelqu'un dit : « Loin de moi cette pensée ! Je le reconnais : 'C'est par la grâce de Dieu que je suis ce que je suis [c]' », mais qu'il tâche de tirer quelque gloriole de la grâce qu'il a reçue, « n'est-il pas un voleur et un brigand [d] » ? Un tel homme s'entendra dire : « Je te juge sur tes propres paroles, mauvais serviteur [e]. » Quoi de plus mauvais qu'un serviteur qui usurpe pour soi la gloire de son maître ?

---

le premier, nous a aimés » (*I Jn* 4, 19 ; même sens, moins explicite au verset 10).

3. *Corruptio optimi pessima*, « La corruption du meilleur don est la trahison la plus basse ».

3. *In lectulo meo per noctes quaesivi quem diligit anima mea*[a]. Quaerit anima Verbum, sed quae a Verbo prius quaesita sit. Alioquin semel a facie Verbi egressa, vel eiecta, *non revertetur oculus eius ut videat bona*[b], si non
5 requiratur a Verbo. Quasi vero aliud anima nostra sit, quam *spiritus vadens et non rediens*[c], si sibi fuerit derelicta. Audi profugam et deviam, quid doleat et quid petat : *Erravi*, ait, *sicut ovis quae periit ; quaere servum tuum*[d]. O homo, redire vis ? Sed si in voluntate res est, quid
10 opem flagitas ? Quid aliunde mendicas, in quo abundas tu tibi ? Palam est, quia vult et non potest : et est *spiritus vadens et non rediens*, etsi is sit longius agens, qui nec vult. Quamquam non omnino illam animam expositam dixerim vel relictam, quae reverti cupit et requiri petit. Unde enim
15 voluntas haec illi ? Inde, ni fallor, quod a Verbo visitata iam sit et quaesita ; nec otiosa quaesitio, quae operata est voluntatem, sine qua reditus esse non poterat. Sed non sufficit semel quaeri : tantus est animae languor tantaque in reditu difficultas. Quid enim si vult ? Iacet voluntas,
20 ubi facultas non suppetit. *Nam velle adiacet mihi*, inquit, *perficere autem bonum non invenio*[e]. Quid ergo ille, quem de Psalmo induximus, quaerit ? Non plane aliud quam quaeri : quod non quaereret, nisi quaesitus fuisset ; et rursum non quaereret, si quaesitus satis fuisset. Quod et
25 postulat : *Quaere*, inquiens, *servum tuum*[f], ut *qui dedit velle, det et perficere pro bona voluntate*[g].

---

3. a. Cant. 3, 1   b. Job 7, 7 ≠   c. Ps. 77, 39   d. Ps. 118, 176   e. Rom. 7, 18   f. Ps. 118, 176   g. Phil. 2, 13 ≠

---

1. Cf. Augustin, *Conf.* X, 27, 38 (*BA* 14, p. 208-209) ; cf. aussi Pascal, *Pensées* 737 *(Pléiade)*, p. 1315 : « Tu ne me chercherais pas si tu ne me possédais. »

3. « Dans mon petit lit, au long des nuits, j'ai cherché celui qu'aime mon âme[a]. » Si l'âme cherche le Verbe, c'est qu'elle a été d'abord cherchée par le Verbe. Autrement, après s'être une fois éloignée de la face du Verbe, ou en avoir été bannie, « son œil n'aurait plus revu le bonheur[b] », si elle n'avait pas été recherchée par le Verbe. Notre âme ne serait guère plus qu'« un souffle qui s'en va sans retour[c] », si elle était laissée à elle-même. Écoute-la, fugitive et égarée, qui se plaint et demande : « J'ai erré comme une brebis qui s'est perdue, dit-elle ; cherche ton serviteur[d]. » Homme, veux-tu revenir ? Mais si cela dépend de ta volonté, pourquoi implores-tu de l'aide ? Pourquoi mendies-tu ailleurs ce que tu possèdes chez toi en abondance[1] ? Il est évident qu'il veut et ne peut pas. Il est « un souffle qui s'en va sans retour », bien que celui qui ne veut même pas revenir soit encore plus loin. Pourtant, je n'appellerais pas totalement menacée ou abandonnée l'âme qui désire revenir et demande à être recherchée. D'où lui vient en effet cette volonté ? Si je ne me trompe, de ce qu'elle a déjà été visitée et cherchée par le Verbe. Et cette recherche n'a pas été vaine, puisqu'elle a produit la volonté sans laquelle il n'était pas de retour possible. Mais il ne suffit pas d'être cherchée une seule fois : si profonde est la faiblesse de l'âme et si grande la difficulté du retour. A quoi lui sert-il de vouloir ? La volonté est inefficace, si le pouvoir lui manque. « Car le vouloir est à ma portée, est-il dit, mais faire le bien me dépasse[e]. » Que cherche donc celui qui parle dans le Psaume que nous avons cité ? Rien d'autre que d'être cherché : ce qu'il ne chercherait pas s'il n'avait pas été cherché ; et ce qu'il ne chercherait plus s'il avait été suffisamment cherché. C'est ce qu'il implore même, en disant : « Cherche ton serviteur[f] », afin que « celui qui a donné de vouloir donne aussi d'accomplir selon cette volonté bonne[g] ».

II. Cui animae competit quaerere Verbum, et quid sit quaeri a Verbo, et quod animae haec incumbit necessitas, non Verbo.

4. Mihi tamen non videtur istiusmodi animae posse competere locus praesens, quae secundam gratiam necdum percepit, volens quidem, sed non valens adire *quem diligit anima sua*[a]. Nam quomodo potest illi convenire quod ibi sequitur, *surgere et circuire civitatem*, 5 sed et *per vicos et plateas quaerere dilectum*[b], quae eget ipsa quaeri ? Faciat hoc quae potest ; tantum se meminerit quaesitam prius, sicut et prius dilectam ; atque inde esse, et quod quaerit, et quod diligit. Oremus et nos, carissimi, ut *cito anticipent nos misericordiae* istae, *quia* 10 *pauperes facti sumus nimis*[c] : quod *non de omnibus nobis dico. Scio*[d] enim quamplurimos vestrum *ambulantes in dilectione, qua Christus dilexit nos*[e], et *in simplicitate cordis quaerentes illum*[f]. Sed sunt aliqui – quod tristis dico –, qui nullum nobis adhuc in se dedere indicium huius 15 tam salutaris anticipationis, ac per hoc nec suae salutis : *homines seipsos amantes*[g], non Dominum, et *quaerentes quae sua sunt*[h], non Domini.

5. *Quaesivi*, ait illa, *quem diligit anima mea*[a]. Nempe huc te provocat anticipantis benignitas illius, qui te et prior quaesivit, et *prior dilexit*[b]. Minime prorsus, nisi prius quaesita, quaereres, sicut nec diligeres, nisi dilecta 5 prius. Non *in una tantum benedictione*[c], sed in duabus praeventa[d] es, dilectione et quaesitione. Dilectio causa quaesitionis, quaesitio fructus dilectionis est, est et

---

4. a. Cant. 3, 1 ≠   b. Cant. 3, 2 ≠   c. Ps. 78, 8 ≠   d. Jn 13, 18 ≠   e. Éphés. 5, 2 ≠   f. Sag. 1, 1 ≠   g. II Tim. 3, 2 h. I Cor. 13, 5 ≠
5. a. Cant. 3, 1   b. I Jn 4, 19   c. Gen. 27, 38 ≠   d. Cf. Ps. 20, 4

II. A quelle âme il appartient de chercher le Verbe. Ce que signifie être cherché par le Verbe. Cette nécessité revient à l'âme, non au Verbe.

4. Pourtant, il me semble que ce passage ne peut pas s'appliquer à une âme qui n'a pas encore reçu la seconde grâce, et qui veut bien, mais n'a pas la force de rejoindre « celui qu'elle aime[a] ». Car comment peut lui convenir ce qui suit ? Comment peut-elle « se lever et parcourir la ville », et même « dans les ruelles et sur les places chercher son bien-aimé[b] », elle qui a besoin d'être cherchée elle-même ? Que celle qui peut le fasse ; seulement, qu'elle se souvienne qu'elle a été cherchée la première, et aussi aimée la première. De là vient qu'elle cherche et qu'elle aime. Prions nous aussi, frères très chers, pour que ces « miséricordes nous devancent bientôt, car nous sommes devenus trop misérables[c] ». « Je ne dis pas cela de nous tous. Je sais[d] » qu'un très grand nombre d'entre vous « marchent dans la voie de cet amour dont le Christ nous a aimés[e] » et « le cherchent dans la simplicité du cœur[f] ». Mais il y en a quelques-uns, je le dis avec tristesse, qui ne nous ont encore montré en eux aucune marque de cette prévenance si salutaire, ni par conséquent de leur salut : « des hommes qui s'aiment eux-mêmes[g] », et non le Seigneur, et « qui cherchent leur propre avantage[h] », non celui du Seigneur.

5. « J'ai cherché, dit l'épouse, celui qu'aime mon âme[a]. » Oui, c'est à cela que te provoque la bonté de celui qui te prévient, qui a été le premier à te chercher et « le premier à t'aimer[b] ». Tu ne chercherais certes pas si tu n'avais d'abord été cherchée, comme tu n'aimerais pas si tu n'avais d'abord été aimée. Ce n'est pas « par une seule bénédiction[c] » que tu as été devancée, mais par deux[d] : l'amour et la recherche. L'amour est la cause de la recherche, la recherche est le fruit de l'amour ; elle

certitudo. Dilecta es, ne ad supplicium potius quaesitam
suspiceris ; quaesita es, ne frustra dilectam conqueraris.
10 Utraque tam amica comperta suavitas et ausum dedit,
et verecundiam depulit, et reditum persuasit, et movit
affectum. Hinc zelus, hinc ardor iste quaerendi *quem
diligit anima tua*[e], quia profecto nec non quaesita
quaerere poteras, nec non quaerere quaesita nunc
15 potes.

6. Sed noli oblivisci unde huc veneris. Et ut *in me*
potius *transfigurem* quae[a] dicuntur – id enim tutius
–, tune es, o anima mea, quae relicto *viro tuo priore*[b],
cum quo tibi bene fuerat, *primam fidem irritam fecisti*[c],
5 *iens post amatores tuos* ? Et nunc quoad libuit *fornicata*[d]
cum illis forte et contempta ab illis, audes impudens et
frontosa velle reverti ad illum, quem superba contemp-
sisti ? Quid ? Digna latebris quaeris lucem, et curris ad
Sponsum, dignior plagis quam osculis ? Mirum si non pro
10 sponso iudicem offendas. Felix, qui ad haec animam suam
respondentem audierit : « Non timeo, quia amo, quod
non amata omnino non facerem. Itaque etiam amor ».
Nihil dilectae timendum. Paveant quae non amant.
Quidni assidue inimicitias suspicentur ? Ego vero, amans,
15 amari me dubitare non possum, non plus quam amare.
Nec possum vereri vultum, cuius sensi affectum. In quo ?
In eo quod talem non modo quaesivit, sed et affecit,

e. Cant. 3, 1 ≠
6. a. I Cor. 4, 6 ≠   b. Sir. 23, 32 ≠ ; Os. 2, 7 ≠   c. I Tim. 5,
12 ≠   d. Os. 2, 5 ≠. 13 ≠

en est aussi l'assurance. Tu as été aimée, pour que tu ne risques pas de te croire cherchée en vue du châtiment. Tu as été cherchée, pour que tu ne te plaignes pas d'avoir été aimée en vain. Cette double douceur si agréable que tu as éprouvée t'a donné le courage d'oser, a chassé la honte, t'a persuadé le retour, a éveillé ton affection. De là cet empressement, de là cette ardeur à chercher « celui qu'aime ton âme[e] ». Certes, sans avoir été cherchée, tu ne pouvais pas le chercher ; mais, cherchée, tu ne peux plus maintenant ne pas le chercher.

6. N'oublie pas, pourtant, d'où tu es venue jusqu'ici. Mais je préfère « m'appliquer à moi-même » ce qui[a] est dit ici – c'est plus sûr : « N'est-ce pas toi, mon âme, qui, ayant abandonné 'ton premier mari[b]', avec qui tu vivais heureuse, 'as rompu ton premier engagement[c] pour courir après tes amants' ? Et maintenant que 'tu t'es prostituée[d]' à souhait avec eux et que tu as peut-être essuyé leur mépris, tu as le front et l'impudence de vouloir revenir à celui que tu avais méprisé avec orgueil ? Mais quoi ? Tu devrais te cacher et tu cherches la lumière ; tu cours à ton Époux quand tu mérites des coups bien plus que des baisers ? Il serait étonnant que tu ne te heurtes pas à un juge plutôt qu'à un époux. » Heureux celui qui entendrait alors son âme répondre à ces reproches : « Je ne crains pas, parce que j'aime, ce qui serait absolument impossible si je n'étais pas aimée. C'est donc que je suis encore aimée. La bien-aimée n'a rien à craindre. Qu'elles aient peur, les âmes qui n'aiment pas. Comment ne craindraient-elles pas toujours l'aversion de l'Époux ? Mais moi qui aime, je ne puis douter d'être aimée, pas plus que je ne doute d'aimer. Je ne redoute pas le visage de celui dont j'ai ressenti l'amour. En quoi l'ai-je ressenti ? En ce que non seulement il m'a cherchée dans l'état où j'étais, mais qu'il m'a aussi donné son affection, me rendant ainsi

fecitque certam perinde de quaesitu. Quidni respondeam
in quaesitu, cui in affectu respondeo ? Numquid irascetur
20 quaesitus, qui etiam contemptus dissimulavit ? Quin
immo non repellet requirentem, qui et contemnentem
requirit. *Benignus est Spiritus* Verbi[e], et benigna nuntiat
mihi, intimans et suadens de Verbi zelo desiderioque
quod utique sibi *non potest esse absconditum*[f]. *Scrutatur*
25 *alta Dei* [g], conscius earum, quas *cogitat, cogitationes pacis,*
et non afflictionis[h]. Quidni animer ad quaerendum experta
clementiam, persuasa de pace ? »

7. Fratres, hoc suaderi, a Verbo quaeri est ; persuaderi,
inveniri est. Sed *non omnes capiunt hoc verbum*[a]. *Quid*
faciemus parvulis *nostris*[b], illos loquor qui adhuc inter
nos incipientes sunt, non tamen insipientes, cum teneant
5 *initium sapientiae*[c], *subiecti invicem in timore Christi*[d] ?
Unde illis, inquam, facimus fidem, quod haec ita se
habeant penes sponsam, cum ipsi talia agi secum necdum
persenserint ? Sed mitto ego eos ad talem, cui decredere
non debebunt. Legant in libro, quod in corde altero, quia
10 non cernunt, non credunt. *Est scriptum in Prophetis*[e] :
Si dimiserit vir uxorem suam, et illa recedens duxerit
virum alium, numquid revertetur ad eam ultra ? Numquid
non polluta et contaminata erit mulier illa ? Tu autem
fornicata es cum amatoribus multis ; et tamen revertere ad
15 *me, dicit Dominus, et ego suscipiam te*[f]. Verba Domini
sunt : non est fas suspendere fidem. Credant quod non

---

e. Sag. 1, 6 ≠   f. Matth. 5, 14 ≠   g. I Cor. 2, 10 ≠   h. Jér.
29, 11 ≠

7. a. Matth. 19, 11 ≠   b. Cant. 8, 8 ≠   c. Ps. 110, 10
d. Éphés. 5, 21   e. Jn 6, 45   f. Jér. 3, 1 ≠

1. * Jér. 3, 1. *recedens duxerit virum alium.* L'absence de *ab eo (Vg)* entre
recedens et *duxerit* se retrouve chez GRÉGOIRE LE GRAND, *Hom. in*
Euangelia II, 33, 8, *CCL* 141, p. 297, l. 239 ; *Regula pastoralis* III, 28, l.
35, *SC* 382, p. 458. Les mots *et ego suscipiam te* ne se trouvent pas dans
l'édition critique ; les bibles du siècle de Bernard faisaient cet ajout.

assurée de sa recherche. Pourquoi ne répondrais-je pas à sa recherche, moi qui réponds à son amour ? Va-t-il s'irriter d'être cherché, lui qui, même méprisé, n'a fait semblant de rien ? Bien mieux, il ne repoussera pas celle qui le recherche, lui qui recherche même celle qui le méprise. 'L'Esprit du Verbe est bienveillant[e]', et il m'annonce des paroles bienveillantes ; il m'assure et me persuade de la jalousie et du désir du Verbe, qui 'ne peuvent certes lui rester cachés[f]'. 'Il scrute les profondeurs de Dieu[g]', dont il connaît 'les pensées : pensées de paix et non d'affliction[h]'. Comment aurais-je besoin d'élan pour le chercher, moi qui ai expérimenté sa clémence et suis persuadée de ses sentiments pacifiques ? »

7. Frères, se dire cela, c'est être cherché par le Verbe ; en être persuadé, c'est être trouvé. Mais « tous ne comprennent pas ce langage[a]. » « Que ferons-nous pour nos » petits enfants[b], je veux dire pour ceux d'entre nous qui sont encore des débutants, mais non sans sagesse, puisqu'ils ont « le commencement de la sagesse[c], étant soumis les uns aux autres dans la crainte du Christ[d] » ? Comment, dis-je, les amener à croire que les choses se passent ainsi chez l'épouse, alors qu'ils n'ont pas encore éprouvé rien de tel en eux-mêmes ? Mais je les envoie à quelqu'un à qui ils ne pourront pas refuser crédit. Qu'ils lisent dans le Livre ce qu'ils ne croient pas présent, faute de le voir, dans le cœur d'autrui. « Il est écrit dans les Prophètes[e] : Si un homme renvoie sa femme et que celle-ci s'en aille et appartienne à un autre homme, reviendra-t-il encore à elle ? Cette femme ne sera-t-elle pas souillée et flétrie ? Toi, tu t'es prostituée à de nombreux amants ; pourtant, reviens à moi, dit le Seigneur, et je t'accueillerai[f 1]. » Ce sont les paroles du Seigneur : il n'est pas permis de leur refuser créance. Que nos débutants

experiuntur, ut fructum quandoque experientiae, fidei merito consequantur. Satis arbitror declaratum, quid sit quaeri a Verbo, et quae haec sit necessitas non Verbo,
20 sed animae ; nisi quod quae experta est, et plenius ista novit, et felicius. Restat ut sequenti tractatu doceamus *sitientes animas*[g] quaerere a quo quaesitae sunt, vel potius id discamus ab illa, quae hoc loco inducitur *quaerens ipsum quem diligit anima sua*[h], Sponsum animae, Iesum
25 Christum Dominum nostrum, *qui est super omnia Deus benedictus in saecula. Amen*[i].

g. Ps. 41, 3 ≠   h. Cant. 3, 2 ≠   i. Rom. 9, 5

croient ce dont ils n'ont pas l'expérience, pour qu'ils obtiennent un jour, par le mérite de la foi, le fruit de l'expérience [1]. Je pense avoir assez expliqué ce que c'est que d'être cherché par le Verbe, et que cette recherche est nécessaire non au Verbe, mais à l'âme. Mais l'âme qui en a fait l'expérience connaît tout cela de façon plus pleine et plus heureuse. Il nous reste, dans le sermon suivant, à montrer « aux âmes assoiffées[g] » comment chercher celui par qui elles ont été cherchées. Ou plutôt, nous l'apprendrons de celle que nous voyons ici « chercher celui qu'aime son âme[h] », l'Époux de l'âme, Jésus-Christ notre Seigneur, « qui est au-dessus de tout, Dieu béni dans les siècles. Amen[i]. »

---

1. Bernard insiste sur l'importance de l'expérience. Cf. P. VERDEYEN, « Un théologien de l'expérience », *BdC,* p. 557-577.

SERMO LXXXV

I. Quibus de causis anima quaerit Verbum, quas septem ponit, et primum de correptione et agnitione. – II. Quod trinus est animae impulsor, et quod maxime ipse homo sibi sit cavendus, et quid virtus, et quod omnipotens sit sperans in Christum, cui soli innitendum ad virtutem. – III. Quomodo per Verbum reformamur ad sapientiam, et quid sit inter sapientiam et virtutem. – IV. Quid sit Verbo conformari ad decorem, maritari ad fecunditatem, vel frui ad iucunditatem, quantum in hac vita.

I. Quibus de causis anima quaerit Verbum, quas septem ponit, et primum de correptione et agnitione.

1. *In lectulo meo quaesivi quem diligit anima mea*[a]. Ad quid ? Dictum est, et iterare superfluum ; propter quosdam tamen, qui non interfuerunt, cum tractaretur, dico aliquid breviter, et quod fortasse ne hos quidem, qui
5 interfuerunt, audire pigebit : nec enim totum dici tunc potuit. Quaerit anima Verbum, cui consentiat ad correptionem, quo illuminetur ad cognitionem, cui innitatur ad virtutem, quo reformetur ad sapientiam, cui conformetur ad decorem, cui maritetur ad fecunditatem, quo fruatur
10 ad iucunditatem. Propter has omnes causas quaerit anima Verbum. Non ambigo esse quamplures et alias ; sed hae interim occurrerunt. Poterit autem, si cui cordi fuerit, facile alias atque alias advertere in semetipso. Siquidem

---

1. a. Cant. 3, 1 ≠

---

1. Cette phrase annonce les sept points qui seront développés au cours du sermon.

SERMON 85

I. Pour quelles raisons l'âme cherche le Verbe. Bernard en allègue sept : en premier lieu, la réprimande et la connaissance. – II. Les trois qui poussent l'âme. L'homme doit se garder surtout de soi-même. Ce que c'est que la force. Celui qui espère dans le Christ est tout-puissant. C'est sur le Christ seul qu'il faut s'appuyer pour recevoir de lui la force. – III. Comment nous sommes reformés par le Verbe dans la sagesse. Quelle relation existe entre la sagesse et la force. – IV. Ce que c'est que d'être conformé au Verbe dans la beauté, uni à lui dans un mariage fécond, et jouir de lui dans l'allégresse, autant qu'il est possible en cette vie.

I. Pour quelles raisons l'âme cherche le Verbe. Bernard en allègue sept : en premier lieu, la réprimande et la connaissance.

1. « Dans mon petit lit j'ai cherché celui qu'aime mon âme[a]. » Pourquoi ? Nous l'avons dit, et il est inutile de le répéter. Cependant, pour certains qui n'étaient pas là lors de l'entretien, j'en dirai quelques mots que même ceux qui étaient présents ne seront peut-être pas mécontents d'entendre. Car je n'avais pu tout dire. L'âme cherche le Verbe pour se soumettre à sa réprimande, pour en recevoir la lumière de la connaissance et un appui qui lui donne la force ; pour être reformée dans la sagesse et conformée à lui dans la beauté ; pour s'unir à lui dans un mariage fécond et jouir de lui dans l'allégresse[1]. C'est pour toutes ces raisons que l'âme cherche le Verbe. Je ne doute pas qu'il y en ait encore beaucoup d'autres ; mais voilà celles qui me sont venues à l'esprit pour l'instant. Celui qui en aurait envie pourra aisément en remarquer bien d'autres en lui-même. Car nos égarements sont

multae sunt aversiones nostrae, multae et infinitae animae
15 necessitates, et anxietatum *non est numerus*[b]. At Verbum
ditius pleniusque superabundat in bonis, utpote *Sapientia*
vincens malitiam[c], *vincens in bonis mala*[d]. Et nunc harum,
quas posui, accipite rationem. Et primo, quod primum
est, videte quemadmodum consentiat ad correptionem.
20 Legimus Verbum in Evangeliis loquens : *Esto consentiens,*
inquit, *adversario tuo, dum es cum illo in via, ne forte*
tradat te iudici, et iudex tortori[e]. Quid consultius ? Verbi
consilium est, ni fallor, se adversarium protestantis,
quod adversetur *carnalibus desideriis* nostris[f], dum dicit :
25 *Semper hi errant corde*[g]. Tu vero qui haec audis, si pavens
coeperis velle *fugere a ventura ira*[h], credo sollicitus eris
quomodo huic *consentias adversario*[i], qui tibi illam tam
terribiliter intentare videtur. At istud impossibile, nisi
dissentias tecum nisi tibimet adverseris, nisi gravi et
30 iugi luctatu ipse contra teipsum infatigabiliter proelieris,
postremo nisi valefacias inveteratae consuetudini inna-
taeque affectioni. Id quidem durum. Si tuis attentaveris
viribus, tale erit, ac si in uno digitorum tuorum torrentis
impetum sistere, aut ipsum denuo coneris *Iordanem*
35 *convertere retrorsum*[j]. Quid facies ? Quaere Verbum cui
consentias, ipso faciente. Fuge ad illum qui adversatur,

---

b. Ps. 39, 13   c. Sag. 7, 30 ≠   d. Rom. 12, 21 ≠   e. Matth.
5, 25 (Patr.)   f. I Pierre 2, 11 ≠   g. Ps. 94, 10 ≠   h. Lc 3, 7
i. Matth. 5, 25 ≠   j. Ps. 113, 3 ≠

1 * *Sag.* 7, 30. Cf. *supra* p. 337, n. 1 sur *SCt* 82, 6.
2. * *Matth.* 5, 25 (Patr.). Bernard, dans les 4 lieux où il emploie ce
verset, utilise chaque fois le mot *tortori*, et non *ministro*, *Vg.* Or l'*Editio*
Maior de *Vg* donne *ministro*, sans variante, pour ce verset comme pour
le verset parallèle de *Lc* 12, 58. *Tortori* paraît donc bien un mot *Vl*,
que l'on trouve d'ailleurs dans TERTULLIEN, *De oratione (PL* 1, 1163 A).

multiples, multiples à l'infini les nécessités de l'âme, et nos motifs d'angoisse « sans nombre[b] ». Mais le Verbe surabonde de biens avec beaucoup plus de richesse et de plénitude, car il est « la Sagesse qui l'emporte sur le mal[c 1], victorieuse du mal par le bien[d] ». Maintenant je vais vous rendre compte des raisons que j'ai alléguées. Et pour commencer par la première, voyez comment l'âme se soumet à la réprimande. Nous lisons dans les Évangiles cette parole du Verbe : « Accorde-toi avec ton adversaire, dit-il, tant que tu es encore en chemin avec lui, de peur qu'il ne te livre au juge, et le juge au bourreau[e 2]. » Quoi de plus avisé que cette parole ? C'est un conseil du Verbe qui, si je ne me trompe, se déclare ici notre adversaire ; car il s'oppose à nos « désirs charnels[f] » en disant : « Toujours ils s'égarent dans leur cœur[g]. » Toi qui entends ces mots, si dans ta frayeur tu commences à vouloir « fuir la colère qui vient[h] », je pense que tu chercheras le moyen de « t'accorder avec cet adversaire[i] », car il semble te menacer d'une si terrible colère. Mais cela te sera impossible, à moins que tu n'entres en conflit avec toi-même, que tu ne deviennes ton propre adversaire, que tu ne mènes contre toi-même, sans te lasser, une lutte acharnée et continuelle ; enfin, que tu ne tournes le dos à tes habitudes invétérées et à tes passions innées. Certes, c'est dur. Si tu t'y essaies par tes forces, ce sera comme si, d'un seul doigt, tu tentais d'arrêter l'élan d'un torrent ou de « faire reculer une nouvelle fois le Jourdain[j] » lui-même. Que vas-tu faire ? Cherche le Verbe pour t'accorder avec lui, car c'est lui qui agira. Fuis vers lui, ton adversaire ; par lui, tu deviendras tel

---

La *Patrologie* entière est parsemée de davantage de citations et allusions *Vl* que *Vg* à *Matth.* 5, 25, cela jusqu'à Thomas de Cîteaux et Pierre le Chantre.

per quem talis fias cui iam non adversetur, ut blandiatur qui minabatur, et sit ad immutandum efficacior infusa gratia, quam intensa ira.

2. Haec prima, ut opinor, necessitas, ob quam anima incipit quaerere Verbum. Sed si ignoras quid ille velit cui iam voluntate consentis, nonne et de te dicetur, quia *zelum Dei habes, sed non secundum scientiam*[a] ? Et
5 ne hoc leve existimes, memineris scriptum, quia *ignorans ignorabitur*[b]. Scire vis quid consulam et in hac necessitate ? Quod in prima. Meo consilio nunc quoque ibis ad Verbum, et *docebit* te *vias suas*[c], ne volendo quidem, sed ignorando bonum, dum curris, contingat excurrere
10 et *errare in invio, et non in via*[d]. *Lux est* enim *Verbum*[e] : *Declaratio* denique *sermonum illuminat, et intellectum dat parvulis*[f]. Beatus es, si dicas et tu : *Lucerna pedibus meis verbum tuum, et lumen semitis meis*[g]. Nec parum profecit anima tua, cuius immutata voluntas, cuius illuminata
15 ratio est, ut bonum et velit et noverit. In altero vitam, in altero visum recepit : nam et malum volendo mortua erat, et bonum ignorando caeca.

3. Iam vivit, iam videt, iam stat in bono, sed ope et opere Verbi. Stat, manu Verbi levata, veluti super pedes duos, devotionem et agnitionem. Stat, inquam, sed sibi putet dictum : *Qui se existimat stare, videat ne cadat*[a].
5 Putas vel per se stare possit, quae surgere per se non potuit ? Non opinor. Quid enim ? *Verbo Domini caeli*

---

2. a. Rom. 10, 2 (Patr.)   b. I Cor. 14, 38 ≠   c. Ps. 24, 9 ≠   d. Ps. 106, 40 ≠   e. Jn 1, 9 ≠   f. Ps. 118, 130 ≠   g. Ps. 118, 105
3. a. I Cor. 10, 12

1. * *Rom.* 10, 2 Patr. L'un des nombreux emplois de ce verset, toujours avec *zelum (Vl)*, transmis par les Pères, et non *aemulationem (Vg)*. Cf. *SC* 457, p. 190, n. 3 sur *Pre* 20.

qu'il ne sera plus ton adversaire. Il changera ses menaces en caresses et, pour te transformer, sa grâce répandue en toi sera plus efficace que sa violente colère.

2. Telle est, à mon sens, la première nécessité qui conduit l'âme à chercher le Verbe. Mais si tu ignores ce qu'il veut, alors que déjà tu t'accordes à lui dans le vouloir, ne dira-t-on pas de toi aussi que « tu as du zèle pour Dieu, mais non selon la science[a][1] » ? Et pour ne pas prendre cela à la légère, souviens-toi qu'il est écrit : « Celui qui ignore sera ignoré[b]. » Veux-tu savoir quel conseil je donne dans cette nouvelle nécessité ? Le même que dans la première. A mon avis, maintenant aussi tu iras au Verbe, et « il t'enseignera ses chemins[c] » pour que, dans ta course, voulant le bien mais l'ignorant, tu n'ailles pas courir et « t'égarer dans un maquis hors du chemin[d] ». Car « le Verbe est lumière[e] » : « L'explication des paroles illumine, et elle donne l'intelligence aux petits[f]. » Heureux es-tu si tu peux dire, toi aussi : « Une lampe sur mes pas, ta parole, une lumière sur mes sentiers[g]. » Ce n'est pas un mince progrès qu'a accompli ton âme : sa volonté a été transformée, sa raison a été illuminée, si bien qu'elle veut le bien et qu'elle le connaît en même temps. D'un côté elle a reçu la vie, de l'autre la vue. Car en voulant le mal elle était morte, et en ignorant le bien elle était aveugle.

3. Déjà elle vit, déjà elle voit, déjà elle se tient debout dans le bien, mais c'est par l'aide et l'action du Verbe. Relevée par la main du Verbe, elle se tient debout comme sur deux pieds, la ferveur et la connaissance. Debout, dis-je ; mais qu'elle prenne pour soi ces paroles : « Celui qui croit tenir debout, qu'il prenne garde de tomber[a]. » Penses-tu qu'elle puisse tenir debout par elle-même, quand elle n'a pas pu se lever par elle-même ? Je ne crois pas. Eh quoi ! « C'est par le Verbe du Seigneur que les

firmati sunt[b], et terra stabit sine Verbo ? Cur ergo, si
stare per se poterat, orabat homo de terra : *Confirma
me,* inquiens, *in verbis tuis*[c] ? Denique et probarat. Eius
ipsius illa vox fuit : *Impulsus eversus sum ut caderem, et*
10 *Dominus suscepit me*[d].

**II. Quod trinus est animae impulsor, et quod maxime ipse
homo sibi sit cavendus, et quid virtus, et quod omnipotens
sit sperans in Christum, cui soli innitendum ad virtutem.**

Quaeris quis ille impulsor ? Non est unus. Impulsor
diabolus est, impulsor mundus, impulsor homo. Quis iste
homo sit, quaeris ? Quisque sui. *Noli mirari*[e] : usque adeo
homo impulsor sibi est, et suimet praecipitator, ut non sit
5 quod ab altero impulsore formides, si ipse a te proprias
contineas manus. *Quis enim,* inquit, *vobis nocere poterit,
si boni aemulatores fueritis*[f] ? Manus tua, consensus tuus.
Si, diabolo suggerente vel saeculo suadente quod non
oportet, assensum tuum tenueris, et *non dederis membra
10 tua arma iniquitati*[g], *nec* permiseris *regnare peccatum in
tuo mortali corpore*[h], *bonum te aemulatorem* probasti,
cui malitia omnino nil nocuit, vide ne magis profuerit.
Scriptum est enim : *Bonum fac, et habebis laudem ex
illa*[i]. *Confusi sunt qui quaerebant animam tuam*[j] ; tu vero
15 cantabis : *Si mei non fuerint dominati, tunc immaculatus
ero*[k]. *Boni* plane *aemulatoris* insigne dedisti, si consilio
Sapientis *misereris animae tuae*[l], si *omni custodia servas
cor tuum*[m], si, iuxta Apostolum, *teipsum castum custodis*[n].
Alioquin, *etsi universum mundum lucreris, animae autem*

---

b. Ps. 32, 6   c. Ps. 118, 28   d. Ps. 117, 13   e. Jn 5, 28 ≠
f. I Pierre 3, 13 ≠   g. Rom. 6, 13 ≠   h. Rom. 6, 12 ≠   i.
Rom. 13, 3   j. Ps. 39, 15 ≠   k. Ps. 18, 14   l. Sir. 30, 24 ≠
m. Prov. 4, 23 ≠   n. I Tim. 5, 22 ≠

cieux ont été affermis[b] », et la terre tiendrait debout sans le Verbe ? Si elle pouvait tenir debout par elle-même, pourquoi un homme de la terre priait-il ainsi : « Affermis-moi par tes paroles[c] » ? C'est donc qu'il l'avait éprouvé en lui-même. De lui était aussi cette parole : « Poussé, j'ai failli être renversé, et le Seigneur m'a soutenu[d]. »

II. Les trois qui poussent l'âme. L'homme doit se garder surtout de soi-même. Ce que c'est que la force. Celui qui espère dans le Christ est tout-puissant. C'est sur le Christ seul qu'il faut s'appuyer pour recevoir de lui la force.

Me demandes-tu qui l'a poussé ainsi ? Il n'y en a pas qu'un. Le diable le pousse, le monde le pousse, l'homme le pousse. Quel homme, me demandes-tu ? Chacun se pousse soi-même. « Ne sois pas étonné[e] » : l'homme est tellement enclin à se pousser lui-même dans le précipice que tu n'as guère à craindre qu'un autre te pousse, si tu peux retenir tes propres mains de te pousser. « Car qui pourra vous nuire, est-il écrit, si vous devenez zélés pour le bien[f] ? » Ta main, c'est ton consentement. Si tu ne donnes pas ton assentiment aux suggestions du diable ou aux séductions du siècle, si « tu ne fais pas de tes membres des armes au service de l'iniquité[g] et ne laisses pas le péché régner dans ton corps mortel[h] », tu te seras montré « zélé pour le bien ». Alors le mal ne t'aura pas nui du tout ; vois s'il ne t'a pas été plutôt utile. Il est écrit : « Fais le bien, et tu en recevras des louanges[i]. » « Ceux qui en voulaient à ton âme ont été confondus[j] » ; toi, tu chanteras : « S'ils n'ont pas eu d'empire sur moi, alors je serai sans tache[k]. » Tu as donné une marque certaine « de ton zèle pour le bien » si, selon le conseil du Sage, « tu as de la miséricorde pour ton âme[l] », si « tu gardes précieusement ton cœur[m] », si, suivant l'Apôtre, « tu te maintiens chaste[n] ». Autrement, « quand même tu aurais gagné le monde entier, si c'est

20 *tuae detrimentum patiaris*[o], non plane *bonum te* censemus *aemulatorem*, quandoquidem nec Salvator.

4. Cum igitur tres sint stanti imminentes, horum diabolus livore malitiae, mundus vento vanitatis, homo semetipsum pondere suae corruptionis impellit. Impellit diabolus, sed non evertit, si quidem tuum illi negaveris 5 auxilium vel assensum. Denique habes : *Resistite diabolo, et fugiet a vobis*[a]. Iste est qui stantes in paradiso impulit invidus et evertit, sed consentientes, non resistentes. Iste est qui seipsum de caelo superbus nullo impellente praecipitavit, ut scias multo magis hominem suo ipsius casui 10 imminere, quem propriae substantiae pondus gravat. Est et *mundus* impulsor, quia *in maligno positus est*[b]. Impellit omnes, sed solos evertit amicos suos, id est consentaneos sibi. Nolo esse *mundi amicus*, ne cadam : nam *qui vult esse huius mundi amicus, inimicus Dei constituitur*[c], quo 15 utique nullus gravior casus. Ex quibus satis claret, quam sit homo praecipuus impulsor sui, qui suo sine alieno impulsu cadere potest, alieno absque suo non potest. Cuinam horum praecipue resistendum ? Nempe huic, qui, eo molestior quo interior, solus deicere sufficit, 20 cum *sine ipso* alii *possint facere nihil*[d]. Non sine causa Sapiens *expugnatori* praetulit *urbium, virum qui animo dominatur*[e]. Multum hoc ad te : opus virtute habes, et non quacumque, sed qua *induaris ex alto*[f]. Ipsa enim, si perfecta sit, facile facit animum victorem sui, et sic

---

o. Matth. 16, 26 ≠
4. a. Jac. 4, 7   b. I Jn 5, 19 ≠   c. Jac. 4, 4 ≠   d. Jn 15, 5 ≠   e. Prov. 16, 32 ≠   f. Lc 24, 49 ≠

---

1. On dit qu'Ignace de Loyola aurait adressé souvent ces paroles à François-Xavier, lorsqu'ils étudiaient tous les deux à Paris. Un biographe a émis des doutes à ce sujet. Cf. J. Brodrick, *Saint Francis Xavier*, Londres 1952, p. 41, n. 3.

2. * *Jac.* 4, 4. La formule *amicus huius mundi* (*Vg* : *amicus saeculi huius*) se retrouve 6 fois chez Augustin et une fois chez Fulgence.

au prix de la perte de ton âme[o][1] », nous ne t'estimons certes pas « zélé pour le bien », puisque le Sauveur non plus ne t'a pas estimé tel.

4. Ils sont trois à menacer l'homme debout : le diable le pousse par les coups de la malice, le monde par le vent de la vanité, l'homme se pousse lui-même par le poids de sa corruption. Le diable te pousse mais ne te renverse pas, si du moins tu lui refuses ton concours et ton assentiment. Car tu peux lire : « Résistez au diable et il fuira loin de vous[a]. » C'est bien lui qui, plein d'envie, a poussé et renversé ceux qui étaient debout dans le paradis ; mais ils avaient consenti à sa suggestion, au lieu de résister. C'est lui qui s'est précipité lui-même du ciel par orgueil, sans que personne ne le pousse. Ainsi tu apprends que l'homme doit bien plus s'attendre à sa propre chute, puisque le poids de sa substance l'alourdit. « Le monde » aussi nous pousse, car « il gît au pouvoir du Mauvais[b] ». Il nous pousse tous, mais ne renverse que ses amis : ceux qui consentent à sa loi. Je ne veux pas être « ami du monde », pour ne pas tomber. Car « qui veut être l'ami de ce monde se fait l'ennemi de Dieu[c][2] », et il n'est pas de chute plus grave. D'où il ressort clairement que l'homme est le plus dangereux de ceux qui le poussent, car il peut provoquer sa propre chute sans qu'un autre le pousse, tandis qu'un autre ne peut le faire tomber sans qu'il y mette du sien. Auquel de ces trois adversaires faut-il surtout résister ? Assurément à celui qui est d'autant plus nuisible qu'il est plus intérieur, et qui est capable à lui seul de nous abattre, tandis que les autres « ne peuvent rien faire sans lui[d] ». Ce n'est pas sans raison que le Sage a placé « l'homme qui maîtrise son âme » avant « celui qui s'empare des villes[e] ». Cela te concerne de près : il te faut de la force, et pas n'importe laquelle, mais celle qui « te vient d'en haut[f] ». Si elle est parfaite, elle rend aisée

25 invictum reddit ad omnia. Est quippe vigor animi cedere
nescius pro tuenda ratione ; aut, si magis probas, vigor
animi immobiliter stantis cum ratione vel pro ratione ;
vel sic : vigor animi, quod in se est, omnia ad rationem
cogens vel dirigens.

5. *Quis ascendet in montem Domini*[a] ? Huius ad
verticem montis[b], id est ad virtutis perfectionem, quisque
contendere adorietur, sciet profecto quam sit ascensus
arduus et cassus conatus absque Verbi adiutorio. Felix
5 anima, quae angelis spectantibus praebuit gaudium
pariter et miraculum sui, ut audiret de se loquentes :
*Quae est ista, quae ascendit de deserto, deliciis affluens,
innixa super dilectum suum*[c] ? Alioquin frustra nititur, si
non innititur. Sane etiam contra se innitens invalescet,
10 et facta seipsa validior, coget pro ratione universa : iram,
metum, cupiditatem et gaudium, veluti quemdam animi
currum, bonus auriga reget, et *in captivitatem rediget
omnem* carnalem affectum, et carnis sensum ad nutum
rationis *in obsequium* virtutis[d]. Quidni *omnia possibilia
15 sint* innitenti super eum, qui omnia potest ? Quantae
fiduciae vox : *Omnia possum in eo qui me confortat*[e] !
Nil omnipotentiam Verbi clariorem reddit, quam quod
omnipotentes facit omnes, qui in se sperant. Denique
omnia possibilia sunt credenti[f]. Annon omnipotens, cui
20 *omnia possibilia sunt*[g] ? Ita animus, non si praesumat de
se, sed si confortetur a Verbo, poterit utique dominari
sui, ut *non dominetur ei omnis iniustitia*[h]. Ita, inquam,

311

---

5. a. Ps. 23, 3 ≠   b. Ex. 24, 17 ≠   c. Cant. 8, 5 ≠   d. II Cor.
10, 5 ≠   e. Phil. 4, 13   f. Mc 9, 22 ≠   g. Matth. 19, 26
h. Ps. 118, 133 ≠

---

1. Il s'agit de quatre sentiments traditionnels de l'âme, qui doivent
se laisser gouverner par deux facultés supérieures : la raison et la
volonté. Peut-être une réminiscence de l'allégorie du *Phèdre* (246-247)
de Platon. Voir aussi *Csi* V, 27 (*SBO* III, p. 490).

à l'âme la victoire sur soi-même, et la fait ainsi invincible en tout. Car elle est cette vigueur de l'âme qui ne saurait jamais céder quand il s'agit de défendre la raison. Ou, si tu préfères : cette vigueur de l'âme qui se tient fermement debout avec la raison ou pour la raison. Ou encore : cette vigueur de l'âme qui, dans la mesure de son pouvoir, soumet et ramène toutes choses à la raison.

5. « Qui montera sur la montagne du Seigneur[a] ? » Quiconque tentera d'atteindre « au sommet de cette montagne[b] », c'est-à-dire à la perfection de la force, saura certes combien cette ascension est rude et vain l'effort sans l'aide du Verbe. Heureuse l'âme qui s'est offerte aux regards des anges pour leur joie et admiration, et qui les a entendus dire d'elle : « Qui est celle-ci qui monte du désert, débordant de délices, appuyée sur son bien-aimé[c] ? » Sinon, vaine est sa peine, sans cet appui. Oui, elle prendra de la vigueur contre elle-même grâce à cet appui et, devenue plus forte qu'elle-même, elle soumettra toute chose à la raison : colère, crainte, convoitise et joie[1]. Ce quadrige de l'âme, elle le conduira comme un bon cocher. « Elle réduira en captivité toute » passion charnelle et mettra les sens de la chair au pouvoir de la raison « pour qu'ils obéissent » à la force[d]. Comment « tout ne serait-il pas possible » à qui s'appuie sur celui qui peut tout ? Quelle confiance dans cette parole : « Je puis tout en celui qui me rend fort[e] » ! Rien ne met mieux en lumière la toute-puissance du Verbe que sa capacité de rendre tout-puissants ceux qui espèrent en lui. Car « tout est possible à celui qui croit[f]. » N'est-il pas tout-puissant celui à qui « tout est possible[g] » ? Ainsi l'âme, si elle ne présume pas de soi et si elle est rendue forte par le Verbe, pourra certes être maîtresse d'elle-même et « échapper à la maîtrise de toute injustice[h] ».

Verbo innixum et *indutum virtute ex alto*[i], nulla vis, nulla fraus, nulla iam illecebra poterit vel stantem deicere, vel
25 subicere dominantem.

6. Vis non timere impulsorem ? *Non veniat tibi pes superbiae, et manus impellentis non movet te*[a]. *Ibi ceciderunt qui operantur iniquitatem.* Ibi *diabolus et angeli eius*[b] corruerunt, qui, licet non pulsi extrinsecus, *expulsi*
5 *sunt* tamen *nec potuerunt stare*[c]. Denique *in veritate non stetit*[d] qui non innixus est Verbo, *qui in sua virtute confisus est*[e]. Et ideo fortassis sedere voluit, quia stare non valuit. Dicebat enim : *Sedebo in monte testamenti*[f]. Ceterum Deo aliter iudicante, nec stetit, nec sedit, sed
10 cecidit, dicente Domino : *Videbam Satanam sicut fulgur de caelo cadentem*[g]. Ergo qui stat, si non vult cadere[h], non fidat sibi, sed nitatur Verbo. Verbum loquitur : *Sine me nihil potestis facere*[i]. Ita est : nec surgere ad bonum, nec stare in bono possumus sine Verbo. Tu ergo qui
15 stas, *da gloriam* Verbo[j] et dic : *Statuit supra petram pedes meos, et direxit gressus meos*[k]. Cuius *manu erigeris*[l], ipsius necesse est virtute tenearis. Haec pro eo quod dixi opus nos habere Verbo, cui innitamur ad virtutem.

III. Quomodo per Verbum reformamur ad sapientiam, et quid sit inter sapientiam et virtutem.

7. Nunc iam videndum de eo quod item memoravi, per Verbum scilicet nihilominus nos reformari ad sapientiam. *Verbum virtus, Verbum sapientia est*[a]. Sumat ergo anima

---

i. Lc 24, 49 ≠
6. a. Ps. 35, 12 ≠   b. Matth. 25, 41 ≠   c. Ps. 35, 13   d. Jn 8, 44   e. Ps. 48, 7 ≠   f. Is. 14, 13   g. Lc 10, 18   h. Cf. I Cor. 10, 12   i. Jn 15, 5   j. Jn 9, 24 ≠   k. Ps. 39, 3 ≠   l. Act. 9, 41 ≠
7. a. I Cor. 1, 24 ≠

Ainsi, dis-je, l'homme appuyé sur le Verbe et « revêtu de la force d'en haut[i] », aucune violence, aucune ruse, aucune séduction ne pourra plus l'abattre ni le priver de sa maîtrise de soi.

6. Veux-tu n'avoir pas à craindre celui qui te pousse ? « Ne laisse pas l'orgueil prendre pied en toi, et la main de celui qui te pousse ne t'ébranlera pas[a]. » « C'est là que sont tombés ceux qui commettent le mal. » C'est là que s'écroulèrent « le diable et ses anges[b] » qui, sans la moindre poussée extérieure, « ont été cependant repoussés et n'ont pas pu tenir debout[c] ». Car « il ne s'est pas tenu dans la vérité[d] » celui qui ne s'est pas appuyé sur le Verbe et « s'est fié à sa propre force[e] ». S'il a voulu s'asseoir, c'est peut-être parce qu'il a été incapable de se tenir debout. Car il disait : « Je m'assiérai sur la montagne de l'alliance[f]. » Mais Dieu en ayant jugé autrement, il ne s'est tenu ni debout ni assis ; il est tombé, et le Seigneur a dit : « Je voyais Satan tomber du ciel comme l'éclair[g]. » Celui donc qui se tient debout, s'il ne veut pas tomber[h], qu'il ne se fie pas à lui-même, mais qu'il s'appuie sur le Verbe. Le Verbe dit : « Sans moi vous ne pouvez rien faire[i]. » C'est ainsi : sans le Verbe, nous ne pouvons ni nous élever au bien, ni tenir ferme dans le bien. Toi donc qui te tiens debout, « rends gloire » au Verbe[j] et dis : « Il m'a fait reprendre pied sur le roc et il a dirigé mes pas[k]. » Sa « main te relève[l] » ; il faut aussi que sa force te maintienne debout. Voilà pour le besoin que nous avons du Verbe, sur qui nous nous appuyons pour en recevoir la force.

III. Comment nous sommes reformés par le Verbe dans la sagesse. Quelle relation existe entre la sagesse et la force.

7. Il nous faut voir maintenant ce que j'ai également évoqué : comment nous sommes aussi reformés par le Verbe dans la sagesse. « Le Verbe est force, le Verbe est sagesse[a]. »

de virtute virtutem, ac de sapientia sapientiam, et uni
5 Verbo utrumque munus adscribat. Alioquin si aliunde
aut utramque, aut alterutram arroget sibi, neget etiam
simul vel de fonte rivum, vel de vite vinum, vel lumen
oriri de lumine. *Fidelis sermo*[b] : *Si quis,* inquit, *indiget
sapientia, postulet a Deo, qui dat omnibus affluenter et non*
10 *improperat, et dabitur ei*[c]. Hoc ille. Ego vero haud secus
de virtute senserim. Cognata virtus sapientiae est. Donum
Dei est virtus, deputanda *in datis optimis, descendens et
ipsa desursum a Patre* Verbi[d]. Et *si quis existimet*[e] id per
omnia eam quod sapientiam esse, non inficior, sed in
15 Verbo, non in anima. Quae enim in Verbo pro eius
singulari divinae naturae simplicitate unum sunt, unum
tamen in anima effectum non habent, sed ad illius varias
et diversas necessitates, veluti diversa sese participanda
accommodant. Iuxta quam rationem profecto aliud est
20 animo virtute agi, et aliud sapientia regi ; aliud *dominari
in virtute*[f], aliud in suavitate deliciari. Licet namque
et sapientia potens, et virtus suavis exsistat, ut tamen
proprias quibusque reddamus vocabulis significantias,
vigor virtutem, sapientiam placiditas animi cum spirituali
25 quadam suavitate demonstrat. Hanc puto ab Apostolo
designatam, ubi post multa hortamenta pertinentia ad
virtutem, adiecit quod sapientiae est : *In suavitate, in
Spiritu Sancto*[g]. Igitur stare, resistere, vim vi repellere,
quae utique in partibus virtutis deputantur, honor

312

---

b. I Tim. 1, 15   c. Jac. 1, 5 ≠   d. Jac. 1, 17 ≠ ; 3, 15 ≠   e.
Gal. 6, 3 ≠   f. Ps. 65, 7 ≠   g. II Cor. 6, 6

Que l'âme tire sa force de la force, sa sagesse de la
sagesse, et qu'elle attribue l'un et l'autre don au Verbe
seul. Autrement, si elle s'arroge les deux, ou l'une des
deux seulement, comme venant d'ailleurs, qu'elle nie
aussi bien que le ruisseau vient de la source, le vin de
la vigne ou la lumière de la lumière. « Elle est digne de
confiance, cette parole[b] : Si quelqu'un est dépourvu de
sagesse, est-il dit, qu'il en fasse la demande à Dieu, qui
donne à tous avec magnificence et sans faire de reproche ;
et elle lui sera donnée[c]. » Voilà ce que dit Jacques. Pour
ma part, je ne pense pas autrement au sujet de la force.
La force est apparentée à la sagesse. C'est un don de
Dieu que la force, à compter « parmi les dons excellents ;
elle aussi descend d'en haut, du Père » du Verbe[d]. Et « si
quelqu'un pense[e] » qu'elle est en tous points la même
chose que la sagesse, je n'en disconviens pas ; mais dans
le Verbe seulement, non dans l'âme. Car les attributs qui
dans le Verbe ne font qu'un, en raison de la simplicité
propre à sa nature divine, ne produisent pas un effet
unique dans l'âme, mais s'adaptent à ses besoins divers
et variés en se diversifiant. Selon ce principe, certes, autre
chose est pour l'âme d'être menée par la force, et autre
chose d'être dirigée par la sagesse ; autre chose « d'être
domptée avec force[f] », autre chose d'être charmée avec
douceur. Bien que la sagesse soit, elle aussi, puissante et
la force douce, néanmoins pour donner à chaque mot
la signification qui lui est propre, la vigueur désigne la
force ; la tranquillité de l'âme avec une certaine douceur
spirituelle désigne la sagesse. A mon avis, c'est elle que
l'Apôtre a visée lorsque, après plusieurs exhortations
concernant la force, il a ajouté ce qui s'applique à la
sagesse : « Dans la douceur, dans l'Esprit saint[g]. » Ainsi,
tenir debout, résister, repousser la violence par la violence,
toutes choses qui relèvent sans aucun doute de la force,

30 quidem, sed labor est. Non est enim idipsum, honorem
tuum laboriose defendere, et quiete possidere. Non est
idem, virtute agi, et virtute frui. Quidquid virtus elaborat,
sapientia fruitur ; et quod sapientia ordinat, deliberat,
moderatur, virtus exsequitur.

8. *Sapientiam scribae in otio*[a], ait Sapiens. Ergo sapientiae otia negotia sunt ; et quo otiosior sapientia, eo
exercitior in genere suo. E regione virtus exercitata
clarior est, eoque probatior quo officiosior. Et si quis
5 sapientiam virtutis amorem diffinierit, non mihi a vero
deviare videtur. Ubi autem amor est, labor non est, sed
sapor. Et forte sapientia a sapore denominatur, quod
virtuti accedens, quoddam veluti condimentum, sapidam
reddat, quae per se insulsa quodammodo et aspera sentie-
10 batur. Nec duxerim reprehendendum, si quis sapientiam
saporem boni diffiniat. Hunc saporem perdidimus, ab
ipso pene exortu generis nostri. Ex quo cordis palatum,
sensu carnis praevalente, infecit virus *serpentis antiqui*[b],
coepit animae non sapere bonum, ac sapor noxius subin-
15 trare. Denique *proni sunt sensus hominis et cogitationes
in malum ab adolescentia*[c], hoc est ab insipientia primae

---

8. a. Sir. 38, 25 ≠   b. Apoc. 12, 9 ≠

1. Le mot latin *sapientia* signifie à la fois « saveur » et « sagesse ». De
la même façon, le verbe *sapere* signifie « jouir » et « savoir ».

2. * *Sir.* 38, 25. Pour ce verset de sens difficile, Bernard, seul dans
la tradition, emploie constamment ce texte. Seuls Grégoire le Grand et
AMBROISE AUTPERT (*Expositio in Apocalypsin* IX, prol., *CCM* 27A, l.
54) ont une formule qui s'en approche : *Sapientiam scribe in tempore otii.*
In otio (Vg : in tempore vacuitatis), peut s'expliquer comme une préférence
accordée, par un Père ou par Bernard, à une forme concise, une sorte
de proverbe. Cf. *SC* 458, p. 468, n. 2 sur *Ep* 87, 10.

3. Allusion à SÉNÈQUE, *De otio* VI, 4 (*CUF, Dialogues*, t. 4, p. 119-
120) : *Quo animo ad otium sapiens secedit? ut sciat se tum quoque ea acturum,
per quae posteris prosit,* « Dans quel esprit le sage s'isole-t-il dans le repos ?
Avec la conviction qu'il servira activement, même alors, l'intérêt de la
postérité » (trad. R. Waltz).

sont certes un honneur, mais aussi un labeur. Car ce n'est pas la même chose de défendre laborieusement ton honneur ou de le posséder en paix. Ce n'est pas la même chose d'être mené par la force ou de jouir grâce à la force. Tout ce que la force obtient par son labeur, la sagesse en jouit [1] ; et ce que la sagesse ordonne, décide, règle, la force l'exécute.

8. « La sagesse du scribe s'acquiert dans le loisir[a 2] », dit le Sage. Aussi les loisirs de la sagesse sont-ils un travail ; plus la sagesse est oisive, plus elle est active à sa manière[3]. En revanche, la force devient plus éclatante par l'exercice ; plus elle est active, plus elle fait ses preuves. Et si quelqu'un définissait la sagesse comme l'amour de la force, il ne s'écarterait pas de la vérité, me semble-t-il. Or, où est amour, aucun labeur, mais saveur[4]. Peut-être le mot de sagesse dérive-t-il du mot saveur, car s'ajoutant à la force comme un assaisonnement, elle la rend savoureuse, alors que par elle-même celle-ci était perçue comme âpre et insipide. Et je n'aurais rien à redire si quelqu'un définissait la sagesse comme la saveur du bien. Nous avons perdu cette saveur presque dès l'origine de notre genre humain. Depuis que le venin « de l'antique serpent[b] », en faisant prévaloir les sens charnels, a infecté le palais de notre cœur, le bien a commencé de n'avoir plus aucune saveur pour l'âme, et une saveur corrompue s'est infiltrée. Car « les sens et les pensées de l'homme sont portés au mal dès l'adolescence[c 1] », c'est-à-dire

---

4. « Où est amour, aucun labeur, mais saveur. » Ce mot proverbial se rapproche d'une phrase de GUILLAUME DE SAINT-THIERRY : *Qui amat, non laborat,* « Qui aime ne peine pas » (*Exposé sur le Cantique* 83, *SC* 82, p. 200-201) ; AUGUSTIN, *De bono viduitatis* 21, 26 (*CSEL* 41, p. 338, l. 17) : *Nam in eo quod amatur, aut non laboratur, aut et labor amatur,* « Car une chose que l'on aime soit ne nous fatigue pas, soit nous fait même aimer la fatigue qu'elle nous donne. »

mulieris. Ita insipientia mulieris saporem boni exclusit,
quia serpentis malitia mulieris insipientiam circumvenit.
Sed unde *malitia* visa est *vicisse* ad tempus, inde se victam
20 dolet in aeternum. Nam ecce denuo Sapientia mulieris
cor et corpus implevit, ut qui per feminam deformati
in insipientiam sumus, per feminam reformemur ad
sapientiam. Et nunc assidue *sapientia vincit malitiam*[d]
in mentibus ad quas intraverit, saporem mali, quem illa
25 invexit, sapore exterminans meliori. Intrans sapientia,
dum sensum carnis infatuat, purificat intellectum, cordis
palatum sanat et reparat. Sano palato sapit iam bonum,
sapit ipsa sapientia, qua in bonis nullum melius.

9. Quam multa fiunt bona, et non sapiunt facientibus !
Siquidem non sapore boni ad illa, sed aut ratione, aut
quacumque occasione seu necessitate impelluntur ; et e
contrario multis, quae faciunt, non sapiunt mala, sed ad
5 haec inducuntur aut metu, aut cupiditate rei cuiuspiam,
potius quam sapore mali. Qui autem *transierunt in
affectum cordis*[a], aut sapientes sunt, et ipso delectantur
sapore boni ; aut maligni sunt, et in ipsa complacent
sibi malitia, etiam nulla spe alterius commodi blandiente.
10 Malitia vero quid, nisi sapor est mali ? Beata mens, quam
sibi totam vindicavit sapor boni et odium mali. Hoc
reformari ad sapientiam est, hoc sapientiae victoriam

---

c. Gen. 8, 21 ≠   d. Sag. 7, 30 ≠
9. a. Ps. 72, 7

---

1. * *Gen.* 8, 21 Patr.. Cf. *SC* 393, p. 336, n. 1 sur *Gra* 42 ; *SC* 452,
p. 246, n. 3 sur *SCt* 44, 5 ; Cf. *SCt* 82, 7. Bernard cite très souvent
ce verset (ou y fait allusion) en usant d'un texte qui paraît lui être
personnel.
2. * *Sag.* 7, 30 ≠. Cf. *supra* 82, 7.

depuis la sottise de la première femme. Ainsi la sottise de la femme nous a privés de la saveur du bien, car la malice du serpent a abusé la sottise de la femme. Mais au lieu même où « la malice » a paru « vaincre » pour un temps, elle s'afflige d'être vaincue pour l'éternité. Car voici que la Sagesse a de nouveau rempli le cœur et le corps de la femme, pour que nous qui avions été fourvoyés dans la sottise par une femme, nous soyons reformés dans la sagesse par une femme. Et maintenant « la sagesse vainc toujours la malice[d 2] » dans les esprits où elle est entrée ; elle chasse par une saveur meilleure la saveur du mal, que l'autre avait insinuée. Par son entrée la sagesse, en rendant insipides les sens charnels, purifie l'intelligence, guérit et rétablit le palais du cœur. Le palais guéri savoure à nouveau le bien, il savoure la sagesse même, le meilleur de tous les biens.

9. Que de bonnes actions se font sans qu'elles donnent leur saveur à ceux qui les font[3] ! Car ils y sont poussés non par la saveur du bien, mais par la raison ou par une occasion ou une nécessité quelconque. En revanche, beaucoup de gens ne savourent pas le mal qu'ils font, mais ils y sont portés par la peur ou par le désir de quelque chose, plutôt que par la saveur du mal. Mais ceux qui « suivent les penchants de leur cœur[a] », ou sont des sages qui se délectent de la saveur même du bien, ou sont des méchants qui se complaisent dans la malice même, sans que l'espoir d'aucun autre avantage ne les attire. Or, qu'est-ce que la malice, sinon la saveur du mal ? Heureuse l'âme totalement gagnée à la saveur du bien et à la haine du mal ! C'est cela être reformé dans la sagesse ; c'est cela expérimenter avec bonheur la

---

3. Aux yeux de Bernard la saveur du bien ne saurait manquer dans une vie pleinement morale.

feliciter experiri. Nam in quo evidentius *sapientia vincere malitiam*[b] comprobatur, quam cum, excluso sapore mali,
15 qui non aliud quam ipsa malitia est, boni quidam intimus sapor mentis intima occupare tota suavitate sentitur ? Itaque ad virtutem spectat tribulationes fortiter sustinere, ad sapientiam *gaudere in tribulationibus*[c]. *Confortare cor tuum et sustinere Dominum*[d], virtutis est ; *gustare et*
20 *videre quoniam suavis est Dominus*[e], sapientiae est. Et ut magis ex propriae bono naturae bonum utrumque clarescat, modestia animi probat sapientem, constantia virum virtutis ostendit. Et bene post virtutem sapientia, quod virtus sit quoddam quasi stabile fundamentum,
25 super quod *sapientia aedificet sibi domum*[f]. Oportuit autem praecedere notitiam boni, quia *non est societas luci* sapientiae *et tenebris*[g] ignorantiae. Oportuit et bonam voluntatem, quia *in malevolam animam non introibit sapientia*[h].

IV. Quid sit Verbo conformari ad decorem, maritari ad
    fecunditatem, vel frui ad iucunditatem, quantum in hac
    vita.

10. Iam in voluntatis mutatione reddita innotuit animae vita, in eruditione sanitas, in virtute stabilitas,
314   in sapientia postremo maturitas ; superest ut decorem illi inveniamus, sine quo *specioso forma prae filiis hominum*[a]
5 placere non potest. Denique audit, quia *concupiscet rex decorem tuum*[b]. Quanta enumeravimus animae bona, dona Verbi, voluntatem bonam, scientiam, virtutem,

---

b. Sag. 7, 30 ≠   c. II Cor. 7, 4 ≠   d. Ps. 26, 14 ≠   e. Ps. 33, 9 ≠   f. Prov. 9, 1 ≠   g. II Cor. 6, 14 ≠   h. Sag. 1, 4 ≠
10. a. Ps. 44, 3 ≠   b. Ps. 44, 12

---

1. * *Sag.* 7, 30 ≠. Cf. *supra* SCt 82, 7.

victoire de la sagesse. Car quelle preuve plus évidente « de la victoire de la sagesse sur la malice[b 1] » que le rejet de cette saveur du mal, qui n'est autre que la malice même ? C'est alors que l'âme se sent intimement pénétrée par l'intime saveur du bien avec une douceur exquise. Ainsi, il revient à la force de supporter vaillamment les épreuves, à la sagesse de « se réjouir en elles[c] ». « Affermir ton cœur et attendre le Seigneur[d] » relève de la force ; « goûter et voir combien le Seigneur est doux[e] » relève de la sagesse. Et pour que l'un et l'autre bien éclate davantage par les qualités de sa nature particulière, la modération de l'esprit est la marque du sage, la constance fait voir l'homme fort. Et il est juste de mettre la sagesse après la force, parce que la force est comme le fondement solide sur lequel « la sagesse peut bâtir sa maison[f 2] ». Mais il a fallu que la connaissance du bien précède les deux, car « il n'y a pas d'alliance entre la lumière » de la sagesse « et les ténèbres[g] » de l'ignorance. Et tout d'abord, il a fallu la bonne volonté, car « la sagesse n'entrera pas dans une âme qui veut le mal[h] ».

IV. Ce que c'est que d'être conformé au Verbe dans la beauté, uni à lui dans un mariage fécond, et jouir de lui dans l'allégresse, autant qu'il est possible en cette vie.

10. Déjà nous savons que l'âme, par le changement de la volonté, a recouvré la vie ; par la connaissance, la santé ; par la force, la stabilité ; par la sagesse enfin, la maturité. Il nous reste à découvrir sa beauté, sans laquelle elle ne peut pas plaire « au plus beau des enfants des hommes[a] ». Car elle s'entend dire : « Le Roi désirera ta beauté[b]. » Que de biens de l'âme, dons du Verbe, avons-nous énumérés : la bonne volonté, la science, la force, la

2. L'auteur reprend sa doctrine en mentionnant les quatre vertus cardinales : la force, la sagesse, la modération et la constance.

sapientiam ! Et nihil horum Verbum rex concupiscere
legitur, sed tantum : *Concupiscet,* inquit, *rex decorem*
10 *tuum.* Ait Propheta : *Dominus regnavit, decorem induit*[c].
Quidni imagini suae pariter et sponsae simile cupiat
indumentum ? Tanto profecto sibi carior illa, quanto
similior erit. In quo ergo animae decor ? An forte in
eo quod honestum dicitur ? Hoc interim sentiamus, si
15 melius non occurrit. De honesto autem exterior inter-
rogetur conversatio : non quod ex ea honestum prodeat,
sed per eam. Nam in conscientia et habitatio eius, et
origo. Siquidem claritas eius *testimonium conscientiae*[d].
Nihil hac luce clarius, nihil hoc gloriosius testimonio,
20 cum veritas in mente fulget, et mens in veritate se
videt. Sed qualem ? Pudicam, verecundam, pavidam,
circumspectam, nihil penitus admittentem quod *evacuet*
gloriam[e] conscientiae attestantis, *in nullo consciam sibi*[f],
quo erubescat praesentiam veritatis, quo cogatur avertere
25 faciem quasi confusam et repercussam a lumine Dei. Hoc
plane, hoc illud decorum est, quod *super omnia bona*[g]
animae divinos oblectat aspectus, et nos nominamus ac
diffinimus honestum.

11. Cum autem decoris huius claritas abundantius
intima cordis repleverit, prodeat foras necesse est, tamquam
lucerna latens sub modio[a], immo *lux in tenebris lucens*[b],
latere nescia. Porro effulgentem et veluti quibusdam suis
5 radiis erumpentem mentis simulacrum corpus excipit,
et diffundit per membra et sensus, quatenus omnis
inde reluceat actio, sermo, aspectus, incessus, risus, si

---

c. Ps. 92, 1 ≠   d. II Cor. 1, 12   e. II Cor. 3, 7 ≠   f. I Cor.
4, 4 ≠   g. Matth. 24, 47
   11. a. Matth. 5, 15 ≠   b. Jn 1, 5 ≠

sagesse ! Et nous lisons que le Verbe-Roi ne désire rien de tout cela, mais seulement : « Le Roi, est-il dit, désirera ta beauté. » Le Prophète dit : « Le Seigneur a régné, il s'est revêtu de beauté[c] ». Comment ne souhaiterait-il pas un semblable vêtement à celle qui est à la fois son image et son épouse ? Assurément, elle lui sera d'autant plus chère qu'elle lui ressemblera davantage. Or, en quoi consiste la beauté de l'âme ? Est-ce ce qu'on appelle l'honnêteté ? Rangeons-nous à cet avis pour le moment, s'il ne s'en présente un meilleur. Sur l'honnêteté, interrogeons le comportement extérieur : non qu'il soit la source de l'honnêteté, mais il en est la manifestation. Car c'est dans la conscience qu'elle a son siège et son origine. Oui, son éclat, c'est « le témoignage de la conscience[d] ». Rien de plus éclatant que cette lumière, rien de plus glorieux que ce témoignage, lorsque la vérité brille dans l'âme et que l'âme se voit dans la vérité. Mais comment s'y voit-elle ? Pudique, réservée, timide, avisée, n'admettant absolument rien qui « puisse ternir la gloire[e] » du témoignage de la conscience. « Sa conscience ne lui reproche rien[f] » dont elle doive rougir en présence de la vérité, rien qui l'oblige à détourner le visage, comme confuse devant la lumière de Dieu qui la frappe. Oui, telle est cette beauté qui, « plus que tous les biens[g] » de l'âme, séduit les regards divins ; nous la définissons du nom d'honnêteté.

11. Or, quand l'éclat de cette beauté a rempli à profusion les recès du cœur, il faut qu'il paraisse au dehors, comme « une lampe cachée sous le boisseau[a] », ou plutôt comme « une lumière luisant dans les ténèbres[b] », qui ne saurait rester cachée. Le corps, image de l'âme, reçoit cet éclat resplendissant qui perce comme par ses rayons, et il le répand par les membres et par les sens, jusqu'à ce que tout en devienne lumineux : l'action, la parole, le regard, la démarche, le rire, mais un rire mêlé de gravité

tamen risus, mixtus gravitate et plenus honesti. Horum
et aliorum profecto artuum sensuumque motus, gestus
10 et usus, cum apparuerit serius, purus, modestus, totius
expers insolentiae atque lasciviae, tum levitatis, tum
ignaviae alienus, aequitati autem accommodus, pietati
officiosus, pulchritudo animae palam erit, si tamen *non sit
in spiritu eius dolus*[c] : potest enim fieri ut simulentur haec
15 omnia, et non *ex abundantia cordis*[d] taliter moveantur.

315   Et ut magis eluceat is animae decor, ipsum, si placet,
honestum, in quo hunc locandum censuimus, diffiniatur :
mentis ingenuitas, *sollicita servare*[e] cum *conscientia bona*[f]
famae integritatem, vel, iuxta Apostolum, *providere bona
20 non tantum coram Deo, sed etiam coram hominibus*[g]. Beata
mens quae hoc se induit castimoniae decus et quemdam
veluti caelestis innocentiae candidatum, per quem sibi
vindicet gloriosam conformitatem, non mundi, sed Verbi,
de quo legitur quod *sit candor* vitae *aeternae*[h], *splendor
25 et figura substantiae Dei*[i].

12. Ex hoc iam gradu audet, quae eiusmodi est, cogitare
de nuptiis. Quidni audeat, eo se nubilem quo similem
cernens ? Nec terret celsitudo, quam sociat similitudo,
amor conciliat, professio maritat. Professionis forma haec
5 est : *Iuravi et statui custodire iudicia iustitiae tuae*[a]. Hanc

---

c. Ps. 31, 2 ≠   d. Matth. 12, 34   e. Éphés. 4, 3 ≠   f. I Tim. 1,
5   g. II Cor. 8, 21 ≠   h. Sag. 7, 26 (Patr.)   i. Hébr. 1, 3 ≠
12. a. Ps. 118, 106

1. * *Sag.* 7, 26 Patr. Bernard a cité 8 fois dans les *SCt* ce verset, toujours en partant de la « blancheur éclatante », *candor,* de l'âme, comme
ici. D'autre part, il remplace la « lumière » par la « vie », suivant à la
lettre une expression imagée de Grégoire le Grand. Cf. *SC* 431, p. 76,
n.1 sur *SCt* 17, 3.

2. Bernard considèrerait-il la profession religieuse comme le début
officiel du mariage spirituel et à cause de cela, se serait-il efforcé
continuellement de fonder de nouveaux monastères? Geoffroy parle de
160 monastères sous la juridiction de l'abbé de Clairvaux au moment
de sa mort. (VACANDARD, *Vie* II, p. 413, n. 2). ~ Pourtant, ce passage

et tout empreint d'honnêteté. Oui, lorsque tous les mouvements des membres et des sens, leurs gestes et leurs expressions apparaîtront graves, purs, mesurés, dénués de toute insolence et de toute impudence, sans rien de léger ou de relâché, réglés par la justice, mis au service de la miséricorde, alors la beauté de l'âme sera manifeste, pourvu qu'« il n'y ait pas de fraude en son esprit[c] ». Car il peut arriver que tout cela soit simulé et ne vienne pas « de l'abondance du cœur[d] ». Et pour mieux mettre en lumière cette beauté de l'âme, définissons, si vous voulez, cette honnêteté qui à notre avis la constitue : c'est une noblesse de l'âme, « soucieuse de conserver[e] », avec « une bonne conscience[f] », une réputation intacte. Ou encore, selon l'Apôtre, une noblesse soucieuse « de faire le bien non seulement devant Dieu, mais aussi devant les hommes[g] ». Heureuse l'âme qui s'est revêtue de cette parure de chasteté et comme de la blancheur d'une innocence céleste. Par-là elle peut s'attribuer une glorieuse conformité non pas au monde, mais au Verbe, dont on lit qu'« il est la blancheur éclatante de la vie éternelle[h 1], l'image resplendissante de la substance du Père[i] ».

12. Parvenue à ce degré, une telle âme ose songer aux noces. Pourquoi n'oserait-elle pas, quand elle se voit d'autant plus prête au mariage qu'elle est plus semblable au Verbe ? Sa grandeur ne l'effraie pas, puisque la ressemblance les associe, l'amour les unit, la profession religieuse les marie[2]. Voici la formule de cette profession : « J'ai juré et résolu de garder les jugements de ta justice[a]. » Fidèles

peut s'expliquer autrement : s'adressant à des moines, Bernard décrit les progrès de l'âme dans l'amour de Dieu avec les images du cheminement monastique, depuis la sortie du monde (*SCt* 1, 12) jusqu'à la profession ici. Les textes scripturaires cités par Bernard ne font pas partie de la formule ni du rituel de la profession tel qu'il est décrit par les *Ecclesiastica Officia* 102, p. 294-299. Bernard veut sans doute donner ici le fondement biblique de la profession monastique. (Boulaur)

secuti Apostoli aiebant : *Ecce nos reliquimus omnia, et
secuti sumus te*[b]. Simile est illud quod in carnali quidem
connubio dictum, *Christi et Ecclesiae* connubium spirituale signavit : *Propter hoc relinquet homo patrem suum
et matrem suam, et adhaerebit uxori suae, et erunt duo
in carne una*[c], et apud Prophetam gloriatio maritatae :
*Mihi autem adhaerere Deo bonum est, ponere in Domino
Deo spem meam*[d]. Ergo quam videris animam, *relictis
omnibus*[e], Verbo votis omnibus adhaerere, Verbo vivere,
Verbo se regere, de Verbo concipere quod pariat Verbo,
quae possit dicere : *Mihi vivere Christus est et mori
lucrum*[f], puta coniugem Verboque maritatam. *Confidit
in ea cor viri sui*[g], sciens fidelem, quae prae se omnia
spreverit, *omnia arbitretur ut stercora, ut sibi lucrifaciat*[h].
Talem noverat, de quo dicebat : *Vas electionis mihi est iste*[i].
Prorsus pia mater et fidelis viro suo anima Pauli, cum
diceret : *Filioli mei, quos iterum parturio, donec formetur
Christus in vobis*[j].

13. Sed attende in spirituali matrimonio duo esse
genera pariendi, et ex hoc etiam diversas soboles, sed
non adversas, cum sanctae matres aut praedicando,
animas, aut meditando, intelligentias pariunt spirituales.
In hoc ultimo genere interdum exceditur et seceditur
etiam a corporeis sensibus, ut sese non sentiat quae
Verbum sentit. Hoc fit, cum mens ineffabili Verbi illecta

b. Matth. 19, 27   c. Éphés. 5, 31-32 ≠   d. Ps. 72, 28   e. Lc
5, 11   f. Phil. 1, 21   g. Prov. 31, 11   h. Phil. 3, 8 ≠   i. Act.
9, 15 ≠   j. Gal. 4, 19

à cette profession, les Apôtres disaient : « Voici que nous, nous avons tout laissé et t'avons suivi[b]. » Ces paroles sont semblables à celles qui ont été dites à propos du mariage charnel, mais qui préfiguraient le mariage spirituel « du Christ et de l'Église : C'est pourquoi l'homme quittera son père et sa mère et s'attachera à sa femme, et ils seront deux en une seule chair[c]. » Et chez le Prophète, la mariée se glorifie en disant : « Pour moi, mon bonheur est de m'attacher à Dieu, de mettre dans le Seigneur Dieu mon espérance[d]. » Si donc tu vois une âme, « quittant tout[e] », s'attacher au Verbe par tous ses désirs, vivre pour le Verbe, se conduire selon le Verbe, concevoir du Verbe un fruit qu'elle enfante au Verbe, une âme qui puisse dire : « Pour moi, vivre c'est le Christ et mourir est un gain[f] » ; tiens-la pour épouse et pour mariée au Verbe. « Le cœur de son mari lui fait confiance[g] », la sachant fidèle puisque pour lui elle a tout méprisé, « tout considéré comme ordures afin de le gagner pour elle[h] ». Le Verbe savait qu'il était tel, celui dont il disait : « Cet homme est pour moi un vase d'élection[i]. » Oui, l'âme de Paul était une mère dévouée et une épouse fidèle à son mari, lorsqu'elle disait : « Mes petits enfants, que j'enfante à nouveau dans la douleur jusqu'à ce que le Christ soit formé en vous[j]. »

13. Mais remarque que dans le mariage spirituel il y a deux sortes d'enfantements, et dès lors deux sortes de descendances, différentes sans être opposées. Car les saintes mères donnent le jour soit à des âmes spirituelles par la prédication, soit à des connaissances spirituelles par la méditation. Dans cette dernière sorte d'enfantement, l'âme est parfois ravie hors de soi et se détache même des sens corporels si bien qu'elle ne se perçoit plus elle-même tandis qu'elle perçoit le Verbe. Cela se produit lorsque l'âme, attirée par l'ineffable douceur du Verbe, se

dulcedine, quodammodo se sibi furatur, immo rapitur atque elabitur a seipsa, ut Verbo fruatur. Aliter sane
10 afficitur mens fructificans Verbo, aliter fruens Verbo : illic sollicitat necessitas proximi, hic invitat suavitas Verbi. Et quidem laeta in prole mater, sed in amplexibus sponsa laetior. Cara pignora filiorum ; sed oscula plus delectant. Bonum est salvare multos ; excedere[a] autem et
15 cum Verbo esse, multo iucundius. At quando hoc, aut quamdiu hoc ? Dulce commercium, sed breve momentum et experimentum rarum ! Hoc est quod supra, post alia, memini me dixisse, quaerere utique animam Verbum, quo fruatur ad iucunditatem.

14. Pergat quis forsitan quaerere a me etiam, Verbo frui quid sit ? Respondeo : quaerat potius expertum a quo id quaerat. Aut si et mihi experiri daretur, putas me posse eloqui quod ineffabile est ? Audi expertum : *Sive,*
5 inquit, *mente excedimus, Deo ; sive sobrii sumus, vobis*[a]. Hoc est : Aliud mihi cum Deo, solo arbitro Deo ; aliud vobiscum mihi. Illud licuit experiri, sed minime loqui ; in hoc ita condescendo vobis, ut et ego dicere, et vos capere valeatis. O quisquis curiosus es scire quid sit hoc,
10 Verbo frui, para illi non aurem, sed mentem ! Non docet hoc lingua : docet gratia. *Absconditur a sapientibus et prudentibus, et revelatur parvulis*[b]. Magna, fratres, magna

---

13. a. Cf. II Cor. 5, 13
14. a. II Cor. 5, 13   b. Lc 10, 21 ≠

---

1. Le ravissement est déjà décrit dans le *Dil* 27 (*SC* 393, p. 128-131). *Breve momentum et experimentum rarum* reprend les mots de *Dil : raptim atque unius vix momenti spatio.* On peut se rendre compte ici que Bernard reprend à la fin des idées qui l'ont guidé dès le début de ses recherches. Ailleurs il a la formule *Rara hora et parva mora, SCt* 23, 15 (*SC* 431, p. 230-231).

2. Cf. *SCt* 85, 1 (*supra*, p. 370-372).

3. Bernard refuse ici de parler de ses propres expériences spirituelles. Il fait appel au témoignage de saint Paul.

dérobe pour ainsi dire à elle-même, ou plutôt est ravie et s'échappe d'elle-même pour jouir du Verbe. Certes, l'âme est affectée tout autrement selon qu'elle fructifie pour le Verbe ou qu'elle jouit du Verbe. Dans le premier cas, les besoins du prochain la pressent ; dans le deuxième, la douceur du Verbe l'attire. Bien sûr, la mère trouve de la joie dans ses enfants ; mais l'épouse trouve une joie plus grande dans les embrassements. Précieux sont les enfants, gages d'amour ; mais les baisers sont plus délicieux. C'est bien de sauver beaucoup d'âmes ; mais être ravi hors de soi[a] et être avec le Verbe est bien plus agréable. Mais quand cela, et pour combien de temps ? Doux échange, mais bref instant et expérience rare[1] ! C'est là ce que je me souviens d'avoir dit plus haut[2], après tout le reste : l'âme cherche le Verbe pour jouir de lui dans l'allégresse.

14. Peut-être quelqu'un va-t-il me demander encore ce que signifie : jouir du Verbe ? Je réponds : qu'il cherche plutôt quelqu'un qui en a fait l'expérience pour lui poser cette question. Et s'il m'était donné d'en faire l'expérience moi aussi, crois-tu que je pourrais exprimer ce qui est ineffable[3] ? Écoute celui qui avait cette expérience : « Si nous sommes ravis en esprit, dit-il, c'est pour Dieu ; si nous sommes raisonnables, c'est pour vous[a]. » Ce qui signifie : autre est ma relation avec Dieu, dont Dieu seul est témoin ; autre ma relation avec vous. La première, il m'a été permis d'en faire l'expérience, mais non d'en parler. Pour la seconde, je me mets à votre portée, si bien que moi, je puisse en parler, et que vous, vous puissiez me comprendre. Ô toi, qui que tu sois, qui te montres curieux de savoir ce que signifie : jouir du Verbe, prépare pour cela non pas ton oreille, mais ton esprit ! Ce n'est pas la langue qui l'enseigne ; c'est la grâce. « Cela reste caché aux sages et aux intelligents, et est révélé aux tout petits[b]. »

et sublimis virtus humilitas, quae promeretur quod non docetur, digna adipisci quod non valet addisci, digna
15 a Verbo et de Verbo concipere, quod suis ipsa verbis explicare non potest. Cur hoc ? Non quia sic meritum, sed *quia sic placitum coram Patre*[c] Verbi, Sponsi animae, Iesu Christi Domini nostri, *qui est super omnia Deus benedictus in saecula. Amen*[d].

c. Lc 10, 21 ≠   d. Rom. 9, 5

Grande, frères, grande et sublime vertu que l'humilité :
elle mérite de recevoir ce qui ne s'enseigne pas, elle est
digne d'obtenir ce qui ne peut s'apprendre, digne de
concevoir par le Verbe et au sujet du Verbe ce qu'elle-
même ne peut pas expliquer par ses paroles. Pourquoi
cela ? Non parce qu'elle le mérite, mais « parce qu'il plaît
ainsi au Père[c] » du Verbe, l'Époux de l'âme, Jésus-Christ
notre Seigneur, « qui est au-dessus de tout, Dieu béni
dans les siècles. Amen[d]. »

SERMO LXXXVI

I. Commendatio verecundiae quae in sponsa apparet, et quod maxime adolescentibus congruat. – II. De loco orationi congruo et tempore, et quid per lectum vel noctem moraliter accipi debet.

I. Commendatio verecundiae quae in sponsa apparet, et quod maxime adolescentibus congruat.

1. Non est quod a me iam quaeratur, cur quaerat anima Verbum : satis superque id intimatum supra. Age, prosequamur reliqua praesentis capituli, dumtaxat quae ad mores spectant. Ubi primam nunc adverte sponsae
5 verecundiam, qua nescio an quidquam gratius adverti in moribus hominum queat. Hanc primo omnium libet quodammodo in manibus sumere, et quasi speciosum quemdam florem decerpere loco, nostrisque apponere adolescentibus : non quia non sit et in provectiori aetate
10 omni studio retinenda, quae est certe omnium ornatus aetatum, sed quod tenerae gratia verecundiae in teneriori aetate amplius pulchriusque eniteat. Quid amabilius verecundo adolescente ? Quam pulchra haec, et quam splendida gemma morum in vita et vultu adolescentis !
15 Quam vera et minime dubia bonae nuntia spei, bonae indolis index ! *Virga disciplinae*[a] est illi, quae pudendis affectibus imminens lubricae aetatis, actus motusque leves

1. a. Prov. 22, 15

SERMON 86

I. Éloge de la réserve qui paraît dans l'épouse. Elle sied surtout aux jeunes gens. – II. Le lieu et le temps favorables à la prière. Comment il faut comprendre le lit et la nuit selon le sens moral.

I. Éloge de la réserve qui paraît dans l'épouse. Elle sied surtout aux jeunes gens.

1. Il n'est plus besoin de me demander pourquoi l'âme cherche le Verbe : cela a été largement expliqué plus haut. Allons, poursuivons ce qui reste du présent passage, du moins pour ce qui est du sens moral. Remarque en premier lieu la réserve de l'épouse. Je ne sais si l'on peut rien remarquer de plus gracieux dans la conduite des humains. Avant tout, il me plaît de prendre cette réserve pour ainsi dire dans mes mains, de la cueillir ici comme une fleur admirable et de l'offrir à nos jeunes gens. Ce n'est pas qu'à un âge plus avancé il ne faille pas la conserver avec le plus grand soin, car elle est à coup sûr l'ornement de tous les âges. Mais il est vrai que la grâce d'une réserve délicate resplendit d'un éclat plus vif et plus beau dans un âge encore délicat. Quoi de plus aimable qu'un jeune homme réservé ? Quel beau et splendide joyau que la réserve dans la vie et sur le visage d'un jeune homme ! Messagère combien véridique et nullement douteuse de bonne espérance, indice d'une bonne nature ! Elle est pour lui « une baguette de discipline[a] » qui, levée sur les passions honteuses d'un âge porté à la lubricité, maîtrise ses actes et ses mouvements

coerceat, comprimat insolentes. Quid ita turpiloquii et omnis deinceps turpitudinis fugitans ? Soror continentiae
20 est. Nullum aeque manifestum indicium columbinae simplicitatis[b], et ideo etiam testis innocentiae. Lampas est pudicae mentis iugiter lucens, ut nil in ea turpe vel indecorum residere attentet, quod non illa illico prodat. Ita expunctrix malorum et propugnatrix puritatis innatae,
25 specialis gloria conscientiae est, famae custos, vitae decus, virtutis sedes, virtutum primitiae, naturae laus et insigne totius honesti. Rubor ipse genarum, quem forte invexerit pudor, quantum gratiae et decoris suffuso afferre vultui solet !

2. Usque adeo genuinum animi bonum verecundia est, ut et qui male agere non verentur, videri tamen verecundentur, dicente Domino : *Omnis qui male agit, odit lucem*[a]. Sed et *qui dormiunt, nocte dormiunt, et qui*
5 *ebrii sunt, nocte ebrii sunt*[b], *opera* nimirum *tenebrarum*[c] et digna latebris, tenebris occultantes. Interest tamen, quod occulta dedecoris, quae verecundia horum non habere, sed prodere erubescit, sponsae verecundia omnino non operit, sed exspuit, sed propellit. Idcirco ait Sapiens : *Est*
10 *pudor adducens peccatum, et est pudor adducens gloriam*[d]. *Quaerit* sponsa Verbum, verecunde quidem, quia *in lectulo*, quia *per noctes*[e] ; sed haec verecundia habet gloriam, non peccatum. Quaerit hoc ad purificationem conscientiae, quaerit ad testimonium, ut possit dicere :
15 *Gloria mea haec est, testimonium conscientiae meae*[f]. *In*

---

b. Cf. Matth. 10, 16
2. a. Jn 3, 20 ≠   b. I Thess. 5, 7   c. Rom. 13, 12   d. Sir. 4, 25 ≠   e. Cant. 3, 1 ≠   f. II Cor. 1, 12 ≠

---

1. * *Sir.* 4, 25 ≠. Sur ses 9 emplois de ce verset, Bernard 4 fois suit la *Vg*, et 5 fois il remplace le mot *confusio* (exprimé à 2 reprises) par le mot de sens voisin *pudor*. Pas de source connue.

légers, réprime ses insolences. Quoi de plus éloigné des propos indécents et de toutes les indécences qui s'en-suivent ? Elle est sœur de la continence. C'est le signe le plus manifeste d'une simplicité de colombe[b], et aussi la preuve de l'innocence. Lampe d'un esprit pudique, elle y brille sans cesse, si bien qu'elle décèle aussitôt la moindre indécence ou la moindre inconvenance qui chercherait à s'y installer. Ainsi elle extermine le mal et protège la pureté native ; elle est la gloire particulière de la conscience, la gardienne du bon renom, l'ornement de la vie, le siège de la force, les prémices des vertus, la louange de la nature et la marque de toute honnêteté. Et cette rougeur que la pudeur répand parfois sur les joues, quelle grâce et quelle beauté ne donne-t-elle pas au visage qui en est couvert !

2. La réserve est un bien si naturel à l'âme que même ceux qui ne craignent pas de faire le mal redoutent pourtant d'être vus. Car le Seigneur dit : « Tout homme qui fait le mal hait la lumière[a]. » Mais aussi « ceux qui dorment, dorment la nuit, et ceux qui s'enivrent, s'enivrent la nuit[b] », cachant dans les ténèbres leurs « œuvres de ténèbres[c] », dignes de rester cachées. Il y a pourtant cette différence : les secrets infâmes, que la réserve de ces gens-là rougit non pas d'avoir, mais de dévoiler, la réserve de l'épouse ne les dissimule pas, mais les expulse et les rejette. Aussi le Sage dit-il : « Il y a une pudeur qui amène le péché, et il y a une pudeur qui amène la gloire[d][1]. » L'épouse « cherche » le Verbe, avec réserve toutefois, car elle le « cherche dans son petit lit, au long des nuits[e] » ; mais cette réserve entraîne la gloire, non le péché. Elle le cherche pour purifier sa conscience, elle le cherche en vue du témoignage, afin de pouvoir dire : « Ma gloire, la voici : le témoignage de ma conscience[f]. » – « Dans mon petit lit, au long des nuits,

lectulo meo per noctes quaesivi quem diligit anima mea[g].
Verecundia tibi, si advertis, et loco signatur, et tempore.
Quid tam amicum verecundo animo quam secretum ?
Porro secretum et nox, et lectulus habet. Denique *orare*
20 volentes iubemur *intrare cubiculum*[h], utique secreti gratia.
Id quidem ad cautelam : ne coram orantibus laus humana
orationis furetur fructum, frustretur effectum. Sed doceris
nihilominus verecundiam sententia hac. Quid tam
proprium verecundiae, quam proprias vitare laudes, vitare
25 iactantiam ? Patet quod signanter et ad verecundiam,
orantibus petere secretum indixerit pudoris filius et
magister. Quid tam indecorum, maxime adolescenti,
quam ostentatio sanctitatis, cum tamen ab hac potissimum aetate aptum profecto capiatur temporaneumque
30 religionis exordium, Ieremia dicente : *Bonum est homini,*
si portaverit iugum ab adolescentia[i] ? Bona commendatio
secuturae orationis, si praemittas verecundiam, dicens :
Adolescentulus sum ego et contemptus ; iustificationes tuas
non sum oblitus[j].

II. De loco orationi congruo et tempore, et quid per lectum
vel noctem moraliter accipi debet.

319   **3.** Nec modo locum, et tempus observare oportet,
eum qui sibi orare voluerit. Tempus feriatum commodius
aptiusque maxime cum profundum nocturnus sopor
indicit silentium : tunc plane liberior exit puriorque
5 oratio. *Consurge in nocte,* inquit, *in principio vigiliarum*

g. Cant. 3, 1   h. Matth. 6, 6 ≠   i. Lam. 3, 27 ≠   j. Ps.
118, 141

j'ai cherché celui qu'aime mon âme[g]. » La réserve, si tu
fais attention, t'est indiquée et par le lieu, et par le temps.
Quoi d'aussi cher à une âme réservée que le secret ? Or,
aussi bien la nuit que le petit lit impliquent le secret.
C'est ainsi que, quand nous voulons « prier », il nous
est recommandé « d'entrer dans notre chambre[h] », sans
aucun doute à cause du secret. Et cela par précaution,
de peur que, si nous priions en public, la louange des
hommes ne nous dérobe le fruit de la prière et ne la
prive de son effet. Mais cette parole t'apprend aussi la
réserve. Quoi d'aussi approprié à la réserve que d'éviter
ses propres louanges, que d'éviter la vanité ? Il est clair
que c'est expressément en vue de la réserve que le fils
et le maître de la pudeur a prescrit à ceux qui prient
de chercher le secret. Quoi d'aussi inconvenant, surtout
pour un jeune homme, que l'ostentation de la sainteté ?
Pourtant, c'est bien cet âge qui est certes le plus adapté
et le plus propice aux débuts d'une vie religieuse. Jérémie
dit en effet : « Il est bon pour l'homme de porter le
joug dès sa jeunesse[i]. » Ta prière sera bien reçue si tu
la fais précéder par la réserve, en disant : « Je suis un
tout jeune homme, et méprisé ; je n'ai pas oublié tes
justes préceptes[j]. »

II. Le lieu et le temps favorables à la prière. Comment il faut comprendre le lit et la nuit selon le sens moral.

3. Celui qui veut prier à part soi doit faire attention
non seulement au lieu, mais aussi au temps. Les temps
de loisir sont les plus opportuns et les plus adaptés,
surtout lorsque le sommeil de la nuit instaure un profond
silence. Alors la prière jaillit bien plus libre et plus pure.
« Lève-toi dans la nuit, au commencement des veilles,

tuarum, et effunde sicut aquam cor tuum ante conspectum Domini Dei tui[a]. Quam secreta de nocte ascendit oratio, solo arbitro Deo sanctoque angelo qui illam superno altari suscipit praesentandam ! Quam grata et lucida, verecundo colorata rubore ! Quam serena et placida, nullo interturbata clamore vel strepitu ! Quam denique munda atque sincera, nullo respersa pulvere terrenae sollicitudinis, nulla aspicientis laude seu adulatione tentata ! Propter hoc ergo sponsa, non minus verecunde quam caute, et lectuli secretum petebat et noctis, orare, hoc est Verbum quaerere, volens : unum est enim. Alioquin non recte oras, si orando praeter Verbum aliquid quaeras, aut quod propter Verbum non quaeras, quoniam *in ipso sunt omnia*[b]. Ibi remedia vulnerum, ibi subsidia necessitatum, ibi resarcitus defectuum, ibi profectuum copiae, ibi denique quidquid accipere vel habere hominibus expedit, quidquid decet, quidquid oportet. Sine causa ergo aliud a Verbo petitur, cum ipsum sit omnia. Nam et si ista temporalia, cum necesse est, postulare videmur, si Verbum in causa est, ut quidem dignum est, non utique illa, sed hoc potius quaerimus, propter quod alia postulamus. Norunt hoc qui omnem usum harum rerum ad promerendum Verbum dirigere consueverunt.

4. Non pigeat tamen scrutari adhuc secreta lectuli huius et temporis, si forte in his aliquid lateat spirituale, quod venire ad medium prosit. Et si placet sentire lectuli quidem nomine humanam figurari infirmitatem,

---

3. a. Lam. 2, 19 ≠   b. Col. 1, 17 ≠

1. L'abbé de Clairvaux loue la prière de nuit et exhorte ses moines à toujours chercher le Verbe. Digne fin des Sermons sur le Cantique, chef-d'œuvre du grand auteur spirituel et mystique.

est-il dit, et répands ton cœur comme de l'eau devant la face du Seigneur ton Dieu[a]. » Combien secrète la prière monte de la nuit[1] ! Dieu seul en est témoin, avec l'ange saint qui la recueille pour la présenter sur l'autel céleste. Combien agréable et limpide, teinte du rouge de la pudeur ! Combien sereine et paisible, puisque aucun cri, aucun bruit ne vient la troubler ! Combien pure et sincère, enfin, quand aucune poussière de souci terrestre ne la salit, aucune louange ou adulation d'un spectateur ne la tente ! Voilà pourquoi l'épouse, avec autant de réserve que de prudence, désirait le secret du petit lit et de la nuit quand elle voulait prier, c'est-à-dire chercher le Verbe : car c'est tout un. Sinon, tu ne pries pas comme il faut, si en priant tu cherches autre chose que le Verbe, ou ne la cherches pas à cause du Verbe. Car « tout est en lui[b]. » Là sont les remèdes aux blessures, là les secours dont nous avons besoin, là la réparation de nos défaillances, là les moyens de nos progrès. Bref, c'est là que se trouve tout ce qu'il importe aux hommes de recevoir ou d'avoir, tout ce qu'il leur convient, tout ce qu'il leur faut. Il n'y a aucune raison de demander au Verbe autre chose que lui-même, puisque lui est tout. Même si nous paraissons demander des biens temporels, quand c'est nécessaire, si c'est le Verbe qui en est la cause, comme il se doit, ce ne sont pas tellement ces biens que nous cherchons, mais plutôt le Verbe, à cause de qui nous demandons tout le reste. Ils le savent, ceux qui sont habitués à n'user de ces biens que pour mériter le Verbe.

4. N'hésitons pas, cependant, à scruter encore les secrets de ce petit lit et de ce temps nocturne ; il s'y cache peut-être un sens spirituel qu'il serait utile de tirer au clair. Et si nous voulons bien comprendre que par le petit lit est représentée la faiblesse humaine, et par

5 nocturnis autem tenebris ignorantiam aeque humanam,
consequens est et congruum satis, ut *Dei virtus et Dei
sapientia* Verbum[a] contra utrumque originale malum
instantius requiratur. Nempe quid convenientius, quam
ut infirmitati virtus, ignorantiae sapientia opponatur ?

10 Et ne quid simpliciorum cordibus de hac interpretatione
resideat dubium, audiant quid super hoc sanctus Propheta
dicat : *Dominus opem ferat illi super lectum doloris eius ;
universum stratum eius versasti in infirmitate eius*[b]. Atque
id quidem de lectulo. Iam de ignorantiae nocte quid

15 manifestius, quam quod in alio identidem loquitur
Psalmo : *Nescierunt neque intellexerunt, in tenebris ambulant*[c], pro certo exprimens ipsam, in qua nati sunt, totius
humani generis ignorantiam ? Ipsa est, ut opinor, cui se
beatus Apostolus et fatetur natum, et gloriatur *ereptum*,

20 dicens : *Qui eruit nos de potestate tenebrarum*[d]. Unde et
dicebat : *Non sumus filii noctis neque tenebrarum*[e] ; item
ad omnes electos : *Ut filii*, inquit, *lucis ambulate*[f].

4. a. I Cor. 1, 24 ≠   b. Ps. 40, 4   c. Ps. 81, 5   d. Col. 1,
13 ≠   e. I Thess. 5, 5 ≠   f. Éphés. 5, 8

les ténèbres nocturnes l'humaine ignorance, alors il est logique et convenable de rechercher instamment le Verbe, « force de Dieu et sagesse de Dieu[a] », contre ce double mal originel. Oui, quoi de plus opportun que d'opposer la force à la faiblesse, la sagesse à l'ignorance ? Et afin qu'il ne reste aucun doute dans l'esprit des plus simples au sujet de cette interprétation, qu'ils entendent ce que le saint Prophète dit là-dessus : « Que le Seigneur l'assiste sur son lit de douleur ; tu as retourné tout entière sa couche de malade[b]. » Voilà pour le petit lit. Et pour la nuit de l'ignorance, quoi de plus évident que ce qu'il dit pareillement dans un autre psaume ? « Sans savoir, sans comprendre, ils marchent dans les ténèbres[c]. » Par-là, certes, le Prophète désigne cette ignorance où sont nés tous les humains. C'est elle, à mon avis, dont parle le bienheureux Apôtre, qui avoue y être né et se glorifie d'en avoir été délivré : « Il nous a arrachés au pouvoir des ténèbres[d]. » C'est pourquoi il disait aussi : « Nous ne sommes pas fils de la nuit ni des ténèbres[e]. » Et encore, à l'adresse de tous les élus : « Marchez, dit-il, en fils de lumière[f1]. »

---

1. « Marchez en fils de lumière. » Bernard ne reprend pas les ténèbres dionysiennes, ni n'annonce le nuage de l'inconnaissance. Les cisterciens cherchent la lumière aussi bien dans leurs églises que dans leurs écrits. Sur la fin de ce sermon, cf. Introduction, *supra* p. 24.

INDEX

INDEX SCRIPTURAIRE

Les italiques signalent une simple allusion scripturaire, la lettre qui suit le chiffre indique l'appel d'apparat scripturaire dans le paragraphe. Des précisions sur le mode de citation (≠, Patr., etc.) sont données p. 20 de ce volume. On a ici dissocié dans la colonne de gauche les références des versets conformes à la *Vulgate* de celles des versets dont le texte bernardin est spécifique.

ANCIEN TESTAMENT

Nouveau Testament

Galates

Éphésiens

GÉNÉRALITÉS

SUR LES INDEX SUIVANTS

Ces index, notamment l'Index thématique, sont loin d'épuiser la matière de l'œuvre. Pour chacun d'entre eux, différents **thèmes** ont été choisis. Sauf cas particuliers, indiqués par des renvois, **tous les emplois d'un même mot sont groupés dans le même thème. Pour tous les mots choisis, la totalité des emplois a été relevée.** De plus, chaque lemme est analysé et rangé selon une grille propre à chaque thème (cf. infra).

Pour chaque mot relevé, puis pour chaque division de la grille, le nombre total des occurrences est indiqué en exposant après le lemme, ou après le sigle rappelant le casier de la grille. Pour chaque mot sont imprimés en gras les lieux où celui-ci est défini ou entre dans un développement important pour le thème analysé. Les références renvoient à la numérotation des *Sermons* et de leurs paragraphes, avec en exposant le nombre d'emplois multiples. Lorsque ce nombre dépasse 5 pour un sermon, seul le nombre total dans ledit sermon est indiqué, sans le numéro des paragraphes. Cependant, dans le cas d'une occurrence importante, le numéro du paragraphe est maintenu entre parenthèses.

Le relevé a été réalisé à partir du texte latin édité par les *Sources Chrétiennes* : il tient donc compte des corrections introduites dans le texte des *SBO* rappelées en tête de chaque volume. Les titres et intertitres n'ont pas été pris en compte. La collection ayant retenu la rédaction définitive du sermon 24, et non la rédaction en deux textes courts transmise par la « zone de Morimond [1] », seules les occurrences de ce texte ont été relevées. Pour le *Sermon* 71, le texte propre à la recension Morimond-Clairvaux, et non contenu dans les recensions médiane et anglaise [2], est repérable dans les index sous la forme 71*. Ceci explique les quelques différences que l'on peut constater entre nos données et les résultats du *Thesaurus Sancti Bernardi Claraevallensis, series* B-Lemmata, Brepols, Turnhout, 2001.

Les lemmes ont été normalisés quant à l'orthographe selon le texte latin édité par les *Sources Chrétiennes,* ce qui conduit là encore à quelques différences avec le *Thesaurus.*

Les index sont consultables sur le site des Sources Chrétiennes [3] : se rendre sur la page http ://www.sources-chretiennes.mom.fr/index.php?pageid=Bd_index_accueil.

---

1. Cf. *SBO* I, p. XVI, et *SC* 431, Introduction, p. 22.
2. Cf. *SBO* II, p. 218-219, et *SC* 511, Introduction, p. 26-27.
3. A terme, le site permettra d'accéder à un relevé plus détaillé que la version ici présentée : par exemple, le détail des *realia* bibliques notées par b ou (b), celui des emplois de la catégorie A (autres sens) de l'Index thématique, etc..

INDEX DES NOMS PROPRES

Mis à part Dieu, Père, Fils, Esprit, cet index comprend tous les noms propres triés selon la grille suivante :

1. **Noms de lieux**
   - *o Bibliques*
   - *o Autres*
2. **Noms de personnes**
   - *o Bibliques*
     - Ancien Testament
     - Nouveau Testament
   - *o Autres*

Dans cet index, « **biblique** » signifie simplement que lieux ou personnages sont empruntés aux Livres saints, mais non pas uniquement dans les citations scripturaires. Étant donnée l'extrême imbrication des textes bibliques et du texte même des *Sermons,* les emplois des lemmes dans les textes scripturaires sont aussi indexés, et sans signalement particulier.

Les noms collectifs de religions tels que *juifs, pharisiens, catholiques, chrétiens,* etc., n'ont pas été relevés dans cet index ; on les trouvera dans l'Index thématique en « Vie Commune ». Les noms de sectes tels que *manichéens, eunomiens,* etc., se trouvent avec le nom de l'hérésiarque qui a donné naissance à la secte (*Manès, Eunome,* etc.).

Les différentes appellations de *Jésus* (*Jésus, Jésus Christ, Christ Seigneur...*) ont été regroupées sous le même lemme *Jésus-Christ,* la forme exacte dans le texte étant précisée en italiques. Les emplois dans les doxologies de chaque sermon ont été regroupés sous *Jésus-Christ (doxologies).* Les emplois qui ajoutent une qualification à la signification du mot apparaissent en gras.

Le nombre total d'occurrences pour chaque appellation apparaît en exposant.

NOMS DE LIEUX

NOMS DE PERSONNES

NOUVEAU TESTAMENT

Jésus-Christ[351]

Christ[219] : 1, 8 ; 1, 9 ; 2, 1 ;
2, 3 ; 2, 4 ; 2, 7 ; 3, 1 ;
6, 6² ; 8, 8 ; 10, 3 ; 10, 8³ ;
10, 10 ; 12, 2³ ; 12, 6 ;
12, 7 ; 12, 10 ; 12, 11 ;
13, 1 ; 13, 7 ; 14, 3 **; 14, 4** ;
14, 5 **; 15, 3²** ; **15, 4³** ;
19, 3 ; 19, 4 ; 19, 7 ; 20, 3 ;
20, 4⁵ ; 20, 6² ; 20, 7⁴ ;
20, 8³ ; 20, 9 ; 21, 1 ;
21, 2 ; 21, 7 ; 21, 9 ;
22, 9⁵ ; 22, 11⁵ ; 24, 8⁶ ;
25, 5 ; 25, 7² ; 25, 8 ;
26, 2 ; 26, 5 ; 27, 3 ; 27, 6 ;
27, 7 ; 27, 8 ; 27, 10 ;
27, 14 ; 28, 7 ; 28, 11 ;
28, 13² ; 29, 4³ ; 29, 5² ;
29, 6² ; 29, 8 ; 29, 9 ;
30, 9 ; 30, 10⁴ ; 30, 11 ;
31, 8² ; 31, 9² ; 31, 10² ;
32, 2 ; 32, 10² ; 33, 6 ;
33, 8 ; 33, 14 ; 33, 15 ;
33, 16 ; 34, 4 ; 39, 4 ;
39, 10 ; 42, 9 ; 44, 2 ;
44, 8 ; 45, 9 ; 46, 1 ; 46, 3 ;
47, 5 ; 48, 5 ; 48, 6² ;
48, 7³ ; 49, 5 ; 51, 2 ;
51, 5 ; 52, 3 ; 53, 5 ;
53, 9 ; 54, 8 ; 54, 11² ;
55, 1 ; 55, 2 ; 57, 3 ;
57, 11 ; 58, 7² ; 58, 8² ;
59, 4² ; 59, 5 ; 60, 4 ;
60, 6 ; 60, 8⁴ ; 61, 2 ;
61, 3⁴ ; 61, 4³ ; 61, 7 ;
62, 1² ; 62, 7 ; 63, 4 ;
64, 1 ; 65, 8 ; 66, 7 ;
66, 8⁵ ; 66, 9 ; 66, 10² ;
67, 6 ; 67, 7 ; 68, 3 ;
68, 6 ; 69, 1 ; 69, 5² ;
70, 5² ; 70, 6 ; 70, 7 ;
72, 2 ; 72, 7² ; 73, 2 ;
75, 2² ; 75, 11 ; 75, 12² ;
76, 2 ; 76, 6 ; 76, 10 ;
77, 1 ; 78, 1 ; 78, 3 ; 79,
3 ; 79, 4 ; 80, 1² ; 81, 9 ;
83, 2 ; 84, 4 ; 84, 7 ;

85, 12³ *Christ Jésus*³ :
10, 10 ; 48, 4 ; 79, 4
Christ Seigneur[17] : 3, 5 ;
13, 1 ; 19, 2³ ; 20, 3 ;
20, 7² ; 22, 6² ; 31, 8 ;
40, 4 ; 45, 5 ; 48, 6 ;
48, 7 ; 72, 5 ; 75, 2
Jésus[60] : 2, 2 ; 2, 3 ; 2, 8 ;
2, 9 ; 3, 3 ; 7, 5 ; 8, 2 ;
8, 7 ; 10, 10 ; 12, 6³ ;
12, 8 ; 15, 3⁴ ; 15, 4² **;
15, 6¹⁰ ; 15, 7³ ; 15, 8 ;
16, 13** ; 19, 7 ; 20, 2 ;
21, 2 ; 22, 9 ; 26, 12 ;
27, 7 ; 27, 9 ; 28, 12 ;
29, 1 ; 30, 7 ; 32, 3 ;
42, 11 ; 43, 1 ; 43, 4 ;
44, 3 ; 45, 3 ; 48, 6 ;
58, 8 ; 59, 5 ; 61, 8 ;
62, 6 ; 64, 6 ; 67, 7 ;
73, 5 ; 73, 8 ; 76, 8
Jésus-Christ[17] : 2, 4 ; 8, 3 ;
8, 4 ; 8, 7 ; 13, 3 **; 15, 1 ;
15, 6** ; 20, 5 ; 25, 8 ; 30, 8 ;
33, 6 ; 35, 9 ; 47, 8 ; 66, 2 ;
69, 5 ; 74, 11 ; 78, 3
Seigneur Jésus[35] : 2, 8 ; 3, 6 ;
6, 8 ; 6, 9 ; 9, 5 ; 12, 7 ;
12, 11 ; 19, 3 ; 19, 5 ;
20, 1² ; 20, 4 ; 22, 8 ;
23, 9 ; 25, 9 ; 32, 3 ;
33, 16 ; 37, 4 ; 44, 1 ;
44, 8 ; 45, 2 ; 45, 9 ;
47, 5 ; 47, 6 ; 48, 4 ;
49, 6 ; 56, 2 ; 58, 5 ;
67, 5 ; 69, 6 ; 73, 3 ;
74, 11 ; 75, 2 ; 79, 2 ; 79, 3

Jésus-Christ (doxologies)[64]

*Christ*³ : 2, 9 ; 9, 10 ; 50, 8
Christ Jésus : 10, 10
Jésus-Christ[59] : 11, 8 ; 14, 8 ;
15, 8 **; 16, 15** ; 17, 8 ;
18, 6 ; 19, 7 ; 20, 9 ;
21, 11 ; 23, 17 ; 24, 8 ;
25, 9 ; 27, 15 ; 29, 9 ;
30, 12 ; 31, 10 ; 32, 10 ;
34, 5 ; 35, 9 ; 37, 7 ;

INDEX DES *REALIA*

Dans cet index, le nombre d'emplois d'un lemme n'est indiqué en exposant que lorsqu'il dépasse 5.

Ici, la définition de « biblique » diffère de l'Index des noms propres, afin de rendre compte de l'imprégnation biblique des textes et de faire apparaître par les *realia* non bibliques l'environnement concret de Bernard. Ainsi convient-il de distinguer quatre catégories de *realia* :

- *realia* **non bibliques** : figurent les numéros du sermon et du paragraphe

- *realia* **bibliques notés par b** : les emplois dans une citation ou une allusion scripturaires, elles-mêmes reprises dans l'apparat et l'index scripturaires. Seul le nombre total de ces emplois est chaque fois indiqué (cf. supra, p. 432, n. 3).

- *realia* **bibliques notés par (b)** : les occurrences qui désignent une image évidemment biblique, ou celles qui sont une reprise dans la suite du texte des citations ou allusions bibliques évoquées ci-dessus, mais qui ne sont retenues ni dans l'apparat ni dans l'index scripturaires. Là encore seul le nombre total de ces emplois est indiqué (cf. supra, p. 432, n. 3). Pour les lemmes indiqués par un astérisque, les emplois classés en (b) n'ont pas été triés selon leur présence ou non dans l'apparat et l'index scripturaires.

- *realia* **notés par d (sens différent)** : les occurrences dont la signification n'entre pas dans la catégorie des *realia* et qui ne sont pas reprises dans un autre index.

Si l'on excepte quelques rares adjectifs, n'ont été retenus que les substantifs. Aucune distinction entre sens propre et sens figuré n'a été précisée dans cet index.

lineamentum 24, 6 ; 51, 7

lingua[50] 45, 7[4] ; 49, 3 ; 79, 1[2] ;
(b)[1] ; b[3] ; cf. Corps, médecine[39]

littera[44] 7, 5 ; 13, 8 ; 14, 8 ;
23, 3 ; 26, 7 ; 30, 2 ; 32, 10 ;
33, 3 ; 36, 1 ; 36, 2 ; 37, 2 ;
39, 1 ; 47, 2 ; 47, 4 ; 49, 1[2] ;
52, 1 ; 53, 5 ; 54, 2 ; 56, 1 ;
58, 2 ; 59, 3 ; 60, 1 ; 60, 3 ;
61, 2 ; 63, 1[2] ; 65, 8 ; 70, 1 ;
72, 1[2] ; 73, 1 ; 73, 2[4] ; 77, 2 ;
(b)[2] ; b[5]

litteratorius conflictus 16, 9

litteratura b[1]

lyra 33, 15

melos 15, 6

minium 66, 1

moralis[10] 16, 1 ; 17, 8 ; 23, 3 ;
23, 5 ; 51, 2 ; 60, 9 ; 63, 5 ;
71, 1 ; 80, 1[2]

musica b[1]

narratio 32, 4 ; 55, 1 ; b[1]

narrator 56, 1

opusculum 51, 5

oratio[57] 67, 2 ; 67, 4[2] ; cf.
INDEX THÉMATIQUE - Vie
spirituelle[54]

pagina 15, 1 ; 52, 2 ; 56, 7

parabola (b)[2] ; b[1]

pictura 13, 6 ; 37, 2[2]

poeta cf. INDEX DES NOMS
PROPRES - Noms de personnes -
Autres - Ovide (poeta)[1]

praepositio 72, 10

prooemium 7, 2

psalterium b[1] ; cf. Liturgie[1]

punctum (-us) 19, 3 ; 79, 3

repetitio 45, 2 ; 45, 8 ; 76, 8

sophisticus 72, 5

stilus 43, 4 ; 54, 1

syllogismus 41, 1

symphonia b[2]

textus 31, 8 ; 32, 10 ; 52, 1 ;
67, 4 ; 72, 6

tibia 33, 15

titulus[6] 1, 6[2] ; 1, 8 ; 1, 12 ;
66, 2 ; d[1]

tractatus 84, 7

tropus 78, 6

tuba 59, 9 ; b[1]

tympanistria b[1]

typus 39, 1 ; 44, 2 ; 48, 4 ; 54, 7

verbositas 79, 4

versiculus[7] 1, 10 ; 22, 7 ; 39, 3 ;
46, 4 ; 50, 1 ; 55, 1 ; 62, 3

versus, -us 67, 7

vocabulum[20] 6, 6 ; 7, 1 ;
8, 9 ; 14, 8 ; 15, 1 ; 15, 7 ;
15, 8 ; 16, 6 ; 19, 5 ; 23, 5[2] ;
23, 8 ; 25, 1 ; 43, 1 ; 49,
1 ; 57, 9 ; 58, 4 ; 72, 11 ;
77, 7 ; 85, 7

volumen 79, 1

Chevalerie, armes :

acies[6] (b)[1] ; b[1] ; d[1] ; cf. INDEX THÉMATIQUE - Connaissance - mens/mentis acies[3]

agmen 19, 5 ; 39, 5 ; 73, 8

arcus b[1]

arma[7] 39, 9[2] ; 64, 8 ; 65, 8 ; b[3]

armatura 39, 4

auriga 39, 6 ; 39, 8 ; 49, 5 ; 85, 5

calcar 33, 15[2] ; 39, 6 ; 39, 7

camus b[1]

castrum b[4]

catena 16, 7 ; 22, 7

cauterium 36, 7 ; 72, 8

centurio (b)[1] ; b[4]

compes b[1]

currus[18] 85, 5 ; (b)[14] ; b[3]

cuspis 29, 8

decipula 20, 4 ; 64, 7

eques 39, 9

equitatus[7] (b)[6] ; b[1]

exercitus[8] (b)[7] ; b[1]

exuviae 73, 2

ferrum[7] 18, 5 ; 30, 11 ; 58, 5[2] ; 61, 8[2] ; b[1]

flagellum[7] 21, 9 ; 26, 3 ; 33, 1 ; 39, 7 ; (b)[1] ; b[2]

flagrum 39, 8

frenum (-us)[7] 11, 2 ; 30, 5 ; 33, 11 ; 33, 15 ; 66, 12 ; 74, 8 ; b[1]

gladiatorius conflictus 16, 9

gladius (-um)[22] 1, 7 ; 18, 5 ; 29, 8 ; 66, 12 ; (b)[4] ; b[14]

habena 66, 3

iaculum 42, 2

lancea (b)[1] ; b[1]

laqueus[10] 1, 9 ; 15, 6 ; 20, 3 ; 33, 13 ; 44, 1 ; 76, 7 ; (b)[2] ; b[2]

manica b[1]

miles 61, 7 ; 61, 8

mucro 16, 11

patibulum (b)[1]

pharetra b[2]

quadriga 39, 6 ; 39, 7

rete, -is 64, 3 ; b[1]

retiaculum 76, 7

rota 39, 6 ; 39, 8

sagitta[11] (b)[4] ; b[7]

satelles 5, 6

scutum b[2]

sella 33, 15 ; cf. Mobilier, vaisselle[1]

spolium b[1]

tendicula 76, 7

verber 10, 10 ; 23, 2 ; 44, 8

vinculum 16, 7 ; 26, 4 ; 72, 9 ; 83, 3 ; b[1]

virga[8] 30, 5 ; 69, 3 ; b[5] ; cf. Végétaux[1]

Constructions, habitations :

adminiculum 5, 4 ; 5, 6 ; 78, 1

aedificatio[9] b[2] ; cf. INDEX THÉMATIQUE - Vie spirituelle[7]

Corps, médecine :

pelliceus b[1]

pellis[*53] (b)[6] ; cf. Constructions, habitations[47]

pes[*82] 4, 3 ; 6, 1 ; 8, 6 ; 11, 2 ;
16, 7 ; 21, 2 ; 55, 1 ; 57, 6 ;
62, 8 ; 64, 7 ; 74, 9 ; 80, 4 ;
80, 7 ; 83, 2 ; 84, 1 ;
85, 3 ; (b)[66]

pestilentia b[1]

pestis[10] 1, 2 ; 15, 7 ; 23, 14 ;
24, 4 ; 33, 14 ; 49, 8 ; 54, 8 ;
63, 6 ; 64, 1 ; 66, 2

phrenesis 25, 2

phreneticus 42, 3

pilosus b[3]

pilus (b)[2]

plaga[10] 10, 5 ; 26, 4 ; 26, 12[2] ;
42, 7 ; 57, 11 ; 84, 6 ;
(b)[1] ; b[2]

planctus 26, 3 ; 36, 5 ; 59, 3 ;
67, 3 ; (b)[1]

planta (pes) b[1]

ploratio 16, 7 ; (b)[1]

potio 3, 2

prurigo 15, 7

pupilla 25, 3

purgativus 45, 2

rabies 24, 1

remedium[7] 22, 8 ; 28, 5 ; 32, 3 ;
33, 11 ; 49, 7 ; 57, 9 ; 86, 3

renes[6] b[6]

ructus[14] (b)[14]

ruga b[5]

sanguineus 40, 1

sanguis[*42] 26, 9 ; 65, 8 ;
66, 8 ; (b)[39]

sexus[9] 66, 4[3] ; 66, 5 ; 66, 9 ;
66, 14 ; 71, 4 ; 73, 4[2]

singultus 3, 2 ; 26, 14 ; 32, 3 ;
67, 3

sinus, -us[24] 15, 7 ;
17, 2 ; 23, 2 ;
27, 11 ; 28, 9 ; 30, 4 ; 31, 9 ;
51, 5 ; 51, 10 ; 52, 1 ; 52, 2 ;
58, 1 ; 72, 7 ; 76, 6 ; 78, 3 ;
(b)[2] ; b[4] ; cf. Vêtements, bijoux[3]

spiraculum b[3]

sputum (b)[3]

stomachus[6] 18, 5 ; 30, 10 ;
30, 11 ; 36, 4 ; 80, 9 ; b[1]

sudor[6] 14, 4 ; 18, 6 ; b[4]

supercilium 14, 3 ; 24, 4

tabes 24, 4 ; 33, 15

tergum 67, 2 ; b[1]

tumor[8] 13, 2 ; 15, 6 ; 18, 5 ;
23, 14 ; 36, 2 ; 39, 6[2] ; 67, 1

typhus 23, 2

uber[*79] 79, 5 ; (b)[78]

ulcus 18, 5[2]

ulna b[1]

unguentum[*100] 18, 5 ; 31, 7 ;
31, 8 ; 32, 3 ; cf. Parfums[96]

unguis 58, 10

uterus[12] (b)[6] ; b[6]

valetudo 30, 11

vas[16] 67, 4 ; b[1] ; cf. Mobilier,
vaisselle[14]

venenatus 29, 4 ; 60, 4 ; 60, 6

venenum 18, 2 ; 28, 5

venter[19] 14, 4 ; 26, 12 ; 27, 10 ; 35, 3 ; 39, 7 ; 40, 2 ; 48, 8 ; 66, 6[2] ; b[10]

virulentus 59, 7

virus 24, 3 ; 24, 4 ; 82, 3 ; 85, 8

viscus[28] 3, 2 ; 5, 4 ; 9, 7 ; 9, 10 ; 10, 1 ; 11, 8 ; 12, 1 ; 16, 2 ; 23, 1 ; 26, 9 ; 31, 8 ; 41, 1 ; 43, 4 ; 61, 8[2] ; 62, 2 ; 63, 6 ; 66, 4 ; (b)[4] ; b[6]

vomitus b[2]

vulnus[30] 10, 6 ; 15, 6 ; 18, 5[2] ; 29, 4[2] ; 32, 3 ; 33, 12 ; 86, 3 ; (b)[17] ; b[4]

vultus[45] 3, 2 ; 16, 4[2] ; 16, 7 ; 17, 2 ; 24, 1 ; 24, 4 ; 25, 3 ; 26, 11 ; 27, 4 ; 28, 10 ; 30, 5 ; 31, 7 ; 33, 3 ; 51, 1 ; 55, 3 ; 61, 7 ; 63, 6 ; 71, 3[2] ; 74, 11 ; 82, 6 ; 84, 6 ; 86, 1[2] ; (b)[3] ; b[17]

Église, liturgie :

altare 9, 7 ; 33, 15 ; 49, 3 ; 86, 3 ; b[1]

apostolicus[10] 66, 11 ; 80, 9 ; d[8]

archidiaconus 33, 15

archiepiscopus 33, 15 ; 66, 11

calix[8] 26, 10 ; 51, 1 ; b[6]

cena b[1]

clericus 23, 12 ; 46, 2 ; 65, 5

clerus 46, 2 ; 46, 3 ; 46, 4 ; 66, 14 ; d[1]

concilium 80, 8 ; (b)[1] ; b[3]

cultura 80, 8 ; cf. Végétaux[1]

cultus[7] (b)[3] ; cf. Corps, médecine[3] ; cf. Végétaux[1]

decanus 33, 15

episcopus[16] 12, 9[2] ; 30, 12 ; 33, 15 ; 66, 11[6] ; 66, 14 ; 80, 8[3] ; 80, 9[2]

exsequiae 26, 3

funus 26, 3

holocaustum[6] (b)[1] ; b[5]

hymnus 71, 7 ; b[1]

iubileus 13, 7

laicus 66, 14

mensa[14] 66, 8 ; cf. Nourriture[13]

missa 50, 5

neomenia b[2]

opus Dei cf. INDEX THÉMATIQUE - Vie commune[2]

papa 80, 8

pascha b[1]

pentecoste (b)[1]

praepositus (praepono) cf. INDEX THÉMATIQUE - Vie commune[4]

presbyter 65, 5 ; 66, 11

psalterium 1, 10 ; cf. Arts et littérature[1]

ritus (b)[2] ; d[1]

sabbatum (b)[1] ; b[4]

sacerdos 23, 2 ; 65, 5 ; 66, 1

sacerdotalis 26, 3

sacerdotium b[1]

Métaux :

Objets usuels, outils :

mendicus 21, 8

mercatum 12, 8

meretricius 33, 15

meretrix (b)[1] ; b[3]

noverca 75, 1

nuptiae[11] 59, 7 ; 66, 3 ; 66, 4 ; 66, 5 ; cf. INDEX THÉMA-TIQUE - Volonté -Affectivité[7]

nurus, -us 8, 9

nutrix 9, 9 ; 70, 9 ; 75, 1

orphanus b[1]

ostiarius 15, 3

paranymphus 31, 5

pastor[36] (b)[19] ; b[17]

pastoralis (b)[1]

paterfamilias[11] 1, 4 ; 31, 7 ; 32, 8 ; 48, 8 ; 64, 9 ; 71, 4 ; (b)[1] ; b[4]

patrimonium 10, 3

pecunia 10, 3 ; 21, 8[2] ; 30, 9 ; 36, 3

pedissequus 31, 5

piscator b[1]

plantator b[1]

praedo, -onis 66, 1

pretium[17] 10, 3 ; 39, 2 ; 42, 8 ; 47, 6 ; 50, 5 ; 59, 3 ; 77, 1 ; (b)[7] ; b[1] ; d[2]

quadrans b[1]

quaestus, -us[11] 5, 3 ; 10, 3 ; 33, 16 ; 36, 3 ; 58, 2 ; 66, 3 ; 66, 14 ; b[4]

raptor 71, 13

rhetor 36, 1

rigator b[1]

rusticus 26, 7 ; d[1]

satrapes 39, 9

scortum 66, 4

scriba (b)[1] ; b[4]

senatus, -us 62, 2

servitor 39, 8

solemnitas 67, 7 ; 68, 3 ; cf. Liturgie[1]

stipendium b[1]

sumptus, -us b[1]

sutor 26, 7

talentum (b)[1] ; b[2]

talio, -onis 16, 9

teloneum b[1]

textor 26, 7 ; 65, 5

textrix 65, 5

usura b[1]

uxor[12] 59, 8 ; 64, 9 ; 65, 5 ; 65, 6 ; 66, 1[2] ; (b)[1] ; b[5]

vates 67, 7

venator 16, 1

viator 26, 1 ; (b)[1] ; b[1]

vindex b[1]

Végétaux :

absinthium 11, 2

aculeus 48, 1[2]

acumen 48, 2 ; d[4]

ager[13] 23, 1 ; 26, 7 ; 30, 11 ; 31, 7 ; 33, 4 ; 58, 7 ; (b)[1] ; b[6] *agricultura* b^2

arbor^{21} 48, 3^2 ; 48, 4^2 ; 48, 5^3 ; 59, 7 ; 60, 1 ; 60, 2 ; 60, 3 ; 60, 4 ; 63, 2 ; 63, 5 ; 81, 3 ; b^6

arbuscula 44, 2

arbustum 6, 2 ; b^1

arundineus 18, 4

arvum, -i 13, 1

botrus^{16} (b)^{12} ; b^4

calamus b^1 ; cf. Arts et littérature^2

cedrus (b)^1 ; b^2

cicuta 46, 5

cortex 33, 3^2 ; 47, 4

cultura 58, 2 ; cf. Liturgie^1

cultus^7 58, 6 ; cf. Corps, médecine^3 ; cf. Liturgie^3

cypressinus (b)^1 ; b^2

cypressus (b)^1

dumetum 16, 1

fasciculus^{19} 30, 7 ; (b)^{11} ; b^7

fascis 43, 1

fenum^{25} (b)^8 ; b^{17}

festuca b^1

ficulneus b^2

ficus, -us (-i)^{27} (b)^{17} ; b^{10}

flos^{*123} 60, 3 ; 60, 4 ; 60, 6 ; 70, 5^2 ; 86, 1 ; (b)^{117}

folium b^4

fomes 75, 1

frondosus (b)^1

frons, -dis (b)^1

fructus, -us^{*131} 1, 3 ; 1, 11 ; 5, 3 ; 5, 10 ; 6, 8 ; 7, 6 ; 9, 9 ; 11, 3^2 ; 11, 4 ; 11, 6 ; 15, 1 ; 19, 1 ; 20, 1 ; 22, 9 ; 23, 4 ; 23, 9 ; 26, 4^2 ; 26, 6^2 ; 26, 8 ; 28, 10 ; 36, 3 ; 46, 5 ; 48, 3 ; 60, 3 ; 65, 1 ; 68, 6 ; 71, 12 ; 72, 2 ; 77, 5 ; 83, 4^2 ; 84, 5 ; 84, 7 ; 86, 2 ; (b)^{94}

frumentum^8 b^8

frux 51, 3 ; 58, 2 ; 63, 1 ; b^2

furfur 33, 3

germen 48, 1 ; (b)^1 ; b^1

granum^7 5, 4 ; 33, 3 ; 55, 3^2 ; 73, 2 ; b^2

grossus, -i^{22} (b)^{16} ; b^6

herba^6 6, 2 ; 42, 6^2 ; 42, 8 ; 45, 2 ; 70, 3

hortulus 10, 7 ; 10, 9

hortus^{35} 23, 1 ; 26, 7 ; 30, 11 ; 31, 7 ; 32, 9 ; 46, 9 ; 47, 2^3 ; 47, 3^3 ; 47, 4^3 ; 47, 5 ; 48, 4 ; 58, 7 ; 70, 7 ; (b)^{11} ; b^5

hyssopum (-us) b^1

lignum^{44} 26, 4 ; 46, 3^4 ; 46, 8^4 ; 46, 9^4 ; 47, 5 ; (b)^{14} ; b^{16}

lilium^{*132} (b)^{132}

lolium 55, 3

malum, -i b^5

malus, -i^7 (b)^4 ; b^3

messis^7 (b)^1 ; b^6

nardus (-um), -i^{11} (b)^6 ; b^5

nucleus 42, 2 ; 73, 2

Vêtements, bijoux :

monile[12] (b)[8] ; b[4]

muraenula[9] (b)[6] ; b[3]

operculum 16, 9

ornamentum[11] 25, 3 ; 25, 6 ;
  28, 11 ; 28, 12 ; 39, 2 ; 41, 1 ;
  41, 2[3] ; 46, 3 ; (b)[1]

pallium b[2]

pannus (b)[1] ; b[1]

phalerae, -arum 41, 1

sinus, -us[24] 63, 6 ; (b)[1] ; b[1] ;
  cf. Corps, médecine[21]

stola b[5]

succinctorium (b)[1]

tela 15, 5

tunica b[2]

velamen 33, 3 ; 78, 4 ;
  (b)[1] ; b[1]

velum b[1]

vestimentum[10] 19, 7 ; 38, 2 ;
  75, 9 ; (b)[1] ; b[6]

vestis[11] 25, 6 ; 26, 6 ; 27, 4 ;
  28, 10 ; 39, 7 ; 45, 2 ; 63, 6 ;
  77, 1 ; 82, 3 ; 82, 5 ; (b)[1]

vestitus, -us b[1]

INDEX THÉMATIQUE

Il a fallu se restreindre dans le choix des mots, mais aussi se limiter à **quatre thèmes** qui ont paru plus spécifiques ou moins étudiés : **la connaissance, la volonté et l'affectivité, la vie spirituelle et la vie commune.** Là encore, une grille, décrite dans le tableau ci-dessous, permet d'affiner l'analyse sémantique. Cet index cependant ne résout pas tout ; il se veut avant tout indicatif. Les casiers présentés ne sont pas nécessairement utilisés pour chaque terme.

	Connaissance	Volonté et Affectivité	Vie spirituelle	Vie commune
G	sens général			
R	relation : tout ce qui est mutuel (amour, connaissance, etc.)			
Su	sujet, initiateur de la relation			
O	objet, destinataire de la relation			
So	source, ce(lui) qui fonde la relation			
A	autres sens : ce qui n'est pas répertorié (cf. supra, p. 432, n. 3)			
H				humaine
J				juifs
VCh				vie du Christ sur la terre
VÉ				vie de l'Église
VM				vie monastique

Toutes les occurrences des mots choisis ont été indexées, que celles-ci appartiennent ou non à une citation ou allusion scripturaire. Cette appartenance n'est pas signalée, l'apparat et l'index scripturaires permettant de la remarquer.

Pour regrouper à l'intérieur d'un même casier tous les sous-thèmes relatifs aux personnes divines, ceux-ci ont été précédés du mot *Dieu* (Dieu Christ, Dieu Époux, Dieu Père, etc.). Toutes les désignations du Verbe incarné (Jésus, le Seigneur Jésus, le Christ, etc.) ont été rassemblées sous l'unique appellation *Dieu Christ*.

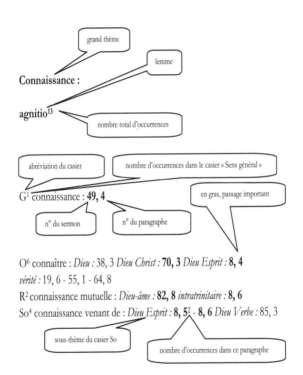

grand thème

lemme

Connaissance :

agnitio[13]

nombre total d'occurrences

abréviation du casier

nombre d'occurrences dans le casier « Sens général »

G[1] connaissance : **49, 4**

en gras, passage important

n° du sermon

n° du paragraphe

O[6] connaître : *Dieu :* 38, 3 *Dieu Christ :* **70, 3** *Dieu Esprit :* **8, 4**

vérité : 19, 6 - 55, 1 - 64, 8

R[2] connaissance mutuelle : *Dieu-âme :* **82, 8** *intratrinitaire :* **8, 6**

So[4] connaissance venant de : *Dieu Esprit :* **8, 5**[2] - **8, 6** *Dieu Verbe :* 85, 3

sous-thème du casier So

nombre d'occurrences dans ce paragraphe

CONNAISSANCE

addisco²

O¹ **apprendre** : *Dieu Verbe* : **85,14**

So¹ **apprendre de** : *expérience* : **1,11**

aestimo²⁶

G¹ **juger, estimer** : 21,7

O¹⁸ **juger, estimer** : *autres* : 25,5 ; 26,3 ; 49,2² *gloire du monde* : 76,3 *réalités spirituelles, vertus* : 10,6 ; 27,10 ; 34,2 ; 40,1 ; 41,6 ; 52,5 ; 60,6² ; 62,8 ; 79,1 ; 80,3 *soi-même* : 12,5 ; 38,3

So² **jugement venant de** : *amour* : 46,4 *sens corporels* : 28,9

Su⁵ **jugement, avis de** : *âme* : 44,4 *Bernard* : 24,3 ; 27,2 *épouse* : 9,4 ; 48,3

agnitio¹³

G¹ **connaissance** : **49,4**

O⁶ **connaître** : *Dieu* : 38,3 *Dieu Christ* : **70,3** *Dieu Esprit* : **8,4** *vérité* : 19,6 ; 55,1 ; 64,8

R² **connaissance mutuelle** : *Dieu-âme* : **82,8** *intratrinitaire* : **8,6**

So⁴ **connaissance venant de** : *Dieu Esprit* : **8,5²** ; **8,6** *Dieu Verbe* : 85,3

agnosco⁷⁴

G⁵ **(re)connaître** : 17,3 ; 29,3 ; 59,7 ; 72,3 ; 76,10

O⁶¹ **(re)connaître** : *amour du Verbe* : 45,8 *autres* : 23,2

Dieu : 17,5 ; **69,7²** *Dieu Christ* : 6,4 ; 25,9 ; 28,2⁵ ; **70,3** ; 70,5³ *Dieu Époux* : 23,15 ; 32,5 ; 53,1 ; 57,2 ; 57,4 *Dieu Fils* : 2,6 *Dieu Père et Fils* : **8,3** ; **8,4** *Dieu Verbe* : 35,5 *Écriture* : 2,4 ; 26,1 ; 27,6 ; 27,13² ; 39,10 ; 46,8 ; 48,8 ; 58,1 ; 77,4 *Église* : 27,7 ; 66,11 ; 78,4² ; 78,6 *grâce* : 67,12 ; 84,2 *nom de Jésus* : 15,4 *sagesse* : 25,6 *soi-même* : 12,9 ; 13,2 ; 20,1 ; 22,9 ; 25,2 ; 30,9 ; 51,3 ; 81,1 ; 81,5 *tentations* : 44,1 *venue du Verbe* : **74,2** *vérité* : 69,6 ; 74,8 *vices* : 64,3 ; 64,6 ; **64,7²**

So³ **connaissance venant de** : *Dieu Esprit* : **8,9** *sens corporels* : 28,4 ; 28,5

Su⁵ **connaissance de** : *autres* : 42,6 *Dieu* : **4,5** *Dieu Christ* : **14,4** *Église* : **14,2** *saints et anges* : 7,7

apprehendo²³

A⁶ **saisir** (non cognitif)

O¹² **comprendre** : *Dieu* : 62,6 *Dieu Christ* : 21,2 ; 48,5 ; 79,2 *Écriture* : 22,3 ; 32,1 *mystères, vérité* : 32,8 ; 32,10 *sagesse* : 63,3 *venue de l'Époux* : 57,5 **embrasser** : *bonté* : 27,11 *perfection* : 23,8

So² **compréhension venant de** : *Dieu Esprit* : **9,3** *foi* : **28,9**

Su³ **compréhension de** : *anges* : **5,4** *foi* : **76,6** *philosophes* : **22,10**

apprehensor, -oris[1]

O[1] comprendre : *sagesse* : 63, 3

argumentum[9]

G[2] argument : 60, 1 ; 72, 5

O[4] argument, preuve de : *foi* : 59, 9 ; 64, 8 *réalités spirituelles* : 34, 1 ; 54, 10

So[2] argument venant de : *Écriture* : 9, 5 *humanité du Christ* : 73, 5

Su[1] argument de : *ministres de l'Église, supérieurs* : 10, 2

capax[17]

O[3] capable de recevoir : *Écriture* : 39, 3 *nom de l'Époux* : 19, 1 *vérité* : **77, 5**

R[3] capacité réciproque : *esprits* : **5, 8** *intratrinitaire* : **71, 7[2]**

So[4] capacité venant de : *désir* : 83, 3 *ressemblance* : 31, 2 *vertus* : 27, 3 ; 34, 5

Su[7] capacité de : *âme* : **27, 10** ; **80[6](2, 3)**

cogitatio[41]

G[16] m é d i t a t i o n, contemplation : 7, 7 ; 9, 4 ; 52, 4 ; **62, 2** ; 62, 3[4] pensée : 3, 2 ; 29, 4 ; 47, 8 ; 55, 2 ; 63, 3 ; 64, 2 ; 64, 4[2]

O[8] penser à : *mal* : 44, 5 ; 44, 6 ; 85, 8 *réalités spirituelles* : 45, 7 *soi-même* : 37, 6 ; 37, 7 ; 54, 9 *vices* : 28, 11

So[8] pensée venant de : *chair* : 38, 1 *soi-même* : **32, 5[4]** ; **32, 7** ; 64, 3 ; 64, 6

Su[9] pensée de : *diable* : 37, 6 ; 44, 1 ; 64, 6 ; 77, 6 *Dieu* : 2, 4 ; 84, 6 *Dieu Christ* : 28, 2 ; 61, 4 *méchant* : 9, 5

cogitatus[1]

So[1] pensée venant de : *chair* : 22, 2

cogito, -are[61]

G[10] méditer, contempler : 15, 6 penser : 19, 7 ; **32, 5** ; **40, 5** ; 47, 8 ; **52, 4** ; 52, 6 ; 52, 7 ; 64, 4 ; 75, 10

O[37] penser à : *autres* : 26, 5 *Dieu* : 11, 1 ; 16, 4[4] *Dieu Époux* : 7, 3 ; 79, 1[3] *Dieu Verbe* : 74, 2 *Écriture* : 2, 1 ; 6, 6 ; 23, 1 ; 23, 5 ; 30, 7 ; 40, 1[2] ; 61, 2 ; 70, 3 ; 73, 3 ; 73, 7 *Écriture (introduction d'une citation)* : 64, 8 *eschatologie* : 62, 1 ; 73, 5 *monde* : 60, 2 ; 83, 5 *péchés* : 10, 5 ; 11, 2 ; 16, 4 *réalités spirituelles* : 45, 7 ; 60, 6 ; 60, 9 ; 84, 1 ; 85, 12 *repentir* : 38, 1 *vertus* : 46, 7

So[10] pensée venant de : *corps* : 16, 1 ; 21, 1 ; 26, 2 *Dieu* : 22, 8 ; **32, 7[2]** *Dieu Époux* : 51, 10 *soi-même* : **32, 5[3]**

Su[4] pensée de : *Dieu* : 2, 4 ; 2, 6 ; 84, 6 *Dieu Christ* : 61, 4

cognitio[17]

G[1] connaissance : 81, 6

O[12] connaître : *Dieu* : **23, 14[2]** *Dieu et soi-même* : **36, 7** ; **37, 4** *Dieu Père et Fils* : **8, 3** *soi-même* : 36, 5 ; **36, 6** ; **37, 1[2]** ; 38, 3 ; 42, 6[2]

R[1] connaissance mutuelle : *intratrinitaire* : **8, 1**

So[3] connaissance venant de : *Dieu Verbe* : 85, 1 *foi* : 28, 9 *sens corporels* : **5, 1**

cognosco[98]

A³ union conjugale

G⁸ (re)connaître : 1,7 ; 13,8 ; 27,10 ; 37,1 ; 45,3 ; 46,7 ; 60,5 ; 81,4

O⁶⁷ (re)connaître : *autres* : 12,4 *Dieu* : **8⁷(5)** ; 23,14 ; 36,1 ; 59,5 ; 60,5 ; 69,3 *Dieu Christ* : 1,4 ; 6,5 ; 20,7² ; 28⁷ ; 33,5 ; 48,7 ; 61,4 ; 72,11 ; 75,2 *Dieu Époux* : 53,4 ; 55,4² ; 75,8 ; 77,6 *Dieu Père et Fils* : 8,3 ; **8,4** ; 35,9 *Dieu Verbe* : **35,5²** *disciples du Christ* : 29,3 *Écriture* : **1,11** ; 7,5 ; 33,10 ; 73,6 ; 74,5 *Église* : 29,2 *hérésie* : 65,5 *littérature* : 26,7 *orgueil* : 54,8 *réalités spirituelles* : 6,8 ; 78,5 *Résurrection du Christ* : 75,12 *sagesse* : 62,3 *saints et anges* : 52,6 *soi-même* : 14,6 ; 37,6 ; 59,4 *venue de l'Époux* : 57,2 *venue du Père et du Verbe* : 69,6 *venue du Verbe* : 74,5 *vérité* : 33,8 ; 41,3² ; 72,5 ; 75,11 ; 79,2 *vices* : 24,4

R⁴ connaissance mutuelle : *Dieu-âme* : **82,8⁴**

So⁶ connaissance venant de : *Dieu Esprit* : **8,9²** *Écriture* : 1,2 *foi* : 31,8 *ressemblance* : **38,5** *vérité* : 42,6

Su¹⁰ connaissance de : *autres* : 59,3 ; 75,11 *Dieu* : 13,2 *Dieu Époux* : 45,3² ; 54,7 ; 55,4² *Église* : 14,1 *ministres de l'Église, supérieurs* : 10,2

comperio (-or)[26]

G¹ (re)connaître : 59,4

O¹⁹ (re)connaître : *autres* : 24,4 ; 26,7 ; 49,6 ; 51,3 ; 77,6 ; 80,1 *Dieu Christ* : 70,2 *Dieu Époux* : 53,2 ; 72,3 *Dieu Verbe* : 74,5 ; 84,5 *dignité de l'âme* : 81,5 *Église* : 78,6 ; 78,8 *hérétiques* : 65,1 *nom de l'Époux* : 47,2 *venue de l'Époux* : 57,4 *venue du Verbe* : 74,6 *vices* : 64,7

So⁴ connaissance venant de : *Dieu Esprit* : 79,1 *sens corporels* : 53,2 ; **59,9** ; 74,5

Su² connaissance de : *Dieu Époux* : 42,1 ; 51,5

comprehendo[24]

A¹⁵ rassembler ; saisir (non cognitif)

O³ comprendre : *Écriture* : 11,5² *réalités spirituelles* : 32,1

So¹ compréhension venant de : *foi* : 31,8

Su⁵ compréhension de : *foi* : **28,9³** ; **76,6** *personnages AT* : 9,5

coniecto (-or)[1]

O¹ deviner : *Dieu* : 18,6

consideratio[10]

O⁸ considérer : *corps* : 24,6 *Dieu* : 56,7 *Dieu Christ* : 48,4 *Écriture* : 9,6 *réalités sensibles* : **5,4** ; 58,4 *réalités spirituelles* : **39,10** *soi-même* : **44,4**

Su² considération de : *Dieu Époux* : 55,1 *Église* : 46,4

considero[28]

G¹ considérer : 67,3

O²³ considérer : *âme* : 82,5 *autres* : 54,8 *Bernard* : 30,6² *Dieu Christ* : 22,8 *Dieu Père et Fils* : 71,9 *dons de Dieu* : 51,6 *Écriture* : 29,2² ; 42,8 ;

53,3 ; 67,1 ; 72,4 *Église* :
60,6 ; 61,7 *épouse* : 28,13 ;
29,9 *réalités sensibles* : 48,2
saints : 25,5 *soi-même* : 23,2 ;
44,2 ; 44,4 ; 44,6

Su[4] **considération de** : *Bernard
et/ou auditeurs* : 26,10 ; 27,8
charité active : 50,5 *Église* :
62,1

desipio[4]

G[3] **manquer de sagesse** : 16,1 ;
20,1 ; 36,7

Su[1] **folie de** : *hérétiques* : 65,3

dialecticus[1]

G[1] **dialecticien** : 80,6

dignosco[3]

O[3] **reconnaître** : *Dieu Fils* :
76,4 *foi* : 76,3 *mal* : 32,6

discerno[20]

G[3] **discerner** : 25,3 **vertu de
discrétion** : 18,2 ; 19,7

O[12] **discerner** : *amour* : 33,2
anges : 33,9 *bien-mal* : **32,6** ;
81,6[2] ; 81,10 *conduite
morale* : 50,8 *pensées* : **32,5** ;
32,6 *réalités spirituelles* :
39,10 *vérité* : 33,8 *vertus et
vices* : 71,1

Su[5] **discernement de** : *Dieu* :
19,6 *Dieu Époux* : 54,7 ;
55,1 ; 73,6[2]

disciplina[43]

(cf. Vie commune)[38]

O[4] **connaître** : *monde,
animaux* : 5,6 **enseignement
sur** : *vertu* : 66,7 **interpréter** :
Écriture : 23,5 ; 63,5

So[1] **doctrine enseignée par** :
Dieu Christ : 27,7

discipulus[40]

(cf. Vie commune)[39]

G[1] **disciple** : 7,2

disco[43]

G[2] **apprendre** : 18,3 ; 18,4

O[13] **apprendre** : *arts libéraux* :
36,1 *conduite morale* : 59,7
Dieu Christ : 22,8 *Écriture* :
30,12 *réalités spirituelles* :
51,6[2] ; 54,9 ; 74,8 ; 84,7
vertus : 23,12 ; 42,4 ; 74,8 ;
77,6

So[21] **instruction venant de** :
Dieu : 34,2 ; 35,1 *Dieu
Christ* : 6,3 ; **20,4[2]** ;
42,7 ; 49,8 *Dieu Christ
ou Hippocrate* : 30,10 *Dieu
Époux* : **27,7[4]** *Dieu Esprit* :
69,2 *Écriture* : 21,10 ; 25,1 ;
63,1 *expérience* : 32,3 *foi* :
28,9 *morale* : 23,6[3]

Su[7] **instruction de** : *anges* : 19,4
Bernard : 26,7 *Dieu Christ* :
56,1[3] *ministres de l'Église,
supérieurs* : 23,2 *philosophes
et hérétiques* : 33,8

discretio[19]

G[8] **discernement** : 27,14 ; 52,6
vertu de discrétion : **23,8[5]** ;
30,12

O[9] **discerner** : *amour* : 20,4 ;
20,9 ; **49,5[2]** *bien-mal* : 76,9
esprits : 64,6[2] *vertus* : **49,5[2]**

So[2] **discernement venant de** :
Dieu Christ : 69,5 *Dieu
Esprit* : **32,6**

doceo[84]

G[4] **enseigner** : 26,7 ; 48,5 ;
51,7 ; 64,3

O[16] **enseignement sur** : *âme* :
80,3 ; 80,5[2] *Dieu Verbe* :

O[3] **erreur sur** : *Dieu* : 6,3 *dons de Dieu* : 13,2 *Écriture* : 30,7

Su[13] **erreur de** : *âme* : 36,5 ; 83,1 *hérétiques* : 64,8[2] ; 65,1 ; 66,4 ; 66,12 ; 80,9 *juifs* : 14,2 *personnages NT* : 28,10 *raison* : 11,5[2] ; 11,6

erudio[16]

G[3] **instruire** : 37,2[2] ; 67,2

O[5] **enseignement sur** : *jugement* : 33,1[2] *justice* : 27,13 ; 36,2 *sagesse* : 21,8

Su[8] **enseignement de** : *Dieu* : 1,12 ; 26,6 ; 31,4 *Dieu Époux* : 21,3 *Dieu Verbe* : **69,2** ; **69,6** *Écriture* : 23,2 *épouse* : 9,9

eruditio[4]

G[2] **science** : **69,2**[2]

So[2] **connaissance venant de** : *Dieu Verbe* : 85,10 *Écriture* : 16,1

eruditor[1]

G[1] **maître spirituel** : 50,8

experientia[13]

O[7] **expérimenter** : *Écriture* : **1,11** ; 31,5 *réalités spirituelles* : **22,2** ; 23,9 ; 83,6 ; **84,7** *vie monastique* : 33,11

So[1] **expérience venant de** : *sens corporels* : **28,9**

Su[5] **expérience de** : *Bernard et/ou auditeurs* : 1,9 ; **3,1** ; 6,9 ; 21,4 ; 49,7

experimentum[29]

G[2] **prouver par l'expérience** : 60,1[2]

O[15] **expérimenter** : *amour de l'Époux* : 52,2 *diable* : 44,1

Dieu : **36,6** ; 45,10 *Dieu Époux* : 9,5 *Dieu Verbe* : **85,13** *Écriture* : 39,3 ; 48,1 *réalités spirituelles* : 3,1 ; 3,5 ; 16,4 ; 22,8 ; 32,6 ; 73,10 *soi-même* : 50,6

So[4] **expérience venant de** : *Dieu Esprit* : 59,6 *sens corporels* : **28,8**[2] ; **28,9**

Su[8] **expérience de** : *Bernard et/ou auditeurs* : 18,1 ; 51,3 ; 57,5 ; **71,6** ; 74,7 *Dieu Christ* : **56,1**[3]

experior[80]

O[44] **expérimenter** : *affections humaines* : 52,1 *conduite morale* : 63,4 *diable, enfer* : 35,1 ; 66,13 *Dieu* : **36,6** ; 38,2 *Dieu Époux* : 9,5 *Dieu Verbe* : 83,6 ; 84,6 ; **85,14** *dons de Dieu* : 6,2 *Écriture* : **1,11**[2] ; 11,2 ; 22,4 ; 23,2 ; 23,6 ; **32,3** ; 35,6 ; 37,3 ; 48,7 ; 80,4 *ministres de l'Église, supérieurs* : 77,1 *nécessité* : 81,9 *réalités matérielles* : 51,4 *réalités spirituelles* : **4,1**[2] ; **41,3** ; 44,1 ; 48,8 ; 64,4 ; **67,8** ; 71,10 ; **84,7**[2] *sagesse* : **85,9** *venue de l'Époux* : 51,1 ; 57,5 *vérité* : 53,5 *vie monastique* : 29,3[2] ; 30,1 ; 33,10 *volonté du Père* : 72,2

So[2] **expérience venant de** : *grâce* : 50,2 *sens spirituels* : 67,6

Su[34] **expérience de** : *anges* : 76,5 *Bernard et/ou auditeurs* : 1,9 ; 9,7 ; 14,6[2] ; 18,1 ; 32,3 ; 42,2 ; 51,3 ; 57,5 ; 59,10 ; 64,1 ; 65,8 ; 69,1[2] ; 73,10 ; 74,1 ; 74,6 ; 74,8 ; **85,14** *chrétiens* : 2,4 *diable* : 33,13 *Dieu Christ* : 42,7

Dieu Trinité : 80,5 *juifs* : 73,2 *monde* : 11,6 *Paul* : **85,14²** *personnages AT* : 3,1 ; 31,4 ; 33,13 ; 35,1 ; 71,10 *Vierge Marie* : 48,6

explanatio⁵

Su⁵ **explication donnée par** : *Bernard* : 13,9 ; **63,1** ; 63,4 ; 71,12 *Gilbert de Poitiers* : 80,8

explicatio¹

Su¹ **explication donnée par** : *Bernard* : 78,1

falsitas⁸

So⁴ **fausseté venant de** : *ignorance* : **17,3⁴**

Su⁴ **fausseté de** : *philosophes et/ou hérétiques* : 33,8 ; 65,1 **faux, falsifié** : *bien* : 33,13 ; 64,6

falsus (fallo)¹⁵

G¹ **faux** : 25,2

So² **fausseté venant de** : *ignorance* : **17,3** *sens corporels* : 28,7

Su¹² **fausseté de** : *philosophes et/ou hérétiques* : 41,1 ; 65,2 ; 66,11 **faux, falsifié** : *bien* : 33,9 ; 33,13² *catholique* : 65,4 ; 65,8 *frère* : 24,2 ; 43,3 ; 48,1 *réalités spirituelles* : 81,1

gnarus²

O² **habile pour** : *Écriture* : 55,2 *mal* : 65,1

haeresiarcha¹

G¹ **hérésiarque** : 66,2

haeresis⁷

G⁷ **hérésie** : 64,8 ; 64,9 ; 65,2 ; **65,4** ; 66,2² ; 66,5

haereticus³⁹

G³⁹ **hérétique** : 20,4 ; 20,9 ; 29,2 ; **33,8** ; 33,15 ; 33,16² ; **41,1** ; 58,7 ; **64,8³** ; **64,9²** ; **65⁹(1, 2, 3, 4, 8)** ; **66⁹(1, 4, 5, 6, 9, 12)** ; 75,10² ; 76,9 ; 79,4 ; 80,6 ; 80,7²

ignarus⁴

G¹ **ignorer** : 41,5

O² **ignorer** : *mystère* : 76,1 *réalités spirituelles* : 3,1

Su¹ **ignorance de** : *personnages NT* : 20,5

ignorantia⁴⁹

G³ **ignorance** : 36,1² ; 40,5

O³⁴ **ignorer** : *Dieu* : 31,3 ; **35,7²** ; **35,9** ; **37,1** ; **37,5** ; **37,6** ; 37,7 ; **38,1²** ; **38,2** ; 38,3 *Dieu et soi-même* : **35,7** ; **35,9²** ; **36,1²** ; 36,7 ; **37,1** ; **37,6²** ; 38,5 *soi-même* : 35,6² ; **35,7** ; **35,9** ; **37,6²** ; 37,7 ; 38,3 *vérité* : **17,3³** ; 74,8

Su¹² **ignorance de** : *diable* : **37,6** *Église* : 14,1 *enfant* : 66,9 *homme pécheur* : 22,7² ; 22,8 ; **85,9** ; **86,4⁴** *païens* : 75,10

indoctus¹

G¹ **ignorant** : 52,6

inexpertus⁵

O³ **inexpérience dans** : *discernement* : 17,4 *Écriture* : **1,11** *réalités spirituelles* : 3,1

Su² **inexpérience de** : *créatures* : 8,1 *prophètes* : 33,6

innotesco²⁵

O²² **manifester** : *autres* : 24,4 *Dieu* : **4,5** ; 20,1 ; 23,16 ;

36,6 *Dieu Esprit* : **5,8** ; 9,3 *Dieu Fils* : 2,6 ; 28,5 *Dieu Père et Fils* : **8,3** *Dieu Trinité* : 8,7 *Écriture* : 23,3 *Église* : 27,7 *hérétiques* : 65,8 ; 66,14 *nom de Dieu* : 15,2 *réalités spirituelles* : 85,10 *Résurrection du Christ* : 76,2 *soi-même* : 42,6 *venue du Verbe* : 74,6 *vérité* : 70,5 **manifester à** : *Dieu* : 7,7

R¹ connaissance mutuelle : *hommes* : **8,4**

So² connaissance venant de : *sens corporels* : **4,5** ; **6,5**

inquiro²⁵

O²³ chercher à connaître : *Dieu* : **31,3²** ; **38,5** ; **40,3** *Dieu Christ* : 22,3 *Dieu Époux* : 8,6 ; 41,5 *réalités éternelles* : 11,4 ; 26,1 ; 59,4 *réalités spirituelles, vertus* : 23,17 ; 33,1² *sens de l'Écriture* : 1,5² ; 7,1 ; 32,1 ; 39,9 ; 41,5 ; 77,2 *vérité* : **40,2** *volonté de Dieu* : 35,3 ; 57,9

Su² recherche de : *Épicure et Hippocrate* : 30,10²

inquisitio⁴

O⁴ chercher à connaître : *Dieu Époux* : 45,4 *sens de l'Écriture* : 53,2 ; 53,3 *soi-même* : **58,12**

insanus³

G² insensé : 13,2 ; 29,7

Su¹ folie de : *homme pécheur* : 16,4

inscrutatus³

O² scruter : *Écriture* : 6,6 *soi-même* : 55,3

Su¹ examiné par : *Dieu Christ* : 55,2

insensatus³

Su³ folie de : *homme pécheur* : 44,5 ; 73,6 *homme sans Dieu* : 6,2

insipiens²⁰

G² insensé : 12,5 ; 23,14

So² folie due à : *orgueil* : 23,14 ; 69,1

Su¹⁶ bêtes sans raison : 35,3 ; 35,6 ; 82,2 ; 82,5² **folie de** : *Bernard* : 39,2 *débutants* : 84,7 *Ève* : 69,2 *homme pécheur* : 25,1 ; 32,5 ; 82,2 *homme sans Dieu* : 6,2 *infidèles* : 28,3 *juifs* : 14,4 *ministres de l'Église, supérieurs* : 23,8 *peuple* : 66,12

insipientia¹⁷

So³ folie due à : *orgueil* : 23,14 ; 34,5 ; 54,6

Su¹⁴ folie de : *Bernard* : 20,1 ; 74,5⁴ *Église* : 14,4 ; 30,3 ; 75,11 *Ève* : 85,8⁴ *homme pécheur* : 18,5 *juifs* : 14,4

instituo⁶

(cf. Vie commune)³

O¹ enseignement donné à : *ministres de l'Église supérieurs* : 46,2

So² enseignement venant de : *Dieu Époux* : 71,5 *Pères* : 46,2

instructio¹

So¹ instruction venant de : *Sagesse* : **23,14**

instruo²⁵

G⁴ enseigner : 5,5² ; 36,2 ; 41,2

O³ enseignement sur : *amour*

du Christ : 20,5 **régler, ordonner** : *conduite morale* : 39,1 ; 44,2

So¹ enseignement venant de : *Écriture* : 17,8

Su¹⁷ enseignement de : *Bernard* : 40,5 *Dieu* : **23,14** *Dieu Christ* : 12,7 ; 22,9 *Écriture* : 1,2 *expérience* : 6,9 *foi* : 45,5 *ministres de l'Église, supérieurs* : 10,2 ; **23,2** ; 44,1 ; 58,3 ; 76,7 ; 77,1 ; 77,5 ; 79,3 *Sagesse* : **23,14 instruction de** : *épouse* : 21,8

intellectualis¹

Su¹ intelligible : *réalités spirituelles* : 27,4

intellectus, -us⁶⁴

G²⁵ compréhension : **36,4 compréhension spirituelle** : 27,8 ; **28,7** ; **33,3²** ; **48,6⁴** ; **60,10** ; 85,8 **faculté de comprendre** : **17,8²** ; **20,4** ; **41,1³** ; **49,4** ; 57,8 ; 67,1² ; **67,3²** ; 70,5 ; **83,3**

O²¹ comprendre : *Écriture* : 32,1 ; 44,1 ; 47,1 ; 47,4 ; **51,4³** ; 53,4 ; 54,1 ; 56,1 ; 63,1 ; 67,9 ; 71,11 ; **73,2⁵** *réalités spirituelles* : 74,10 *soi-même* : 35,6²

So⁷ intelligence venant de : *Dieu Christ* : 16,2 ; 71,4 *Dieu Esprit* : **9,3²** ; 32,1 *Dieu Verbe* : 85,2 *Écriture* : 39,3

Su¹¹ Esprit d'intelligence : 8,6 ; 9,3 ; 16,13 **intelligence de** : *Bernard* : 41,1 *Dieu Époux* : 27,4 *hérétiques* : 64,9 *juifs* : 60,3² ; 60,4 ; 60,5 *philosophes et hérétiques* : **41,1**

intelligentia²²

G¹³ compréhension spirituelle : 45,5 ; **62,6** ; **85,13 intelligence** : 17,1 ; **17,8** ; **22,2** ; 24,5 ; 37,7 ; **48,7** ; 61,2 ; 67,2 ; 67,3 ; 67,9

O⁶ comprendre : *Dieu Époux* : 55,4 *Écriture* : 7,5 ; 52,1 ; 53,5 ; 67,9 *venue de l'Époux* : 57,5

So³ intelligence venant de : *Dieu Christ* : 16,2 *Dieu Esprit* : **8,6** *expérience* : 39,3

intelligibilis³

Su³ intelligible : *réalités spirituelles* : 5,3 ; 35,2 ; 58,4

intelligo⁸⁸

G¹⁰ compréhension spirituelle : **28,5** ; 28,7 ; 46,5 ; **48,6 comprendre** : 9,4 ; 35,3 ; **36,4** ; 59,4 ; 79,1 ; 82,2

O⁵⁹ comprendre : *amour du prochain* : 50,7 *anges* : 19,4 *Dieu* : 5,1 ; 5,4 ; 5,6 ; 22,6 ; 31,3 ; 53,5 *Dieu Époux* : 48,3 ; 76,1 *Dieu Esprit* : 8,2² ; **45,7** *Dieu Père et Fils* : 71,9 *Dieu Trinité* : **76,6** *Écriture* : 1,5 ; 1,6 ; 8,1 ; 12,8 ; 22,4 ; 23,7 ; 23,15 ; 24,5 ; 25,4 ; 27,8 ; 29,6 ; 30,1 ; 32,10 ; 40,1 ; 41,1 ; 46,2 ; 47,6 ; 49,7 ; 51,2 ; 51,8 ; 53,8 ; 56,1 ; 58,3 ; 58,4 ; 62,1 ; 62,7 ; 64,8 ; 72,1 ; 73,7 ; 73,8 *péchés* : 32,6 *réalités spirituelles* : 33,13 ; **38,2** ; 58,2 ; **73,10** *soi-même* : 30,9 ; **35,6⁴** ; 41,5 *venue de l'Époux* : 57,5 ; **57,7** *venue du Verbe* : **74,6**

So[6] intelligence venant de :
Dieu Esprit : **8, 6**[2] ; 14, 8 ;
42, 11 *Dieu Verbe* : **69, 6**
expérience : **37, 3**

Su[13] intelligence de : *anges* : 5, 4
Dieu : 9, 4 *hérétiques* : 66, 12
homme pécheur : **72, 7** ; **86, 4**
juifs : 60, 4 ; 60, 5[2] *ministres
de l'Église, supérieurs* : 53, 1 ;
58, 3 *Paul* : 5, 4 *philosophes* :
8, 5[2]

intuitus, us[17]

(cf. Vie spirituelle)[15]

Su[2] connaissance de : *anges* : 5, 4[2]

irrationabilis[1]

G[1] déraisonnable : 42, 3

irrationalis[1]

Su[1] bêtes sans raison : 5, 3

magister[34]

(cf. Vie commune)[19]

G[1] maître : 7, 2

Su[14] maître : *Dieu* : 16, 10 ;
23, 15 *Dieu Christ* : 19, 4 ;
86, 2 *Dieu Époux* : 38, 3 ;
45, 1 *Gilbert de Poitiers* : 80, 9
Paul : 20, 1 ; 30, 6 ; 36, 3 ;
42, 2 ; 81, 10 *personnages AT* :
17, 2 *personnages NT* : 59, 6

magisterium[10]

(cf. Vie commune)[2]

G[2] magistère : 19, 4 ; 83, 3

O[1] enseignement sur : *morale* : 23, 7

Su[5] magistère de : *diable* : 17, 5
Dieu Christ : 27, 7 *Dieu
Esprit* : 17, 4 ; 23, 8 *sagesse* :
24, 6

magistra[11]

Su[11] maître : *épouse* : 14, 5 ;
83, 6 *expérience* : 6, 9 *onction*

de l'Esprit : 17, 2 ; 69, 2 ; 83, 6
sagesse : 19, 6 ; 23, 14 *Vérité* :
74, 9 *volonté* : 19, 7 ; 23, 8

mens[130]

G[94] esprit dans sa capacité
cognitive : 1, 3 ; 1, 6 ; 1, 12 ;
2, 2 ; 5, 8 ; 6, 7 ; 6, 8 ; 7, 5 ;
7, 7 ; 10, 9 ; 11, 2 ; 12, 1 ;
13, 1 ; 13, 7 ; 15, 6 ; 17, 1 ;
19, 3 ; 22, 1 ; 22, 2 ; 22, 3 ;
25, 5 ; 29, 4 ; 31, 1 ; 31, 7 ;
32, 2 ; 32, 4 ; 32, 5 ; 32, 6 ;
32, 7 ; 33, 1 ; 35, 1 ; 35, 3 ;
36, 4 ; **40, 1** ; **40, 4** ; **40, 5** ;
41, 3 ; 44, 5 ; 45, 6 ; 46, 1 ;
49, 3 ; 50, 4 ; 50, 5 ; 50, 8 ;
51, 2 ; 51, 3 ; 51, 8 ; 51, 10 ;
52, 4 ; 52, 5 ; 54, 12 ; 57, 4 ;
57, 9[2] ; 62, 2[2] ; 62, 3 ; 62, 6 ;
62, 8 ; 63, 1 ; 63, 2 ; 63, 6 ;
67, 1 ; 67, 8 ; 72, 8 ; 72, 11 ;
74, 2 ; **74, 5** ; **74, 6** ; **76, 6** ;
85[11](10, 11, 13, 14) ; 86, 1
expressions diverses : *mentis
acies* : 19, 2 ; 62, 3 ; 62, 7
mentis excessus : 31, 6 ; 33, 6 ;
49, 4 ; **85, 14** *mentis latitudo* :
57, 8 *mentis oculus* : 10, 7 ;
28, 10 *mentis vertex* : 45, 6 ;
46, 3

Su[36] esprit de : *anges* : 62, 2
Bernard et/ou auditeurs : 9, 3 ;
26, 7 ; 51, 3 ; 54, 8[2] ; 58, 1 ;
61, 3 ; 67, 12 ; 73, 3 ; 75, 2 ;
80, 9 ; **81, 9** ; **81, 10** *Église* :
62, 1[2] *fidèles* : 28, 3 *hérétiques* :
66, 7 *Paul* : **30, 9**[4] ; 78, 7 ;
81[11](10) *philosophes* : 8, 5
saints : 77, 4

nescio[90]

A[22] je ne sais (rhétorique)

G[12] ignorer : **17, 3** ; 30, 1 ; 33, 4[2] ;
36, 1 ; **36, 3** ; **37, 1** ; 59, 7 ;
67, 4 ; 74, 8 ; 77, 4 ; 80, 3

notio[1]

Su[1] connaissance de: *Bernard*: 32,6

notitia[21]

G[1] connaissance : **23,14**

O[13] connaître : *anges* : 5,7 *bien* : **85,9** *Dieu* : **36,6** ; **37,6** *Dieu et soi-même* : **37,5** ; **37,6**[2] *Dieu Père et Fils* : 8,3 *jugement* : 33,1 *soi-même* : **37,2** ; **37,6** *venue de l'Époux* : 57,1 *vices* : 64,6

So[3] connaissance venant de : *amour* : **79,1** *Dieu Époux* : 57,8 *sens corporels* : **5,1**

Su[4] connaissance de : *anges* : 19,4 *auditeurs* : 63,7 *juifs* : 14,2[2]

opinor (-o)[18]

G[2] avoir une opinion : **17,3** ; 72,4

O[2] avoir une opinion sur : *Écriture* : 72,4 *réalités spirituelles* : 85,3

Su[14] opinion de : *Bernard* : 41,2 ; 51,2 ; 52,5 ; 56,1 ; 57,9 ; 59,1 ; 60,6 ; 67,2 ; 69,7 ; 75,9 ; 78,6 ; 80,6 ; 85,2 ; 86,4

pertingo[16]

(cf. Vie spirituelle)[12]

O[3] atteindre : *réalités spirituelles* : 5,3 ; 5,4 ; **67,8**

So[1] compréhension venant de : *Dieu Esprit* : **9,3**

philosophia[1]

Su[1] philosophie de : *Bernard* : **43,4**

philosophus[5]

G[5] philosophe : 33,8 ; 36,1 ; **41,1** ; 58,7 ; 79,4

praeceptor[6]

(cf. Vie commune)[4]

Su[2] maître : *Dieu* : 50,2 *Dieu Fils* : 21,3

praecognosco[1]

Su[1] prescience de : *Dieu* : 78,7

praescientia[1]

Su[1] prescience de : *Dieu Père* : 69,5

praescio, -ire[7]

Su[7] prescience de : *diable* : 17,5[2] *Dieu* : 78,6 ; 78,7 ; 78,8 *Dieu Père* : 21,7 *personnages AT* : 2,4

praescius[1]

Su[1] prescience de : *Dieu Fils* : 76,3

ratio[116]

A[4] comptabilité ; compte rendu

G[39] faculté de raisonner : 4,4 ; 5,6 ; 8,6 ; 9,2[2] ; **11,5**[3] ; **11,6**[2] ; **20,4**[3] ; 28,9 ; **30,9** ; 31,3 ; **35,8**[3] ; 50,4 ; **50,6** ; 53,8 ; 63,6 ; 67,3 ; **67,8** ; 73,1[2] ; **77,5** ; 79,1 ; **85**[7](4, 5) *motif* : 75,1 ; 76,3 ; 81,6

O[48] expliquer : *connaissance de Dieu et de soi* : 37,2 *Écriture* : 9,1 ; 21,10 ; 23,6 ; 23,7 ; 23,8 ; 25,2 ; 26,2 ; 32,1 ; 41,1 ; 47,4 ; 53,2 ; 55,1 ; 55,2 ; 57,11 ; 58,3 ; 72,4 ; 72,6 ; 72,11 ; 75,10 ; 85,1 *hérésies (pour ou contre)* : 64,9 ; 66,4 ; 66,12 *péché* : 81,7 *réalités spirituelles* : 3,3 ; 41,2 ; 42,8 ; 45,7 ;

sapidus[6]

O[5] goûter intérieurement : *amour, charité* : 50, 5 *Écriture* : 1, 1 ; 50, 1 *parole de Bernard* : 76, 9 *vertu* : 72, 3

So[1] saveur intérieure venant de : *sagesse* : 85, 8

sapiens (sapio)[98]

A[24] auteurs bibliques sapientiaux

G[40] sage : 11, 3[2] ; 12, 5 ; 13, 6 ; 18, 3 ; 21, 8[2] ; 23, 5[2] ; **23, 14**[2] ; 26, 7[2] ; 31, 2 ; 41, 6 ; 49, 8 ; 50, 7 ; **50, 8** ; 61, 3 sage (péj.) : 2, 8 ; 22, 10 ; 26, 7 ; 28, 7 ; 33, 10 ; 74, 10[2] ; 74, 11 ; 85, 14 **sage, vertueux : 63**[10]**(3)** ; **85, 9**[2]

O[7] comprendre : *Dieu Trinité* : 71*, 7 *venue de l'Époux* : 57, 5 goûter intérieurement : *amour intratrinitaire* : 8, 2 *chair, monde* : 6, 3 ; 28, 8 *Écriture* : 7, 5 *grandeurs* : 2, 8

So[5] sagesse, compréhension venant de : *crainte* : **23, 14**[3] *Dieu* : 41, 6 *Dieu Christ* : 22, 8

Su[22] sagesse, compréhension de : *amour, charité* : **19, 7** ; 73, 10 *diable* : 74, 10 *Dieu* : 48, 4 ; 61, 7 ; 73, 9 ; 80, 6[2] ; 80, 7 *Dieu Christ* : **20, 3** ; 27, 2 *Dieu Époux* : 76, 8 *Dieu Fils* : 6, 3 *Gérard* : 26, 7[2] *hérétiques* : 33, 16 *novices* : 19, 7 *Paul* : 44, 4 *personnages AT* : 18, 4 ; 27, 2 ; 28, 8 *personnages NT* : **20, 5**

sapientia[250]

A[2] auteurs bibliques sapientiaux

G[68] sagesse personnifiée : 15, 5 ; **23, 14**[2] ; 27, 2 ;

39, 3 ; 62, 8 **sagesse, compréhension** : 1, 1 ; 7, 6 ; 20, 8 ; 22, 8[3] ; 23, 10 ; 24, 6 ; **25**[7]**(6)** ; 28, 7 ; **28, 8**[3] ; 35, 2 ; 41, 5 ; 42, 9 ; **43, 4** ; 46, 8 ; 50, 4[2] ; 50, 5 ; 51, 3 ; **72, 2** ; 74, 9 ; **74, 10** ; **85**[8]**(7, 8) sagesse, vertu** : 21, 8 ; 30, 11[2] ; 44, 5 ; **63, 3**[2] ; 75, 9 ; **85**[16]**(8, 9)**

So[59] sagesse, compréhension venant de : *crainte* : **1, 2**[2] ; **6, 8** ; **23**[6]**(14)** ; **37**[6]**(1, 6)** ; 54, 12[4] ; 58, 11 ; 84, 7 *Dieu* : 1, 3 ; 19, 6 ; **28, 8** ; 53, 6 ; 82, 1 *Dieu Christ* : 2, 3 ; 13, 1[3] ; 13, 7 ; 19, 5 *Dieu Époux* : 32, 10 ; 54, 6[3] *Dieu Esprit* : **8, 6** ; **9, 3** ; 18, 1 ; 49, 3 *Dieu Fils* : 69, 4 *Dieu Verbe* : 62, 3 ; 62, 4 ; **69, 2**[2] ; 69, 6 ; 82, 7 ; **85**[8]**(7)** *Écriture* : 22, 2 ; 47, 4 ; 76, 9 *philosophes et hérétiques* : 33, 8

Su[121] **Dieu sagesse** : 78, 2 ; 80, 6[2] ; 80, 7 *Christ* : 6, 7 ; 13, 1 ; 16, 15 ; 19, 2 ; 19, 4 ; 19, 7 ; 20, 4 ; 20, 8 ; 22, 6[3] ; 22, 10 ; **48, 5** ; 50, 8[2] ; 53, 5 ; 60, 8 ; 78, 8 ; **85, 8** *Époux* : 22, 4[2] ; 71, 14 *Esprit de sagesse* : 8, 6 ; 9, 3 ; 15, 1 ; 16, 13 ; 17, 3 ; 39, 3 ; 40, 1 ; 44, 1 *Fils* : 69, 4 *Verbe* : 20, 8 ; **22**[6]**(5)** ; 51, 7[2] ; **61, 7** ; 80, 2[2] ; **85, 1** ; **85, 7**[2] ; 86, 4[2] **sagesse, compréhension de** : *amour, charité* : **50, 6** *anges* : 73, 9 ; **74, 10** *Bernard* : 20, 1 ; 42, 2 *chair, monde* : 1, 1 ; 1, 3[2] ; 6, 3 ; 16, 1 ; 28, 7 ; 30, 10[4] ; 30, 11 ; 36, 1[2] ; 48, 4 ; **48, 7** ; **74, 10**[2] *diable* : 17, 5 ; 74, 9 ; **74, 10**[3] *Dieu* : 4, 4 ; 19, 2[2] ; **19, 7** ; 27, 2 ; 27, 8 ; 27, 10 ; 32, 8 ; 34, 2 ; 41, 3[2] ; 62, 3[3] ;

Su[13] Esprit de science : 16, 13 **science de** : *Dieu* : 19, 5 ; **69, 5**[4] *Dieu Verbe* : 69, 2[2] *Écriture* : 67, 1 *hérétiques* : 65, 2 *ministres de l'Église, supérieurs* : 76, 10 *personnages AT* : **36, 4**[2]

scio[219]

G[42] **savoir** : 15, 3 ; 18, 3 ; 21, 8[2] ; 22, 8 ; 23, 2[2] ; **23, 14**[2] ; 29, 2 ; **36**[20]**(2, 3)** ; **37, 1** ; 42, 5 ; 44, 4 ; 45, 2[2] ; 61, 6 ; 62, 5 ; 76, 10 ; 78, 6 ; 79, 1 ; 81, 7 ; 85, 2

O[89] **savoir :** *amour de l'Époux* : 64, 10 *amour du Fils* : 8, 1 *amour, charité* : 18, 3 ; 20, 4 *anges, âmes* : 5, 8 *bien-mal* : 32, 6[2] ; **36, 4**[5] ; 69, 2 *Dieu* : 59, 5 *Dieu Christ* : **43, 4** ; 45, 3 ; 72, 11 ; 75, 8 *Dieu Époux* : 27, 4 ; 41, 5 ; 42, 1 ; 67, 2 ; 72, 3 *Dieu Esprit* : 46, 5 *Dieu Fils* : 75, 6 *dons de Dieu* : 11, 4 *Écriture* : 76, 8 *Écriture (introduction d'une citation)* : 7, 6 ; 9, 4 ; 14, 5 ; 16, 1 ; 17, 2 ; 21, 2[2] ; 21, 3 ; 25, 1 ; 34, 3 ; 36, 2 ; 37, 5 ; 43, 1 ; 48, 2 ; 50, 2 ; 56, 5 ; 57, 6 ; 59, 5 ; 78, 8 *Église* : 64, 10 *eschatologie* : 35, 7 ; 35, 9 *hérétiques* : 65, 8 *juifs* : 29, 1 *mérites* : 68, 6 *péché* : 85, 4 *réalités spirituelles* : **3, 1** ; 13, 7 ; 16, 4 ; 17, 2 ; 21, 2 ; 23, 3 ; 28, 7 ; 31, 2 ; 32, 7 ; 69, 7 ; 69, 8[2] ; 82, 7 *soi-même* : 14, 5 ; 23, 9[2] ; 23, 13 ; 26, 2 ; **36, 5** ; 37, 6 ; 38, 4 ; 38, 5 ; 42, 6 ; 58, 10 ; 81, 5 ; 81, 10 *soi-même et autres* : 37, 7[2] *venue de Dieu* : 31, 4 *venue de l'Esprit* : 17, 1 *venue du Verbe* : 32, 7 *vérité* : 62, 8 *vertus* : 22, 10 *vices* : 64, 7[2] *vie*

monastique : 64, 3

So[25] **science venant de** : *connaissance de soi* : 44, 4 *créatures* : **31, 3** *Dieu* : **23, 14** ; 50, 2 *Dieu Christ* : 22, 8 *Dieu Esprit* : 8, 7 ; 32, 1 ; 65, 4 ; **79, 1** *Écriture* : 46, 5 ; 51, 2 ; 56, 3 ; 74, 9 *expérience spirituelle* : 32, 3 ; 32, 4 ; 37, 3 ; **59, 6** ; 72, 11 ; **75, 2** ; 85, 5 ; **85, 14** *vérité* : **74, 8**[2] ; 74, 9[2]

Su[63] **science de** : *auditeurs* : 15, 2 ; 26, 3 ; 26, 4 ; 26, 7 ; 29, 2 ; 43, 4 ; 44, 8 ; 56, 7 ; 58, 11 *Bernard* : 23, 9[4] ; 26, 5 ; 26, 6 ; 33, 7[2] ; 33, 10 ; 36, 2 ; 43, 3 ; 44, 8 ; 51, 4 ; 74, 5 ; 82, 1 ; 84, 4 *Dieu* : 19, 6 ; 20, 1 ; 26, 6 ; 28, 13 ; 38, 2 ; 43, 4 ; **54, 10** ; 59, 6 ; 78, 6 ; 83, 4 *Dieu Christ* : 16, 13 ; 25, 8 ; 42, 7 ; 55, 1 ; **56, 1**[3] ; 58, 6 ; 59, 4 ; 61, 4 *Dieu Époux* : 60, 5 *Dieu Verbe* : 85, 12 *Église* : 30, 5 *Gérard* : 26, 6[2] *hérétiques* : 65, 2 *juifs* : 15, 8 *ministres de l'Église, supérieurs* : 23, 8 ; 25, 2 ; 76, 7 ; 76, 9 *Paul* : 54, 9 ; 56, 5 ; 58, 4 *personnages AT* : 13, 4 ; 26, 12 ; 48, 6 ; 56, 4

sciolus[1]

G[1] **qui croit savoir :** 67, 1

scrutatio[1]

O[1] **scruter** : *Dieu* : **62, 5**

scrutator[8]

O[7] **scruter** : *Dieu* : 8, 5 ; 26, 2[2] ; 31, 3 ; **62, 4**[2] *soi-même* : 54, 9

Su[1] **examiné par** : *Paul* : 62, 3

scrutatrix[2]

O[1] **scruter** : *Dieu* : **38, 5**

Su[1] **examiné par** : *Église* : **62, 4**

scrutinium[7]

O[4] scruter : *Dieu :* **62, 4**
Écriture : 67, 1 ; 77, 8 *soi-même :* **58, 12**

Su[3] examiné par : *Dieu Christ :* 55, 2[3]

sensus, -us[148]

G[59] âme, esprit : 21, 6 ; 29, 4 ; 42, 8 **pensée, intelligence :** 8, 2 ; 8, 6 ; 8, 7 ; 13, 7[2] ; 16, 1 ; 17, 1 ; 21, 1 ; 26, 2 ; 32, 8 ; 60, 2 ; 66, 10 ; 67, 9 ; 75, 10 **sens corporels :** **4, 5** ; **5, 4** ; 8, 6 ; 13, 5 ; **15, 8[2]** ; 23, 8 ; 23, 16[2] ; 27, 2 ; 28, 3 ; **28, 8** ; **28, 9[2]** ; **35, 1[2]** ; **35, 2[3]** ; 44, 5 ; 44, 6 ; 45, 6 ; 52, 3 ; 85[7] **sens intérieurs :** 15, 6 ; 15, 7[2] ; 22, 2 ; 24, 6 ; **24, 7** ; 52, 3[2] ; 73, 1[2] ; **74, 2** ; 83, 4

O[60] comprendre : *bien-mal :* 76, 9 *Dieu :* 4, 4 **sentir intérieurement :** *amour, désir :* 13, 2 *contrition, regret des péchés :* **15, 8[4]** ; **16, 4[3]** ; **16, 8[2]** *vie :* 52, 4[2] **signification de :** *Écriture :* 2, 4 ; 5, 4 ; 7, 6 ; 8, 6 ; 9, 9 ; 13, 8 ; 16, 1 ; 20, 4 ; 22, 2 ; 22, 10 ; 23, 2 ; 23, 3 ; 23, 4 ; 24, 3 ; 25, 4 ; 26, 1 ; 27, 8 ; 27, 15 ; 28, 13 ; 29, 7 ; 29, 9 ; 30, 1 ; 30, 2[2] ; 30, 7 ; 30, 8 ; 32, 10 ; 36, 4 ; 51, 2 ; 51, 4[2] ; 60, 8 ; 62, 1 ; 63, 1[2] ; 64, 8 ; 67, 1[2] ; 67, 9[2] ; 71, 12 ; 72, 1 ; 72, 5 ; 73, 7 ; 75, 10 *vérité, sagesse :* 35, 2

So[1] compréhension venant de : *Dieu Verbe :* 69, 6

Su[28] pensée, intelligence de : *Bernard :* 10, 1 *Dieu Christ :* 61, 4 *Dieu Trinité :* 8, 6 *Église :* 20, 9 ; 80, 6 *Gérard :* 26, 7

sens corporels de : *animaux :* **81, 3** ; 81, 6 *Bernard et/ou auditeurs :* 19, 7 ; 74, 6 *créatures :* 5, 10 *Dieu :* **4, 5[2]** *Dieu Christ :* **56, 1[2]** *martyrs :* **61, 8** *personnages AT :* **28, 7** ; **28, 8** *personnages NT :* **28[7](8, 9, 10)** **sens intérieurs de :** *auditeurs :* 1, 1 *Bernard :* 14, 6 *Dieu Époux :* 12, 1

sentio[230]

G[17] comprendre : 9, 9 ; 16, 11 ; **17, 3** ; 38, 3 ; 42, 4 ; 51, 4 **sens corporels :** **5, 1** ; **5, 4** ; **81, 3[3]** **sentir intérieurement :** 5, 9 ; **24, 7** ; 32, 6 ; 40, 5 ; 42, 1 ; 44, 4

O[127] comprendre : *Dieu :* 6, 2 ; 41, 6 ; 80, 6 ; 80, 8 *Dieu Christ :* 6, 5 ; **20, 9** *Écriture :* 23, 1 ; 23, 3 ; 23, 11[2] ; 24, 5 ; 26, 2 ; 27, 1 ; 28, 1 ; 29, 6 ; 48, 1 ; 52, 3 ; 53, 3 ; 55, 2 ; 60, 6 ; 61, 2 ; 67, 2[2] ; 67, 9 ; 67, 12 ; 72, 1 ; 72, 3 ; 85, 10 ; 86, 4 *Église :* 77, 4 *péchés :* 10, 9 *pensées :* 32, 5[2] *réalités spirituelles :* 14, 6 ; 41, 4 ; 50, 5 ; 71, 10 *science :* 36, 2[2] *soi-même :* 18, 4 ; 34, 1 ; 50, 6 ; 55, 3 *venue de l'Esprit :* 17, 1 *venue du Verbe :* 74, 2 *vertus :* 21, 8 *vices :* 54, 12 **sentir intérieurement :** *acédie :* 21, 5 *amour de l'Époux :* 52, 2[2] *amour du Verbe :* 32, 2 ; 45, 7 ; **45, 8[2]** ; **84, 6** *amour, désir :* 31, 4 ; 49, 5 ; 57, 7 ; **69, 7** *bien :* 85, 9 *châtiment, colère de Dieu :* 42, 1 ; 42, 4 ; 48, 1 ; 54, 10 ; 69, 3 *contrition, regret des péchés :* 12, 1 ; **16, 4** ; 57, 6 *Dieu :* 11, 2[2] ; 26, 5 ; 75, 4 *Dieu Christ :* **22, 8** ; 33, 6 ; 37, 4 ; 60, 8[2] *Dieu Époux :* 19, 7 ; 22, 1[2] *Dieu*

Esprit : 3,1 ; 8,9 ; 9,3 *Dieu et soi* : 16,5 *Dieu Verbe* : **85,13** *Écriture* : 22,4 ; 67,7 *force* : 85,8 *inquiétude* : 39,7 *nécessité* : 81,9 *nom de l'Époux* : 19,1[2] *péché* : 16,15 *réalités spirituelles* : 3,5 ; 9,7 ; 14,5 ; 18,1 ; 51,6 ; 54,9 ; **67,3**[4] ; 67,6 *salut* : 14,3 ; **15,8** ; 16,2 *soi-même* : 10,1 ; 11,2 ; 11,5 ; 44,5 ; 50,2 ; 51,10 ; **85,13** *venue de l'Époux* : 51,1 ; 57,4 ; 57,6 *venue du Verbe* : **74,5**[3] ; 74,8 *vices* : 49,7[2] ; 49,8 ; 52,4 *vie* : 52,4[2]

So⁹ compréhension venant de : *Dieu* : 41,3 *Dieu Christ* : 16,2[2] *Dieu Esprit* : 51,7 *Dieu Père* : 69,6 **être touché intérieurement par** : *Dieu Esprit* : 8,9 *Dieu Verbe* : 69,6 ; **74,2** *grâce* : 64,3

Su⁷⁷ compréhension de : *Bernard* : 10,4 ; 21,2 ; 23,14 ; 31,6 ; 34,5 ; 41,1 ; 58,11 ; 59,10 ; 60,3 ; 68,7 ; 71,14 ; 76,3 ; 77,4 ; 82,1 ; 84,2 ; 85,7 *charité affective* : 50,6 *Dieu* : 41,3 ; 69,8 *Dieu Christ* : 78,6 *hérétiques* : 65,3 ; 65,8 *Paul* : 5,1 ; 30,10 ; 36,4 *Pères* : 5,7 *personnages AT* : 2,1 *personnages NT* : 67,10 **perception corporelle de** : *animaux* : **5,3** ; 35,7 *Dieu Christ* : **56,1** *martyrs* : **61,8**[3] **perception intérieure de** : *Adam* : 35,3 *amour* : 67,3 ; 83,5 *Bernard et/ou auditeurs* : 2,4 ; 26[8] ; 29,8 ; 32,3 ; 33,11[2] ; **37,3**[2] ; 68,1[2] ; 77,8[2] *diable* : 54,5 *Dieu* : 19,3 ; 26,5 *Dieu Christ* : 29,2 ; 56,2 ; 76,8 *Dieu Trinité* :

80,5 *Église* : 14,4 ; 22,6 ; 29,2 *foi* : **28,9** *Gérard* : 26,5[2] ; 26,6 *juifs* : 14,8[2] *ministres de l'Église, supérieurs* : 10,2 ; 58,3 *novices* : 20,7 *Paul* : 62,3 *personnages AT* : 34,2

significantia[1]

G¹ signification : 85,7

significatio[3]

O³ signe de : *venue de l'Époux* : 57,5 **signification de** : *Écriture* : 29,6 ; 72,4

significo[31]

G⁴ montrer : 58,8 **signifier** : 2,3 ; 17,5 ; 19,4

Su²⁷ montré par : *auditeurs* : 36,7 *Dieu Christ* : 6,6 *Écriture* : 1,7 **signification de** : *Écriture* : 8,6 ; 23,2 ; 23,11 ; 27,3 ; 28,2 ; 28,13 ; 31,8 ; 32,9 ; 33,5 ; 33,10 ; 34,4 ; 35,2 ; 41,4 ; 43,1 ; 44,1 ; 45,2 ; 45,6 ; 46,5 ; 47,7 ; 48,8 ; 58,5 ; 68,3 ; 72,10 ; 76,8

sollertia[1]

Su¹ finesse de : *épouse* : 57,1

stoliditas[1]

Su¹ bêtes sans raison : 5,4

stultitia[3]

Su³ folie de : *prédication des apôtres* : 36,1 *sagesse du monde* : 1,3 ; 28,7

veritas[237]

G⁵⁹ en vérité : 13,6 ; 13,9 ; 49,4 ; 50,8 ; 53,4 ; 54,9 ; 56,4 ; 71,7 **vérité** : 8,6 ; 13,2 ; 19,6 ; 20,8 ; 22,7 ;

44,7 Incarnation : 2,4 ; 33,4
paix : 23,15 ; 23,16^2 *réalités*
spirituelles :   52,5 ;   57,9 ;
69,8 ; 74,4 ; 81,1 ; 83,3 ;
84,2 *sagesse* : 1,2^2 ; 28,8 ;
30,11 *salut* : 16,4 *vertus* :
16,10 ; 22,11^4 ; 27,8 ; 34,1 ;
34,2 ; 34,3 ; 34,4 ; 86,1

volo, velle^{323}

(cf. **Volonté-Affectivité**)^{316}

G^3 signifier (quid sibi vult) :
66,7 ; 68,1 ; 75,1

Su^4 signification de (quid sibi vult) : *Écriture* : 16,1 ; 52,6 ;
58,1 ; 59,6

VOLONTÉ, AFFECTIVITÉ

adamo^3

O^3 aimé : *Dieu Christ* : 70,4
épouse : 39,2 *vérité* : **77,5**

affectio^{41}

G^{10} passion (péj.) : **30,9** ;
85,1 **sentiment, affect** : 7,2 ;
13,7 ; 15,6 ; 39,4 ; 42,8 ;
49,5 ; 63,6 ; 83,6

O^{18} aimer : *autres* : 23,7 ; 44,5
Dieu Christ : **20,4** ; **20,6** ;
20,8 *Dieu Époux* : 9,2 ;
33,2 ; 45,6 *Dieu Verbe* : 45,8
éprouver : *amour, charité* :
50^6(**3, 4, 6**) *compassion* :
12,4 ; 12,5 *compassion et
joie* : 10,1

R^4 affection réciproque : *Dieu
Père-Fils* : 8,1 *Dieu-anges* :
19,5 *Dieu-anges-hommes* :
78,1 *Dieu-homme* : 71,9

So^3 touché par : *action-
contemplation* : 57,9 *Dieu* :
7,2 *Sagesse* : **23,14**

Su^6 sentiment, affect de :
Bernard : 33,2 *Dieu Christ* :
20,3 ; 42,7 ; **56,1** *Dieu
Époux* : 61,1 *personnages AT* :
26,12

affectualis^5

Su^5 affectif : *amour, charité* :
50,2 ; 50,3 ; 50,4 ; 50,5 ;
50,6

affectuosus^5

Su^5 affectif : *amour, charité* :
20,4^2 ; **50,5 affectueux** :
auditeurs : 12,5 *Dieu Verbe* :
31,8

affectus, -us^{114}

G^{35} passion (péj.) : 9,10 ;
33,2 ; 35,8 ; 74,6 ; 85,5 ;
86,1 **sentiment, affect** : 3,1 ;
4,1 ; 10,2 ; 24,6 ; 27,5 ;
31,6^2 ; 41,1 ; 49,5 ; **50,8**^{2} ;
52,1^2 ; 67,1 ; **67,3**^{2} ; **67,8** ;
72,2 ; 73,6 ; 74,2 ; 75,2 ;
79,1 ; 81,5 ; 83,1 ; 83,2 ;
83,3^2 ; 83,4 ; 85,9

O^{35} aimer : *autres* : 23,1 ;
23,2 ; 23,8 *Dieu Christ* :
20,4^2 ; **20,5**^{2} ; 28,9 *Dieu
Époux* : 44,8 ; 75,1 *Dieu
Verbe* : 32,3 **éprouver** :
amour, charité : 13,2 ; 13,7^2 ;
42,6 ; 49,6 ; **50**^{7}(**2, 3, 5, 6,
7**) ; 73,3 *compassion* : 12,4 ;
24,4 ; 44,4 *compassion et
joie* : 10,1 *contrition* : 45,3
crainte : 54,12 *désir* : 2,1
envie : 49,8 *obéissance* : 51,8
souffrance : 29,3 *vices* : 24,3

R^5 affection réciproque :

O[14] **ami de** : *Dieu Christ* :
20,2 ; 20,3 ; 45,2[4] *Dieu*
Époux : 18,6 *Église* : 33,15
épouse : 29,3 *monde* : 24,7 ;
85,4[3] *vertus* : 20,8

R[76] **amis** : *anges-âme* : 7,8
anges-moines : 7,4 *anges-personnages bibliques* : 33,13[2]
Bernard-auditeurs : 11,2 ;
26,10 *Bernard-Gérard* : 26,4 ;
26,6[2] ; 27,1 *Dieu Christ-âme* :
45,2 *Dieu Christ-Bernard* :
45,2 *Dieu Christ-personnages*
bibliques : 8,7 ; 15,2 ;
28,10 ; 30,5 ; 52,3 ; 57,10 ;
57,11 ; **59,1**[3] ; 67,7 *Dieu*
Époux-âme : 38,5 ; 45,3[2] ;
48,1 ; 57,3 ; 57,4 ; 57,11
Dieu Époux-Église : 39,1 *Dieu*
Époux-épouse : 39,1[3] ; 39,2 ;
45,1 ; 53,2 ; 55,4[2] ; 58,1 ;
61,1 ; 61,2 *Dieu Époux-ministres de l'Église, supérieurs* :
32,10 ; 40,5 ; 57,9 ; 76,8[4] ;
77,1 ; 77,2 ; 78,6 *Dieu*
Époux-monde : 24,7 *Dieu*
Époux-personnages bibliques :
8,7 ; 48,1[2] ; 49,2 *Dieu*
Verbe-âme : 39,10[3] ; 45,1 ;
45,8 *Dieu-âme* : 48,2[5] ; 69,1
Dieu-personnages bibliques :
45,1[2] *Hérode-Pilate* : 24,3
juifs-démons : 14,4[2] *moines* :
26,10 ; 26,14 *Serpent-Adam*
et Ève : 82,3

Su[3] **ami** : *chair* : 29,7 *personnages*
AT : 1,2 *silence* : 26,6

amo[152]

G[7] **aimer** : **3,5** ; 41,6 ; **51,1** ;
51,3 ;79,1[3]

O[37] **aimer** : *bien* : 70,6[2] *Dieu* :
19,7 ; 20,1 ; 37,1[2] ; 73,10
Dieu Christ : **20**[8]**(4, 6, 8)** ;
21,1[3] ; 27,6 ; 44,8 ; 60,10 ;
70,2[2] ; 70,4[2] *Dieu Christ et*

famille : **20,7**[2] *Gérard* : 26,14
ministres de l'Église, supérieurs :
23,2 *réalités spirituelles* : 59,7
soi-même : 30,11 ; **50,6**[3] ;
84,4 *vertus* : 45,2 *vices* :
71,13

R[56] **amour mutuel** : **59,2**
Bernard-Gérard : 26,4[2] ;
26,12 ; 27,1 *conjugal* : **7,2** ;
83,3 *Dieu Époux-épouse* :
49,1 ; **83,5**[2] *Dieu Verbe-âme* : **45,8**[4] ; **69,7**[4] ; **83**[12]
(3, 6) ; **84**[7]**(6)** *Dieu Verbe-âme et Dieu Christ-Église* :
61,2 *Dieu-âme* : **69,8** ;
82,8[2] *Dieu-homme* : **83**[11] **(4)**
parents-enfants : **83,5**[4]

So[2] **amour venant de** : *Dieu*
Esprit : 79,1 *Rédemption* : 11,4

Su[50] **amour de** : *âme* : **7,2**[3] ;
7,8 ; 43,1 ; 57,1 ; 69,1[2] ;
74,4 *anges* : 19,5 *Dieu* :
17,7[2] ; 42,4 ; 54,12 ; **69,8**
Dieu Christ : **20,3**[2] ; 55,1 ;
63,5 ; 70,2[3] ; 75,2 *Dieu*
Époux : 39,10 ; 55,1 ; 57,3 ;
59,1[3] ; 61,2 ; 68,1 ; 71,14
Dieu Père : 8,9 *épouse* : **7,3**[4] ;
9,2 ; 23,1 ; 28,13 ; 48,8 ;
51,3[2] ; 75,1 *Ève* : 82,4
famille : 64,2 *personnages*
NT : 76,8[3] *philosophes* : 8,5

amor[252]

G[49] **amour** : **33,2** ; 36,3 ;
42,6[3] ; 48,8[2] ; **50,4**[3] ; **50,5** ;
50,6 ; 51,1 ; 51,3 ; 53,3 ;
57,7 ; 58,11 ; **59,2**[3] ; 61,2 ;
64,10[2] ; **67,3** ; 74,1 ; 75,1[2] ;
79[8] ; **83**[7] **(3, 5)** ; **85,8** amour
(péj.) : 61,2 ; 75,2 ; 81,7[2] ;
83,5 amour-propre : 42,6

O[86] **aimer** : *amour* : **50,6** *bien* :
51,8 *chair, monde* : 9,10 ;
10,3 ; **20,7** ; 75,9 *chasteté* :
66,3 *contemplation* : 46,5 ;

appetentia[2]

O[2] **convoiter** (péj.) : *biens terrestres* : 82, 3 **désirer** : *droiture* : 80, 2

appetitus, -us[6]

G[1] **appétit** : 35, 9

O[1] **convoiter** (péj.) : *biens terrestres* : 82, 3

So[1] **convoitise** (péj.) **venant de** : *chair* : 23, 8

Su[3] **appétit de** : *animaux* : 81, 6 ; 82, 6[2]

appeto[14]

O[7] **convoiter** (péj.) : *dignités, louange* : 16, 10 ; 33, 12 *mal* : 42, 4 **désirer** : *contemplation* : 46, 5[2] *réalités éternelles* : **80, 3** *vertus* : 80, 2

So[1] **convoitise** (péj.) **venant de** : *chair* : 30, 11

Su[6] **désir de** : *âme* : 7, 7 ; 31, 7 ; 44, 4 ; 75, 9 ; 82, 3 *épouse* : 47, 5

ardeo[24]

A[2] **brûler**

G[3] **ardeur** : 19, 7 ; 36, 3 ; 51, 1

O[6] **ardeur pour** : *bien* : 82, 7 *contemplation* : 57, 9 *Dieu* : 18, 6 *Dieu Verbe* : 31, 7 ; 45, 8 ; 69, 7

So[2] **ardeur venant de** : *Dieu* : **57, 7** *Dieu Christ* : 77, 8

Su[11] **ardeur de** : *amour, charité* : 3, 5 ; 7, 3 ; 23, 1 ; 28, 13 *Bernard* : 74, 7 *désir* : 32, 2 *Dieu* : 69, 6 *Dieu Époux* : 52, 2 ; 55, 1 *Église* : 14, 7 *épouse* : 75, 5

ardor[16]

O[4] **ardeur pour** : *biens terrestres* :

39, 8 *chair* : 82, 5 *Dieu Christ* : 44, 8 ; 46, 1

So[1] **ardeur venant de** : *Dieu* : 57, 7

Su[11] **ardeur de** : *âme* : 84, 5 *amour, charité* : 12, 1 ; 67, 3 ; **83, 6** *désir* : 28, 13 ; 31, 4 ; 75, 1 *Dieu* : 19, 5 *Dieu Esprit* : 20, 7 *enfer* : 75, 5 *personnages AT* : 2, 1

aviditas[8]

O[7] **désirer** : *Écriture* : 39, 10 ; 53, 9 *réalités éternelles* : 59, 4 *réalités spirituelles* : 58, 2 *venue de l'Époux* : 75, 1 *vérité* : 73, 2 *voir le Verbe* : 31, 1

Su[1] **désir de** : *âme* : 62, 2

benevolentia[4]

Su[4] **bienveillance de** : *Dieu Époux* : 7, 2 *Dieu Père du Verbe* : 57, 6 *homme juste* : 57, 6 *sagesse de Dieu* : 19, 6

benignitas[15]

So[2] **bonté venant de** : *Dieu* : 58, 8 *Dieu Esprit* : 63, 5

Su[13] **bonté de** : *Dieu* : **9, 5** ; 11, 2 ; 75, 4 *Dieu Christ* : 1, 4 ; 6, 9 ; 38, 5 ; 60, 8 *Dieu Esprit* : 44, 6 *Dieu Père* : 42, 10 *Dieu Père et Fils* : **8, 4** *Dieu Verbe* : 84, 5 *Église* : 46, 9 *épouse* : 25, 1

bonitas[33]

G[1] **bonté** : 27, 11

So[2] **bonté venant de** : *Dieu Esprit* : 63, 5 ; 67, 5

Su[30] **bonheur de** : *élus* : 68, 4 **bonté de** : *Dieu* : 6, 8 ; 11, 2[2] ; 12, 1 ; 18, 4 ; 23, 15 ; 26, 13 ; **36, 6** ; 52, 1 ; 62, 5 ; 73, 8 ; 78, 3 ; **80, 6**[2] ; **80, 7**[2]

comes[8]

(cf. Vie commune)[4]

R[2] compagnon : *Dieu Verbe-âme* : 32, 7 *miséricorde-jugement* : 14, 2

Su[2] compagnon : *Dieu Époux* : 58, 2 *Dieu Verbe* : 31, 7

compassio[8]

O[1] compassion pour : *homme pécheur* : 44, 4

Su[7] compassion de : *auditeurs* : 28, 12 *Dieu Verbe* : 31, 8 *épouse* : 10, 1 ; 10, 2 ; 10, 3 ; 28, 1 ; 43, 2

compatior[11]

G[1] compassion : 12, 1

O[4] compassion pour : *Dieu Christ* : 20, 8 ; 21, 2 *homme pécheur* : 44, 4 ; 44, 6

Su[6] compassion de : *Dieu Christ* : 26, 12 ; 43, 3 ; 61, 4 *Église* : 27, 7 *Gérard* : 26, 5 *ministres de l'Église, supérieurs* : 10, 3

complector (-o)[9]

A[4] embrasser (comprendre)

O[2] étreindre : *Dieu Christ* : 6, 9 ; 14, 4

R[2] étreinte : *intratrinitaire* : 8, 8 *Dieu Verbe-âme* : 81, 1

Su[1] étreinte de : *âme* : 27, 11

complexus, -us[7]

R[6] étreinte : *cœurs* : 2, 3 *Dieu Époux-épouse* : 1, 11 *Dieu Verbe-âme* : **83, 3**[2] ; **83, 6** *intratrinitaire* : **8, 6**

Su[1] étreinte de : *monde* : 14, 5

concordia[3]

R[3] concorde : *Bernard-Gérard* : 26, 4 *dans l'Église* : 76, 9 *Dieu Époux-épouse* : 1, 11

concordo[2]

R[2] concorde : *hérétiques* : 65, 3 *personnages NT* : 46, 6

concupiscentia[22]

G[5] convoitise (péj.) : 32, 3 ; 42, 4 ; 56, 6[3]

So[17] convoitise (péj.) venant de : *chair, monde* : 7, 3 ; 9, 10 ; 11, 6[2] ; 14, 5 ; 16, 4 ; 30, 9 ; 30, 10 ; 44, 5[3] ; 46, 4 ; 52, 5 ; 56, 5[2] ; 72, 9 *Ève* : 72, 8

concupisco[20]

O[4] désirer : *Dieu Christ* : 79, 2 *Église* : 53, 3 *suivre le Christ* : 21, 3 *Vierge Marie* : 45, 2

R[3] convoitise : *chair-esprit* : 29, 7 ; 72, 8 ; 72, 9

So[1] convoitise (péj.) venant de : *chair* : 30, 9

Su[12] désir de : *anges* : 25, 9 ; 27, 7 ; 38, 5 ; 72, 11 *Dieu Époux* : 40, 4 *Dieu Fils* : 21, 3 *Dieu Verbe* : 7, 2 ; 8, 9 ; 31, 6 ; 85, 10[3]

coniugium[3]

(cf. INDEX DES REALIA - Société)[1]

R[2] mariage : *Dieu Époux-épouse* : **61, 1** *Dieu Verbe-âme* : **39, 10**

coniunctio[8]

R[8] union : *Dieu Verbe-âme* : 31, 6 *Dieu-âme* : 82, 8 *dissemblance-nature* : 83, 2 *intratrinitaire* : 71, 9[2] ; 71*, 8[2] *lèvres* : 2, 2

coniux[2]

R[2] mariés : *Adam et Ève* : 66, 4 *Dieu Verbe-âme* : 85, 12

Su[151] **cœur de** : *Bernard et/
ou auditeurs* : $1, 10^2$; $9, 7$;
$11, 2$; $11, 5$; $13, 9^2$; $14, 6$;
$15, 6^3$; $15, 7^2$; $16, 1$; $16, 2$;
$22, 2$; $24, 8$; $26, 3$; $26, 4^2$;
$27, 9$; $28, 6^2$; $32, 2$; $32, 6^2$;
$39, 4$; $43, 4$; $43, 5$; $45, 7$;
$46, 7$; $48, 2$; $50, 4$; $51, 3$;
$54, 8^2$; $54, 11$; $54, 12$; $57, 4$;
$70, 9$; $74, 6^2$; $74, 7^2$; $77, 8$;
$81, 10$; $84, 4$ *croyants* : $6, 7$;
$8, 5$; $27, 3$; $27, 8$; $37, 5$;
$58, 5$; $76, 6$; $78, 5$ *diable* :
$54, 8$ *Dieu* : $9, 4$; $34, 2^3$;
$52, 1$; $78, 3$ *Dieu Christ* :
$8, 5$; $15, 6$; $28, 2$; 42^6 ;
$61, 4^2$; $70, 7$ *Dieu Époux* :
$42, 1$ *Dieu Fils* : **$62, 5^2$** *Dieu
Père* : **$62, 5$** ; $76, 3$ *Dieu Verbe* :
$31, 7$; $85, 12$ *Église* : $27, 7$;
$78, 8$ *épouse* : $7, 2$; $7, 8$; $9, 7$;
$21, 8$; $23, 11$; $27, 4$; $45, 5^2$;
$45, 8$; $46, 1$; $57, 2$; $67, 2^3$;
$67, 3$; $67, 4$; $68, 2$; $75, 5$;
$77, 5$; $79, 1$ *hérétiques* : $65, 2$;
$66, 13^3$ *homme pécheur* : $6, 4^2$;
$10, 5$; $16, 6^2$; $23, 12$; $32, 5^2$;
$39, 6$; $63, 4$; $82, 2$;   **$82, 5$** ;
$85, 1$ *juifs* : $14, 8$; $58, 6$; $73, 2$
ministres de l'Église, supérieurs :
$76, 7$ *moines* : $32, 4$; $53, 1$
pauvres, petits : $9, 4$; $17, 7$;
$75, 2$; $75, 4$; $76, 9$ *personnages
AT* : $7, 7$; $12, 4$; $16, 10$;
$16, 11$; $32, 8$; $33, 6$; $57, 3$;
$67, 5$ *personnages NT* : $7, 8$;
$20, 5$; **$20, 6$** ; $32, 5$; $32, 9^2$;
$34, 1$; $58, 5^2$; $66, 13$ *Vierge
Marie* : $29, 8$; **$85, 8$**

cupiditas[12]

G[7] **convoitise** : $85, 5$; $85, 9$
  convoitise (péj.) : $10, 9$;
  $16, 4$; $58, 10^2$; $62, 4$
O[2] **désirer   (péj.)** :   *réalités
terrestres* : $52, 5^2$
So[2] **convoitise (péj.) venant
de** : *chair* : $16, 4$; $44, 7$
Su[1] **désir de** : *âme* : $31, 7$

cupio[48]

G[6] **convoiter (péj.)** : $13, 2$;
  $23, 6$ **désirer, vouloir** : $17, 2$;
  $26, 8$; $27, 1$; $79, 1$
O[11] **désirer** :   *contemplation* :
  $46, 5$ *Dieu Christ* : $21, 2^2$
  Dieu Verbe : $33, 2$ *mort* :
  $21, 1$; $26, 2^2$; $32, 2^2$ *réalités
spirituelles* : $14, 5$ *vertu* : $1, 9$
Su[31] **convoitise (péj.) de** :
  amour impur : $83, 5$ *diable* :
  $5, 6$ *Ève* : $82, 4$ *hérétiques* :
  $65, 1$ *ministres de l'Église,
supérieurs* : $77, 2$ **désir de** :
  âme : $82, 7$; $84, 3$ *Bernard
et/ou supérieurs* : $11, 1$; $39, 3$;
  $42, 3$; $56, 5$; $69, 1$ *Dieu
Christ* : $12, 7^2$ *Dieu Époux* :
  $53, 3$; $62, 7$ *Dieu Verbe* :
  $85, 10$ *Église* : $73, 3$; $79, 6^2$
  épouse : $7, 8$; $23, 1$; $41, 5^2$;
  $56, 4$ *moines* : $9, 2$ *Paul* : $67, 7$
  personnages AT : $1, 7$; $2, 1$;
  $2, 3$; $36, 4$

delectabilis[7]

G[3] **agréable** : $23, 11$; $26, 10$;
  $41, 4$
Su[4] **délectable** : *arbre du jardin
d'Éden* : $82, 4$ *Cantique des
cantiques* : $1, 5$; $51, 10$ *vision
du Verbe* : **$31, 1$**

delectatio[8]

So[5] délices venant de :
contemplation : 23,11 *Dieu* :
21,2 ; 41,2 ; 51,8 *Dieu*
Christ : 48,6

Su[3] plaisir de : *anges* : 19,2
chair : 9,10 *Ève-animaux* :
82,4

delecto[50]

O[27] mettre ses délices en :
bien : 85,9 *Dieu* : **11,2** ;
11,4 ; 26,7 ; **28,13** ; 33,7
Dieu Christ : 61,6 *Dieu*
Époux : 31,5 *Dieu Verbe* :
32,4 ; **85,13** *dons de Dieu* :
10,9 ; 21,5 *Écriture* : 1,5 ;
53,9 *excuse* : 16,11 *loi de*
Dieu : 11,2 ; 57,3 ; 57,11
nom de l'Époux : 14,5 *orgueil* :
35,6 *réalités spirituelles* : 9,8 ;
14,6[2] *vertu* : **72,3** *volonté*
de Dieu : **72,2 mettre ses**
délices en (péj.) : *chair* :
20,7 ; 30,10

So[2] délices venant de : *louange* :
7,6 ; **11,1**

Su[21] plaisir de : *anges* : 7,4 ;
19,2 ; 19,3 *Bernard et/ou*
auditeurs : 12,9 ; 54,8 ; 80,1
Dieu : **62,2** *Dieu Christ* :
9,4 ; 67,7 *Dieu Époux* :
64,10 ; **71,3** ; 71,4 ; **72,3**[2]
Dieu Verbe : 31,7 *Église* :
15,3 *épouse* : 33,2 ; 67,3 ;
67,5 *Ève* : 82,4 *personnages*
AT : **12,4**

deliciae[29]

G[2] plaisirs (péj.) : 48,7[2]

R[3] joie, délices de : *Bernard-*
Gérard : 26,4 *Dieu Christ-*
Église : 80,1 *Dieu Verbe-âme* :
83,6

So[14] délices venant de : *âme* :
85,5 *Dieu* : 29,2 ; 74,1 *Dieu*
Christ : 79,6 *Dieu Époux* :
23,1 ; 32,9 ; 57,1 *Dieu*
Esprit : 22,2 *Dieu Verbe* :
74,4 *épouse* : 9,9 ; 11,8 *loi*
de Dieu : 57,3 *mort* : 72,9
venue de l'Esprit : 17,2

Su[10] joie, délices de : *anges* :
68,5 *Bernard* : 26,8 *Dieu*
Christ : 79,5 *Dieu Époux* : 61,2
Dieu Fils : 78,8 *Église* : 79,5
Gérard : 26,11 *hommes* : 68,5
personnages AT : 60,8 ; 67,7

delicio[3]

So[2] délices venant de : *Dieu*
Verbe : 85,7 **jouissance (péj.)**
venant de : *monde* : 38,1

Su[1] joie, délices de : *Dieu*
Époux : 72,2

deosculor[2]

O[2] embrasser : *Dieu Christ* :
3,6 ; 6,5

desiderabilis[4]

G[1] désirable : 51,3

Su[3] désirable : *Dieu Verbe* :
31,1 ; 31,7 *Écriture* : 7,5

desiderium[115]

G[11] désir : 10,7 ; 28,10 ; **51,1** ;
57,6 ; 58,11 ; **71,1** ; **84,1**[5]

O[35] désirer : *Église* : 68,2 *présence*
du Christ : 59,4 *réalités*
éternelles : 33,11 ; 49,3 ;
50,8 ; 57,9 ; 70,7 *réalités*
spirituelles : 1,11 ; 32,10 ;
35,9 ; 49,7 *venue de Dieu* :
31,4[2] *venue de l'Époux* : 33,1 ;
75,1[3] *venue du Verbe* : **32,2**[4] ;
32,3 ; **74**[6]**(2, 4)** *vérité* : 40,2
voir le Christ : **28,13**[3] *voir*
l'Époux : 41,2[2] **désirer (péj.) :**
biens terrestres : 10,3

So[22] **désir (péj.) venant de** :
chair, monde : 1,2 ; 6,5 ;
9,9 ; 14,5 ; 20,6 ; 22,10 ;
23,2[2] ; 29,7 ; 31,6 ; 35,1 ;
35,2 ; 36,5 ; 39,5 ; 54,12
85,1 **désir venant de** :
contemplation : 57,9 *Dieu*
Christ : 13,1 *Dieu Époux* :
58,1[3] ; 58,2

Su[47] **désir de** : *âme* : 1,8 ;
11,5 ; 30,9 ; **31,5**[2] ; 31,7 ;
51,3 ; 62,2 ; 83,3 ; 83,6
apôtres : 22,9 *Bernard et/*
ou auditeurs : 14,6 ; 20,1 ;
21,11 ; 24,1 ; 36,1 ; **74,7**[2]
Dieu Christ : 55,1 ; 61,8
Dieu Époux : 57,4 ; **57,6**[2]
Dieu Père : 76,3 *Dieu Verbe* :
84,6 *Église* : 27,7 ; 62,1 ;
75,11 *épouse* : 7,8 ; 9,2 ;
9,7 ; 23,1 ; 51,5 ; 51,8 ;
67,4 *homme pécheur* : 39,6
moine : 64,3 *pauvres, petits* :
9,4 ; 75,4 *personnages AT* :
2,1[4] ; 2,9 *personnages NT* :
2,8 ; 32,9 *saints* : 77,4

desidero[44]

A[4] **tendre à, réclamer**
G[2] **désirer** : **51,1** ; **72,6**
O[18] **désirer** : *Dieu* : 18,6 *Dieu*
Christ : 55,2 ; 56,3 *Dieu*
Époux : 7,4 ; 67,3 *paix* :
13,4 *réalités éternelles* : 24,7 ;
59,4 *sainteté* : 22,8 *venue*
de l'Époux : 51,1 *venue de*
l'Esprit : 17,1 *venue du Verbe* :
31,6 ; **74,2** *voir le Christ* :
28,7 *voir l'Époux* : 41,2 ;
45,3 **désirer (péj.)** : *réalités*
terrestres : 28,13 ; 40,5

Su[20] **désir de** : *âme* : **7,2** ;
9,9 ; **31,5**[3] *anges* : 22,3 ;
76,5 *Dieu Christ* : 12,7
Dieu Époux : **62,5** *Dieu*
Esprit : **59,6** *épouse* : 48[7] ;

77,6 *homme pécheur* : 21,2
saints : 25,7

detestor[2]

O[2] **détester** : *médisance* : 24,3
orgueil : 20,8

dilecta (subst.)[26]

Su[26] **Bien-aimée** : *âme* : 31,5 ;
31,7 ; 32,2 ; 35,1 ; 51,10 ;
52,2 ; **83,5** ; **84,6** *Église* :
15,3 ; 21,3 ; 27,7 ; 66,14
humanité : 35,7 *ministres*
de l'Église, supérieurs : 52,6
Bien-aimée du Cantique :
9,9 ; 22,2 ; 38,3 ; 45,2 ;
47,1 ; 51,5 ; 52,1 ; 55,1 ;
58,1[2] ; 61,1 ; 67,5

dilectio[64]

A[1] **Traité de l'amour de Dieu** :
51,4
G[11] **amour** : 24,8[3] ; **33,2** ;
43,1[2] ; 46,8 ; **50,5** ; **67,2** ;
76,8 ; 83,2
O[20] **aimer** : *Dieu* : **19,7**[2] ;
24,7 ; **50,5** ; 60,10 *Dieu*
Christ : **20,4**[2] ; **20,5**[3] ;
50,3[2] ; 70,3 *Dieu et*
prochain : 60,10 *Parole de*
Dieu : 71,12 *prochain* : **44,4** ;
50,3 ; **50,5** ; **52,6** ; 60,10
R[15] **amour mutuel** : 29,3
communautaire : 57,5 *Dieu*
Verbe-âme : **84,5**[3] *Dieu-âme* :
82,8[2] *Dieu-homme* : **11,7** ;
71,10[2] *intratrinitaire* : **8,1**[2] ;
8,6 ; **8,7**[2]
So[4] **amour venant de** : *Dieu*
Esprit : **18,6** *Dieu Père* :
69,2[3]
Su[13] **amour de** : *âme* : 27,10 ;
75,9 *auditeurs* : 84,4 *Dieu*
Christ : **20,2** ; 22,3 *Dieu*
Époux : 57,2 ; **61,1** *Dieu*

*73,2 ministres de l'Église,
supérieurs* : **77,1**[2] *personnages
NT* : **20,5** ; **22,9** *philosophes* :
8,5 *Vierge Marie* : 29,8

discordia[4]

G[3] **discorde** : 24,3 ; 29,3 ; 64,5

R[1] **discorde** : *foi-œuvres* : **24,7**

dulcedo[25]

O[2] **douceur pour** : *Église* : 22,4
soi-même : **44,4**

So[4] **délices venant de** : *chair* :
20,4 *Dieu Christ* : 20,3 ;
20,4 ; 20,7

Su[19] **douceur de** : *amour* : 83,6
Dieu : 4,1 ; 9,3 ; 50,5 ; 61,6
Dieu Christ : 9,5 ; 61,5[2]
Dieu Époux : 9,4 ; 9,5 ; 9,6
Dieu Verbe : 31,7[2] ; 83,6 ;
85,13 *Écriture* : 11,5 *épouse* :
9,7 *observances* : 9,2 *réalités
spirituelles* : 53,1

eligo[65]

A[2] **précieux**

G[23] **choisir** : 12,4 ; 36,2 ;
54,1 ; 57,5 ; 66,3 **les élus** :
23,15[3] ; 53,5 ; 56,4 ; 68,2[3] ;
68,4 ; 72,8 ; 73,4 ; 73,5[2] ;
73,6 ; **78,3**[2] ; 78,4 ; 86,4

O[18] **choisir** : *Dieu* : 23,9
Dieu Christ : 28,10[3] ; 46,9
Dieu Christ et Hippocrate :
30,10 *Dieu Époux* : 40,4
Église : 67,11[2] ; 78,5 ;
78,6[3] *humilité* : 37,6 ; 37,7
personnages AT : 12,4 ; 56,2 ;
73,4

Su[22] **choix de** : *Bernard et/ou
auditeurs* : 10,4 ; 42,2 *Dieu* :
19,4 ; 23,9 ; 78,3 *Dieu
Christ* : 27,9[3] ; 55,1[2] ; 66,11[4]
Dieu Époux : 47,2 ; 71,14[2]
Église : 67,11 *hérétiques* :

66,12 *libre arbitre* : **81,6**[2]
sagesse : 25,6

exsecror (-o)[4]

O[1] **détester** : *mensonge* : 17,3

Su[3] **détesté par** : *Bernard* : 66,7
Dieu : 36,2 ; 54,7

familiaritas[15]

R[15] **familiarité** : *Dieu Christ-
personnages NT* : 71,4 ; 76,8
Dieu Époux-âme : **52,2** *Dieu
Époux-épouse* : 9,1 ; 38,3 ;
59,1 ; 70,1 *Dieu Verbe-âme* :
69,7[2] ; 74,3 *Dieu-âme* : 4,3 ;
23,16 *Dieu-personnages AT* :
31,4 ; 34,1 *médisants* : 24,3

ferveo (-vo)[19]

G[3] **ferveur** : 20,8 ; 49,4 ; 50,6

So[3] **ferveur venant de** : *amour,
charité* : 18,6 ; 23,7 *Dieu
Esprit* : 23,1

Su[13] **ferveur de** : *amour, charité* :
27,8 *Bernard* : 26,7 *Dieu
Christ* : 54,1 *Église* : 27,7
esprit : 20,9 ; 49,3 *Gérard* :
26,7 *ministres de l'Église,
supérieurs* : 53,1 ; 76,10
moines : 54,8 ; 60,9 ; 64,4
personnages NT : 58,5

fervidus[5]

O[1] **ferveur pour** : *Dieu Christ* :
44,8

So[1] **ardeur venant de** : *Dieu
Christ* : 33,6

Su[3] **ferveur de** : *ministres de
l'Église, supérieurs* : 44,3 *zèle* :
20,4 ; 49,5

fervor[16]

A[1] **chaleur**

G[7] **ferveur** : 3,6 ; **23,8**[4] ; 49,4 ;
57,7

So[1] ardeur venant de : *Dieu Christ :* 33,6

Su[7] ardeur de : *Dieu Esprit :* 20,7 *persécution :* 12,1 ; 28,13 **ferveur de :** *Dieu Verbe :* 45,7 *épouse :* 23,1 *novices :* 60,6 ; 63,6

gaudium[44]

G[3] joie : 21,2 ; **68,5** ; 85,5

So[13] joie venant de : *connaissance de Dieu :* 37,4 *Dieu :* 28,5 *Dieu Esprit :* 46,9 ; 63,5 *Église :* 30,5 *espérance :* 21,10 *Incarnation :* 2,1 ; 2,2 *réalités spirituelles :* 1,11 ; 3,1 ; 45,2 ; 57,11 ; **84,1**

Su[28] joie de : *anges :* 10,6 ; 85,5 *auditeurs :* 58,11 ; 80,9 *Bernard :* 54,8 ; 67,7 ; 68,1 *Dieu :* 12,4 ; 61,8 *Dieu Époux :* 23,10 ; 64,9 ; 71,4 ; 71,5 *Dieu et anges :* 68,3 *Église :* 14,4 *épouse :* 23,1 ; 23,2 ; **41,2[3]** ; 53,2 ; 57,10 *Gérard :* 26,5 ; 27,1 *humbles :* 34,3 *ministres de l'Église, supérieurs :* 53,1 *personnages AT :* 13,5 ; 47,3

inardesco[5]

O[2] ardeur pour : *Dieu :* 18,6 *Dieu Époux :* 40,4

So[2] ardeur venant de : *désir :* 1,11 *Dieu :* **57,7**

Su[1] ardeur de : *anges :* 19,2

incontinentia[2]

G[2] débauche : 59,7[2]

inhio[11]

G[1] convoiter : 67,7

O[9] convoiter (péj.) : *biens terrestres :* 10,3 ; 21,8

honneurs : 76,10 **désirer :** *baptême :* 66,9 *Dieu Esprit :* 9,3 *Dieu Verbe :* 33,2 *voir le Christ :* 28,13 *voir l'Époux :* 38,3 ; 41,2

Su[1] désir de : *épouse :* 9,9

inimicitia[1]

Su[1] aversion de : *Dieu Verbe :* 84,6

inimicus[44]

G[12] ennemi : 12,1 ; 12,5 ; 12,7 ; 16,15 ; 24,3 ; 27,11 ; 48,2 ; 50,3[2] ; 50,7[2] ; 50,8

O[21] ennemi de : *âme :* 46,5 ; 83,1 *Dieu :* 24,7 ; 28,13 ; 31,4 ; 50,7 ; 74,9[2] ; 85,4 *Dieu Christ :* 20,2[2] ; 29,2 ; 76,1 *Dieu Fils :* 6,5 *Église :* 28,13 ; 33,15[2] ; 77,3 *grâce :* 32,7 *personnages AT :* 34,2 ; 44,8

R[7] ennemis : *âme-ingratitude :* 51,6 *Dieu-sagesse de la chair :* 1,3 ; **30,10** *Dieu-vices :* 60,10 *Église-Synagogue :* 79,5 *foi-impiété :* 39,9 *hérétiques-gloire de Dieu :* 65,3

Su[4] ennemi : *diable :* 33,14 *famille :* 29,2 *mort :* 26,4 ; 26,11

insatiabilis[6]

O[2] avidité pour : *biens terrestres :* 21,8 *loi de Dieu :* 57,11

Su[4] avidité de : *anges :* 35,5 *cœur :* 13,5 *cupidité :* 10,3 *Église :* 62,1

intimus[28]

G[10] intimité : 3,2 ; 17,2 ; 35,1 ; 58,3 ; 67,4 ; 69,6[2] ; 70,5 ; 85,9 ; 85,11

R[7] **intimes** : *Bernard-Gérard* : 26, 9 *Dieu Christ-personnages NT* : 40, 4 *Dieu Époux-épouse* : 7, 4 *Dieu Verbe-âme* : **83, 6** *Dieu-homme* : **71, 10** **intimes de** : *âme* : 40, 4 *Dieu Époux* : 7, 4

Su[11] **intime** : *saveur* : 50, 8 ; 85, 9 *sentiments* : 31, 6 ; 44, 4 ; 45, 8 **intimité de** : *Dieu Christ* : 62, 3 ; 76, 8 *sagesse* : 23, 10 ; 76, 9 **secret** : *réalités invisibles* : 5, 4 ; 52, 6

malevolus[5]

G[5] **malveillant** : 2, 8 ; 15, 3 ; 25, 2 ; 27, 10 ; 85, 9

matrimonium[4]

(**cf.** INDEX DES *REALIA* - Société)[2]

G[1] **mariage** : 8, 9

R[1] **mariage** : *Dieu Verbe-âme* : 85, 13

miseratio[27]

Su[27] **compassion de** : *saints* : **77, 4** **miséricorde de** : *Dieu* : 14, 1[2] ; 18, 4 ; 21, 11[2] ; 26, 14 ; 33, 7 ; **36, 6** ; **37, 4** ; 42, 4 ; 56, 7 ; 57, 9 ; 62, 5 *Dieu Christ* : 6, 9 ; 16, 15 ; 22, 8 ; 43, 3 ; 43, 4 ; 61, 4 ; 61, 5[2] *Dieu Époux* : 27, 7 ; 39, 2 ; 67, 11[2] ; 79, 6

miserator[2]

G[1] **compatissant** : 15, 1

Su[1] **compatissant** : *Dieu* : 11, 3

misereo (r)[31]

O[4] **miséricorde envers** : *Bernard* : 26, 10 *soi-même* : 18, 3 ; 30, 12 ; 85, 3

Su[27] **compassion de** : *Dieu* : 68, 3 *Dieu Verbe* : 32, 4

hommes : 12, 1 ; 44, 7 ; 71, 3[2] *juifs* : 14, 2 **miséricorde de** : *Dieu* : 2, 6 ; 9, 5 ; 14, 1 ; 21, 11 ; 23, 12 ; 23, 13 ; 26, 5 ; 36, 6 ; 42, 4 ; 50, 2 ; 72, 1[2] ; 75, 5 *Dieu Christ* : 16, 2 ; 44, 8 ; 73, 8 *Dieu Époux* : 57, 1 *Dieu Père* : 16, 4 ; **69, 6** *Église* : 46, 9

misericordia[135]

G[15] **miséricorde** : 12[7] ; 14, 2 ; 26, 13[2] ; 29, 6 ; 30, 5 ; 32, 3 ; 57, 6 ; 76, 9

O[5] **miséricorde envers** : *Église* : 14, 1[2] *Paul* : 29, 1 *personnages NT* : 2, 8 *Synagogue* : 14, 1

Su[115] **miséricorde de** : *Dieu* : 11, 7 ; 14[7] ; 15, 1 ; 15, 4 ; 16, 3 ; 16, 6 ; 18, 4 ; 23, 15 ; 23, 16 ; 33, 4[4] ; 36, 5 ; 39, 2 ; **42, 4**[3] ; 44, 7 ; 50, 2 ; **51, 6** ; 56, 4[2] ; 57, 4 ; 57, 9 ; 59, 6 ; 67, 10[3] ; 68, 2 ; 68, 6[2] ; 68, 7 ; 69, 3[3] ; **69, 6** ; 72, 8 ; 73, 5 ; 75, 8 *Dieu Christ* : 3, 6 ; 6[12] ; 14, 3 ; 16, 13 ; 16, 14 ; 16, 15 ; 17, 6 ; 20, 9 ; 22, 7 ; 22, 8 ; 22, 11[3] ; 27, 9 ; 29, 9 ; 32, 3 ; 32, 10 ; 43, 4 ; 47, 8 ; 48, 4 ; 52, 7 ; 54, 3 ; 54, 4[2] ; 55, 2[2] ; 56, 1[2] ; 58, 12 ; 60, 10 ; **61**[6] **(4, 5)** ; 67, 5[2] ; 67, 12 ; 73, 4[5] *Dieu Époux* : 27, 7 ; 67, 11[2] ; 79, 5 ; 79, 6 *Dieu Père* : 69, 2 ; **69, 6** ; 73, 5 *Dieu Verbe* : 31, 8 ; 83, 1 ; 84, 4 *moines* : 54, 8 *personnages AT* : 76, 9 *saints* : 77, 4

misericors[24]

G[2] **miséricordieux** : 12, 1 ; 62, 5

Su[22] **miséricordieux** : *diable* : 54, 4 *Dieu* : 9, 5 ; 11, 3 ; 14, 1[3] ; 15, 1 ; 26, 5 ; **36, 6** ;

38, 2 ;   59, 5   *Dieu   Christ* :
6, 6 ;   15, 6 ;   28, 3 ;   55, 1 ;
56, 1^2 *Dieu   Époux* : 39, 2 ;
57, 10 ; 68, 3 *Dieu Père* : **62, 5**
Gérard : 26, 5

nuptiae[11]

(cf. INDEX DES *REALIA* -
Société)[4]

G[3] **noces** :   17, 2 ;   54, 12 ;
59, 10

R[3] **noces** :   *Dieu   Époux-âme* :
1, 12 *Dieu Verbe-âme* : 83, 1 ;
85, 12

Su[1] **noces de** : *Dieu Fils* : 78, 1

nuptialis[4]

Su[4] **nuptial** :   *Cantique* :   1, 8 ;
1, 11 ; 45, 10 ; 59, 10

odi (odio)[27]

O[21] **haïr** : *autres* : 27, 11 ; 48, 2 ;
50, 3 ;   63, 4   *Dieu* :   28, 13 ;
50, 7 ;   60, 10   *Dieu   Christ* :
29, 2   *ennemis   de   Dieu* :
28, 13 ;   50, 7 ;   60, 10   *mal* :
58, 10^2 ;   81, 9   *paix* :   2, 8 ;
12, 4 ;   25, 1 ;   27, 11 ;   48, 2
soi-même : 82, 8 *vérité* : 86, 2

Su[6] **haine de** : *Bernard* : 76, 10
Dieu : 19, 6 ; 24, 3 ; 46, 5 ;
71, 13 *juifs* : 60, 4

odium[20]

O[11] **haïr** : *autres* : 24, 4 ; 24, 7 ;
27, 10 ;   **50, 7** ;   54, 8   *corps* :
24, 6 ; 66, 7 *Dieu Père* : 16, 5
Église :   30, 5   *mal* :   85, 9
vanité : 69, 6

Su[9] **haine   de** :   *Dieu* :   13, 3 ;
23, 13 ; 37, 6^2 ; 42, 8 ; 71, 3
Dieu Époux : 39, 1 *Dieu Père* :
69, 4 ; 69, 5

osculor (-o)[63]

G[47] **baiser** :   1, 5 ;   4, 1^2 ;   4, 3 ;
8, 2^2 **interprétation du baiser
par Bernard** : *sens allégorique:
Incarnation du Verbe* : **2^{16}**(1,
2, 3, 5, 6) *sens moral: progrès
de   la   vie   spirituelle* : **3, 4** ;
3, 5 ; 4, 1^2 ; **4, 3**^{3} ; 6, 6 ; 6, 8 ;
7, 1^2 *sens   mystique: l'Esprit,
baiser   intratrinitaire   donné
aux   hommes* :   **8^{10}**(2,   6,   8,
9) ; 9, 2^4

O[2] **embrasser** : *soi-même* : **4, 3** ;
28, 8

R[11] **baiser** : *Dieu Époux-épouse* :
1, 5^3 *Dieu Verbe-âme* : 7^8

Su[3] **baiser donné par** : *Dieu
Christ* : **3, 1** *personnages NT* :
4, 1 ; 12, 6

osculum[143]

G[110] **baiser** : 4, 1^2 ; 4, 2 ; 8, 2 ;
8, 6 ; 9, 3 **interprétation   du
baiser   par   Bernard** :   *sens
allégorique: Incarnation   du
Verbe* : **2^{24}** (1, 2, 3, 5, 6, 7, 8,
9) *sens moral: progrès de la vie
spirituelle* : **3^9** (2, 3, 5, 6) ; **4^{10}**
(1, 2, 4) ; 6, 8 ; 7, 1^2 ; 9, 1^3 ;
9, 2   *sens   mystique: l'Esprit,
baiser intratrinitaire donné aux
hommes* : **8^{43}** (1, 2, 3, 5, 6,
7, 8, 9) ; **9^{11}** (3, 7)

O[4] **baiser donné à** : *ministres de
l'Église, supérieurs* : 9, 8 ; 9, 9 ;
10, 2 ; 41, 6

R[23] **baiser** : *Dieu Époux-épouse* :
1^6 ; 38, 3 ; 41, 5 *Dieu   Verbe-
âme* :   7^{10} ;   31, 7 ;   31, 8 ;
32, 3 ; 84, 6 ; **85, 13**

Su[6] **baiser donné par** : *Dieu
Christ* : **3, 1**^{2} ; 16, 2 *Église* :
30, 5 *personnages NT* : **4, 1**^{2}

pectus[29]

(cf. INDEX DES *REALIA* - **Corps, médecine**)[4]

G[5] **cœur** : 10,7 ; 26,3 ; 43,2 ; 49,4 ; 79,1

Su[20] **cœur de** : *apôtres* : 10,10 *Bernard et/ou auditeurs* : 9,7 ; 26,3 ; 26,6 ; 29,4 ; 43,5 *Dieu Christ* : 8,7 ; 9,5 ; 23,9 ; 51,5 *Dieu Verbe* : 62,3 *épouse* : 9,10 *Gérard* : 26,6[2] *homme pécheur* : 10,5 *ministres de l'Église, supérieurs* : 10,2 ; 23,2 *Paul* : 12,2 *personnages AT* : 12,4 *Vierge Marie* : 29,8

penetralis[3]

Su[3] **cœur de** : *Bernard* : 74,6 *Dieu Christ* : 14,4 *Dieu Verbe* : 62,3

pietas[78]

(cf. **Vie spirituelle**)[28]

G[9] **bonté, compassion** : 10,4 ; **12**[7](**1, 7, 10**) ; 85,11

O[2] **bonté, compassion envers** : *autres* : 71,3 *homme pécheur* : **44,4**

R[1] **amour mutuel** : *Dieu-homme* : **71,9**

So[2] **bonté, compassion venant de** : *Dieu* : 32,5 *Dieu Père* : 42,10

Su[36] **bonté, compassion de** : *âme* : 27,11 *Dieu* : 11,2 ; 26,13 ; 49,3 ; 51,6 ; 53,8 ; 60,8 ; 61,4 ; 68,5 ; 72,11 ; 76,9 *Dieu Christ* : 14,3 ; **15,1**[5] ; 22,7 ; 45,9 ; 48,4 ; 54,1 ; 61,5 ; 73,8[2] ; 75,5 *Dieu Époux* : 9,4 *Dieu Père et Verbe* : **69,6** *Dieu Verbe* : 20,8 ; 31,8 *épouse* : 44,8

ministres de l'Église, supérieurs : 10,2 *moines* : 54,8 *personnages AT* : **12,4** *saints et/ou anges* : 5,3 ; 5,6 ; 62,2

pius[53]

(cf. **Vie spirituelle**)[26]

G[2] **bon** : 23,1 ; 27,11

O[2] **bon envers** : *homme pécheur* : **44,4**[2]

R[1] **amour mutuel** : *anges-hommes* : 78,1

Su[22] **bonté de** : *Dieu* : 36,6 ; 38,2 ; 56,4 *Dieu Christ* : 1,4 ; **15,1** ; 53,4 ; 70,4 *Dieu Époux* : 47,1 ; 56,7 ; 75,2 *Dieu Père* : 16,6 *Dieu Verbe* : 31,6 ; 74,3 ; 74,4 *Gérard* : 26,5 *ministres de l'Église, supérieurs* : 10,2 ; 58,3 *Paul* : 85,12 *personnages AT* : 26,12 *personnages NT* : 44,3 ; 44,8 *saints et/ou anges* : 5,3

quaesitio[5]

O[1] **rechercher** : *Dieu Époux* : 75,1

R[3] **recherche mutuelle** : *Dieu Verbe-âme* : **84,5**[3]

Su[1] **recherche de** : *Dieu Verbe* : 84,3

quaesitus, -us[2]

Su[2] **recherche de** : *Dieu Verbe* : **84,6**[2]

redamo[1]

R[1] **amour mutuel** : *Dieu Époux-épouse* : **83,5**

sedulitas[1]

G[1] **diligence** : 50,5

sedulus[8]

G[1] **zélé** : 30,7

O¹ **zélé pour** : *vertu* : 58,10

Su⁶ **zèle de** : *anges* : 27,5 ;
31,5 *diable* : 72,8 *Dieu* : 6,2
Dieu Verbe : 74,3 *méditation* :
62,7

sponsa (subst.)³⁵⁷

G² **épouse (en général)** : 30,2 ;
77,1

Su³⁵⁵ **épouse** : *âme* : 7,**2⁵** ;
8,9³ ; **12,11²** ; 31,7² ;
33,1² ; 38,4 ; 38,5 ; 40,1 ;
40,3 ; **40,4** ; **40,5²** ; **42,5** ;
48,2 ; 51,10 ; 52,3² ; 52,4 ;
69,2 ; 69,7 ; **73,10** ; **74,3** ;
77,6² ; **83⁹(3, 5, 6)** ; 84,7 ;
85,10 ; **85,13** ; 86,2² *anges* :
27,6 *Bernard* : 39,2 *Église* :
8,2 ; **12,11** ; **14,4** ; **14,7²** ;
24,8² ; 26,2 ; **27²⁷ (3, 6,
7, 13, 14)** ; 28,1² ; **28,2** ;
28,11 ; 28,13 ; 29,1 ; 29,2² ;
29,3² ; **30⁸ (5)** ; 42,11 ;
49,2 ; 58,4 ; 58,8 ; 58,9 ;
59,2 ; 64,8 ; 64,9² ; 67,11 ;
67,12 ; 68⁷ ; 73,3 ; 75,10 ;
76¹⁰ ; 77⁹ ; **78⁶ (6)** ; 79,2 ;
79,3 ; **79,5** ; 79,6² *Jean* :
8,7 *ministres de l'Église*,
supérieurs : 52,6 *Synagogue* :
67,11 **épouse (doxologies)** :
âme : 82,8 *Église* : 24,8 ;
66,14 **épouse du Cantique** :
1,11 ; 6,7 ; 7,8 ; 8⁷ ; **9¹² (9)** ;
10⁷ ; 11,8² ; 12,1 ; 12,10² ;
13,8² ; 13,9² ; 14,5 ; 18,1 ;
19,1³ ; 19,7² ; 20,9 ; **21¹¹
(1, 2, 5, 9)** ; 22,1³ ; 22,2 ;
22,9 ; **23¹⁰ (1)** ; 24,2 ; 24,3 ;
24,5 ; **25⁷ (8)** ; **27,4** ; 27,5 ;
31,10 ; 32,10 ; 33,2² ; 33,8 ;
34,1 ; 34,5 ; **38,3** ; 39,1 ;
39,2 ; 39,5 ; 41⁸ ; **42⁶ (9,
10)** ; 43,1 ; 43,2² ; 43,4 ;
43,5 ; 44,8 ; 45⁷ ; 46,5² ;
47,1 ; 48⁶ ; 49,1³ ; 49,5 ;
49,7 ; 51,4 ; 51,6 ; 52,1² ;
52,6 ; 53,1 ; 53,2 ; 55,4² ;
56,1 ; 56,4 ; **57⁷(9)** ; 58,1² ;
58,2 ; 59,1 ; 60,1 ; 60,5 ;
61,1² ; 62,5 ; 67¹⁰ ; 68,1 ;
68,2 ; 70,1 ; 70,3 ; 71,1 ;
72,1 ; 72,3 ; 73,6 ; 73,9 ;
74,7 ; 75⁶ ; 76,2 ; 76,6 ;
78,8 ; 83,3 ; **83,5²** ; 86,1 ;
86,3

sponso³

R³ **fiançailles** : *Dieu Christ-
Église* : **27,7³**

sponsus (subst.)³⁹¹

G⁶ **époux (en général)** : 7,2 ;
75,2 ; **81,1** ; **83,3²** ; 83,5

Su³⁸⁵ **Époux** : *Dieu* : **68,1** *Dieu
Christ* : 14,8 ; **15,1** ; 25,8² ;
27,7⁴ ; 28,10 ; **29,3** ; 30,5 ;
39,10 ; 40,4 ; 45,2³ ; 45,5 ;
46,9 ; 55,2² ; 58,4 ; 62,7 ;
70⁶(4, 7) ; **73,3** ; **74,11** ;
75,2³ ; 75,10 ; 75,11 *Dieu
Fils* : 21,3 ; **62,5** ; 71,6
Dieu Parole (Sermo) : **55,1²** ;
71,12 *Dieu Verbe* : **7,2** ;
31,1 ; 31,6 ; **31,7** ; **32,2²** ;
32,3 ; 32,4 ; **51,5** ; 51,7 ;
62,4 ; 72,2³ ; **74⁷(1, 2, 3,
6, 11)** ; **83,3** ; 83,6 ; 84,6²
Époux (doxologies) : *Dieu* :
36,7 ; 40,5 ; **69,8** *Dieu
Christ* : 11,8 ; 15,8 ; 16,15 ;
21,11 ; 23,17 ; 24,8 ; 25,9 ;
27,15 ; 28,13 ; 29,9 ; 30,12 ;
31,10 ; 32,10 ; 33,16 ; 35,9 ;
37,7 ; 38,5 ; 41,6 ; 42,11 ;
43,5 ; 44,8 ; 45,10 ; 46,9 ;
47,8 ; 48,8 ; 49,8 ; 50,8 ;
51,10 ; 52,7 ; 53,9 ; 54,12 ;
55,4 ; 56,7 ; 57,11 ; **58,12** ;
59,10 ; 61,8 ; 62,8 ; 63,7 ;
65,8 ; 67,12 ; 68,7 ; 70,9 ;
71,14 ; 72,11 ; 73,10 ;
75,12 ; 76,10 ; 77,8 ; 78,8 ;

79,6 ; 80,9 ; 82,8 ; 84,7
Dieu Verbe : **74,11** ; 81,11 ;
83,6 ; 85,14 **Époux du**
Cantique : 1,11 ; 1,12 ;
3,2 ; 6,7 ; 7,4 ; 7,8² ; 8,2 ;
8,7² ; 8,9 ; 9¹¹ ; 10,4² ;
12,1 ; 12,10 ; 13,8² ; 14,5² ;
14,8² ; 15,4 ; **15,5²** ; 18,1 ;
18,6 ; 19,1⁴ ; 19,7 ; 21⁶ ;
22⁷ ; **23¹²** **(5, 9)** ; 24,7² ;
25,3 ; 27,6 ; 27,13 ; 28,12 ;
31,5 ; **32⁷(1)** ; 33,1² ; 34,5² ;
35,1 ; 35,7 ; 35,9 ; 38,3³ ;
40,1 ; **40,4** ; 40,5 ; 41,2 ;
41,5³ ; 42,1³ ; 42,10² ; 45,1 ;
45,3² ; 46,1 ; 46,4² ; 46,5 ;
46,7 ; 47,1 ; 47,7 ; 48,1² ;
48,3³ ; 49,1² ; 49,2 ; 49,3 ;
51,1 ; 51,3 ; **51,4²** ; **52⁶ (2)** ;
53⁹ (4) ; 54¹¹ ; **55,1³** ; **56¹⁰**
(1, 2, 3, 4, 6) ; **57⁹(6)** ; 58⁸ ;
59⁸ ; 60,1 ; 61,1 ; 61,2² ;
63,4² ; **63,5** ; 64⁷ ; 65,4 ;
67,1 ; 67,2 ; 67,4 ; 67,11 ;
68,1 ; 68,3 ; 68,4 ; 69,1 ;
69,2 ; **69,6** ; **70,9²** ; **71⁶(3,**
14) ; **72,1** ; 72,3² ; 73,9 ;
75⁷ ;76,7 ; 76,8² ; 77,1 ;
77,5³ ; 78,5 ; 78,6² ; 79,3 ;
79,6⁴ ; **83⁸ (4, 5)**

suavitas⁷⁸

O⁹ **suave pour** : *anges* : 7,6 ;
19,2 *Église* : 22,4 *sens* :
10,6 ; 12,8 ; 23,5 ; 28,7 ;
44,1 ; 60,9

R¹ **tendresse   mutuelle** :
Bernard-Gérard : 26,4

So¹³ **délices venant de** : *Dieu*
Christ : 2,1 ; 2,8 ; 9,5 ;
20,3 ; 20,7 ; 20,8 ; 21,11 ;
43,3 *Dieu Époux* : 9,5 *Dieu*
Esprit : 11,6 ; 19,1 *épouse* :
23,2 **suavité enseignée par** :
Dieu Esprit : 25,1

Su⁵⁵ **suavité   de** : *amour* :
32,2 ; 64,10 ; 77,5 ; 83,6 ;
84,5 *amour Père-Fils* : 8,6
compassion : 12,1 ; 12,2 ;
12,3 ; 44,4 *Dieu* : 52,1 ;
62,5 *Dieu Christ* : 22,7 ;
67,5 *Dieu Esprit* : 3,1 ; 9,3 ;
17,2 *Dieu Fils* : **42,10** *Dieu*
Verbe : 31,7 ; 32,7 ; 74,2 ;
85,13 *Écriture* : 1,5 ; 1,11 ;
59,1 ; 67,1 ; 67,5 ; 67,7²
Église : 30,5 *Ève-animaux* :
82,4 *réalités spirituelles* : 3,5 ;
13,7 ; 14,6 ; 16,14 ; **23,11** ;
30,3² ; 35,1 ; 45,1 ; 48,8² ;
51,9 *sagesse* : **85,7³** ; 85,9
vertus : 42,6 ; 70,9 *vie en*
société : 44,5⁴ ; 60,9 *vision*
du Verbe : 31,1

suspiro¹⁷

O¹³ **soupirer après** : *baiser* :
7,8 ; 9,3² ; 41,5 *Dieu Époux* :
27,4 *Dieu Trinité* : 11,5
présence de Dieu : 35,1 *réalités*
éternelles : 33,2 ; 50,8 *venue*
de l'Époux : 31,5 *venue du*
Christ : 2,1 ; 2,3 ; 59,4

So¹ **soupirer à cause de** :
misère : 36,1

Su³ **soupir de** : *âme* : 83,6
nuit : 72,9 ; 72,10

timor¹⁰⁹

G¹⁴ **crainte** : 7,3 ; 23,15 ;
33,7 ; 36,2 ; 39,6² ; 48,1² ;
54,9 ; **54,11²** ; 67,3 ; 74,8 ;
75,1

O⁶⁵ **craindre** : *Dieu* : **23,14³** ;
29,7² ; 45⁶ ; **54⁸ (12)** ; 83,4³
Dieu (timor Christi) : 84,7
Dieu (timor Dei) : 1,2 ;
36,7² ; 37,6 *Dieu (timor*
Domini) : 16,13 ; 21,10 ;
23,13 ; **23,14** ; 27,3 ;
36,1 ; **37,1²** ; **37,6²** ; 46,8 ;

65^7 ; $66,1^2$ *humbles* : 16,10
juifs : 14,1 ; 14,2 ; 14,3 ;
14,4 ; 60,3 ; 67,11 ; 73,2
médisants : 24,2 *ministres de
l'Église, supérieurs* : $18,3^2$;
23,2 ; $32,10^2$; 33,15 ;
59,3 *personnages AT* : 4,1 ;
18,4 ; 30,4 ; 33,4 ; 41,1 ;
62,3 ; 67,5 *personnages NT* :
$28,10^2$; 58,5 ; $69,4^2$ *saint
Benoît* : $47,8^2$

voluntarius[32]

G¹ volontaire : **81,7**

O³ vouloir : *suivre l'Époux* :
$21,9^2$; 21,11

Su²⁸ hommages de : *Bernard* :
3,6 ; 21,11 **volontaire** :
affection : 23,7 *dissemblance* :
82,6 *humilité* : **42,8** ; **42,9**
nécessité : **81**[8] **(7, 8, 9)** ;
82,5[3] *obéissance* : 6,5 ; 28,6
pauvreté : 27,3 *vanité* : 34,4
volonté de : *auditeurs* : 51,3
Dieu : 51,3 ; 58,8 *Dieu Fils* :
8,4 *Dieu Père* : 16,4 ; 57,4
Dieu Verbe : 74,3

voluntas[159]

G⁵¹ volonté : 1,11 ; 8,6 ;
11,5[3] ; **11,6**[2] ; 13,1 ; 23,6 ;
23,8 ; $34,4^2$; **42,8**[5] ; 62,5 ;
81[22]**(6, 7, 8, 9)** ; **82,5**[2]
volonté propre : 30,10 ;
46,2 ; 46,4 ; **71**[6]**(14)**

O¹⁶ vouloir : *bien* : $2,8^3$; 13,2 ;
13,5 ; 85,2 ; 85,9 *bien-mal* :
8,4 ; 13,5 *péché* : 13,2 *réalités
spirituelles* : 9,7 ; 69,1 *venue
de l'Époux* : 31,5 ; 32,2 *vices* :
29,4 *voir le Verbe* : 31,1

So⁸ volonté venant de : *Dieu* :
3,3 *Dieu Verbe* : $85,10^2$ *venue
du Verbe* : **84,3**[5]

Su⁸⁴ volonté de : *âme* : 27,11

auditeurs : 6,6 *autres* : 26,6
Bernard : 24,1 ; **81,10**[3]
diable : 33,9 *Dieu* : 2,5 ;
4,5 ; 5,8 ; 17,2 ; 19,6 ;
22,10 ; 23,16 ; 26,3 ; 35,2 ;
35,3 ; 36,4 ; $57,9^3$; 62,4 ;
$62,5^2$; 62,6 ; 68,5 ; 73,6 ;
74,9 *Dieu Christ* : **14,3** ;
14,4[3] ; 19,3 ; **42,7**[4] ; 61,4 ;
70,7 ; 73,8 *Dieu Christ et
Église* : 79,5 *Dieu Époux* :
12,10 ; 42,1 ; 58,1 ; 64,8 ;
68,3 *Dieu Esprit* : $47,8^2$ *Dieu
et hommes* : **71,7** ; **71,10**[3] ;
71* ,7 *Dieu Fils* : 6,5 *Dieu
Père* : 18,5 ; 71,13 ; $72,2^2$;
78,1 ; 78,3 *Dieu Père et Fils* :
71[7]**(7, 9)** − **71***, **8**[2] *Dieu
Verbe et âme* : **83,3**[2] ; 85,2
Église : 78,6 *épouse* : 51,10 ;
52,1 ; 52,6 *hérétiques* : 65,2
ministres de l'Église, supérieurs :
19,7 *personnages NT* : 32,9
volonté propre de : *anges* :
19,4 *auditeurs* : 19,7 ; 51,3
diable : 74,10

voluptas[20]

G³ plaisir, volupté (péj.) :
33,13 ; 59,7 ; 63,6

So¹⁶ délices venant de : *Dieu* :
7,3 ; 67,5 ; 72,6 *Dieu Époux* :
54,6 *Dieu Esprit* : 49,2 *Dieu
Verbe* : 74,4 **plaisir, volupté
(péj.) venant de** : *chair,
corps* : 9,9 ; 18,5 ; 20,4 ;
20,7 ; **30**[6]**(10, 11)**

Su¹ plaisir, délices de : *Adam* :
35,3

votum (voveo)[29]

(cf. Vie commune)[4]

(cf. Vie spirituelle)[5]

G¹ vœu, désir : 32,1

O⁹ désirer : *Dieu* : 76,6 *Dieu*

Christ : 28,9 *Dieu Verbe* : 83,6 ; 85,12 *Loi et grâce* : 30,5 *venue de l'Époux* : 57,4 ; 75,1 *venue du Verbe* : **74,4**[2]

So[2] **vœu, désir venant de** : *contemplation* : 57,9 *Dieu Esprit* : **59,6**

Su[8] **vœu, désir de** : *Bernard et/ou auditeurs* : 74,1 *Dieu Christ* : 27,9 *Église et Synagogue* : 14,1 *épouse* : 9,2 ; 9,7 ; 33,7 ; 49,1 *personnages AT* : 32,9

zelus[46]

G[7] **zèle** : 39,4 ; **44,3** ; 44,4 ; **49,5**[4]

O[14] **zèle contre** : *hérétiques* :

66,12 **zèle pour** : *Dieu* : 8,6 ; **69,2** *Dieu Christ* : **20,4**[2] *Dieu Verbe* : 84,5 ; 85,2 *justice* : 20,8 ; 27,8 ; 28,13[3] *miséricorde* : **69,6**[2]

So[11] **zèle venant de** : *amour, charité* : 23,7 ; 25,6 ; **44,8**[5] ; 60,10 *contemplation* : **49,4**[2] ; 57,9

Su[14] **zèle, jalousie de** : *Dieu* : 17,7 ; 42,4[2] ; **69,5** *Dieu Christ* : **69,6** *Dieu Époux* : 57,1 *Dieu Père* : **69,2** *Dieu Verbe* : 84,6 *Église* : 28,1 *Gérard* : 26,12 *ministres de l'Église, supérieurs* : 76,10 ; 77,2 *novices* : **19,7** *personnages NT* : 58,5

VIE COMMUNE

abbas[3]

VM[3] **abbé** : 42,9 *Bernard* : 26,6 ; 26,7

abstinentia[5]

VÉ[1] **abstinence de** : *hérétiques* : 66,7

VM[4] **abstinence** : 33,10 ; 54,8 ; 64,5 ; 66,6

administratio[3]

A[1] **gouvernement de** : *Dieu* : 68,2

VÉ[2] **gestion** : 49,5 **ministère** : 46,2

Catholicus[15]

VÉ[15] **catholique** : 65,4 ; 65,8[2] ; 68,7 ; 75,10 *Église* : 64,8[2] ; 65,8 ; 66,4 ; 78,5 ; 80,8 *foi, pensée* : 24,7 ; 80,6 ; 80,8[2]

christianus[13]

VÉ[13] **chrétien** : 12,7 ; **15,3** ; **15,4** ; **20,4** ; 29,1 ; 46,2 ; 66,3

foi : 65,5 *morale* : 66,6 *peuple* : 2,4 ; 46,2 ; 76,7 ; 79,4

claustrum[5]

(cf. **INDEX DES** *REALIA* - Constructions, habitations)[4]

VM[1] **clôture** : 47,4

coenobium[1]

VM[1] **monastère** : 33,10

colloquium[8]

(cf. Vie spirituelle)[6]

VÉ[1] **conversation de** : *hérétiques* : 65,4

VM[1] **conversation de** : *Bernard-Gérard* : 26,4

colloquor[4]

(cf. Vie spirituelle)[3]

VCh[1] **conversation de** : *Christ-juifs* : 43,3

comes[8]

(cf. Volonté-affectivité)[4]

VCh[1] compagnon : *Christ* : 9, 4

VM[3] compagnon : *Bernard-Gérard* : 26, 4 ; 26, 14[2]

communio[2]

(cf. Vie spirituelle)[1]

VÉ[1] communion de : *saints* : 62, 1

communis[38]

(cf. Vie spirituelle)[2]

H[14] commun à : *Ève-animaux* : 82, 4 **commun, ordinaire** : 2, 2 ; 5, 6 ; 31, 3 ; 31, 4 ; 40, 5 ; 45, 6 ; 48, 8 ; 52, 4 ; 63, 1 ; 67, 9 ; 76, 9 **partager** : *baiser* : 8, 2 *grâce* : 12, 5

VÉ[9] commun à : *Christ-Église* : 21, 7 *Église-Synagogue* : **79, 5**[2] *Époux-Église* : 46, 4 ; **64, 9** communion de : *Église* : 51, 2 ; 65, 1 **partager** : *confession de foi* : 25, 2 *Écriture* : 22, 4

VM[13] commun à : *Bernard-Gérard* : 26, 4 *moines-anges* : 7, 5 **partager** : *biens* : **44, 5**[2] *Écriture* : 22, 4 **vie commune** : **19, 7**[2] ; 26, 3 ; 33, 11 ; 47, 8 ; 53, 1 ; **60, 9** ; 64, 4

condiscipulus[1]

VCh[1] disciple de : *Christ* : 32, 8

congregatio[4]

VÉ[1] assemblée : **68, 3**

VM[3] communauté : 12, 5 ; **29, 3** ; 58, 4

congrego[8]

H[2] réunir : *biens* : 80, 4[2]

VCh[2] réunir : *disciples du Christ* : 42, 11 ; 49, 2

VÉ[4] réunir : *Église* : **77, 7**[2] réunis par : *Dieu* : 13, 9 *Époux* : 9, 4

consanguinitas[2]

H[2] lien de parenté : 20, 7 *Bernard-Gérard* : 26, 9

contubernalis[4]

VCh[1] compagnon de : *Christ* : 29, 2

VM[3] compagnon : 12, 5 *vies active et contemplative* : 51, 2 **compagnon de** : *Gérard* : 26, 7

contubernium[4]

(cf. Volonté-Affectivité)[2]

VÉ[2] cohabitation de : *hérétiques* : 65, 6 ; 66, 14

conventus[4]

A[1] assemblée des saints et des anges : 52, 6

VÉ[2] assemblée des chrétiens : 46, 2 **concile** : 80, 9

VM[1] communauté : 29, 5

conversatio[39]

(cf. Vie spirituelle)[3]

A[3] vie de : *animaux* : 40, 4 ; 52, 6 ; 59, 7

H[12] conduite : 9, 1 ; 25, 4[2] ; 28, 13 ; 35, 8 ; 38, 1 ; 40, 5 ; 63, 3 ; 82, 3 ; 82, 5 ; 85, 10 **vie de** : *Adam* : 35, 3

VCh[7] conduite de : *Christ* : 21, 2 ; 22, 6 ; 22, 8 ; 22, 9 ; **33, 6** ; 70, 7[2]

VÉ[5] conduite de : *catholiques* : 75, 10 *évêques* : 12, 9 *hérétiques* : 65, 5 *premiers*

56,7 ;   57,11 ;   58,12 ;
59,10 ; 61,8 ; 62,8 ; 63,7 ;
65,8 ; 67,12 ; 68,7 ; 70,9 ;
71,14 ;   72,11 ;   73,10 ;
75,12 ; 76,10 ; 77,8 ; 78,8 ;
80,9 ; 81,11 ; 85,12 **églises** :
12,2 ; 12,5 ; 30,2 ; 33,15 ;
58,3 ; 58,4 ; 64,8

ecclesiasticus[3]

VÉ[3] ecclésiastique :   *censure* :
44,3 *foi* : 20,9   *ministre* :
44,2

eremus[3]

VM[3] désert : 33,10 ; 64,4[2]

exter[16]

(cf. Vie spirituelle)[14]

VÉ[1] hors de l'Église : 29,2

VM[1] hors de la communauté :
26,6

extrinsecus[7]

(cf. Vie spirituelle)[6]

VM[1] hors de la communauté :
29,3

familia[3]

H[3] famille : 14,4 ; 18,6 ; 39,9

famulus[1]

H[1] serviteur : 13,3

foris[46]

(cf. Vie spirituelle)[39]

VÉ[4] hors de l'Église : 46,3 ;
60,6 *hérétiques* : 65,1 *juifs* :
73,2

VM[3] hors de la communauté :
16,8 ; 29,3[2]

frater[92]

H[19] faux frère : 48,1 **frère** :
71,13 **frère** **(famille)** :

64,2 *Bernard-Gérard* :   26[10]
personnages AT : 24,7 ; 59,8[2] ;
71,13 *personnages NT* : 78,7
frère de : *anges* : 35,5

J[3] juif, frère du chrétien :
14,4 ; 15,3 ; 73,2

VCh[2] faux frère : 43,3 **frère
de** : *Christ* : 42,11

VÉ[19] frère :   27,10 ;   29,1[2] ;
44,2 ; 73,2 ; 76,7 **frères** :
Christ-hommes : 2,6 ; 15,2 ;
15,4 ; **21,7[4]** ; 28,3 ; 48,5[2] ;
66,9[3]

VM[49] faux frère : 24,2 **frère** :
9,2 ;   11,1 ;   **12,5[3]** ;   16,9 ;
23,6 ; 23,7 ; 23,8[2] ; 26,6 ;
29[7](3, 4, 6) ; 30,12 ; 33,10 ;
42,2 ;   46,2 ;   46,6 ;   46,7 ;
47,8 ;   49,8 ;   50,5 ;   60,9
auditeurs : 1,1 ; 3,6 ; 12,9 ;
13,7 ;   18,4 ;   24,1 ;   24,8 ;
27,1 ;   29,2 ;   42,2 ;   43,3 ;
45,6 ;   46,8 ;   49,7 ;   54,7 ;
58,11 ; 59,2 ; 65,7 ; 84,7 ;
85,14

fraternitas[1]

VM[1] frère : 46,6

fraternus[13]

H[5] fraternel :   24,7 ;   28,12 ;
28,13 ; **44,4** ; **44,8**

VM[8] fraternel :   12,5 ;   14,6 ;
29,3 ; 36,1 ; 57,5 ; 58,3 ;
63,6 ; 82,1

hospes[1]

VM[1] hôte : 3,6

ieiunium[13]

VÉ[2] jeûne de : *hérétiques* : 65,5
Paul : 25,6

VM[11] jeûne :   18,5 ;   19,7 ;
30,12 ; 33,10[2] ; 37,2 ; 55,3 ;
71,14[4]

inoboedientia[4]

VÉ[1] désobéissance de : *hérétiques* : 66,11

VM[3] désobéissance : **28,7** ; **46,5** ; 46,6

instituo[6]

(cf. Connaissance)[3]

A[1] créer

VÉ[2] décret de : *Église* : 66,11 instituer : *mariage* : 66,4

institutio[1]

VM[1] observance : 1,12

interior[21]

(cf. Vie spirituelle)[20]

VÉ[1] dans l'Église : 33,15

intus[44]

(cf. Vie spirituelle)[41]

VÉ[1] dans l'Église : *ministres de l'Église, supérieurs* : 46,3

VM[2] dans la communauté : 29,3[2]

Iudaeus[22]

J[22] juif : **14,1[2]** ; **14,3** ; **14,4** ; **14,8** ; 16,1 ; 16,15 ; 25,9 ; 28,5 ; 46,5 ; 47,5 ; 58,5 ; **58,7** ; **60,3** ; **60,5[2]** ; 62,6 ; 71,13 ; 73,1 ; 75,12 ; **79,5** ; **79,6**

Iudaicus[2]

J[2] juif : 11,2 ; 75,10

magister[34]

(cf. Connaissance)[15]

VCh[7] maître : *apôtres* : 36,1 *Christ* : 12,7 ; 15,1 ; 19,7 ; 20,5 ; 59,1 ; 74,9

VÉ[5] maître : *Christ* : 30,10 ; 30,11 *Christ ou Hippocrate* :

30,10[2] *hérésiarques* : 66,2

VM[7] maître : *Gérard* : 26,7 *supérieurs* : 23,6 ; 23,8[2] ; 52,6 ; 71,14 **maître spirituel** : 77,6

magisterium[10]

(cf. Connaissance)[8]

VM[2] maître : *supérieurs* : 23,8 maître spirituel : **77,6**

maternus[4]

H[2] maternel : 9,10 ; 10,1

VÉ[2] maternité de : *Église* : 14,3 *ministres de l'Église, supérieurs* : 52,6

minister[9]

A[2] anges : 5,3 ; 31,5

VCh[2] Dieu Christ serviteur : 54,1 serviteur de : *Christ* : 21,2

VÉ[4] ministres de l'Église : **12,11** ; 23,12 ; **33,15** princes séculiers : 66,12

VM[1] Bernard : 42,5

monachus[8]

VM[8] moine : 30,12[2] ; 46,4 ; 55,2[2] ; **64,3[2]** ; 71,14

monasterium[2]

VM[2] monastère : **46,2** ; 64,4

neophytus[2]

VM[2] néophyte : 1,12 ; 64,3

norma vitae[1]

VCh[1] norme de vie de : *Christ* : 21,2

notus (nosco)[4]

H[1] ami, compagnon : 64,2

VCh[1] compagnon de : *Christ* : 29,2

VM² compagnon :   *anges-moines* : 7,4²

novitius⁷

H¹ récent : 82,6

VM⁶ novice :   57,11 ;   **60,6²** ; **63,6²** ; 64,3

oboedientia²⁵

A¹ obéissance de : *anges* : 53,6

H³ obéir à : *Parole de Dieu* : 71,12   obéissance   de : *Abraham* : 45,3²

VCh⁴ obéissance de : *Christ* : 16,2 ; **46,5** ; 56,1 *éléments* : 60,5

VM¹⁷ obéissance :   19,7 ; 28,6² ; **28,7** ; 33,10 ; **41,2** ; **46,5³** ; 46,7² ; 51,3 ; 57,5 ; 58,11 ; **71,14²** ; 72,2

observantia⁵

VÉ³ observer : *commandements* : 1,2 ;   50,3   **règle   de** : *confession* : 16,12

VM² observances : **71,14²**

officialis¹

VM¹ chargé d'un service : 47,8

officium³⁰

A⁵ fonction de : *anges* : 5,3 ; 7,4 ; 19,4 ; 39,9 ; 54,1

H¹³ devoir 3,6 ; 12,7 ; 26,6 ; 27,1 ; 49,4 ; 58,1 ; 60,9 ; 70,6 ; 79,1   **fonction de** : *âme* : 30,9 *corps* : 4,5 ; 5,4 ; 5,5

VÉ⁶ fonction de : *Église* : 30,2 **fonction   ecclésiastique** : 10,1 ;   46,2 ;   49,5 ;   56,7 ; 58,3

VM⁶ fonction de : *Bernard* :

42,2 ;   49,6 ;   57,5 ;   74,1 *Gérard* : 26,6 *moines* : 64,3

opus Dei³

VM³ office divin : 7,4 ; **47,8²**

opus manuum⁶

A¹ travail de Dieu : 35,3

VM⁵ travail manuel :   1,12 ; 33,10 ; 50,5 ; 54,8 ; 71,14

ordo⁵³

A⁴⁸ ordre⁴⁵ ; ordre des anges : 35,3 ; 53,8 ; 76,5

VÉ⁴ ordre des clercs, séculiers : 46,2² ; 46,3 ; 66,11

VM¹ Ordre   (cistercien) : 26,12

paganus²

H² païen : 33,16 ; 75,10

paternus¹⁵

A¹² Dieu Père : 8,7 ;   8,9 ; 14,4 ; 15,2 ; **16,4** ; 42,10² ; 57,4 ; 62,5 ; **69,6²** ; 75,8

H¹ paternel : 44,5

VM² paternité de :   *Bernard* : 26,10 *supérieurs* : 23,2

Pharisaeus¹³

J¹³ pharisien :   13,2³ ;   14,3 ; 22,9² ; 33,15 ; 38,4 ; 42,2 ; 58,7 ; 64,6 ; 66,11²

Pharisaicus¹

J¹ pharisien : 65,2

praeceptor⁶

(cf. Connaissance)²

VÉ¹ maître : *hérésiarques* : 66,2

VM³ maître : *supérieurs* : 23,8 **maître spirituel** : **77,6²**

praelatus (praefero)[9]

A[2] préféré

VÉ[1] prélat : 46,4

VM[6] supérieur : 9,6 ; **23,2** ; 23,8 ; **25,2** ; 30,1 ; 57,5

praepositus (praepono)[4]

VÉ[2] prélat : 33,15 ; 77,1

VM[2] supérieur : **25,2** ; 52,7

praesentia[53]

(cf. Vie spirituelle)[39]

VCh[7] présence de : *Christ* : 2,1 ; **2,2** ; 2,7 ; 20,6 ; 33,5 ; 53,7 ; 59,4

VÉ[4] présence de : *Église* : 62,1 *Paul* : 25,5[2] ; 25,6

VM[3] présence de : *communauté* : 26,5 *Gérard* : 26,4 **présence mutuelle** : *Bernard-Gérard* : 26,4

prior[115]

A[113] premier

VM[2] prieur, supérieur : 23,8 ; 42,9

professio[5]

VM[5] institut monastique : 26,12 **profession monastique** : 26,9 ; 30,12 ; **85,12**[2]

propinquitas[3]

(cf. Vie spirituelle)[2]

H[1] parenté : 65,6

regula[7]

H[5] règle, norme : 32,7 ; 34,4 ; 59,2 ; 66,7 ; 67,4

VM[2] Règle de St Benoît : 19,7 ; 47,8

regularis[4]

VM[4] selon la Règle : 1,12 ; 19,7 ; 33,10 ; 83,1

religio[6]

(cf. Vie spirituelle)[3]

VM[3] état religieux : 16,9 ; 26,4 ; 86,2

religiosus[5]

(cf. Vie spirituelle)[2]

VM[3] conforme à la profession religieuse : 12,9 ; 16,9 ; 55,2

schisma[1]

VÉ[1] schisme (d'Anaclet II) : 24,1

schismaticus[2]

VÉ[2] schismatique : 29,2 ; 75,10

secta[4]

VÉ[4] secte : 65,3 ; 65,8 ; 66,2 ; 75,10

senior (senex)[8]

J[2] juif, frère aîné du chrétien : 14,4 ; 73,2

VM[6] ancien : 9,2 ; 19,7 ; 23,6 ; 24,3 ; 46,5 ; 46,7

silentium[12]

(cf. Vie spirituelle)[8]

VM[4] silence : 26,6 ; **29,4** ; 71,14 ; 86,3

socialis[11]

H[3] compagnon de : *Époux* : 59,1 **sociable** : **23,6** ; 70,6

VÉ[3] compagnie : *Époux-Église* : **64,9** ; **64,10** social : *charité* : 27,10

VM[5] partager : *biens* : **44,5** vie commune : 23,8 ; **26,10** ; **44,5** ; **60,9**

societas[18]

(cf. Vie spirituelle)[11]

H[4] compagnon de : *anges* : 35,3 *animaux* : 35,6 *Époux* : **59,2** *saints* : 37,5

VÉ[1] appartenance à : *Église* : 25,2

VM[2] compagnie : *Bernard-Gérard* : 26,4 ; 26,9

socius[12]

H[6] compagnon de : *animaux* : 35,7 *diable* : 17,5 ; 75,5 *Dieu* : 13,5 partager : *consolation* : 21,11 *nature humaine* : **23,6**

VÉ[1] compagnie : *Époux-Église* : **64,10**

VM[5] compagnon, frère : **23,6** ; 23,8[2] *auditeurs* : 65,4 *Gérard* : 26,8

Synagoga[11]

J[11] Synagogue : **14,1** ; **14,2**[2] ; **14,4** ; 15,8 ; 28,11 ; **29,1**[2] ; 67,11 ; 73,2 ; **79,5**

unanimis[5]

VCh[1] une seule âme avec : *Christ* : 29,2

VÉ[1] unanimité de : *apôtres* : 42,11

VM[3] unanimité de : *Bernard-Gérard* : 26,4 *communauté* : **46,6** ; 54,8

unanimitas[4]

VÉ[1] unanimité de : *âmes* : **61,2**

VM[3] unanimité de : *Bernard-*

Gérard : 26,9 *communauté* : **46,6** ; 64,5

unio, -ire[7]

(cf. Vie spirituelle)[7]

unio, -onis[5]

(cf. Vie spirituelle)[5]

unitas[31]

(cf. Vie spirituelle)[23]

VÉ[6] unité de : *âmes* : **61,2** *Église* : 49,5[2] ; **71,9**[2] *foi* : 78,5

VM[2] unité de : *communauté* : 29,3 ; **46,6**

unitio[4]

(cf. Vie spirituelle)[4]

vigilia[18]

H[3] veilles : 13,2 ; 25,6 ; 33,13

VCh[2] veilles de : *apôtres* : 58,1 *Christ* : 43,3

VM[13] office des vigiles : 7,4 ; 33,10 ; 36,7 ; 54,8 ; **69,8** veilles : 18,5 ; 19,7 ; **23,11** ; 32,2 ; 37,2 ; **69,8** ; 71,14 ; **86,3**

votum (voveo)[29]

(cf. Vie spirituelle)[5]

(cf. Volonté-Affectivité)[20]

VÉ[4] vœu de : *continence* : 65,6 ; 66,1 ; 66,14[2]

voveo[1]

VÉ[1] faire vœu de : *continence* : 65,6

VIE SPIRITUELLE

acedia[3]

G[3] acédie : 15,6 ; **21,5** ; 30,6

adoro[10]

O[10] adorer : *Dieu* : 6,6 ; 27,6 ; 27,8 ; 53,3[2] ; 83,4 *Dieu Christ* : 27,9 ; **35,5** ; 67,6 *Dieu Trinité* : **8,9**

adspiratio[1]

Su[1] respiration de : *jour* : 72,4

adspiro[25]

G[1] désirer : 72,6

O[2] aspirer à : *réalités spirituelles* : 34,1 ; 83,1

Su[22] aspiration de : *jour* : 72[9](4, **6, 7, 10, 11**) respiration de : *jour* : 71,14 ; 72[12](4, 5)

adventus[19]

Su[19] venue de : *Dieu* : **31,4** *Dieu Christ* : 55,2 ; 72,5[2] *Dieu Christ-dernier jour* : 33,16 ; 73,3 ; **73,5** *Dieu Christ-Incarnation* : 2,4 ; 53,3 ; 59,4 *Dieu Époux* : 56,3 ; **57,1**[2] ; **57,2** ; **57,4** ; **57,5** *Dieu Esprit* : **53,2** ; 58,5 *Dieu Père* : **69,2**

aedificatio[9]

(cf. INDEX DES *REALIA* - C o n s t r u c t i o n s , habitations)[2]

O[4] édifier : *auditeurs* : 3,6 ; 38,5 ; 59,10 ; 74,1

So[3] édifier grâce à : *contemplation* : 62,3 *Dieu Christ* : 16.2 *science* : 36.3

alterno[1]

Su[1] alternance de : *Dieu Esprit* : 17,2

appropiatio[1]

Su[1] approche de : *Dieu Verbe-Incarnation* : **56,1**

colloquium[8]

(cf. Vie commune)[2]

R[6] entretien : *âme-saints et anges* : 7,8 *Dieu Époux-épouse* : 38,3 ; 45,2 ; 49,1 ; 51,1 ; 61,2

colloquor[4]

(cf. Vie commune)[1]

R[3] entretien : *Dieu Époux-épouse* : 51,1 *Dieu Verbe-âme* : **45,7**[2]

commercium[2]

(cf. INDEX DES *REALIA* - Société)[1]

R[1] échange : *Dieu Verbe-âme* : **85,13**

communio[2]

(cf. Vie commune)[1]

R[1] communion : *Dieu-homme* : 71,10

communis[38]

(cf. Vie commune)[36]

R[2] commun à : *Dieu Trinité* : 12,11 *Dieu Verbe-âme* : **7,2**

compunctio[10]

O[8] regretter, être transpercé par : *péchés* : 12,1 ; **15,8** ; **16,4**[2] ; **16,12** ; **18,5** ; 18,6 *péchés et bienfaits de Dieu* : **56,7**

46,5[4] ; **49,4** ; **51,2**[3] ; **52,5** ;
52,6 ; **53,1** ; 54,8 ; **57,9**[5] ;
62,2 ; 62,3 ; **62,4** *sens de
l'Écriture* : 23,3 ; 23,9 ;
23,17

O[9] **contempler** : *Dieu* : 18,6[2] ;
61,6 ; 62,5 *Dieu Époux* :
23,11[2] ; 48,8 *réalités divines,
vérité* : 35,2 ; **41,3**

Su[7] **contemplation de** :
Bernard : 51,3 *ministres de
l'Église, supérieurs* : **53,1**
personnages AT : **57,9**
personnages NT : 67,6 *saints
et/ou anges* : 19,3 ; 27,12 ;
52,6

contemplativus[1]

G[1] **contemplatif** : **51,2**

contemplator[4]

O[2] **contempler** : *Dieu* : 23,12 ;
62,4

Su[2] **contemplatif** : *Paul* : 57,8
personnages AT : 23,13

contemplor (-o)[14]

G[6] **contempler** : 7,6[2] ; 51,10 ;
52,6 ; 58,1 ; 62,2

O[5] **contempler** : *Dieu Christ* :
33,6 *Dieu Époux* : 23,10 ;
23,11 *réalités divines, vérité* :
21,1 ; **41,3**

Su[3] **contemplation de** : *Gérard* :
26,7 *personnages NT* : 57,11
saints et anges : 19,5

contritio[8]

(cf. INDEX DES *REALIA* - **Corps,
médecine**)[2]

A[1] **ruine**

O[5] **contrition pour** : *péchés* :
10,4 ; **11,2** ; 12,1 ; 12,10 ;
72,2

contueor[1]

Su[1] **contemplation de** : *Église* :
62,1

contuitus, -us[1]

Su[1] **contemplation de** :
Bernard : 74,6

conversatio[39]

(cf. **Vie commune**)[36]

Su[3] **vie de** : *âme* : 27,8 ; 52,5 ;
61,3

conversio[15]

(cf. **Vie commune**)[5]

G[6] **conversion** : 4,1 ; 7,7 ;
10,5 ; 10,6 ; 30,3 ; 35,5

O[2] **tourné vers** : *Dieu Verbe* :
82,7 ; **83,2**

So[2] **conversion donnée par** :
Dieu : 78,6[2]

deprecor (-o)[5]

G[1] **supplier** : 57,4

O[1] **demander** : *pardon* : 83,4

Su[3] **supplication de** : *Bernard* :
52,7 *ministres de l'Église,
supérieurs* : 76,7[2]

descensus, -us[1]

Su[1] **descente de** : *Dieu* : **31,6**

desidia[1]

Su[1] **paresse de** : *auditeurs* : 7,4

desolatio[2]

O[1] **désoler** : *Bernard* : 26,12

Su[1] **désolation par** : *chair,
monde* : 35,1

desolo[6]

G[2] **désolation** : *spirituelle* :
10,2 ; 31,5

O[2] **désoler** : *Bernard et*

auditeurs : 27, 1 *Église* : 73, 3

Su² désolation par : *Dieu* : 57, 7 *ministres de l'Église, supérieurs* : 77, 1

devotio⁶⁰

G²³ dévotion : 4, 4 ; 21, 4 ; 23, 1 ; **24, 7** ; 27, 4 ; 30, 6 ; 32, 3 ; 35, 3 ; 40, 4 ; 42, 9³ ; **45, 7²** ; 49, 3 ; 51, 3 ; 57, 1 ; 57, 2 ; 62, 2² ; 69, 8 ; **74, 8²**

O⁴ dévotion pour : *Dieu Christ* : **20, 7²** ; **20, 8²**

So¹⁵ dévotion venant de : *contemplation* : **49, 4²** *Dieu Esprit* : **8, 6** *Dieu Père* : 69, 6 *Dieu Verbe* : 85, 3 *Écriture* : 7, 5 *espérance* : **18, 5** ; 18, 6 *mémoire* : 10, 4 ; **11, 1** ; 12, 1 ; 12, 10 ; 13, 7 *nom de l'Époux* : 19, 1 *Rédemption* : 20, 2

Su¹⁸ dévotion de : *Bernard et/ou auditeurs* : 6, 9 ; 7, 4 ; 54, 8 ; 63, 7 *Église* : 27, 6 ; 42, 11 ; 61, 7 ; 70, 4 ; 78, 6 ; 79, 3 ; 79, 5 *personnages AT* : **24, 7²** *personnages NT* : 12, 7 ; 23, 9 ; 28, 10 ; 71, 4²

ebrius¹⁵

A⁴ ivre

So¹¹ ivresse venant de : *amour* : 7, 3² ; **49, 1²** ; 76, 2 *chair* : 9, 9 *Dieu Esprit* : **49, 2⁵**

effusio⁷

A¹ prodigalité

O² répandre : *nom de Jésus* : 15, 1 ; 15, 2

Su⁴ don, effusion de : *Dieu Esprit* : **18, 1²** ; **18, 6** ; 19, 1

excessus, -us¹³

(cf. **Connaissance ; mens/ mentis excessus)²**

(cf. INDEX DES *REALIA* - **Arts et littérature)²**

G⁹ écart de conduite : 12, 9 ; 32, 3 ; 42, 4 ; 56, 7 *extase* : 7, 6 ; **38, 3** ; **49, 4** ; **52, 5** ; **62, 4**

exercitium¹¹

G⁴ épreuve : 21, 10 ; 26, 2 ; **47, 6** exercice, ascèse : 18, 5

O⁴ pratiquer : *discernement* : 32, 6 *vertus* : 22, 9 ; **46, 5** ; 54, 9

Su³ exercice, ascèse de : *auditeurs* : 1, 9 ; 33, 10 *fidèles* : 76, 8

exstasis¹

G¹ extase : **52, 4**

exter¹⁶

(cf. Vie commune)²

Su¹⁴ extérieur : *action* : 85, 10 *aspect* : 24, 6 ; **25, 5** ; **25, 6²** ; **25, 7²** *biens* : 57, 11 *dons de l'Esprit* : 18, 1 *soucis* : 35, 1 *ténèbres* : 16, 7 ; 35, 7 ; 72, 9 **extérieur de** : *Bernard* : **74, 5**

extrinsecus⁷

(cf. Vie commune)¹

G¹ au-dehors, extérieur : 41, 1

Su⁵ extérieur : *aspect* : **25, 6** *dons de l'Esprit* : 18, 1 *expression* : 41, 4 *manifestation de Dieu* : 31, 4 **extérieur de** : *diable* : 85, 6

foris⁴⁶

(cf. Vie commune)⁷

G¹⁰ au-dehors, extérieur : 12, 3 ; 12, 4² ; 14, 4² ; 14, 5 ; 23, 1 ; 42, 8² ; **74, 5**

Su²⁹ extérieur : *aspect* : **25, 5** ; **25, 7** ; 63, 6 ; 72, 10

correction, avertissement :
21,10 ; 57,5 *dons de l'Esprit* :
18,1 ; 18,2 *expression* : 1,11 ;
13,6 ; **15,8** ; 21,4 ; 37,3
manifestation de Dieu : 31,4
sens corporels : **28,8** *sens de
l'Écriture* : 14,8 ; 61,2[2] *venue
du Verbe* : **31,6** *vérité* : 53,5
vertus : 42,9 **extérieur de** :
Bernard : 26,6 ; 26,7 *ciel* :
15,2 *Dieu Christ* : **28,2** *Dieu
Époux* : 9,6[2] *Église* : **28,11**
Gérard : 26,7

infusio[11]

O[2] **répandre** : *grâce* : 60,9
intelligence : 57,8

So[3] **don, infusion venant de** :
amour, charité : 42,6 ; 42,8
contemplation : 49,4

Su[6] **don, infusion de** : *Dieu* :
17,5 *Dieu Christ* : 2,2 *Dieu
Esprit* : **18,1**[2] ; **18,6** *Dieu
Verbe* : **45,8**

inquietudo[9]

G[3] **inquiétude** : *intérieure* :
9,9 ; 52,2 ; 53,1

So[6] **inquiétude venant de** :
chair, monde : 14,5 ;
35,1 ; 48,1 ; 50,5 ; 51,10
contemplation : **23,11**

inspiratio[6]

G[1] **inspiration** : *intérieure* : 21,11

Su[5] **inspiration de** : *Dieu* :
53,1 ; 78,3[2] *Dieu Esprit* :
22,2 ; **78,5**

inspiro[18]

Su[18] **inspiration de** : *Dieu* :
1,8 ; **72,7** ; 78,7 *Dieu
Christ* : 16,2 ; 73,10 *Dieu
Époux* : 21,11 *Dieu Esprit* :
42,11 ; 47,8 *jour* : **72**[10](7,
9, 10, 11)

interior[21]

(cf. Vie commune)[1]

G[3] **au-dedans, intérieur** : 18,5 ;
72,11 ; 85,4

Su[17] **intérieur** : *aspect* : 24,6 ;
25,7 *péché* : **28,11** ; 82,6
réalités spirituelles : 31,4 ;
63,6 *sens de l'Écriture* : 17,1
sens intérieurs : 52,3 ; 62,7
vertus : 63,5 **intérieur de** :
Bernard : 16,2[2] ; 26,3 ;
74,5 ; **74,6** *Dieu Verbe* :
62,6 *ministres de l'Église,
supérieurs* : 58,3

internus[18]

Su[18] **intérieur** : *aspect* :
25,6 ; **25,7** ; 27,1 ; 62,8
connaissance : 41,3 *pensées* :
25,2 *réalités spirituelles* : 3,1 ;
9,6 ; 21,11 ; 32,6 ; 35,1
sens intérieurs : 14,6 ; 24,6 ;
31,7 ; 41,3 **intérieur de** :
ciel : 18,4 *Gérard* : 26,7
personnages AT : 12,3

intuitus, -us[17]

(cf. Connaissance)[2]

G[3] **regard spirituel,
contemplation** : **40,1** ; **45,5**
au ciel : 72,2

O[7] **regarder, contempler** :
Dieu : 11,2 ; 12,1 ; 45,10 ;
62,5 *Dieu Christ* : 6,8 ; 37,4
péchés : 11,2

Su[5] **intention de** : *Gérard* : 26,6
regard, contemplation de :
Bernard : 26,12 *Dieu Époux* :
55,1 ; **57,2** *Église* : **62,1**

intus[44]

(cf. Vie commune)[3]

G[6] **au-dedans, intérieur** :
14,5[2] ; 28,1 ; 42,6 ; 42,8 ;
56,7

Su[35] **intérieur** : *aspect* : **25,5** ; **25,7**[3] ; 72,10 *connaissance* : 41,4 *correction, avertissement* : 57,5 *dons de l'Esprit* : 18,1 *péché* : **28,11** *pensées* : 32,5 *réalités spirituelles* : 21,4 ; 21,10 ; **25,5** ; 37,3 *sens de l'Écriture* : 14,8[2] ; 61,2 *sens intérieurs* : **15,8** *venue du Verbe* : **31,6** ; 32,2 *voix de Dieu* : 53,1 **intérieur de** : *Bernard* : 26,3 ; 26,4 ; 26,6 ; 26,7 ; **74,5** ; **74,6** *Dieu Christ* : **28,2**[3] ; **28,11** *Dieu Époux* : 9,6[2] *Église* : **28,11** *personnages AT* : 12,4

laudatio[1]

O[1] **louer** : *Dieu* : 62,3

laudo[30]

G[4] **louer** : 9,3 ; 76,10 **louer (office divin)** : 7,6 **se glorifier** : 24,2

O[14] **louer** : *amabilité* : 71,3 *beauté* : 40,1 *Dieu* : 13,6 ; 17,6 ; 26,11[2] ; 26,13 ; 33,2 *Dieu Christ* : **48,4** ; 75,6 *Dieu Époux* : **48,3** *Église* : 51,2 *homme pécheur* : 39,6 *vertus* : 81,6

So[3] **louer pour** : *bienfaits de Dieu* : **10,7** ; **11,1** *infusion de l'Esprit* : 18,4

Su[9] **louange de** : *autres* : 13,7 *Dieu* : 48,2 *Dieu Époux* : **48,3** *Église* : **68,5** *Gérard* : 26,11 *saints et/ou anges* : **11,1** ; 53,6 ; **68,5** **se glorifier** : *Dieu* : 68,4

laus[94]

G[13] **louange** : 9,3 ; 9,10 ; 13,6 ; 76,2 **louange (office divin)** : 7,4 ; 7,5 ; 7,6 ; 7,7 ; 15,8 ; 16,3 ; 47,8[2] **se glorifier** : 86,2

O[36] **louer** : *Dieu* : 1,10 ; 17,7 ; 26,11 ; 26,13 ; 27,8 ; 62,2 ; 62,3 ; 78,3 *Dieu Christ* : **48,3**[3] ; **48,4**[2] *Dieu Époux* : **19,1** ; **48,3** ; **56,7**[2] *saints* : 13,6 *vertus* : 42,9[2] ; 46,7 ; 85,3 ; 86,1 **louer (doxologies)** : *Dieu* : 3,6 ; 13,9 *Dieu Christ* : 17,8 ; 18,6 ; 23,17 ; 27,15 ; 39,10 ; 42,11 ; 45,10 ; 54,12 ; 59,10 ; 65,8 *Dieu Christ et Église* : 56,7

So[17] **louer pour** : *bienfaits de Dieu* : 1,9 ; **10**[6](7, 8, 9) ; **11,1** ; **11,2**[3] ; **11,3** ; 12,10 *grâce* : **13,7**[2] *salut* : 16,2 ; 18,5

Su[28] **louange de** : *autres* : 13,6 ; 16,10[2] ; 33,12[2] ; 62,8 ; 86,2 ; 86,3 *Bernard et/ou auditeurs* : 10,10 *Dieu* : 13,2 ; 13,6 *Dieu Époux* : 42,1 ; 45,3[2] ; 45,5 ; **48,3** *Église* : **68,5**[2] *homme pécheur* : 13,2 *ministres de l'Église, supérieurs* : 58,3 *personnages AT* : 1,8 *saints et/ou anges* : 53,4 ; 53,6[2] ; 54,5 ; **68,5**[2] ; 73,7

lectio[5]

G[2] **lecture** : 9,2 ; 71,14

O[2] **lire** : *Écriture* : 1,3[2]

Su[1] **lecture de** : *Bernard* : 26,7

maneo[59]

A[3] **rester**

G[17] **demeurer dans** : *chair* : 20,7 ; 21,1 ; 33,6 ; 38,3 ; 48,7[2] ; 51,2 ; 58,10 *Dieu Christ* : 22,9 ; 24,8 *Dieu Père* : 75,6 *solitude* : 52,5 **réserver** : *eschatologie* : 55,2 ; 66,3 ; 66,11 ; 66,12 ; 77,1

R[11] demeure réciproque : *Dieu Père-Fils* : **71,9** *Dieu-homme* : **71[10](6, 7, 10)**

Su[28] état de : *âme* : 80,3 ; 80,5 ; 82,2 ; 82,4 ; 82,5 ; 82,6[2] *Dieu Christ* : 15,3 ; 48,4 ; 73,9 *Dieu Trinité* : **80,5** *gloire de Dieu* : 13,4 *Paul* : 29,1 *regard de l'Époux* : 57,2 *temps présent* : **31,1 permanence de** : *cité terrestre* : 26,1 ; 59,4 *Dieu Verbe* : 35,4[4] *vérité de Dieu* : 68,6 *vertus* : 27,3 **présence de** : *animaux* : 5,3 *Dieu* : 13,6 *Dieu Christ* : 74,3 *Église* : 42,11 *grâce* : 54,10

mansio[14]

G[7] demeure de : *ciel* : 10,6 ; 35,3 ; 62,1 ; 62,2 *Dieu Époux* : 23,10 *terre* : 26,1 ; 33,7

Su[7] présence de : *Dieu Époux* : 33,1[2] *Dieu Fils* : 42,10 *Dieu Père et Fils* : 27,8 *Dieu Père et Verbe* : **69,2** ; **69,6** ; 69,7

meditatio[14]

G[4] méditation : 31,4 ; 35,3 ; 49,4 ; 57,7

O[8] méditer : *bienfaits de Dieu* : 10,7 *Dieu Verbe* : **32,4** *Écriture* : **22,2** *loi de Dieu* : **32,4** *péchés* : 10,5 *souffrances du Christ* : 43,2 ; 61,7 ; 62,7

So[1] méditation donnée par : *Dieu Verbe* : **69,6**

Su[1] méditation de : *Bernard* : 54,8

meditor (-o)[19]

G[4] méditer : 24,7 ; 29,4 ; 32,2 ; **85,13**

O[11] méditer : *Dieu Christ* : 20,6 *iniquité* : 17,5 ; 49,8 ; 69,2 *loi de Dieu* : 1,1 ; 2,8 ; **32,4** ; 57,11 *Rédemption* : **11,3** ; 11,8 *souffrances du Christ* : 43,4

Su[4] méditation de : *Bernard* : 51,3 *Gérard* : 26,6 *martyrs* : 66,13[2]

mora[13]

Su[13] durée de : *réalités spirituelles* : **23,15** *retard de* : *Dieu Christ* : 2,5[2] ; 2,7[2] *Dieu Époux* : 31,5 ; 51,3 ; 51,5 *Dieu Verbe* : **74,4[2]** *réalités spirituelles* : 23,1 ; 63,5 *salut* : 67,5

motio[1]

Su[1] mouvement de : *âme, cœur* : **32,6**

motus, -us[14]

A[1] mouvement

Su[13] mouvement de : *âme, cœur* : 1,11 ; 67,3 ; **74,6** ; **83,4** *anges* : 78,2 *corps* : 85,11 *Dieu* : **78,2** *Dieu Verbe* : **74,1[2]** ; **74,2** ; **74,6** *homme* : **78,2** *passions* : 86,1

moveo[39]

A[7] (se) mouvoir

G[4] ébranler : 21,5 ; 23,13 ; 74,8 ; 85,6

So[7] ébranlé par : *départ du Verbe* : 74,8 **poussé, ému par** : *Dieu Esprit* : 40,4 *Dieu Verbe* : **84,5** *souffrances du Christ* : 20,8 *souvenir des péchés* : 12,1 ; 57,7 *vérité* : 50,5

Su[21] mouvement de : *âme, cœur* : 32,6 ; **74,5[2]** ;

83,2[4] *corps* : 50,4 ; 85,11
mouvement intérieur de :
auditeurs : 23,14 ; 26,3 ;
82,2 *Bernard* : 14,6 ; 20,2 ;
26,3 ; 48,3 ; 52,7 ; 59,3 ;
59,4 ; 65,1 ; **74,6**

mysticus[3]

G[3] **mystique** : 16,3 ; 28,9 ;
74,2

oratio[57]

**(cf. INDEX DES *REALIA* - Arts
et littérature)**[3]

G[23] **prière** : 3,3 ; 9,2 ; 12,5 ;
18,5[2] ; 18,6 ; 20,6 ; 29,4 ;
40,4 ; 49,3 ; **49,4** ; 54,8 ;
57,9[3] ; 71,14 ; **86,2**[2] ; **86,3**[2]
liturgique : 26,3 *Pater* : 15,2 ;
73,3

Su[31] **prière de** : *Bernard et/ou
auditeurs* : 6,9 ; **9,7** ; 10,4 ;
14,8 ; 15,1 ; 19,7 ; 26,7 ;
26,14 ; 27,1 ; 27,15 ; **32,3** ;
35,9 ; 36,1 ; 46,6[3] *Dieu
Christ* : **40,4** *Église primitive* :
42,11 *homme pécheur* : 46,5 ;
71,2 ; 71,13[2] *justes, saints* :
39,4 ; 49,3 ; **62,2**[2] ; 63,4
ministres de l'Église, supérieurs :
76,7 *personnages AT* : 7,4 ;
29,7 *personnages NT* : 78,7

oro[64]

A[1] **je demande (rhétorique)**

G[25] **prier** : 7,7 ; 7,8 ; 12,5 ;
18,5 ; 20,6 ; 29,4 ; 31,5 ;
32,6 ; **40,4**[3] ; 48,5 ; **49,4** ;
49,8 ; **50,5** ; 73,6 ; **86**[7](2,
3) *liturgie* : **7,4**[2]

O[3] **prier pour** : *ennemis* :
27,11 ; 48,2 *morts* : 66,9

Su[35] **prière de** : *Bernard et/ou
auditeurs* : 3,6 ; 7,8 ; **9,7** ;
15,1 ; 26,7 ; 30,7 ; **32,3** ;

32,10 ; 46,6 ; 51,3 ; 54,8 ;
66,6 ; 67,12 ; 68,7 ; 74,7 ;
84,4 *Dieu Christ* : 6,3 ; 29,3 ;
40,4 ; 43,3 *homme pécheur* :
71,13 *justes, saints* : 73,4
ministres de l'Église, supérieurs :
76,7 ; 76,8 ; 77,1 *novices* :
33,11 *personnages AT* : 7,4 ;
9,3 ; 12,5 ; 32,6 ; 33,4 ;
39,4 ; 56,4 ; 73,5 ; 85,3

otium[23]

G[5] **loisir au** : *ciel* : 62,4 ; 72,2
oisiveté (péj.) : 12,8 ; 39,7 ;
51,2

O[8] **loisir pour** : *contemplation* :
18,6 ; **46,5**[3] ; 57,9 ; 58,1 ;
69,1 ; 74,3

Su[10] **loisir de** : *Bernard et/ou
auditeurs* : 19,7 ; 26,6 ; 51,3
Dieu Époux : 68,2 *ministres
de l'Église, supérieurs* : 53,1[3]
personnages NT : 40,3 *sagesse* :
85,8[2]

paenitentia[24]

O[16] **se repentir de** : *péchés* :
3,3 ; 3,4 ; **10,5** ; **10,6**[2] ;
18,5[2] ; 18,6 ; 23,13 ; 25,6 ;
28,12 ; 30,3 ; 60,2 ; 68,5 ;
71,5 ; **71,11**

So[4] **repentir provoqué par** :
Dieu : 9,5 *espérance* :
22,9 *prédication* : 15,3
réprimandes : 45,3

Su[4] **repentir de** : *anges déchus* :
54,2 *Bernard* : 42,2 *Dieu
Père* : 16,5 *personnages AT* :
57,9

perfundo[13]

O[8] **répandre** : *humilité* : 42,6
larmes : 30,7 *nom de Jésus* :
15,4 *nom de l'Époux* : 14,3 ;
14,6 ; 18,1[2] ; 19,1

Su⁵ répandu par : *Dieu Christ* : 32,3 ; 54,3 *Dieu Esprit* : 9,3 ; 44,6 ; 44,7

permaneo¹¹

G¹ état : 31,1

Su¹⁰ demeurer : *apôtres* : 21,2 ; 73,3 *état de* : *âme* : 21,4 ; 29,6 *chrétiens* : 33,16 *démons* : 54,3 *enfants morts sans baptême* : 69,3 **permanence de** : *foi* : 66,10 *vertus* : 27,3 ; 46,8

permoveo³

So¹ poussé, ému par : *Dieu Époux* : 22,1

Su² mouvement intérieur de : *anges* : 7,4 *ministres de l'Église, supérieurs* : 58,3

pertingo¹⁶

(cf. Connaissance)⁴

A¹ toucher

O⁵ atteindre : *amour de la vérité* : 77,5 *Bernard* : 14,6 *degré d'être* : 81,3 ; 81,4 *Dieu* : 8,8

So¹ atteindre par : *foi* : 79,3

Su⁵ atteint par : *charité des saints* : 27,5 *Dieu Époux* : 22,1 ; 54,7 *Parole de Dieu* : 3,2 ; 45,7

petitio⁹

G⁴ prière : 7,7 ; 31,5 ; 33,1 *Pater* : 15,2

Su⁵ prière de : *auditeurs* : 11,2 *Dieu Fils* : **76,3³** *personnages NT* : 32,9

pietas⁷⁸

(cf. Volonté-Affectivité)⁵⁰

G¹⁶ piété : 3,4 ; **9,7** ; **18,3** ; 18,5 ; 18,6 ; 33,12 ; 37,2 ; 41,6 ; 47,2 ; 57,6 ; 60,6 ; 62,2 ; 62,8 ; 75,9 ; 76,7 ; 79,1

So¹ piété venant de : *souvenir de la Passion* : 22,9

Su¹¹ Esprit de piété : 16,13 **foi de** : *hérétiques* : 66,12 *martyrs* : 66,13 **piété de** : *auditeurs* : 33,10² ; 46,7 ; 51,3 *Dieu Christ* : 70,7 *Dieu Fils* : 62,5 *juifs* : 14,8 *personnages AT* : 2,7

pius⁵³

(cf. Volonté-Affectivité)²⁷

G¹⁴ pieux : 1,9 ; 20,8 ; 26,2 ; 28,7 ; 30,6 ; 37,7 ; 49,4 ; 62,2 ; 62,5 ; 64,1 **selon la foi** : 19,6 ; 69,3 ; 71,9 ; 80,8

Su¹² piété de : *Bernard et/ou auditeurs* : 50,5² *charité active* : 50,5 *Dieu Christ* : 14,8 *Dieu Fils* : 62,5 *Église* : 47,5 *ministres de l'Église, supérieurs* : 30,1 *Paul* : 36,4 ; 62,3² *personnages AT* : 2,1 *saints et/ou anges* : 62,2

postulo⁴²

A³ demander

G⁹ prier, demander : 21,2 ; 21,3 ; 21,10 ; 32,10 ; 51,3 ; 70,3² *Pater* : 72,2 ; 73,3

O¹⁵ prier, demander : *baiser* : 7,2 ; 7,3 ; 8,2 ; 9,1 ; 9,8 *biens terrestres* : **86,3²** *intercession des saints* : 66,9 *sagesse* : 22,8 ; 85,7 *salut* : 36,2² *venue du Christ* : 73,3 *voir l'Époux* : 38,5 ; 41,2

Su¹⁵ exigence de : *charité* : 21,10 ; 49,6 *utilité, ordre* : 36,5 **prière de** : *Dieu Christ* : **28,3⁵** *Dieu Époux* : 61,2

Dieu Esprit : 59,6[2] *épouse* : 34,1 ; 39,1 *personnages AT* : 29,7 ; 84,3

praesentia[53]

(cf. **Vie commune**)[14]

A[3] temps présent

G[2] présence : 33,3 ; **84,1**

Su[34] présence de : *âme* : 81,3 *anges* : 7,4 *Dieu* : 4,1 ; 27,10 ; **31,4** ; **31,7** ; **31,9** ; 35,1 ; 54,2 *Dieu Christ* : 19,4 ; 26,5 ; 33,6 ; 47,6 ; 75,5 ; 76,2 *Dieu Époux* : 23,9 ; 32,1 ; 33,1 ; 40,4 ; 41,5 ; 51,1 ; 51,5[2] ; 53,2 ; 56,3 ; **56,4** *Dieu Père et Verbe* : **69,2** *Dieu Verbe* : **32,2** ; **74,2**[2] ; **74,3** ; **74,6** *saints* : 49,3 *vérité* : 85,10

precatio[2]

G[1] prière : 21,1

Su[1] prière de : *personnages AT* : 2,7

prex[14]

G[5] prière : 3,5 ; 9,4 ; 10,9 *liturgique* : **7,4** *Pater* : 72,2

O[4] prier pour : *morts* : 66,10 **prier, demander** : *baiser* : 7,4 ; 9,1 *venue du Verbe* : 32,2

Su[5] prière de : *apôtres* : 74,3 *Bernard et/ou auditeurs* : 11,8 ; 26,2 ; 29,9 *personnages AT* : 2,7

proficio[57]

A[1] grandir

G[24] progrès spirituel : 3,3 ; 3,4 ; 4,1 ; 10,2[3] ; 14,5 ; 23,1[2] ; 23,2 ; 33,13 ; 38,4 ; 46,8 ; **49**[6] **(7)** ; 51,8 ; 52,1 ; 58,10 ; **58,12** ; **85,2**

O[13] progrès dans : *amour* : **20,9** ; 21,1 ; 27,10 ; 27,11 *contemplation, intelligence spirituelle* : 45,5 ; 52,5 ; 57,8 ; 62,6 ; 62,7 ; 75,2 *degré de vie* : 81,4 *espérance* : 51,9 *foi et œuvres* : 51,4

So[6] progresser grâce à : *Dieu Esprit* : **21,4** *ministres de l'Église, supérieurs* : 30,1 ; 76,9 *réalités corporelles* : **5,3** ; **5,4** ; **5,5**

Su[13] progrès de : *auditeurs* : 33,10 ; 51,3 ; 74,5 *Bernard* : 12,8 ; 26,6 *Église* : 30,1 *hérétiques* : 66,1 *juifs* : 60,3 *moines* : 51,2 ; 57,11 ; 64,1[2] ; 64,3

propinquitas[3]

(cf. **Vie commune**)[1]

R[2] proximité : *Dieu Verbe-âme* : **81,1** ; **82,1**

provectus, -us[3]

G[2] progrès spirituel : **23,2** ; 71,5

Su[1] progrès de : *moines* : 9,6

proveho[6]

A[1] avancé en âge

So[3] progresser grâce à : *humilité* : **34,1** *ministres de l'Église, supérieurs* : 30,1 *Parole de Dieu* : 29,6

Su[2] progrès de : *moines* : 1,12 ; 63,7

purgatorius[1]

G[1] purgatoire : 66,11

quies[38]

A[4] apaisement, repos

G[9] quiétude de : *ciel* : 33,2 ; **46,5** ; 68,5 **quiétude intérieure** : 9,9[2] ; 23,13 ; 47,5 ; 50,5 ; 52,2

So[14] quiétude donnée par : *contemplation* : 18, 6 ; **23, 11**[3] ; 23, 14 ; **23, 16** ; 41, 5 ; **46, 5**[2] ; 47, 4 ; 51, 2 ; **52, 5** ; 57, 9 ; 58, 1

Su[11] quiétude de : *auditeurs* : 30, 12 *Bernard* : 26, 6 ; 26, 7 ; 51, 3[2] *Dieu Époux* : 46, 4 *Gérard* : 26, 6 *ministres de l'Église, supérieurs* : 53, 1[3] *moines* : 46, 4

quiesco[29]

A[1] apaisement

G[2] quiétude intérieure : 46, 1 ; 52, 1

So[16] quiétude donnée par : *amour de la vérité* : 77, 5 *baiser* : 9, 2 *contemplation* : 4, 4 ; **23, 11**[2] ; **23, 16**[2] ; **46, 5** ; 48, 8[2] ; 51, 10 ; **52, 5**[2] ; 52, 6 ; 58, 1 *Dieu Christ* : 20, 7

Su[10] quiétude de : *anges* : 19, 3 *charité* : 23, 1 *Dieu* : 23, 15 ; **23, 16** *Dieu Époux* : 33, 6 *ministres de l'Église, supérieurs* : 10, 3 ; 53, 1 *moines* : 23, 8 ; 46, 2 *personnages NT* : 28, 8

rapio[20]

A[4] emporter

O[1] s'emparer de : *vérité* : 73, 2

So[5] emporté par : *appétit* : 81, 6 *vanité* : 39, 6 **ravi par** : *ange gardien* : 31, 5 *Dieu Esprit* : 17, 8 *Dieu Verbe* : **85, 13**

Su[10] ravissement de : *anges* : **19, 3** ; **19, 5** *auditeurs* : **23, 16** *Bernard* : 23, 13 *Église* : **62, 4**[2] *Paul* : 25, 5 ; 33, 6 ; 48, 7 ; **62, 4**

reformatio[1]

Su[1] régénéré par : *Dieu Verbe* : 74, 6

religio[6]

(cf. Vie commune)[3]

G[2] religion : 66, 1 ; 76, 7

Su[1] piété de : *ministres de l'Église, supérieurs* : 58, 3

religiosus[5]

(cf. Vie commune)[3]

G[2] pieux : 13, 3 ; 57, 2

renovatio[1]

Su[1] renouvelé par : *Dieu Verbe* : 74, 6

requies[14]

G[5] quiétude de : *ciel* : 66, 11 *sabbat* : 58, 7 **quiétude intérieure** : 23, 13 ; 35, 1[2]

So[4] quiétude donnée par : *contemplation* : **52, 5**[2] ; **62, 4** *souffrances du Christ* : 61, 3

Su[5] quiétude de : *conscience* : 51, 9 *Dieu Christ* : 27, 9 *Dieu Époux* : 46, 1[2] *Gérard* : 26, 8

respiratio[1]

Su[1] respiration de : *jour* : 72, 9

reverbero[2]

Su[2] repoussé par : *Dieu Époux* : 3, 2 ; 62, 7

reversio[1]

Su[1] retour de : *Dieu Verbe* : 74, 7

rogo[14]

G[6] prier, demander : 21, 1[2] ; 21, 8 ; 21, 9 ; 51, 1 ; 58, 4

O[4] prier, demander : *baiser* : 9, 2 *venue de l'Époux* : 73, 1 *venue du Christ* : 73, 4 *voir l'Époux* : 61, 2

Su[4] **prière de** : *auditeurs* : 21, 11
Dieu Christ : 67, 5 *Église* :
15, 3 *personnages AT* : 16, 11

silentium[12]

(cf. Vie commune)[4]

G[6] **silence** : **57, 5**[2] ; 67, 5[2] ;
67, 7 *péjoratif* : 18, 2

Su[2] **silence de** : *Dieu Christ* :
6, 4 *Dieu Esprit* : 17, 3

sobrius[11]

Su[11] **raisonnable, sobre** : *Dieu*
Christ : 15, 6 *épouse* : 27, 7 ;
67, 5 *esprit* : 1, 3 ; 26, 7 ;
49, 3 ; 57, 4 *Paul* : 62, 3 ;
85, 14 *vie* : 9, 2 ; 37, 7

societas[18]

(cf. Vie commune)[7]

R[11] **compagnie** : *épouse-saints,*
anges : 52, 6 **union** : *Dieu*
Époux-épouse : 70, 1 *Dieu*
Verbe-âme : 82, 7 ; **83, 1** *Dieu-*
âme : **82, 8** *esprit-corps* : 16, 1
lumière-ténèbres : 39, 4 ; 66, 3 ;
75, 10 ; 85, 9 *sagesse de Dieu-*
sagesse du monde : 1, 3

sollicitudo[29]

G[8] **inquiétude** : 39, 7 ;
44, 5 ; 46, 2 ; 68, 2[2] ; 86, 3
sollicitude : 37, 6 ; **49, 6**

O[5] **sollicitude pour** : *autres* :
9, 9 ; 23, 1 ; 41, 5 *Dieu* : **69, 7**
Dieu Époux : 57, 2

Su[16] **inquiétude de** : *Bernard* :
30, 7 ; 52, 4 *Dieu* : 69, 2
homme pécheur : 83, 1
sollicitude de : *diable* : 72, 8
Dieu : 69, 1 ; **69, 7** ; **69, 8**
Gérard : 26, 7 ; 26, 9 *ministres*
de l'Église, supérieurs : **30, 8** ;
53, 1 ; 77, 1 *Paul* : 12, 2 *saints*
et/ou anges : 77, 4[2]

somnus[14]

A[7] **sommeil, mort**

So[7] **sommeil venant de** :
contemplation : **23, 11** ;
26, 12 ; 52, 2 ; **52, 3**[2] ; 57, 9
oubli : 77, 2

sopor[3]

A[2] **sommeil**

So[1] **sommeil, repos venant de** :
contemplation : **52, 3**

specto[25]

A[13] **voir, concerner**

O[6] **contempler** : *Dieu* : 18, 6
Dieu Christ : 28, 4 ; 47, 5 ;
47, 6 *Dieu Verbe* : 19, 2 **tendre**
à : *réalités éternelles* : 27, 3

Su[6] **contemplation de** : *anges* :
85, 5 *Dieu Christ* : 61, 8 *Dieu*
Fils : 27, 2 *Église* : 53, 3 *justes* :
67, 6[2]

speculor[16]

G[1] **contempler** : 7, 6

O[11] **contempler** : *Dieu* : 23, 14 ;
24, 5 ; 25, 5 ; **31, 2** ; **36, 6** ;
62, 5 ; **62, 7** ; 67, 8 ; 69, 7
Dieu Christ : 3, 5 ; 12, 11

Su[4] **contemplation de** : *anges* :
19, 3 ; **52, 5** *moines* : 57, 11
personnages AT : 1, 8

spiro[21]

G[3] **respiration** : 72, 4[3]

O[3] **inspirer à** : *Bernard* : 2, 1
Dieu Fils : 8, 6 **respirer** :
amour : 7, 2

Su[15] **respiration de** : *Dieu*
Époux : 21, 4 ; 21, 11 *Dieu*
Esprit : 17, 3 ; 59, 6 ; **72, 4**
Dieu Verbe : 31, 7 *grâce* : 44, 4
jour : **72**[8]**(4, 5, 6, 7, 10)**

status[19]

A[2] lieu

G[1] état : **31, 1**

So[1] état donné par : *Dieu* : 37, 6

Su[15] état de : *âme* : **21, 4** ; **21, 6** ; 24, 6 ; **24, 7** *Bernard* : 6, 9 *Église* : 46, 4 ; 68, 4 *éternité* : 32, 4 *Ordre cistercien* : 26, 12 *saints et/ou anges* : 11, 1 ; 25, 5 ; 62, 2 ; 62, 4 *science* : 37, 2 **régime de** : *foi* : 41, 3

studium spirituale[6]

G[4] effort spirituel : 21, 5 ; 32, 4 ; 35, 1 ; 49, 4

Su[2] effort spirituel de : *auditeurs* : 51, 3 *Bernard* : 51, 3

supplex[2]

Su[2] suppliant : *Dieu Fils* : **76, 3** *Paul* : 78, 7

supplico[6]

O[2] demander : *baiser* : 9, 2 **supplier pour** : *péchés* : 57, 9

Su[4] supplication de : *Dieu Christ* : **56, 2** *personnages AT* : 16, 11 *personnages NT* : 22, 8[2]

taedet[5]

G[1] lassitude spirituelle : **32, 4**

O[1] lassé de : *prier* : 66, 6

Su[3] lassitude de : *auditeurs* : 65, 1 *Bernard* : **14, 6** *épouse* : 9, 1

taedium[9]

G[2] lassitude spirituelle : 21, 5 ; **32, 4**

So[2] lassitude venant de : *absence de l'Époux* : 51, 3 ; 75, 1

Su[5] lassitude de : *auditeurs* : 33, 14 ; 34, 5 *Bernard* : **14, 6** *ciel* : 76, 3 *personnages AT* : 2, 7

theoricus[3]

G[3] contemplatif : 1, 3 ; 23, 3 ; 23, 9

tranquillitas[8]

Su[8] sérénité de : *âme* : **46, 6** *anges* : **19, 3** *Dieu* : 6, 2 ; 19, 6 ; 33, 4 ; 68, 3 ; **78, 2** *Dieu Christ* : 19, 3

tranquillo, -are[2]

So[2] sérénité donnée par : *contemplation de Dieu* : **23, 16[2]**

tranquillus[1]

Su[1] sérénité de : *Dieu* : **23, 16**

transformo[12]

O[1] transformation de : *Dieu Verbe* : 31, 7

So[10] transformation venant de : *contemplation* : 24, 5 ; 25, 5 ; **31, 2** ; **36, 6** ; 57, 11 ; **62, 5[2]** ; **62, 7** ; 67, 8 ; **69, 7**

Su[1] transformé par : *Dieu Époux* : 71, 5

unio, -ire[7]

R[7] unir : *Dieu Père-Fils* : **71, 9** *Dieu-homme* : **71, 5[2]** ; **71, 6** *Dieu-homme (Incarnation)* : 2, 3 ; 6, 6 *Église terre-ciel* : 27, 6

unio, -onis[5]

R[5] union : *Dieu Père-Fils* : **71, 9** ; 71*, 8 *Dieu-homme* : **71, 10[2]** ; 82, 8

unitas[31]

(cf. Vie commune)[8]

R[23] unité de : *Dieu Père-Fils* : 8, 2 ; 20, 9 ; **71[7](6, 7, 8, 9)** ;

71*, 7² ; 71*, 8 *Dieu Père-Fils et Dieu-homme* : 71,7 ; 71,9³ ; 71* ,7 *Dieu-homme* : 71, 7 – 71*, 7⁵

unitio⁴

R⁴ union : *Dieu Père-Fils* : 71,9² ; 71* ,8 *Dieu-homme* : 71,5

vaco²⁰

A⁴ être dénué de sens

G⁵ être vide, manquer : 63,3 ; 75,5 ; 83,3 loisir, quiétude intérieure : 9,9 ; 69,7

O³ vaquer à : *Dieu* : 27,10 *louange divine* : 10,9 *soi-même* : 52,6

Su⁸ loisir, quiétude de : *Bernard* : 22,3 ; 26,6 *Dieu* : 69,7 *Gérard* : 26,6² *ministres de l'Église, supérieurs* : 52,7 ; 53,1 *personnages NT* : 57,10

venia¹⁵

O⁵ pardonner : *péchés* : 16,10 ; 16,11² ; 16,12 ; 83,1

So¹⁰ pardon donné par : *auditeurs* : 38,5 *Dieu* : 11,2 ; 83,4 *Dieu Christ* : 6,5 ; 22,11 ; 32,3 ; 57,11 ; 61,4 ; 75,5 *maîtres* : 4,3

vicissitudo⁹

G¹ variation : 31,1

Su⁸ va-et-vient de : *contemplation-action* : 57,9 ; 58,1 *Dieu Esprit* : 17,1 *Dieu Verbe* : 32,2 ; 74,4 variation en : *Dieu* : 21,6 *Dieu Verbe* : 31,1 ; 81,5

vigil²¹

O⁴ vigilant, attentif à : *salut* : 17,2 *soi-même* : 32,6 ; 48,1 *venue de l'Époux* : 57,1

Su¹⁷ vigilant, attentif : *charité* : 18,4 *contemplation* : 52,3 *Dieu Christ* : 19,3 *Gérard* : 26,4 *ministres de l'Église, supérieurs* : 76,7³ ; 77,2² ; 77,3 ; 78,5 ; 78,6² ; 78,8 ; 79,1 *ouïe* : 28,7 *saints* : 77,4

vigilantia⁴

O³ veiller, être attentif à : *action de grâces* : 13,7 *soi-même* : 56,7 ; 64,6

Su¹ vigilance de : *raison* : 20,4

vigilia¹⁸

(cf. Vie commune)¹⁸

vigilo⁵³

G² veiller, être attentif : 29,2 ; 37,1

O²⁸ veiller, être attentif à : *connaissance* : 36,2 *Dieu* : 69,8² *Écriture* : 70,1 *soi-même* : 9,2 ; 12,9 ; 30,6² ; 32,6² ; 33,11 ; 33,13 ; 42,8 ; 63,1 ; 64,3 ; 64,7 *venue de l'Époux* : 57⁹(1) *venue de l'Esprit* : 17,1 ; 17,2²

Su²³ vigilance de : *auditeurs* : 36,7 ; 37,1 *Bernard* : 81,8 *contemplation* : 23,11 *Dieu* : 23,12 ; 69,8 *Dieu Époux* : 33,2 ; 33,7 ; 52,1 *Dieu Esprit* : 31,5 *mémoire* : 31,10 *ministres de l'Église, supérieurs* : 76⁷(7) ; 77,2² ; 77,3 *personnages NT* : 2,8 *science* : 49,5

visitatio¹³

O² visiter : *enfers* : 75,5 *terre-ciel* : 54,8

Su¹¹ visite de : *Dieu Époux* : 54,7 ; 57,3 ; 57,4 ; 57,5 ; 67,4 *Dieu Esprit* : 17,1 *Dieu*

Verbe : **32,2**[2] ; 32,7 ; **74,8**
Dieu Verbe et Père : **69,6**

visitator[2]

Su[2] **visiteur** : *Dieu Époux* :
54,8 ; **57,5**

visito[27]

O[12] **visiter** : *terre - Incarnation* :
16,2 ; 18,4 ; 20,3 ; 33,4 ;
45,9 ; **54,3**[2] ; 61,4 *terre-ciel* :
54,4 ; **54,5**[2] ; **54,7**

Su[15] **visite de** : *compagnons de*
l'Époux : 9,1 *consolation* :
21,10 ; 21,11 *Dieu Époux* :
23,15 ; 31,5 ; **54,8**[2] ; **57,4**[2]

Dieu Esprit : **17,2** *Dieu*
Verbe : **32,3** ; **74,3** ; **84,3**
grâce : 78,5 *saints et anges* :
7,7

vita spiritualis[3]

G[3] **vie spirituelle** : **16,3** ;
81,4 ; **82,3**

votum (voveo)[29]

(cf. Vie commune)[4]

(cf. Volonté-Affectivité)[20]

G[4] **vœu, prière** : 7,4 ; 13,7 ;
31,5 ; 62,2

Su[1] **vœu, prière de** : *Bernard*
et/ou auditeurs : 59,10

TABLE DES MATIÈRES

I. Quelle âme a le droit de dire : « Mon bien-aimé à moi, etc. », et pour quelle raison. – II. Ce qu'est la venue du Fils et du Père dans une âme. Comment le Père renverse toute hauteur dans sa colère ou dans sa fureur. – III. Le zèle de la charité dans laquelle viennent le Père et le Fils, et leur demeure dans l'âme. A quels signes l'âme s'en aperçoit.

Pour quelle raison l'épouse n'a pu être trouvée dès le commencement, mais seulement après l'inspiration. – III. Il est dit à juste titre que l'épouse a été préparée, non pas trouvée, par Dieu et qu'elle a été trouvée par les veilleurs grâce à cette préparation.

I. Pour quelle raison l'épouse dit : « Avez-vous vu celui qu'aime mon âme ? » Que signifie le fait qu'elle dépasse les veilleurs. – II. Le ciment de l'amour grâce auquel l'épouse tient l'Époux et ne le lâche pas. Pour quelle raison l'épouse se prépare à faire entrer l'Époux dans la chambre de celle qui l'a conçue.

I. Retour à l'exégèse morale. Quelle est l'affinité entre le Verbe et l'âme selon l'image et la ressemblance. – II. Le Verbe possède bien davantage que l'âme. L'âme n'est en aucune manière sa propre droiture ou sa propre grandeur, comme l'est le Verbe. – III. Pour quelle raison l'âme est différente de sa propre grandeur. La simplicité de la nature incréée. – IV. Contre l'erreur de ceux qui disent que la divinité n'est pas Dieu. Condamnation du commentaire de Gilbert de La Porrée sur le traité de Boèce : « La Trinité ».

I. La ressemblance de l'âme avec le Verbe consiste surtout en ceci : pour l'âme, être et vivre sont la même chose, comme pour le Verbe être et vivre heureux. – II. Les diverses sortes de vivants. Pour l'âme seule, être est la même chose que vivre. Ce que l'âme a reçu dans sa création. – III. L'âme est immortelle, mais non comme le Verbe. La triple proximité de l'âme et du Verbe : la simplicité, la perpétuité et la liberté. En quoi consiste la liberté de l'âme. – IV. Comment la liberté de l'âme est livrée à la captivité par le fait du péché. – V. La loi de Dieu et la loi du péché, qui coexistent dans l'âme et dans la volonté.

I. Quelques doutes subsistent encore dans ce qui a été dit. De cette voix adressée à quelqu'un : « Tant que tu garderas cela, tu ne recevras pas autre chose. » – II. La ressemblance de Dieu en l'homme, qui selon certains passages de Écriture semble détruite par le péché, doit être comprise comme étant obscurcie et brouillée, tant pour la simplicité que pour l'immortalité et la liberté. Comment cela se fait. – III. Les maux adventices défigurent les biens naturels de l'âme. De là vient que pour l'homme et pour la bête il n'y a qu'une façon de sortir de la vie comme d'y entrer. En vertu de la ressemblance partielle qu'elle garde, l'âme peut approcher du Verbe.

I. Comment n'importe quelle âme, d'après ce qui a été dit, peut revenir avec confiance au Verbe, pour qu'il la reforme et la rende conforme à lui. – II. Comment le sentiment de l'amour est plus fort que tous les autres sentiments. – III. L'Époux aime le premier et il aime davantage ; pour l'épouse, il suffit qu'elle aime de tout son être.

I. Quel grand bien que de chercher Dieu. L'Époux y prédispose l'âme en la devançant et en lui en inspirant le désir. – II. A quelle âme il appartient de chercher le Verbe. Ce que signifie être cherché par le Verbe. Cette nécessité revient à l'âme, non au Verbe.

I. Pour quelles raisons l'âme cherche le Verbe. Bernard en allègue sept : en premier lieu, la réprimande et la connaissance. – II. Les trois qui poussent l'âme. L'homme doit se garder surtout de soi-même. Ce que c'est que la force. Celui qui espère dans le Christ est tout-puissant. C'est sur le Christ seul qu'il faut s'appuyer pour recevoir de lui la force. – III. Comment nous sommes reformés par le Verbe dans la sagesse. Quelle relation existe entre la sagesse et la force. – IV. Ce que c'est que d'être conformé au Verbe dans la beauté, uni à lui dans un mariage fécond, et jouir de lui dans l'allégresse, autant qu'il est possible en cette vie.

I. Éloge de la réserve qui paraît dans l'épouse. Elle sied surtout aux jeunes gens. – II. Le lieu et le temps favorables à la prière. Comment il faut comprendre le lit et la nuit selon le sens moral.

INDEX

SOURCES CHRÉTIENNES

Fondateurs : † H. de Lubac, s.j.
† J. Daniélou, s.j. ; † C. Mondésert, s.j.
Directeur : J.-N. Guinot
Directeur-adjoint : B. Meunier

Dans la liste qui suit, dite « liste alphabétique », tous les ouvrages sont rangés par noms d'auteurs anciens et titres d'ouvrages anonymes, les numéros précisant pour chacun l'ordre de parution depuis le début de la collection.

Pour une information plus complète, une « liste numérique » est téléchargeable sur le site Internet, à l'adresse suivante : www.sources-chretiennes.mom.fr. Elle présente les volumes et leurs auteurs actuels d'après les dates de publication ; elle indique également les réimpressions et les ouvrages momentanément épuisés ou dont la réédition est préparée.

On peut se le procurer aussi au secrétariat de l'Institut des « Sources chrétiennes », 29 rue du Plat, F-69002 Lyon (Tél. : 0472 777350 et Courriel : sources.chretiennes@mom.fr).

LISTE ALPHABÉTIQUE (1-511)

SOUS PRESSE

Commentaire de la Paraphrase chrétienne du Manuel d'Épictète. M. Spanneut.

LACTANCE, **Institutions divines. Livre VI.** Tome VI. C. Ingremeau.

PHILOXÈNE DE MABBOUG, **Homélies.** 2ᵉ éd. E. Lemoine (†), R. Lavenant.

PROCHAINES PUBLICATIONS

AMBROISE DE MILAN, **Caïn et Abel.** M. Ferrari, L. Pizzolato, M. Poirier.

CLÉMENT D'ALEXANDRIE, **Le Salut du riche.** P. Descourtieux, C. Nardi.

CLÉMENT D'ALEXANDRIE, **Stromate III.** A. Le Boulluec, C. Mondésert (†).

[ÉVAGRE LE PONTIQUE], **Chapitres des disciples d'Évagre.** P. Géhin.

GRÉGOIRE LE GRAND, **Homélies sur l'Évangile. Livre II.** Tome II. R. Étaix (†), B. Judic, C. Morel (†).

HILAIRE DE POITIERS, **Commentaire sur les Psaumes.** P. Descourtieux.

JEAN CHRYSOSTOME, **Discours contre les juifs.** R. Brändle, W. Pradels.

JEAN CHRYSOSTOME, **Lettres d'exil.** R. Delmaire, A.-M. Malingrey (†).

JEAN DE BOLNISI, **Homélies.** S. Verhelst.

NICÉPHORE BLEMMYDÈS, **Traités.** M. Stavrou.

NIL D'ANCYRE, **Commentaire sur le Cantique.** Tome II. M.-G. Guérard.

ORIGÈNE, **Exhortation au martyre.** C. Morel (†), C. Noce.

SOZOMÈNE, **Histoire ecclésiastique, Livres VII-IX.** Tome IV. L. Angliviel de la Baumelle, A.-J. Festugière (†), B. Grillet, G. Sabbah.

TERTULLIEN, **Le Manteau.** M. Turcan.

THÉODORET DE CYR, **Sur la Trinité et Sur l'Incarnation.** J.-N. Guinot.

RÉIMPRESSIONS EFFECTUÉES EN 2006

LES ŒUVRES DE PHILON D'ALEXANDRIE
publiées sous la direction de
R. ARNALDEZ, C. MONDÉSERT, J. POUILLOUX.
Texte original et traduction française

Cet ouvrage
a été achevé d'imprimer
en février 2007
par l'Imprimerie Floch
53100 – Mayenne

Dépôt légal : février 2007
N° d'imprimeur : 67568
N° d'éditeur : 14158